La enseñanza en el aula bilingüe

La enseñanza en el aula bilingüe

Content, language, and biliteracy

Sandra Mercuri

Sandra Musanti

con Alma Rodríguez

CASLON

Philadelphia

Acknowledgments

Este libro está especialmente dedicado a todos los maestros que nos enseñaron y que nos motivaron con su pasión y compromiso por la educación bilingüe y a todos los futuros docentes que nos inspiraron y nos desafiaron a seguir adelante.

This book is also dedicated to the administrators who opened the schools and who engage with us in critical conversations about biliteracy development for bilingual students. And, most importantly, this book is for all bilingual learners who make our work worthwhile.

For Freddy, for his unconditional love and support.

Sandra Mercuri

For Billy, my husband, who is always my bigggest fan y para mi mamá que me inspiró a ser maestra.

Sandra Musanti

For my husband, daughters, and parents for their constant encouragement and support.

Alma Rodríguez

Caslon, Inc.
825 N. 27th St.
Philadelphia, PA 19130
caslonpublishing.com

9 8 7 6 5 4 3 2 1

Library of Congress Control Number: 2020951242

Publisher's Cataloging-in-Publication data

Names: Mercuri, Sandra Patricia, author. | Musanti, Sandra, author. | Rodríguez, Alma, author.
Title: La enseñanza en el aula bilingüe : content , language , and biliteracy / Sandra Mercuri; Sandra Musanti; con Alma Rodríguez.
Description: Includes bibliographical references and index. | Philadelphia, PA: Caslon, Inc., 2021.
Identifiers: LCCN: 2020951242 | ISBN: 9781934000434 (pbk.) | 9781934000441 (ebook)
Subjects: LCSH Education, Bilingual. | Bilingualism. | Education, Bilingual—United States. | Bilingualism—United States. | English language—Study and teaching—Spanish speakers. | English language—Study and teaching—Foreign speakers. | Spanish language—Study and teaching— English speakers. | BISAC EDUCATION / Bilingual Education | EDUCATION / Teaching Methods & Materials / General | EDUCATION / Professional Development | FOREIGN LANGUAGE STUDY / Spanish | FOREIGN LANGUAGE STUDY / English as a Second Language
Classification: LCC LC3715 .M47 2021 | DDC 370.117—dc23

Cover photograph: teachers and children in class, by Monkey business, from Adobe Stock, #66535514.
Cover and interior: abstract circle graphic, by antishock, from Adobe Stock, #40297755.
Printed in the United States of America.

Foreword

Kathy Escamilla
University of Colorado, Boulder

During the past 15 years, it is likely that no concept in the field of bilingual/dual language education has garnered so much excitement, consternation, confusion, and misunderstanding as the concept of translanguaging. Translanguaging is a term coined by Cen Williams in 1994 in Wales and subsequently popularized by Ofelia García and others in the U.S. Williams (1994) briefly defined translanguaging as the role that one language plays in the development of another. He believed that learners' one language can be used beneficially in the acquisition of another language. García (2012) added that translanguaging opposed dividing a user's linguistic resources into separate linguistic entities and argued for a unified linguistic mechanism, termed a 'repertoire.' In current educational discourse in bilingual/dual language communities, translanguaging has become a buzz word.

Despite the excitement about translanguaging, there are still many questions about the concept and its potential applications in bilingual/dual language classrooms. Similarly, there is still a dearth of research on how translanguaging can be used as a tool to support and enhance learning opportunities and experiences for emerging bilingual learners in U.S. schools. Important questions remain unanswered including: In what ways can translanguaging assist in the dual language acquisition of emerging bilingual learners or serve as a tool to develop biliteracy? Can strategic translanguaging enhance, accelerate, and deepen content area learning of emerging bilinguals? How can important concepts about translanguaging be incorporated into pre-service and in-service programs for teachers?

La enseñanza en el aula bilingüe: Content, language, and biliteracy by Sandra Mercuri and Sandra Musanti with Alma Rodríguez makes an important contribution to addressing some of the lingering questions about translanguaging as applied in bilingual/dual language school programs. For starters, it is the first book I have come across that is written using a translanguaging mode of communication by applying a time-honored translanguaging strategy known as preview/view/review (Jacobson, 1990). Preview/view/review (PVR) allocates two languages strategically to provide opportunities for learners of varying language proficiencies to engage collectively in learning new content. Briefly defined, PVR is a bilingual lesson strategy that provides an overview of a lesson in one language (e.g., Spanish), then the main body of the lesson in a second language (e.g., English), and finally a review of the lesson in the first language. PVR has been used in bilingual/dual language elementary classrooms for over 40 years, however; this book provides an opportunity to apply PVR translanguaging strategies to teacher education and teacher in-service professional development in new ways, thereby deepening teacher knowledge and ability to apply the strategy in classrooms. PVR provides many potential learning opportunities in one setting, including language learning, content learning, and opportunities in real contexts to engage in dialogues and discussions using translanguaging as the vehicle for communication and learning, especially in heterogeneous groups of students and teachers.

In this book, each chapter starts out by defining chapter objectives *in Spanish*, followed by an introduction to the chapter *in English* (preview), the main text of the chapter *in Spanish* (view), and the review of the chapter *in Spanish* (review). Most importantly, each chapter ends with applications for pre-service teachers and in-service teachers, offered *in Spanish* and application suggestions for administrators offered *in English*. The preview/view/review organization provides, for bilingual/dual language programs, opportunities for teachers and others to read in Spanish. Such opportunities are not often available to bilingual/dual language teachers. As a text in a teacher education or a professional development PLC, the book provides those educators who are just learning either Spanish or English entry-points to enrich and practice language in authentic situations, and invites all readers to use both Spanish and English as scaffolds to language development. The book offers all readers the opportunity to utilize their entire linguistic 'repertoire' (Garcia, 2012) to engage in learning the content and strategies suggested by the author.

La enseñanza en el aula bilingüe, as written, offers a concrete example of translanguaging that can serve as a model in professional development sessions and college classrooms. The book shows teachers how translanguaging strategies can be used to engage heterogeneous groupings of students in classrooms—and teachers in professional development sessions—with varying degrees of language proficiency and content knowledge in two languages. The field has been clamoring for professional material that models translanguaging for years.

In addition to the innovative use of language in the book, Mercuri and Musanti with Rodriguez tackle complex issues of language and content area teaching in bilingual and dual language classrooms that are only superficially addressed in other texts. The authors do not casually toss out terms assuming that the reader will know what they are referring to. Rather, they carefully define terms in ways that both reinforce and expand current usage in the field and in bilingual/dual language classrooms. The authors have also coined terms, in Spanish, that have previously not been commonly used in Spanish and seem to invite the reader to agree or disagree with their reconceptualizations of these terms from one language to another. These include terms like "long term English learner" (*aprendices de inglés a largo plazo)*, "anchor chart" (*cartel didáctico*), "experienced bilinguals" *(bilingües experimentados*) and "spiral or recursive instruction" (*enseñanza espiralada*).

An example of this specificity of definition is also seen in the way the authors describe and model strategies and approaches in the chapters on content and literacy teaching. The book advocates for the integrated teaching of language and content simultaneously through the utilization of interdisciplinary and thematic teaching. While thematic and integrated teaching are time-honored and well-regarded approaches to teaching in bilingual/dual language programs, this book complements and expands current understanding with attention to interdisciplinary teaching in ways that also address specific content standards, concepts, and discourse of a particular discipline.

Without privileging academic language as a superior register in either Spanish or English, Mercuri and Musanti with Rodríguez emphasize the need to develop academic language in the content areas using the following definition:

. . . because academic language conveys the kind of abstract, technical, and complex ideas and phenomena of the disciplines, it allows users to think and act, for example, as scientists, historians, and mathematicians. Thus, academic

language promotes and affords a kind of thinking different from everyday language (Gottlieb & Ernst-Slavit, 2014, p. 4-5).

Further, each content area demands that students develop knowledge of how to produce a variety of products that are content-specific but somewhat different across two languages, thereby making the development of content-specific academic language even more critical in bilingual/dual language programs. This approach to academic language teaching in the content areas also expands current approaches that are, at times, heavily focused on the teaching of technical vocabulary. In this book, approaches to teaching academic language in content areas include analysis of text or discourse structures related to each content area, analysis of syntax or the way the field organizes its disciplinary discourse, and analysis of word-level vocabulary.

La enseñanza en el aula bilingüe also addresses the teaching of literacy and biliteracy in bilingual/dual language classrooms in a broad and comprehensive way that challenges current trends that advocate that elementary teachers reduce (bi)literacy teaching to narrowly teaching children phonics and decoding. Included in the discussion of strategies for the teaching of language and literacy in biliterate classrooms are entire chapters devoted to the teaching of oracy, writing, and metalinguistic development. Unlike other books, the authors are firm in their belief that developing biliteracy in bilingual/dual language classrooms is an act of social justice. As with other chapters, the chapters related to language and literacy teaching propose to teach (bi)literacy in an integrated holistic way that includes translanguaging and explicit teaching of cross-language connections.

In order to illustrate concrete and practical applications of their proposed strategies and approaches, Mercuri and Musanti with Rodríguez identified eight teachers at various levels from grades K-5 and in various program models including late exit bilingual, 50/50 dual language and 90/10 dual language. Further, for each teacher, the authors provide at least four profiles of emerging bilingual students in these teachers' classes to illustrate the range of student diversity in bilingual/dual language classrooms. In each chapter and for each content area, the authors identify and discuss ways that teachers can apply the strategies for teaching content and language that are intended to include, motivate and challenge the diverse students that populate these classes. In this way, the book matches translanguaging approaches and other methods to students, teachers, and grade levels. The book is replete with concrete applications which readers of the book will find useful and immediately applicable to their own contexts and communities.

Finally, *La enseñanza en el aula bilingüe* adds new knowledge to the field about language and content teaching in bilingual/dual language classrooms in a way that demonstrates the potential of translanguaging pedagogy while at the same time addressing some of the continuing uncertainty and confusion in the field about the concept. The book emphasizes and illustrates that translanguaging is neither concurrent translation nor the random use of two languages, thereby allaying some of the fears in the field of a haphazard approach to language planning. Through its precise definitions of terms and its multiple examples, the book demonstrates that translanguaging is an intentional and planned pedagogy designed to enhance and develop language and literacy in two languages in emerging bilingual children. It is not random or unplanned. Rather than positioning translanguaging as effective or ineffective or positive or negative, as is often done in current bilingual/dual language discourse, the book avoids this false binary by illustrating concretely under what conditions, for what purposes and with whom several proposed translanguaging approaches may be effective for both teachers and students. There is much in this book for teachers and administrators in bilingual/dual language schools as they strive to enhance classroom instruction and programmatic coherence. There is also much in the book for translanguaging scholars to learn from and study that can help them to hone in on and further develop schoolbased translanguaging pedagogies.

References

García, O. (2012). Theorizing translanguaging for educators. In C. Celic & K. Seltzer (Eds.), Translanguaging: A CUNY-NYSIEB guide for educators (pp. 1–6). Retrieved from http://www.nysieb.ws.gc.cuny.edu/files/2012/06/FINALTranslanguaging-Guide-With-Cover-1.pdf.

Gottlieb, M., & Ernst-Slavit, G. (2014) *Academic language in diverse classrooms: Definitions and contexts*. Thousand Oaks, California: Corwin.

Jacobson, R. (1990). Allocating two languages as a key feature of a bilingual methodology. In R. Jacobson & C. Faltis (Eds.). *Language distribution issues in bilingual schooling*. Clevedon: Multilingual Matters.

Williams, C. (1994). "Arfarniad o Ddulliau Dysgu ac Addysgu yng Nghyd-destun Addysg Uwchradd Ddwyieithog." [An Evaluation of Teaching and Learning Methods in the Context of Bilingual Secondary Education]. Unpublished Doctoral Thesis., University of Wales, Bangor.

Preface

La enseñanza en el aula bilingüe: Content, language, and biliteracy by Sandra Mercuri and Sandra Musanti with Alma Rodríguez responds to the demand for bilingual education books and resources for teachers that are developed and written in Spanish, not translated from English. The increasing numbers of dual language bilingual programs across the United States—serving diverse bilingual learners from Spanish-speaking, English-speaking, and bilingual homes and communities— require strong bilingual teachers who know how to teach content and language for biliteracy, particularly using Spanish as the medium of instruction. Many pre-service and practicing elementary teachers also need opportunities to strengthen their own academic Spanish and biliteracy so that they can confidently use oral and written Spanish in their classrooms and with their colleagues for professional purposes. As teacher educators, we understand these not only as pedagogical needs but also as a matter of equity for bilingual teachers who are learning to teach in bilingual classrooms.

La enseñanza en el aula bilingüe is written primarily in Spanish. This book prepares elementary bilingual education teachers to teach bilingually in the content areas, with a strong focus on equity and social justice. Our work shows pre-service and practicing bilingual teachers how to embrace bilingualism as the norm instead of as an exception, enact a positive orientation toward languages other than English, adopt a student-centered approach to teaching, and create equitable opportunities that level the playing field, especially for bilingual learners from minoritized backgrounds. Pre-service and practicing bilingual teachers will be able to:

- Explain how diverse bilingual learners learn content through two languages at school.
- Identify and build on the content, language, and biliteracy resources and assets that bilingual learners bring with them to the classroom.
- Use an interdisciplinary biliteracy framework to design instruction that targets high content and language standards, goals, objectives, and outcomes.
- Choose content, language, and biliteracy instructional and assessment strategies that leverage student bilingualism for learning.
- Tap into students' complex linguistic repertoires to develop and extend their language practices in oral and written Spanish and English.

As pre-service and practicing bilingual teachers read, write, and talk about *La enseñanza en el aula bilingüe* primarily in Spanish—leveraging all of their bilingual resources and cultural funds of knowledge for learning— they strengthen their academic Spanish and biliteracy.

Interdisciplinary biliteracy

La enseñanza en el aula bilingüe emphasizes the notion of interdisciplinary biliteracy and contributes to our understanding of the interdependency of language, content, and biliteracy in bilingual instruction. Mercuri & Musanti (2018) develop the concept of *interdisciplinary biliteracy*, which is defined as ". . . a dynamic and holistic process in which literacy practices are intertwined and are enacted across content areas" (p. 36). Teachers who teach for interdisciplinary biliteracy create opportunities for students to use oral and written Spanish and English like scientists, mathematicians, and social scientists who work together to solve real-world problems. When planning for interdisciplinary biliteracy teachers design instruction that integrates content, language, and biliteracy, affording students access to content knowledge through the use of their complete and fluid linguistic repertoire. Our work on interdisciplinary biliteracy builds on the biliteracy theories and research of Hornberger (2003) and Escamilla et al (2014), which both reflect a holistic view of biliteracy with a focus on Spanish and English side-by-side, not in isolation.

An important vehicle for our work is the interdisciplinary biliteracy planning framework that integrates macrostructures and microstructures. We use the term *macrostructure* to refer to the unit plan level, where teachers map the intersection of language, literacy, and content across disciplines and languages. We use the term *microstructure* to refer to the lesson planning level, where teachers choose strategies that facilitate students' content learning through reading, writing, talking, and thinking in Spanish and English. *La enseñanza en el aula bilingüe* shows teachers and teacher educators how to plan, implement, evaluate, and strengthen interdisciplinary instruction for the diverse bilingual learners in their classes.

We created an interdisciplinary biliteracy planning template that we use to showcase complete examples of instruction and assessment from bilingual classes across elementary grade levels, in different types of dual language programs and serving different populations. For example, we demonstrate interdisciplinary biliteracy planning through a macrostructure titled *Explorando nuestro ambiente,* which includes a series of microstructures for a second-grade class in a one-way dual language bilingual program, as well as a macrostructure titled *Una mirada crítica al encuentro de dos mundos,* which is organized in three mini units and a series of microstructures for a fourth-grade class in a two-way dual language bilingual program. We also provide many classroom examples of strategies that teachers can use to teach content, language, reading, and writing for biliteracy in any bilingual classroom. We include a step-by-step guide that shows teachers how to use the flexible interdisciplinary biliteracy planning template to teach for authentic interdisciplinary biliteracy in their bilingual classes. Teachers can find a blank template in the Appendix.

The concrete examples of bilingual classrooms together represent the range of bilingual classrooms, teachers, and students that we are likely to find in Spanish-English bilingual elementary schools in the United States today, and they bring our work to life. We created composite profiles of eight bilingual teachers and their diverse bilingual learners that are inspired by several decades of our combined experiences in research and practice with outstanding educators in the bilingual education field. We feature examples of concrete classroom practices to show how teachers can target high standards, goals, and objectives across content areas in Spanish and English for bilingual learners, identify the linguistic and cultural assets that students bring with them to school, tap into those resources, and leverage student bilingualism for learning.

A translanguaging mindset

The term "translanguaging" refers to the dynamic ways in which bilingual and multilingual individuals use their complex linguistic systems to negotiate meaning and communicate with other people, in different contexts, for different purposes. In Ofelia García's (2009) words,

Translanguaging is the act performed by bilinguals of accessing different linguistic features or various modes of what are described as autonomous languages, in order to maximize communicative potential (p. 140).

The bilingual classrooms that we include throughout the book feature students who bring a wide range of expertise in oral and written Spanish and English to the classroom.

Historically, bilingual educators have implemented dual language programs in ways that maintain a strict separation of the two languages, reflecting an assumption that languages are separate and separable. Further, bilingual learners in traditional two-way dual language programs are often defined as either *English-dominant* or *Spanish-dominant*, which hides the dynamic linguistic repertoires that bilingual learners bring with them to school. Traditional dual language policies and language allocation plans generally articulate which subjects are taught in which languages and for how long. Many official and unofficial dual language policies call for teachers and students to speak and only be spoken to in Spanish during Spanish time and in English during English time, with more flexibility at the younger grades when students are just beginning to learn one of the languages as a new language. Although there is very little research on language allocation, language use, language learning and teaching, and language outcomes in dual language programs, traditional dual language programs suggest that the strict separation of languages is a defining feature of effective dual language education. In fact, at the time of this writing it is not uncommon to see pushback or resistance from dual language educators to the notion of translanguaging, because it threatens the separation of languages that has characterized dual language education for decades.

However, recent developments in our understanding of educating bilingual learners reflect a dynamic, holistic notion of bilingualism (García et al, 2017) where students and teachers are encouraged to bring their languages together for learning. Bilingual teachers today are encouraged to start their work by identifying what students can do with all of the languages in their linguistic repertoire, and then drawing on those language resources to structure content and language learning. Bilingual teachers and learners bring a wide range of expertise in oral and written Spanish and English, and together create the complex spaces of a bilingual classroom. This book shows teachers how to design and navigate those spaces in ways that encourage students to draw on their strengths (e.g., content knowledge, oral language in Spanish) to learn academic content and language in both Spanish and

English. Biliteracy is an important goal and outcome of dual language bilingual programs, and teachers include assessment of content, language, and biliteracy as an integral part of their interdisciplinary instruction. This dynamic context — where teachers and students draw on their languages in strategic ways to learn — reflects and builds on the actual language practices used by bilingual learners in their everyday lives.

This dynamic bilingual mindset challenges traditional notions of languages as separate and separable. Our work intentionally brings translanguaging to the dual language bilingual education field in ways that do not threaten the integrity of dual language programs. We believe that dual language educators can target high standards, goals, objectives, and outcomes for oral and written Spanish and English without requiring a strict separation of Spanish and English at all times. We encourage dual language educators to bring the two languages together purposefully and strategically, for example, to engage with complex content and texts, to build general language practices for academic purposes, and for contrastive analysis of the two languages, which builds metalinguistic awareness. We also encourage all educators who work with bilingual learners to gather evidence of students' content learning, language use, and biliteracy development, and to use that evidence to guide instruction, program and professional learning, and advocacy.

Teachers with a translanguaging mindset don't close their eyes to the rich linguistic diversity in the classroom or require all students to speak and be spoken to only in the official language of instruction. This strict separation of languages is inequitable because it does not allow students to draw on everything they know and can do in both languages. Rather, teachers can use translanguaging to level the playing field, creating spaces for students to tap into their full linguistic repertoires for academic purposes.

Purposeful and strategic use of Spanish and English

La enseñanza en el aula bilingüe engages teachers with translanguaging as they learn how to teach in the bilingual classroom. Like their students, teachers bring a wide range of expertise in oral and written Spanish and English to the learning opportunity. We encourage teachers to draw on all of their linguistic resources to maximize their communicative potential. When bilingual teachers are given opportunities to learn using bilingual materials in an environment that privileges Spanish, they experience firsthand how students use two languages to learn content. Furthermore, through their academic experiences using Spanish for academic purposes, teachers also strengthen their oral and written academic Spanish. Our purposeful and strategic use of translanguaging is intended to honor the discursive repertoire of our readers, individually and collectively.

This book exemplifies some of the rich language variation that we find in today's American classrooms. We wrote the book using a Mexican variety of Spanish to acknowledge that most of the students from Latino backgrounds who we serve in American schools come from Mexico or are of Mexican descent, especially in southern Texas and along the border where all three authors have worked and lived. Furthermore, one of the co-authors of the book speaks, reads, and writes Mexican Spanish. Our writing is also influenced by the Argentinian variety of Spanish spoken by the other two co-authors. And of course, our writing is influenced by the varieties of Spanish spoken in the United States which bring to life the linguistic repertoires of the students we serve.

Our use of Spanish and English in the book reflects our translanguaging mindset as the book flows from Spanish to English while privileging Spanish as the language of reading, writing and learning. We purposefully elevate the status of the Spanish language, bilingual students, and bilingual teachers—in bilingual curriculum, instruction, and assessment—as part of the fight for educational equity for diverse bilingual learners in an educational landscape that is dominated by English. This bilingual education textbook, written primarily in Spanish, challenges the dominance of English and English speakers in the professional learning of bilingual teachers.

We use translanguaging purposefully to engage teachers and teacher educators with the book in several different ways. For example, this Preface is written in English in order to facilitate access to the book's content for K-12 and university administrators who may only read in English so they can make decisions about books used in their programs, even when the book is primarily in Spanish. Our use of English in the Preface also provides greater access to pre-service and practicing bilingual teachers whose literacy practices at school have predominately been in English. For bilingual readers, the use of English in this Preface might connect with and activate background knowledge about teaching and learning that they may have learned already, largely in English.

Beyond the Preface, the book is written primarily in Spanish. We also use translanguaging intentionally in each of the chapters in these ways:

- Inspired by the Preview-View-Review strategy (Mercuri, 2015) used by many bilingual teachers to support students' learning, and to capitalize on readers' familiarity with reading academic texts in English, we open each chapter with a brief introduction in English (preview) that lays out the big ideas presented in the chapter. Then, the content of the chapter is presented in Spanish (view). Finally, the chapter closes with a summary of content (review) in English.
- We use Spanish and English purposefully in the Practical Applications at the end of each chapter. Because we want to include administrators who may not speak Spanish, the administrator activities are in English. And, since we assume that all of the teachers reading this book are bilingual, the activities for preservice and practicing teachers are written in Spanish. The Practical Applications provide opportunities for teachers to use their strengthening oral and written Spanish to learn and apply chapter content.
- We use translanguaging to support access to critical content through the use of bubbles or sidebars that define, explain, or extend concepts in English along the margins. These translanguaging bubbles are intended to provide clarification or elaboration in English of important ideas presented in Spanish, thus providing access to meaning, establishing connections between concepts in both languages, and facilitating the transfer of academic concepts from one language to the other. We also use translanguaging bubbles for direct quotes from academic texts written in English, which provide important intertextual links between this text and what readers may be reading about in other education courses.
- We use translanguaging to make connections at the word level by providing the English version (in *italics*) of key terminology when the English term is likely more familiar than the Spanish term (in **bold**). We also include a bilingual

glossary with translations of each term into English and definitions of those terms in Spanish.

In sum, our use of Spanish and English throughout this book is intended to support bilingualism and biliteracy development for bilingual students and their teachers.

Overview of the book

La enseñanza en el aula bilingüe offers a foundation for teaching content, language, and biliteracy in diverse Spanish-English bilingual classrooms, as well as step-by-step guidance on interdisciplinary biliteracy instruction and assessment at the classroom level.

The book includes nine chapters. Chapter 1 starts with bilingual classroom contexts, with attention to the linguistic and cultural diversity of bilingual learners, language ideologies, types of bilingual programs, and profiles of specific bilingual classrooms we find in practice. Chapter 2 explains dynamic bilingualism, which grounds the integrated approach to teaching, language, content, and biliteracy that we take in this book. Readers can apply what they learn from these first two chapters to examine how contexts, ideological beliefs, and theories shape bilingualism and education in their own classrooms.

The book describes bilingual practices in elementary bilingual classrooms, as enacted by teachers and their students. Chapter 3 introduces our framework for interdisciplinary biliteracy and provides step-by-step guidance on how to use the interdisciplinary biliteracy template for planning purposes. Chapters 4 to 8 include a wide range of practical strategies that bilingual teachers can adapt and use in their classrooms to reach all content, language, and biliteracy goals for their bilingual learners. Chapter 4 focuses on content learning; Chapter 5, on academic language development and use; Chapter 6, on bilingual reading; Chapter 7, on bilingual writing; and Chapter 8, on content, language, and biliteracy assessment. Chapter 9 pulls it all together with a concrete example of an interdisciplinary macrostructure that includes instruction and assessment strategies for content, language, and biliteracy.

Índice de contenidos

CAPÍTULO **3**

Integración curricular
Interdisciplinary planning for biliteracy   51

CAPÍTULO **4**

La enseñanza del contenido en el aula bilingüe
Contextualizing instruction   80

CAPÍTULO **5**

El lenguaje para el aprendizaje académico

Learning language through content   112

CAPÍTULO **6**

Biliteracidad interdisciplinaria

Reading in the bilingual classroom   142

CAPÍTULO **7**

Biliteracidad interdisciplinaria
Writing in the bilingual classroom   170

CAPÍTULO **8**

La evaluación del aprendizaje
An integrated approach   199

CAPÍTULO **9**

Biliteracidad académica
Interdisciplinary planning   223

La enseñanza en el aula bilingüe

1

Even though Spanish runs through my heart, English rules my veins. (Antonio, US Latino bilingual student, in García, 2014, p. 111)

Los contextos de la enseñanza bilingüe hoy
Context matters

Objetivos

- Describir las características de los estudiantes bilingües de los Estados Unidos.
- Analizar la importancia de considerar las diferencias culturales y lingüísticas de los alumnos bilingües.
- Explicar de qué manera influyen en la experiencia escolar de los alumnos bilingües las diferentes perspectivas acerca del bilingüismo.
- Identificar y comparar los tipos de programas educativos que se ofrecen a los estudiantes bilingües en los Estados Unidos.

This chapter explores different contexts of bilingual education in the United States today as a foundation for teachers' reflection on their specific bilingual classroom contexts. We highlight key changes in demographic, sociopolitical, and educational orientations that have important implications for bilingual teaching and learning in the classroom.

First we discuss bilingual learners' cultural and linguistic profiles, with attention to the implications of the different labels used to classify them. We recommend the use of more flexible views of bilingual learners that capture the variation we find in their lived experiences and that make visible their home language and cultural practices. As we emphasize throughout this book, when teachers understand that bilingual students have the right to use their full linguistic repertoire for learning, they can better create equitable, engaging, and enriching learning opportunities for all students.

Next we discuss how different ideological perspectives on language have framed educators' understanding of educational opportunities for bilingual learners in the United States. Although we still see widespread evidence of deficit views of bilingual learners in educational programs that push students toward monolingualism in English as quickly as possible, we increasingly find classrooms and programs that view students' home languages and cultural practices as resources to develop and that focus on academic achievement, biliteracy, and social justice. We briefly review and critique the different types of programs in practice today, while arguing for a holistic and dynamic view of the bilingual classroom that reflects recent developments in the field. We also emphasize our strong orientation toward languages as resources to develop and as basic human rights for minority students and communities.

The last part of the chapter makes these notions concrete so that teachers can apply what they learn to their own contexts. We introduce diverse bilingual classrooms, students, and teachers that are featured throughout the book, and we recommend the types of information that teachers should collect about the students in their own bilingual classrooms. Using these bilingual classrooms to ground the work, we show teachers how to provide bilingual learners with equitable educational opportunities that leverage their bilingualism to promote biliteracy and academic achievement at the classroom level.

Los alumnos bilingües de los Estados Unidos

In fall 2016, the percentage of public school students who were ELLs was 10 percent or more in nine states, most of which are located in the West: Alaska, California, Colorado, Florida, Kansas, Nevada, New Mexico, Texas, and Washington (*National Center for Education Statistics*, 2019, pp. 56–57).

En los últimos veinte años, en los Estados Unidos la población de estudiantes bilingües, que suelen ser identificados oficialmente al ingresar a la escuela como estudiantes que aprenden inglés o aprendientes de inglés —*English language learners (ELLs)*—, ha crecido un 169%, mientras que la población general de estudiantes desde kindergarten al duodécimo grado ha crecido solo el 12% (Batalova y McHugh, 2010; Ruiz-Soto et al., 2015). *The National Center for Education Statistics* (2019) indica que el 26% de los alumnos de las escuelas públicas se identifican como hispanos o latinos y la mayoría de los estudiantes inmigrantes y de la población de estudiantes bilingües es hispana, indicando que más del 75% habla español en casa. De acuerdo con un reporte del *Migration Policy Institute*, el 71% de todos los estudiantes bilingües en las escuelas de los Estados Unidos hablan español (Ruiz Soto et al., 2015). Es decir, muchos de estos niños se comunican y aprenden usando dos idiomas tanto en la escuela y el hogar como en otros contextos. A estos niños se los ha comenzado a identificar como **estudiantes bilingües** —*bilingual learners*—.

Los estudiantes bilingües se concentran en diferentes áreas de los Estados Unidos, con un crecimiento especialmente marcado en algunos estados que históricamente no registraban porcentajes significativos de aprendientes de inglés como segunda lengua, como por ejemplo Nebraska (Office of English Language Acquisition [OELA], 2015). En estados como California, Nevada, Texas y Nuevo México, el porcentaje de estudiantes clasificados como *ELLs* o aprendientes de inglés es muy significativo. El informe sobre la condición de la educación en los Estados Unidos indica que en 2016 California reportó el porcentaje más alto de *ELLs* en el alumnado de escuelas públicas, con 20%, seguido por Texas (17%) y Nevada (16%) (McFarland et al., 2019).

En la actualidad, la mayoría de los alumnos identificados por el sistema educativo como *ELLs* son estudiantes bilingües nacidos en los Estados Unidos. Estos alumnos se diferencian también en cuanto a la manera en que han desarrollado el bilingüismo. Recientemente se ha comenzado a diferenciar entre alumnos **bilingües secuenciales** —*sequential bilinguals*— y **bilingües simultáneos** —*simultaneous bilinguals*— dado que esto tiene implicaciones importantes en la enseñanza. Los alumnos bilingües secuenciales han sido expuestos a dos lenguajes a la edad de 5 años o más tarde (Baker y Wright, 2017), es decir, que primero desarrollaron el lenguaje de su hogar y luego tuvieron oportunidad de desarrollar uno o más lenguajes que se integran a su repertorio lingüístico. Sin embargo, la realidad de las escuelas de hoy en los Estados Unidos es que la mayoría de los estudiantes bilingües pueden definirse como alumnos bilingües simultáneos, es decir, aquellos que viven en hogares donde se usan dos lenguajes y han sido expuestos a dos lenguajes desde temprana edad (0-5 años).

Los perfiles lingüísticos de los alumnos bilingües

Las características de los estudiantes bilingües varían de acuerdo con una multiplicidad de factores, como el país de origen (nacidos o no en EE. UU.), las razones de su inmigración (refugiados o voluntarios), el nivel socioeconómico de la familia, el lenguaje que hablan en el hogar, su dominio del idioma inglés y el tipo de escolaridad que han recibido, entre otros.

Podemos identificar tres grandes perfiles de estudiantes, en términos de las características de su bilingüismo y el momento de su desarrollo:

- Alumnos **bilingües emergentes** —*emergent bilinguals*— de hogares que hablan español y que están comenzando a aprender inglés. Estos estudiantes también pueden diferenciarse según la escolaridad recibida, como recién llegados con educación formal adecuada o inadecuada. Por ejemplo, Mario es un niño colombiano de ocho años que ha llegado al país hace un año con sus padres. Mario y su familia hablan español en su casa y ahora Mario está comenzando a aprender inglés en la escuela y con sus amigos, con quienes se comunica con efectividad cuando lo necesita, es decir, está desarrollando su bilingüismo en forma secuencial. En Colombia, Mario recibió educación formal hasta segundo grado. Al ingresar a la escuela, ya en los Estados Unidos, Mario fue evaluado para identificar su nivel de inglés y recibió la clasificación de aprendiente de inglés —*English language learner (ELL)*—, además de recién llegado —*newcomer*— con escolaridad adecuada. Es decir, que ingresa a su grado con un nivel de escolaridad —recibido en el idioma de la casa— apropiado o esperado para su edad. En el caso de Juana, quien también está identificada como *ELL* y recién llegada, la situación es diferente. Juana vivió alternativamente con su abuela, en una zona rural de México, y con su madre, en la ciudad, y su escolaridad fue interrumpida varias veces debido a estos cambios de residencia. Al ingresar a tercer grado, su escolaridad previa es identificada como inadecuada.
- Alumnos bilingües emergentes de hogares que hablan inglés y que están comenzando a aprender español. Estos niños también son identificados como bilingües secuenciales, aunque estén en tercer grado, dado que han comenzado a aprender español cuando ingresaron a primer grado. Por ejemplo, Morgan es hija de padres profesionales anglosajones que viajan mucho a países de Sudamérica por trabajo y quieren que su hija sea bilingüe. Sus padres dicen que saben "algo" de español, pero que en la casa hablan en inglés. Morgan se comunica con algunos de sus pares que hablan el español, pero le cuesta aún participar oralmente en la clase, aunque parece comprender todo lo que la maestra dice durante los momentos de enseñanza en español.
- Alumnos bilingües simultáneos provenientes de hogares bilingües, donde se hablan los dos lenguajes. Elena nació en los Estados Unidos y habla español con su madre mexicana y su familia y se comunica en inglés con su papá y con sus abuelos paternos cuando los visita. Elena ha aprendido a comunicarse en los dos lenguajes desde pequeña y transita de uno a otro sin dificultad, adecuándose al destinatario. También encontramos a Tamara, que habla en

español con su abuela, con quien pasa la mayor parte del tiempo, dado que su madre y su padre trabajan todo el día. Sin embargo, con sus padres, Tamara habla inglés. Ella parece más cómoda o dispuesta a hablar en inglés, pero se comunica efectivamente con algunos de sus compañeros que hablan solo español. Tanto Elena como Tamara podrían clasificarse como **bilingües experimentados** —*experienced bilinguals*— (García et al., 2017, p. 2), dado que tienen un desarrollo avanzado, aunque no equivalente, de la competencia comunicativa en ambos lenguajes.

Como explican García et al. (2017), en los Estados Unidos las escuelas deben considerar la variación en los perfiles lingüísticos de los alumnos bilingües, en vez de restringir la categorización de estos alumnos a aprendientes de inglés o *ELLs*.

Las implicaciones de la clasificación de los alumnos bilingües. Tradicionalmente se ha definido e identificado a los alumnos bilingües de los Estados Unidos como:

English learner (EL) o *English language learner (ELL)*, dos términos que definen al estudiante como aprendiente de inglés.
Limited language proficiency (LLP) o *limited English proficiency (LEP)*, dos términos que ponen énfasis en la limitación de la **competencia lingüística** —*language proficiency*—.

El elemento común de todas estas denominaciones es el énfasis en que estos estudiantes aprendan inglés. Este tipo de etiquetas o rótulos tiende a homogeneizar a los alumnos bilingües, definiendo a todos desde la misma perspectiva y sin considerar la diversidad de experiencias culturales, lingüísticas y de escolaridad que dan lugar a los distintos perfiles de alumnos que podemos encontrar en las clases bilingües.

En los Estados Unidos, la mayoría de las familias de alumnos clasificados por las escuelas como *ELLs* provienen de países de habla española de América Latina. Sus familias pueden tener muchas cosas en común, como las costumbres, las comidas, las danzas, los valores y el idioma español. Sin embargo, también hay muchas diferencias culturales entre los países y entre las distintas regiones de países como México, Cuba, Honduras, Guatemala, El Salvador y la Argentina, entre otros (Egbert y Ernst-Slavit, 2018). Cada año ingresan en las escuelas de los Estados Unidos alumnos de diferentes nacionalidades y que hablan distintos lenguajes. Cada uno de estos alumnos se encuentra en distintos momentos de su trayectoria educativa y de desarrollo del bilingüismo y trae consigo distintas experiencias educativas y de vida. Esta diversidad en el alumnado bilingüe presenta un desafío para los maestros y, simultáneamente, una oportunidad para promover la equidad y evitar que a estos estudiantes se los vea como un problema.

Los rótulos, etiquetas —*labels*— o formas de denominar a diferentes grupos, pueden ser significativos y positivos si reflejan la identidad del grupo al que hacen referencia. Gran parte de la literatura que existe sobre esta población utiliza el término "latino" —y, más recientemente, la versión más inclusiva y de género neutral "latinx"— para referirse a las personas de origen latinoamericano (Salinas y Lozano, 2017). El *US Census Bureau* (2012) utiliza el término "hispano" cuando se refiere a la misma población. Si bien preferimos el término "latino/a" o "latinx", el término "hispano" será utilizado en este libro cuando nos referimos a fuentes de información que también lo utilizan. Preferimos el término "latino" o "latinx" para referirnos a los estudiantes y sus familias, dado que enfatiza las raíces culturales, sociales e históricas de los grupos étnicos que conforman Latinoamérica.

Some have rejected the term *Hispanic* because of its association with Spanish colonial power. *Latino* is short for *latinoamericano* and is more inclusive than the term *Hispanic*. The term refers to people from the American territory colonized by Latin nations (Oquendo, 2011, p. 36).

Los estudiantes de origen latino tienen trayectorias académicas y vivenciales específicas. Algunos de los niños latinos nacidos en los Estados Unidos —como Elena—, que han asistido a la escuela desde el kínder y presentan dificultades en el desarrollo de sus habilidades de lectura y escritura y/o bajo rendimiento académico después de 6 años o más de escolaridad en el país, han sido rotulados por algunos educadores como **aprendientes de inglés a largo plazo** —*long-term English language learners* o *LTELLs*— (Menken y Kleyn, 2010). Esta clasificación ha sido cuestionada, dado que sigue poniendo el énfasis y el valor en el desarrollo del inglés, en vez de destacar el bilingüismo de estos niños (Flores y Rosa, 2015). Esta forma de definir a los alumnos bilingües deriva de una perspectiva de déficit, es decir, de entender las dificultades de estos estudiantes como un problema del alumno y no como la consecuencia de la falta de oportunidades.

La forma de identificar a los estudiantes bilingües en las escuelas debería ser fluida, en vez de responder a categorías mutuamente excluyentes. Los niños bilingües ingresan a la escuela con diferentes experiencias de vida, diferente desarrollo del lenguaje y una gran variedad de conocimientos previos. Para entender a cada estudiante es importante considerar su experiencia escolar, el periodo de escolarización, la calidad de la enseñanza que ha recibido y las razones que explican su inmigración, entre otras. Por ejemplo, Wright (2019) describe que los estudiantes bilingües tienen una situación diferente según si han nacido en los Estados Unidos o son extranjeros. También es importante considerar las experiencias y las situaciones de los **estudiantes transnacionales** —*transnational students*— que transitan de un país a otro para estudiar, como por ejemplo los niños que viven en la ciudad de Matamoros, México, y cruzan la frontera todos los días para ir a la escuela en los Estados Unidos, en la ciudad de Brownsville, Texas. Un grupo especial es el de **estudiantes refugiados** —*refugee students*— que han dejado su país en situaciones muy extremas y han sido expuestos a traumas por guerra o persecución. Estos estudiantes presentan características de desarraigo y de choque cultural, así como dificultades para ajustarse al nuevo mundo, cultura y lenguaje (Adelman y Taylor, 2015).

Otros tipos de estudiantes bilingües son niños que reciben educación especial —*special education*— o los que son parte del programa *gifted and talented*, para niños con talentos especiales. Las investigaciones muestran la cantidad desproporcionada de niños bilingües clasificados como *ELLs* que son identificados erróneamente como niños con necesidades especiales. Es decir, existe una sobrerrepresentación de niños bilingües en programas de educación especial (Artiles y Ortiz, 2002; Artiles et al., 2010). Paralelamente, los estudiantes bilingües a menudo no son considerados en los programas para estudiantes con talentos sobresalientes y por esta razón están extremadamente subrepresentados en estos programas educativos (Esquierdo y Arreguín-Anderson, 2012; Harris et al., 2007).

También es importante tener en cuenta a aquellos estudiantes que han sido reclasificados, es decir, que fueron clasificados al ingresar a la escuela como aprendientes de inglés (*ELLs*) pero que, al ser reevaluados, demuestran haber alcanzado los estándares académicos y lingüísticos del estado para que se apruebe su salida —*exit*— de esta clasificación; a estos niños se los identifica como ex-aprendientes de inglés o *former ELLs*.

Por ejemplo, Estefanía y su familia argentina migraron a los Estados Unidos cuando ella tenía siete años. Ella creció hablando español con su familia y en la escuela. Sus padres, ambos profesionales y bilingües, la ayudaron a desarrollar los conceptos que los maestros le enseñaban en la escuela en los dos idiomas, dado que ingresó a un programa bilingüe. Como muchos alumnos bilingües secuenciales, en los primeros años de su educación en los Estados Unidos sacaba bajas calificaciones en los exámenes estandarizados en inglés, con excepción del examen de lectura. Ya en cuarto grado, su maestra pudo clasificar a Estefanía como estudiante competente en inglés. Esto significa que Estefanía es una alumna bilingüe experimentada, dado que su bilingüismo ya no puede ser caracterizado como emergente. Uno de los factores de los logros escolares de Estefanía es el apoyo académico recibido en la casa y su habilidad para leer y escribir en el idioma de su hogar cuando empezó su educación bilingüe. Estas habilidades apoyaron el desarrollo de su bilingüismo en español e inglés.

Es importante recordar que las diferentes clasificaciones sirven para orientar a los maestros de estudiantes bilingües durante la planificación de la enseñanza de modo que puedan diferenciar las necesidades lingüísticas y académicas del grupo. Esto se ve claramente en el caso de Josué, un niño hijo de trabajadores migrantes que comenzó su educación en los Estados Unidos en cuarto grado. Josué fue ubicado en cuarto grado por su edad, a pesar de que en Guatemala, su país de origen, no había asistido a la escuela de manera continuada. Como resultado, Josué no sabía escribir ni leer bien en quiché, su idioma. Esto significó una desventaja mayor, considerando la dificultad del contenido y el lenguaje del currículo de cuarto grado. Otro obstáculo en la escolarización de Josué son las constantes mudanzas debido al trabajo migrante de sus padres, siguiendo las cosechas de frutas. Lamentablemente, muchos estudiantes como Josué dejan la escuela porque no pueden con la exigencia académica del contenido ni con el nivel de lectoescritura requerido para comprender los contenidos. Las maestras que entienden cómo trabajar con niños que tienen estas experiencias y estas historias interrumpidas de escolaridad pueden planificar actividades que les permitan participar de las clases y avanzar en sus logros académicos.

La diversidad cultural de los alumnos bilingües

Conocer a los alumnos bilingües significa que debemos entender sus diferencias culturales, además de las lingüísticas. Los factores culturales inciden en el aprendizaje escolar de diferentes formas y las investigaciones han demostrado la importancia de que los maestros comprendan la diversidad cultural y el rol de la cultura de los estudiantes en el aprendizaje escolar (Nieto y Bode, 2018; Ovando y Combs, 2018; Paris y Alim, 2017). Nieto y Bode (2018) explican la importancia de que los docentes se comprometan a reafirmar la cultura de los estudiantes, dado que esto es crítico para el éxito académico.

En los Estados Unidos, la cultura principal y dominante es definida en su mayor parte por los valores correspondientes a la clase media alta, blanca y monolingüe en inglés. Es más, la mayoría de los maestros son blancos y de clase media. Esta hegemonía cultural se expresa en la cultura escolar y en aspectos importantes del currículo escolar. Por ejemplo, la forma en que se espera que los alumnos participen de la clase, como formar fila, levantar la mano, esperar su turno, o las experiencias de vida que se asume que tienen los estudiantes (como haber ido al cine, conocer el océano o visitar la biblioteca). Los maestros deben considerar las discrepancias existentes entre la cultura dominante en las escuelas y las experiencias culturales que tienen los estudiantes en su casa y en la comunidad.

Por ejemplo, una maestra de primer grado en un aula bilingüe se encuentra con que varios de sus alumnos, hijos de inmigrantes mexicanos o de diferentes países de Centroamérica, no pudieron completar una tarea para el hogar que requería que usaran unidades de medida para cocinar un pastel con su madre. La maestra se dio cuenta de la razón al conversar con las madres, que trataban de explicar por qué sus hijos no habían podido completar las preguntas de la tarea. Estas mamás o abuelas no usaban unidades de medida para cocinar, sino que medían "a ojo", es decir calculando aproximadamente la cantidad en función del tamaño esperado del pastel y de la cantidad relativa de los otros ingredientes. Esta práctica cultural en la forma de cocinar es una diferencia importante cuyo conocimiento pueden integrarse en el aula, valorando la complejidad y la habilidad requerida para cocinar cuando se estiman las cantidades de esta manera. Estimar es una habilidad importante que está incluida en los estándares matemáticos. Por ejemplo, los *Common Core State Standards (CCSS)* para tercer grado incluyen "*Solve problems including measurement and estimation*".

En general, se tiende a restringir el significado de "cultura" a artefactos como la comida, las costumbres o la vestimenta. Esta forma reducida de entender la cultura tiene por resultado estereotipos y aproximaciones reduccionistas de la enseñanza. Existe una tendencia a identificar la enseñanza culturalmente relevante casi exclusivamente con temas como el de las celebraciones tradicionales. Esta visión reducida de la cultura tiende a generalizar ciertas características de un grupo a otro mayor, por ejemplo, ciertas características culturales de China se asumen como características de todos los estudiantes asiáticos. Wright (2019) explica que, cuando él era maestro en una escuela primaria, la mayoría de los alumnos de origen asiático eran americanos nacidos en Camboya y, sin embargo, la única lección relacionada con Asia había sido una sobre el Año Nuevo chino. Otra generalización similar es asumir que todos los estudiantes de origen latino comen tacos y tortillas.

Es importante ampliar la definición de cultura para incluir también las formas o las estructuras familiares, los roles sociales en términos de género, edad, clase social, los valores, la forma en que se resuelven problemas y la manera en que se usa el lenguaje en diferentes contextos, así como el sistema de creencias. Es decir, ningún individuo, grupo o sociedad se puede entender sin hacer referencia a la cultura, dado que esta abarca todos los patrones de comportamiento y actitudes adquiridas, que cambian continuamente entre los miembros de una sociedad. La cultura se expresa en nuestra forma de pensar y de comportarnos, en las tradiciones, las creencias, las ideas, las reglas compartidas, los hábitos, los valores acumulados y los registros escritos de un grupo. Es importante que nuestros alumnos comprendan la complejidad de la cultura y de qué manera hasta los pequeños detalles de la vida cotidiana, como los hábitos de vestir, lo que comemos y hasta las rutinas diarias, constituyen la identidad cultural.

Fondos de conocimiento e identidad. Es importante considerar que la cultura no es estática y que los estudiantes pueden traer experiencias e historias personales que conforman sus conocimientos previos —*background knowledge*— y contribuyen a configurar su identidad. Por ejemplo, Lou es un estudiante peruano con padres de origen chino, quienes migraron hace cinco años desde Sudamérica, hablando solo español. En el caso de Lou, su identidad está configurada por las tradiciones de China transmitidas en su familia de generación en generación y la cultura y la variedad dialectal del español hablado en Perú. En general, a los maestros no les resulta difícil enseñar a grupos de estudiantes que vienen de contextos similares a ellos mismos. Pero enseñar a los estudiantes que tienen un trasfondo cultural diferente puede ser una tarea desafiante.

Moll et al. (2001) realizaron una investigación pionera sobre la importancia de que los maestros se involucren con las familias y las comunidades para conocer sus **fondos de conocimiento** —*funds of knowledge*— a través de visitas a los hogares. Este trabajo fue fundamental en la forma de comprender la importancia de involucrar a las familias y las comunidades en la escuela, de modo tal de comprender e

Funds of knowledge "*refer to the historically accumulated and culturally developed bodies of knowledge and skills essential for household or individual functioning and well-being*" (Moll et al., 2001, p. 133).

integrar la diversidad de las prácticas culturales. Moll et al. (2001) afirman que, a través de este conocimiento directo de la vida en las casas de familias, los maestros pueden comprender e identificar prácticas culturales propias y valiosas que pueden integrarse efectivamente en la enseñanza. Cuando los maestros se involucran con las comunidades y las familias de sus alumnos, aprenden sobre los fondos de conocimiento de sus estudiantes. Entre otras cosas, los maestros pueden aprender sobre tradiciones medicinales, conocimientos de agricultura y ganadería, diferentes formas de expresión artística de la comunidad, formas diferentes de criar y educar a los niños pequeños y otras prácticas culturales o fondos de conocimiento constitutivos de la identidad cultural de las familias y la comunidad. Conectar la enseñanza con los fondos de conocimiento de los alumnos es esencial para validar las experiencias culturales de los alumnos de minorías étnicas, culturales y lingüísticas, integrar la diversidad y la riqueza de los saberes de su comunidad y contribuir a una enseñanza de calidad y más equitativa.

Cuando los maestros resignan su papel de expertos, es decir, la tendencia a ponerse en el lugar de aquel que lo sabe todo y, en cambio, asumen el nuevo rol de aprender de sus estudiantes, pueden llegar a conocer y apreciar a sus estudiantes, las familias y las comunidades de maneras nuevas y distintas (González et al., 2005). Con este nuevo conocimiento, pueden valorar los recursos y las prácticas culturales, lingüísticas y cognoscitivas de sus alumnos e identificar la manera en que estos recursos y prácticas pueden ser utilizados en su salón de clases para proporcionar lecciones culturalmente sensibles y significativas, que afirman la cultura y el lenguaje y aprovechan el conocimiento previo de los estudiantes. De esta manera se contribuye a revertir la perspectiva de déficit que tiende a estar presente en la forma de percibir a los grupos minoritarios.

Para poder aprender, los alumnos necesitan sentir que la vida que llevan fuera de la escuela y su comunidad son igual de importantes que aquello que tiene lugar en el aula. Por eso es importante abrir espacios para que los alumnos bilingües compartan, lean y escriban sobre temas relevantes para su comunidad y su cultura, en los dos idiomas. Una forma de hacer esto es invitar a las familias a compartir sus fondos de conocimiento. Por ejemplo, los padres carpinteros poseen valiosos conocimientos de geometría y de resolución de problemas que les permiten construir la estructura de una casa. La inclusión de los padres para que expliquen la importancia de los ángulos y de aprender a calcular la superficie contribuye al aprendizaje significativo, además de validar prácticas comunitarias. Las madres o abuelas con conocimientos de jardinería y sobre el valor nutricional de diferentes vegetales pueden contribuir al desarrollo de una unidad sobre la huerta escolar. También, Lou y su familia pueden compartir de qué manera se integran en su vida diaria las tradiciones culturales y lingüísticas peruanas y chinas.

Pedagogía y diversidad cultural. Afirmar la diversidad cultural, así como la valoración y la integración en la enseñanza de las prácticas y los conocimientos culturales de todos los estudiantes, requiere de maestros comprometidos, capaces de implementar una pedagogía que incorpore los principios integrantes de lo que Ladson-Billings (1995) denominó en su pionero trabajo una **pedagogía culturalmente relevante** —*culturally relevant pedagogy*—. Esta pedagogía, también identificada como **pedagogía culturalmente sensible o receptiva** —*culturally responsive pedagogy*—, reconoce la importancia de incluir las referencias culturales de los estudiantes en todos los aspectos del aprendizaje, para enriquecer las experiencias en el aula y mantener interesados a los estudiantes. Es decir, esto requiere que los maestros sostengan altas expectativas académicas para todos los alumnos, que comprendan que su propia visión del mundo, así como sus experiencias, valores y creencias, puede o no alinearse con la de sus estudiantes y que tengan conciencia sociopolítica, es decir, que estén comprometidos con la equidad educativa.

Recientemente, Paris (2012) extendió esta concepción pedagógica, indicando la necesidad de ir más allá de identificar lo culturalmente relevante o diseñar estrategias receptivas a la cultura. Este autor propone construir una **pedagogía de continuación o sustento cultural** —*culturally sustaining pedagogy*— para valorar y sostener la complejidad de la diversidad cultural, lingüística y étnica de la sociedad actual, promoviendo la integración genuina de la multiplicidad lingüística y de otras prácticas culturales y de literacidad de los estudiantes y sus comunidades. Nos invita a considerar el término "cultura" en un sentido más amplio, como algo dinámico, fluido y en constante cambio, que incluye la cultura popular, juvenil y local, y las manifestaciones lingüísticas y culturales de diferentes etnicidades, como la nativo-americana, afroamericana, latina, asiático-americana, etcétera.

Perspectivas de la educación bilingüe

La educación bilingüe es una respuesta a una sociedad progresivamente más multilingüe y una forma de responder a las necesidades de los estudiantes bilingües. Sin embargo, el término "educación bilingüe" históricamente ha tenido interpretaciones y énfasis diversos y esto se ha reflejado en las diferencias entre los tipos de programas educativos que se ofrecen a los niños bilingües.

Tres orientaciones sobre el lenguaje

La forma de entender el lenguaje y su rol en la educación ha tenido impacto en las formas de entender la educación bilingüe. Ruiz (1984) identificó tres orientaciones o formas de entender el lenguaje que han tenido gran influencia en la política educativa y también en los enfoques predominantes en la educación bilingüe: el lenguaje como un problema, como un recurso y como un derecho. Estas concepciones sobre el lenguaje son una manifestación de ideologías lingüísticas que definen el lugar social y político del lenguaje y especialmente la valoración de los lenguajes minoritarios en relación con el lenguaje mayoritario. Para Ruiz, estas concepciones son producto de diferentes contextos sociohistóricos y políticos y afectan la manera en que los maestros planifican la instrucción y enseñan a los estudiantes bilingües en diferentes contextos educativos.

Una concepción que ha tenido gran influencia en las políticas educativas de los Estados Unidos es la del **lenguaje como problema** —*language-as-a-problem*— (Ruiz, 1984). Tradicionalmente, las prácticas lingüísticas de las minorías, especialmente hablar un lenguaje que no sea inglés, se han entendido como un déficit que les impide asimilarse a la cultura y al lenguaje de la mayoría y como un obstáculo para los logros académicos. Históricamente, en los Estados Unidos las políticas educativas han apoyado una sociedad monolingüe en vez de promover el desarrollo y la valoración social del bilingüismo. Es decir, diferentes políticas educativas derivadas de leyes como *No Child Left Behind (NCLB)* han perpetuado la idea de que la diversidad lingüística es un obstáculo en el desarrollo académico y han promovido la enseñanza monolingüe en inglés y los programas enfocados en la corrección de lo que se percibe como un déficit lingüístico.

La segunda concepción del lenguaje identificada por Ruiz (1984) define el **lenguaje como un recurso** —*language-as-a-resource*— social y cultural de las

Conceptualizing language as an asset means that "language is a resource to be managed, developed and conserved" and it involves considering "language-minority communities as important sources of expertise" (Ruiz, 1984, p. 28).

personas, las comunidades y la sociedad. Esto significa que el repertorio lingüístico debe ser considerado como una herramienta esencial en el aprendizaje de los estudiantes bilingües. Las políticas educativas y las escuelas deben reconocer que la cultura y el idioma o los idiomas que se hablan en los hogares bilingües o multilingües no son un problema que haya que superar o resolver sino una fuente de recursos que pueden ser usados para que los estudiantes aprendan el contenido y a su vez desarrollen el idioma inglés (Wright, 2019). Entender el lenguaje como un recurso para el aprendizaje de los estudiantes bilingües es una cuestión de equidad educativa. Cuando los estudiantes bilingües se comunican y aprenden están apelando constantemente a todo su repertorio lingüístico de forma integrada, es decir, que usan lo que saben en inglés y lo que saben en español dinámicamente para construir significados. Por ejemplo, dos estudiantes de Centroamérica, Omar y Miranda, llegaron al país al final del kindergarten, entonces aún tienen poco conocimiento de inglés. En su país han recibido educación formal durante un año. La maestra pensó que ellos tendrían dificultades en matemáticas, especialmente porque estaban trabajando en la resolución de problemas formulados en inglés como *"Felicia had 5 tacos and she bought 4 more. How many tacos did she have in total?"*. Sin embargo, tanto Omar como Miranda pudieron conectar el formato del problema en inglés con el formato de problemas de matemáticas en español y pudieron reconocer palabras clave como *how many*. Ellos también identificaron **cognados** —*cognates*— como "total" y palabras que no cambian como "tacos". Además, la maestra, que entiende la importancia de usar todos los lenguajes en el repertorio bilingüe de sus alumnos, siempre pide a un compañero que explique el problema en español para facilitar el acceso de todos los estudiantes al significado del problema. Este ejemplo muestra una perspectiva o forma de entender la educación bilingüe que creemos que debe ser la meta de todo programa bilingüe que valora el bilingüismo, integrando como un recurso de aprendizaje todo el repertorio lingüístico bilingüe de sus estudiantes.

Para Ruiz (1984), debe entenderse el **lenguaje como un derecho** —*language-as-a-right*— y la diversidad lingüística debe ser valorada y afirmada por toda la sociedad. Para los grupos definidos como minoritarios, como es el caso de los latinos en los Estados Unidos, el acceso al lenguaje del hogar, nativo o de herencia debería definirse como un derecho humano (Ruiz, 1984; Skutnabb-Kangas y Phillipson, 2017). Por ejemplo, el surgimiento de la educación bilingüe como política federal se debe a la organización de las comunidades para la defensa de su derecho a mantener la lengua nativa o de herencia como un recurso para el aprendizaje escolar. El principal derecho lingüístico que poseemos es el derecho a aprender y utilizar nuestro propio idioma, pero este derecho es a menudo olvidado, no solo por los hablantes de otras lenguas sino también por los propios hablantes de las lenguas minoritarias, cualesquiera sean. En la lucha por la equidad educativa es importante abogar por que todos los estudiantes tengan acceso a educación en el o los lenguajes que se hablan en el hogar.

Speakers of more than 6,000 languages are not entitled to education, nor to the administration of justice or public services through the medium of their mother tongue. This is true of most *indigenous* minorities and almost universally of *migrant/ immigrant* and *refugee* minorities (Skutnabb-Kangas & Phillipson, 2017, p. 28).

Bilingüismo sustractivo, aditivo o dinámico

Las formas de definir el bilingüismo son una manifestación de las diferentes ideologías lingüísticas y las concepciones del lenguaje identificadas por Ruiz (1984). Podemos identificar tres perspectivas del bilingüismo: la perspectiva sustractiva, la perspectiva aditiva y la perspectiva holística y dinámica. Estas perspectivas han contribuido al desarrollo de diferentes programas educativos para estudiantes bilingües de los Estados Unidos y permiten comprender las características de los distintos programas con relación a los propósitos respecto del desarrollo del lenguaje y la literacidad en el contexto de la enseñanza del contenido curricular (García y Kleifgen, 2018).

Si la educación bilingüe se entiende desde una **perspectiva sustractiva del bilingüismo** —*subtractive bilingualism*—, el uso de la primera lengua es solo un medio para transferir a los alumnos bilingües hacia clases impartidas solo en inglés. Esta perspectiva ve el lenguaje del hogar de los estudiantes bilingües como un problema y un obstáculo para el aprendizaje. Entonces, tenemos clases donde los estudiantes bilingües están presentes pero la enseñanza no se enfoca en el desarrollo de las competencias lingüísticas en dos idiomas, sino solo en desarrollar el idioma inglés (Baker y Wright, 2017). Desde esta perspectiva, se ha clasificado a los alumnos bilingües con énfasis en su dominio o competencia lingüística solo en inglés, con etiquetas o rótulos como: *English learner (EL), limited language proficiency (LLP), limited English proficiency* e *English language learners (ELL)*. Desde este punto de vista, el inglés es el lenguaje que domina la enseñanza y es el parámetro para clasificar a los alumnos (p. ej., en principiante, intermedio o avanzado). Esta forma de definir a los alumnos atenta contra la equidad educativa, confirmando el dominio del inglés como lenguaje de instrucción y desestimando el valor de la competencia bilingüe de estos niños.

Si la educación bilingüe se entiende desde una **perspectiva aditiva del bilingüismo** —*additive bilingualism*—, tendremos un salón en el cual la enseñanza se enfoca en el desarrollo de la biliteracidad y el bilingüismo de los estudiantes, manteniendo los lenguajes separados sin considerar la complejidad del repertorio lingüístico bilingüe de los estudiantes. Desde esta perspectiva, el bilingüismo se reduce a la adición de otro lenguaje y se define a la persona bilingüe como la suma de dos monolingües. En la enseñanza la meta consiste en agregar un idioma, mientras se mantiene el lenguaje del hogar que ya tienen los estudiantes. Este enfoque supera la perspectiva sustractiva, porque comienza a valorar el bilingüismo, identificando a los alumnos bilingües y reconociendo el idioma de su hogar referido como *native language*, *home language* o *mother tongue*.

Sin embargo, esta perspectiva está dominada por un paradigma monolingüe que considera el bilingüismo desde un punto de vista estático donde los lenguajes se ven como estructuras que deben mantenerse separadas y no mezclarse al aprender. El contacto entre los dos lenguajes se ve como un problema y un obstáculo en la adquisición del inglés. Es decir, por ejemplo, si en una clase los estudiantes se expresan integrando elementos del inglés y el español, esto es señalado como una forma incorrecta de expresarse. La **alternancia de códigos** —*code-switching*— se identifica con formas impuras o no estandarizadas del uso del lenguaje, lo que refuerza la idea de que es necesario mantener los lenguajes separados al enseñar, para evitar que los alumnos los mezclen, negando de esta forma una práctica de comunicación propia de las comunidades bilingües. La separación estricta de los lenguajes se acompaña de la práctica de denominar a los alumnos como **dominante de inglés o dominante de español** —*English dominant or Spanish dominant*—, de acuerdo con el nivel de competencia lingüística en cada idioma.

La imposición de una visión monolingüe como la norma educativa ha tenido como resultado una conceptualización del niño bilingüe como la suma de dos monolingües. Escamilla et al. (2014) afirman que, para los niños bilingües simultáneos, el bilingüismo es su "lenguaje dominante" y por lo tanto estos alumnos representan *the new normal*, es decir la nueva realidad de las escuelas (p. 5). Esta nueva realidad pone en cuestión la práctica de caracterizar a los alumnos bilingües como dominante de un idioma u otro (Beeman y Urow, 2012).

Recientemente, educadores e investigadores han impulsado un cambio de paradigma que desafía esta forma estática de ver los lenguajes y que conceptualiza el bilingüismo como un proceso dinámico al reconocer que los alumnos bilingües usan el lenguaje de forma muy diferente a la de un niño monolingüe, integrando su repertorio lingüístico para comunicarse tanto en forma oral como por escrito, en casa, en la escuela o en otros contextos. Desde una **perspectiva dinámica y holística del bilingüismo** —*holistic and dynamic bilingualism*—, la educación bilingüe debería priorizar el derecho de los estudiantes a usar como recurso de aprendizaje todo su repertorio lingüístico, independientemente del lenguaje de instrucción (García y Kleifgen, 2018).

> "[D]ynamic bilingualism suggests that the language practices of bilinguals are complex and interrelated; . . . since there is only one linguistic system" (García & Wei, 2014, p. 14).

Esta perspectiva se hace eco de un movimiento de los últimos años que valora el multilingüismo en educación (De Jong, 2011). Desde esta perspectiva se destaca el uso integrado del repertorio multilingüe de los alumnos y se reconoce que el proceso de desarrollo del bilingüismo ocurre a medida que los niños bilingües participan en diferentes actividades, usando dos lenguas. Es decir, sin importar el nivel de desarrollo que hayan logrado en cada lenguaje, los estudiantes bilingües usarán uno u otro lenguaje de acuerdo con el contexto y con la demanda de comunicación. Por ejemplo, pueden usar en la casa español para hablar con algunos miembros de la familia, mientras que comienzan a usar inglés en la escuela con los compañeros. Al aprender el contenido enseñado en inglés usan el español para apoyar la comprensión y al aprender contenido en español pueden hacer conexiones con lo que están aprendiendo en inglés (García y Kleifgen, 2018), entre otras posibilidades. Desde este punto de vista, el o los idiomas del hogar son un recurso esencial para el desarrollo del bilingüismo o multilingüismo, la biliteracidad y el aprendizaje académico. Esta perspectiva, originalmente propuesta por Grosjean (2010), afirma que cada estudiante bilingüe es un individuo único que usa los idiomas, así como su conocimiento sobre cada uno de ellos, en forma integrada, para crear algo más que dos idiomas que funcionan independientemente el uno del otro.

Equidad y educación bilingüe

> Two terms often associated with multicultural education are *equality* and *equity*, which are sometimes erroneously used interchangeably. Both equal education and educational equity are fundamental to multicultural education, yet they are quite different. Equity is the process; equality is the result (Nieto & Bode, 2018, p. 7).

Desde un paradigma multilingüe y multicultural que valora y respeta la diversidad lingüística y cultural, aspirar a una educación equitativa no es lo mismo que ofrecer a todos los estudiantes la misma educación y los mismos recursos (De Jong, 2011; Nieto y Bode, 2018). Es decir, la igualdad en educación puede significar simplemente proporcionar los mismos recursos y oportunidades para todos los estudiantes, lo cual ya de por sí permite una mejor educación para más estudiantes. Sin embargo, como argumentan Nieto y Bode (2018), esto no es suficiente, dado que para lograr la igualdad educativa la sociedad y los gobiernos deben proporcionar una educación equitativa. La equidad va más allá de la igualdad y significa que todos los estudiantes deben tener la posibilidad real de lograr los mismos resultados académicos.

Para que la educación bilingüe sea equitativa es importante que los programas se propongan una enseñanza que dé a los estudiantes de minorías lingüísticas y culturales las oportunidades y los recursos necesarios para obtener logros académicos equitativos y comparables con los de los estudiantes de grupos mayoritarios. Para esto se debe trabajar para crear ambientes escolares donde cada alumno se sienta valorado y respetado. Docentes y administradores de la educación deben movilizarse para asegurar que la implementación de políticas, programas bilingües y prácticas lingüísticas representen e incluyan la diversidad en la escuela y no discriminen sistemáticamente a ciertos grupos de estudiantes. Esto requiere que los docentes creen espacios de aprendizaje que validen las experiencias y los repertorios culturales y lingüísticos de todos sus estudiantes. Es decir, se debe ofrecer acceso a una enseñanza que permita que alumnos de minorías lingüísticas tengan oportunidad de alcanzar resultados equivalentes a los de sus pares de sectores mayoritarios y favorecidos.

Los educadores y los administradores realizan múltiples decisiones diariamente, algunas de las cuales afectan directamente el acceso de los estudiantes bilingües y multilingües a los recursos y las oportunidades necesarias para su éxito académico. Algunas de estas decisiones incluyen la elección del modelo del programa, qué idioma o idiomas usar para la enseñanza y cómo se distribuirán los idiomas de acuerdo con las metas del programa. Además, también se decide sobre los recursos disponibles y su uso y sobre la manera en que se medirán y se analizarán los resultados de aprendizaje académico en cada contexto. De Jong (2011) propone cuatro principios para guiar la toma de decisiones políticas y programáticas en contextos institucionales bilingües o multilingües:

Principio 1: Lucha por la equidad educativa. Este principio aboga por crear entornos escolares donde cada individuo se sienta valorado y respetado. Esto significa que los educadores trabajen juntos para garantizar que las políticas y las prácticas lingüísticas formales e informales en la escuela, el programa y el aula representen de manera justa la diversidad en la escuela y no discriminen sistemáticamente a ciertos grupos de estudiantes.

Principio 2: La afirmación de la identidad. Los educadores que valoran este principio muestran respeto por las identidades lingüísticas y culturales de los estudiantes, tanto en la definición de las políticas escolares como en las prácticas en el aula. Al reconocer la centralidad del lenguaje en la afirmación de la identidad, los maestros crean espacios para diversas voces de los estudiantes, de forma de validar las experiencias lingüísticas y culturales de los estudiantes.

Principio 3: Promoción del multilingüismo y bilingüismo. Los educadores que promueven este principio entienden el papel que desempeña todo el repertorio lingüístico de los estudiantes en el desarrollo del lenguaje, la literacidad y el aprendizaje de contenidos. Estos maestros se aseguran de que el conocimiento de múltiples idiomas sea una parte integral de su propuesta de enseñanza. Para lograrlo, crean oportunidades para usar, desarrollar y participar de manera estratégica en varios idiomas, de modo de ampliar en los estudiantes los repertorios lingüísticos existentes.

Principio 4: La integración a través de la estructura programática. Las escuelas son sistemas donde diversas partes están interconectadas y pueden trabajar juntas para crear un ambiente de respeto mutuo y equidad. Los educadores que promueven la integración se aseguran de que exista una participación representativa en la institución respetuosa de las diversas perspectivas y experiencias en la toma de decisiones, incluida la política lingüística, la estructura del programa, el currículo y los materiales, la organización del aula, las prácticas de evaluación y las actividades extracurriculares. Estos educadores rechazan la noción de que los grupos minoritarios (estudiantes, padres, maestros) deban asimilarse unilateralmente (p. ej., aprendiendo solo en inglés) para encajar en el sistema existente. Siguiendo este principio, los educadores trabajan para construir un programa que contemple la diversidad lingüística y cultural de todos sus alumnos.

De forma similar, Howard et al. (2018) explican que los programas de enseñanza de calidad para los alumnos bilingües que tengan como objetivo la equidad educativa deben tener una visión y metas que apunten al bilingüismo, la biliteracidad, el éxito académico y la competencia sociocultural.

Translenguar y equidad lingüística. Desde un punto de vista de equidad lingüística, es importante abrir espacios para que los estudiantes ejerzan el derecho de usar todo su repertorio lingüístico para favorecer su aprendizaje y garantizar sus logros académicos. El **translenguar** —*translanguaging*— refiere a las prácticas discursivas de las personas bilingües o multilingües y a la posibilidad de comunicarse, producir y representar ideas usando todo su repertorio lingüístico de forma integrada (García, 2013; Otheguy et al., 2015) y permite explicar "la forma en que los bilingües utilizan todos sus recursos lingüísticos para profundizar en sus conocimientos o para poder participar en interacciones donde uno de sus idiomas no basta para comunicar ideas" (Blum Martínez, 2017, p. 27).

Entendemos que, como educadores bilingües, debemos abogar por oportunidades educativas y formas de enseñar que defiendan la integración de todos los recursos lingüísticos de nuestros estudiantes. La adopción del translenguar en educación debe entenderse como un acto de justicia social para lograr la equidad educativa para todos los niños bilingües o multilingües (García y Leiva, 2014). Para esto es necesario que los maestros valoren el translenguar y permitan que los alumnos bilingües construyan sus aprendizajes apoyándose en prácticas del translenguar —*translanguaging practices*—, interactuando con pares y maestros a través del uso fluido del lenguaje. Kleyn y García (2019) argumentan que una pedagogía del translenguar es un acto de transformación social, solo si se entiende como una postura frente a la educación bilingüe y como una forma crítica de definir la enseñanza y el aprendizaje, teniendo como objetivo romper las jerarquías impuestas entre los idiomas por aquellos que ejercen el poder político y social, perpetuando las desigualdades culturales y lingüísticas.

Los tipos de programas educativos para estudiantes bilingües

El término "educación bilingüe" se usa para designar un abanico de ofertas educativas con propósitos muy diferentes. Baker y Wright (2017) distinguen: a) programas que si bien incluyen niños bilingües no promueven el bilingüismo, privilegiando una perspectiva monolingüe, es decir, la enseñanza en el idioma mayoritario como segunda lengua, y b) programas de lenguaje dual que promueven el bilingüismo de los alumnos, usan dos idiomas para la enseñanza y operan desde una perspectiva aditiva o dinámica.

Programas de naturaleza sustractiva

Estos programas tienen como meta solamente desarrollar el lenguaje mayoritario o socialmente dominante, como es el inglés en los Estados Unidos, con o sin apoyo del idioma minoritario, lo que tiene como resultado la asimilación lingüística al idioma mayoritario (García y Kleifgen, 2018).

Sumersión en inglés —*English submersion or sink or swim*—. Los estudiantes son ubicados en clases comunes donde se enseña solo en inglés, sin apoyos específicos para comprender el contenido. Es por esta razón que estos programas se denominan "hundirse o nadar", dado que no se ofrece ayuda para apoyar el aprendizaje.

Inglés como segunda lengua fuera del salón —*pull-out ESL instruction*—. Los estudiantes son retirados del aula por 30-45 minutos diariamente —*pull-out*—

por una maestra certificada en *ESL* para enseñarles el idioma inglés como segunda lengua. Es posible que reciban alguna ayuda en el idioma del hogar.

Inglés como segunda lengua dentro del salón —*in class or push-in ESL instruction*—. La maestra certificada en *ESL* apoya al estudiante que está aprendiendo inglés durante la enseñanza del contenido —*push-in*— a través de estrategias para hacer comprensible el lenguaje. Es posible que reciban alguna ayuda en el idioma del hogar.

Inmersión estructurada en inglés —*sheltered structured English immersion*—. Son clases que incluyen solo estudiantes clasificados como bilingües emergentes o *ELLs* con maestras entrenadas y certificadas para enseñar el lenguaje y el contenido a estudiantes que no hablan ese lenguaje. Los estudiantes reciben la enseñanza en inglés, apoyados por estrategias para hacer comprensible el contenido y el lenguaje. Es posible que reciban un mínimo de ayuda en el idioma del hogar.

Programas bilingües de transición o salida temprana —*transitional or early-exit bilingual education*—. Este programa dura de 1 a 3 años y comienza con 90%-50% del tiempo de enseñanza en el idioma minoritario o del hogar, que va disminuyendo progresivamente hasta que se transfiere el alumno a la enseñanza impartida solo en inglés. Se enfatiza el desarrollo de la lectura y la escritura en el idioma minoritario para apoyar el desarrollo del inglés. La enseñanza en inglés se estructura de acuerdo con el nivel de desarrollo del idioma, utilizando estrategias específicas para facilitar el acceso al contenido.

A pesar de que las investigaciones han demostrado el impacto que tienen en los logros académicos de alumnos bilingües los programas que usan el lenguaje del hogar, la tendencia de las políticas educativas en las últimas décadas ha sido favorecer los programas que enseñan solo en inglés —*English only*— o que tienen la enseñanza impartida solo en inglés como meta final —*early exit*— (Lindholm-Leary, 2016; Steele et al., 2017).

Programas de naturaleza aditiva

Estos programas se agrupan bajo la denominación de **programas de lenguaje dual o programas bilingües duales** —*dual language bilingual programs*—. Hay varios tipos de programas bilingües duales, y todos aspiran a las mismas tres metas para sus poblaciones de estudiantes. Según los *Guiding Principles for Dual Language Education* (Howard et al, 2018), estas tres metas son el desarrollo del bilingüismo y la biliteracidad, el logro académico y el desarrollo de la competencia sociocultural para todos los estudiantes. La implementación de estos programas se ha intensificado en los últimos años en todo el país. *Dual Language Schools* (2019), en su sitio de internet, reporta la existencia de 2088 escuelas en 42 estados con algún tipo de programa dual. Si bien el registro de escuelas no es exhaustivo y responde a lo que las propias escuelas reportan, la información recolectada muestra que California, Nueva York, Texas, Utah y Florida son los estados con mayor número de escuelas duales. Además, es importante notar que, si bien la mayor cantidad de programas duales incluyen inglés y español como los lenguajes asociados —*partner languages*—, también se ha registrado un incremento en la oferta de programas con variaciones de lenguajes asociados al inglés como coreano, mandarín, francés, cantonés, jemer y navajo, entre otros. La tabla 1.1 describe los diferentes programas bilingües, identificando la duración, la población, las metas académicas y de biliteracidad, y la distribución del tiempo entre el lenguaje minoritario

Tabla 1.1 Programas bilingües duales de naturaleza aditiva				
Tipo de programa y duración	**Población meta**	**Metas académicas**	**Metas de biliteracidad**	**Distribución del tiempo de enseñanza**
Programas bilingües duales de una vía y salida tardía (*one-way & late exit*) 5–6 años	Estudiantes bilingües emergentes que hablan un idioma minoritario (latino, español u otro)	Algunas áreas de contenido en el idioma del hogar. Se usa enseñanza contextualizada en inglés.	Desarrollan niveles de lectura y escritura en los dos idiomas. El desarrollo de la biliteracidad es simultáneo o secuencial.	En general siguen el modelo 50/50 o 90/10 distribuyendo por materias o por tiempo.
Programas de inmersión bilingüe (*bilingual immersion*) 5–6 años	Estudiantes que hablan inglés en el hogar y quieren desarrollar el bilingüismo y estudiantes de minorías lingüísticas que no han desarrollado su lenguaje de herencia (p. ej., nativos americanos)	Se usa enseñanza contextualizada (*sheltered instruction*) para apoyar el desarrollo de idioma meta.	Desarrollan niveles de lectura y escritura en los dos idiomas. El desarrollo de la biliteracidad es secuencial.	Modelo 90/10. 90% en el idioma minoritario meta del programa y 10% en inglés. Progresa hacia 50/50 en cada lenguaje.
Programas bilingües duales de dos vías (*two way*) 5–6 años	Integra en forma balanceada estudiantes bilingües de minorías lingüísticas con estudiantes que hablan el lenguaje mayoritario (inglés)	Enseñanza del contenido en los dos lenguajes. Se privilegia la interacción entre pares para avanzar en el desarrollo de ambos lenguajes.	El desarrollo de la biliteracidad es simultáneo o secuencial, dependiendo del modelo.	Modelo 90/10 – 90% en lenguaje minoritario 10% en inglés. Modelo 50/50 – igual proporción de tiempo en ambos lenguajes.

y mayoritario o inglés (adaptado Freeman, Freeman y Mercuri 2018; García y Kleifgen, 2018; y Wright, 2019).

Las investigaciones sobre la efectividad de los programas duales son contundentes. Thomas y Collier (2012b), en su libro "La educación de inmersión en lenguaje dual para un mundo transformado", reportan los beneficios de los estudiantes bilingües que atraviesan estos programas. En estos programas, los alumnos bilingües logran:

- Resultados académicos y de literacidad significativamente más altos en los exámenes del estado que alumnos bilingües en los programas de inglés como segunda lengua o *ESL*.
- Resultados acordes con su edad y con el grado.
- Un mayor dominio del inglés que los alumnos bilingües en otros programas, aunque solo reciban la mitad de la enseñanza en inglés o menos.
- Actitudes más favorables hacia el bilingüismo y la diversidad que los alumnos que están en las clases regulares de inmersión en inglés.

Si bien estos programas fueron originalmente pensados desde una perspectiva aditiva, dado que perseguían sumar otro idioma al niño monolingüe, lo cual se reflejaba en una separación estricta de los lenguajes de enseñanza, en la actualidad se tiende a repensar estos programas desde una visión holística del bilingüismo, aprovechando todos los recursos lingüísticos de los estudiantes bilingües y valorando el dinamismo de sus prácticas lingüísticas.

Programas bilingües duales de una vía. Estos programas reciben diferentes denominaciones en inglés: *heritage language programs, developmental bilingual* *programs, late exit or maintenance, one-way dual language bilingual program, one-way developmental bilingual education* o *one-way dual immersion (OWI)*. En este programa el enfoque es mantener o desarrollar el lenguaje del hogar de los alumnos bilingües (Freeman et al., 2018). Los alumnos en estos programas son bilingües emergentes cuyo idioma del hogar no es inglés. Por ejemplo, estos programas surgen como respuesta a la necesidad de alumnos que son inmigrantes recientes o que han nacido en el país pero que son bilingües emergentes, con un desarrollo del inglés muy incipiente. Los programas duales de una vía pueden ser 90/10 o 50/50. Los programas 90/10 comienzan con el 90% del tiempo de enseñanza en el idioma del hogar de los estudiantes. La enseñanza de las diferentes áreas de contenido se hace en el idioma del hogar y, a medida que avanzan en los grados y el porcentaje de tiempo de enseñanza en inglés aumenta, los maestros usan estrategias de contextualización —*sheltered instruction*— para apoyar la comprensión del contenido. En general, materias como educación física, música y arte son enseñadas en inglés desde el comienzo (Wright, 2019).

Los programas 50/50 dedican el 50% del tiempo de enseñanza a cada idioma; sin embargo, presentan variaciones en la forma en que cada bloque de tiempo se organiza. Por ejemplo, hay programas en los que los estudiantes desarrollan la literacidad en el idioma del hogar, en los grados inferiores, e introducen literacidad en inglés en segundo o tercer grado. En este caso, el resto de la enseñanza (matemáticas, ciencias y estudios sociales) se distribuye entre los dos idiomas. Más aún, algunos programas incluyen las materias especiales (educación física, arte y música) que generalmente se enseñan en inglés dentro del tiempo asignado al idioma inglés, lo cual permite la enseñanza de otra área de contenido en español para alcanzar el 50% en cada idioma. Otros programas 50/50 se concentran en desarrollar la biliteracidad simultánea desde kínder. En este caso, todas las materias se distribuyen entre los dos idiomas. En lo que respecta a la selección de asignaturas para cada idioma, la variación es aún más amplia, siendo que algunos programas mantienen áreas de contenido como matemáticas y ciencias en el mismo idioma desde kínder hasta quinto grado, mientras que otros programas alternan las materias entre los dos idiomas de kínder hasta sexto grado, permitiendo el desarrollo de la biliteracidad a través de todas las áreas de contenido.

Programas bilingües duales de dos vías. En inglés estos programas se denominan *two-way dual language bilingual program, two-way bilingual education* o *two-way dual immersion (TWI)*. Los programas duales bilingües de dos vías presentan variaciones similares. Por ejemplo, en lo que respecta a la distribución del tiempo para cada idioma, algunos programas dedican 90% al idioma minoritario y el 10% al inglés para la enseñanza en kínder y primer grado, incrementando gradualmente la enseñanza impartida en inglés hasta llegar a tercero, cuarto y quinto grado, donde los dos idiomas están distribuidos de manera equivalente (50/50). Algunos distritos implementan el programa dual bilingüe de dos vías, pero prefieren el modelo 50/50 porque permite la opción de la biliteracidad simultánea o secuencial. En este modelo, el tiempo para cada lenguaje de enseñanza puede dividirse de varias maneras: medio día cada uno, días alternos o incluso semanas alternas o por área de contenido. En las escuelas donde los maestros organizan el plan de estudios alrededor de unidades de estudio, la alternancia puede ser por unidad y cada unidad puede durar de dos a cuatro semanas. Como en el programa de una vía, la selección del idioma de enseñanza para cada área de contenido varía dependiendo de la competencia lingüística, del conocimiento pedagógico y del contenido de cada disciplina, especialmente en los grados en los que se toman exámenes estandarizados. La tabla 1.2 muestra la distribución del tiempo de enseñanza en cada lenguaje en los diferentes tipos de programas bilingües.

Tabla 1.2 Distribución del tiempo de enseñanza en cada idioma según los diferentes programas bilingües duales

Programas bilingües duales	Una vía o dos vías Modelo: 50/50		Desarrollo o salida tardía y dos vías/Inmersión bilingüe Modelo: 90/10	
Grado	Idioma asociado	Inglés	Idioma asociado	Inglés
Kindergarten	50%	50%	90%	10%
Primero	50%	50%	80%	20%
Segundo	50%	50%	70%	30%
Tercero	50%	50%	60% o 50%	40% o 50%
Cuarto	50%	50%	50%	50%
Quinto	50%	50%	50%	50%

Programas de inmersión bilingüe. Estos programas, identificados en inglés como *bilingual immersion*, son programas que sirven principalmente para estudiantes hablantes de inglés que quieren desarrollar el bilingüismo incorporando el español a su repertorio lingüístico. Este programa es similar en el formato y las metas al programa dual de una vía descripto anteriormente. La diferencia es que se concentra en estudiantes que pertenecen a la mayoría lingüística. Algunos han cuestionado estos programas por entender que profundizan la inequidad, al destinar recursos de la educación bilingüe a un grupo demográfico ya favorecido socialmente, dado que la mayoría de los alumnos de este tipo de programas pertenecen a la clase media o media alta y son hijos de profesionales. Estos programas en general siguen el modelo 90/10, destinando 90% del tiempo al idioma asociado o meta del programa (no inglés). Luego se incrementa progresivamente el porcentaje hasta lograr 50% en inglés y 50% en el **lenguaje meta** —*target language*—.

También hay programas de inmersión bilingüe que incluyen estudiantes de grupos minoritarios que no han desarrollado su lengua de herencia, como los nativos americanos. Los programas duales existentes para las comunidades indígenas en Alaska y estados como Nuevo México se han enfocado en revitalizar y sostener lenguajes de poblaciones nativas. Fuera de las comunidades indígenas o de los sistemas escolares tribales o de pueblos nativos americanos, aún existen muy pocos programas duales de doble inmersión diseñados por y para estas comunidades (Collier, s/f).

Nuevas propuestas de programas de educación bilingüe dual

Una propuesta que está ganando terreno es lo que García y Kleifgen (2018) denominan **programas bi/multilingües dinámicos** —*dynamic bi/plurilingual programs*—. En estos programas, los estudiantes bilingües emergentes y sus maestras usan prácticas lingüísticas híbridas que incluye todo el repertorio bilingüe de los estudiantes para que puedan alcanzar las mismas tres metas de los programas duales tradicionales, o sea el bilingüismo y la biliteracidad, el logro académico, y la competencia sociocultural. Estos programas sostienen un lenguaje de enseñanza, que puede ser alternativamente el lenguaje minoritario o asociado y el inglés, dependiendo del modelo de programa bilingüe dual que se implemente, dando espacio a los estudiantes para negociar de qué manera usan el lenguaje para aprender el contenido en diferentes momentos de la instrucción. En ambos casos, el desarrollo del **lenguaje académico** —*academic language*— debe ser el foco de la enseñanza en forma simultánea al contenido.

Esta nueva propuesta de educación bilingüe en los programas duales se basa en una visión holística y dinámica del bilingüismo que deriva en la pedagogía del translenguar que han propuesto García et al. (2017). El translenguar responde a un cambio paradigmático en la educación bilingüe y sus implicaciones pedagógicas y el impacto en el rendimiento académico están todavía bajo investigación. Veremos las implicaciones de esta pedagogía con más detalle en el capítulo 2.

Los programas bilingües duales y la equidad educativa

Creemos que los educadores bilingües, ya sea administradores o maestros, deben tener presente al tomar decisiones la asimetría entre los estudiantes de programas duales de dos vías derivada de la influencia de las dinámicas de poder que tienden a favorecer a los niños angloparlantes. En relación con la equidad educativa, Valdés (1997) sugirió que se debe tener precaución al avanzar en la implementación de programas de inmersión dual español-inglés donde se integran estudiantes lingüísticos minoritarios y mayoritarios con características y necesidades muy diferentes. Estos programas incluyen, por un lado, a niños monolingües que aspiran a desarrollar el bilingüismo y adquirir el idioma minoritario y, por otro lado, a los estudiantes latinos minoritarios que, en su mayor parte, están marginados socio-económicamente y presentan en general un bilingüismo emergente. Valdés explica que para los estudiantes minoritarios el desarrollo del inglés es algo esperado y exigido; en cambio, para los estudiantes angloparlantes, el desarrollo de otro idioma se considera un mérito. Esta discrepancia en el valor del desarrollo del bilingüismo dependiendo de si lo que se aprende es un idioma mayoritario o minoritario es particularmente relevante en un momento de la historia de los Estados Unidos donde hay un intenso sentimiento antiinmigración, junto con una clara oposición al uso y el mantenimiento de los idiomas de las comunidades minoritarias. Valdés (1997) aboga por la equidad educativa y por un accionar de los administradores y los educadores bilingües que trabajan en programas duales de dos vías que garantice que los niños que hablan idiomas minoritarios estén expuestos a la mejor calidad de instrucción posible en la lengua de su hogar. Es decir, si los programas de lenguaje dual no están bien implementados, favorecerán a aquellos estudiantes de la mayoría lingüística que, en general, debido a su situación social y cultural, ya tienen garantizado el acceso a mejores oportunidades educativas.

Investigaciones recientes han aportado pruebas convincentes a este respecto (Cervantes-Soon, 2014; Palmer y Henderson, 2016). Estas investigaciones han encontrado que el estatus social privilegiado de los angloparlantes tiende a dominar las dinámicas de las clases en los programas de dos vías, así como influyen la visión deficitaria que todavía predomina respecto de los estudiantes de minorías lingüísticas y de los inmigrantes. Las desventajas sociales y el discurso social y político actual, que estereotipa y discrimina a estos grupos, tienden a reproducirse en las aulas. Por ejemplo, Cervantes-Soon (2014) explica que es común en las aulas de los programas de dos vías que el progreso en el desarrollo del idioma minoritario de los estudiantes angloparlantes se celebre como un gran logro y que estos niños tiendan a dominar las conversaciones en la clase. En cambio, los avances que hacen en inglés los alumnos hablantes del lenguaje minoritario se ven solo como algo necesario para superar el riesgo del fracaso escolar y poder avanzar académicamente. Sin embargo, en la última década hemos visto también un gran incremento en la implementación de programas duales de una y dos vías, que responden de alguna manera a los principios de equidad propuestos por De Jong (2011), así como también una concientización sobre la importancia del desarrollo de la biliteracidad para una inserción auténtica en un mundo globalizado.

Visitemos las aulas bilingües

Para entender cómo se enseña en el aula bilingüe, necesitamos visitar clases en donde se pueda ver enseñanza bilingüe de calidad. En esta sección, primero presentamos a algunos maestros y a sus estudiantes, en clases bilingües de distintos tipos de programas duales. Además, destacamos lo que los estudiantes pueden hacer con los dos lenguajes de su repertorio lingüístico. Concluimos la sección con una descripción del tipo de información sobre los estudiantes que un maestro necesita recolectar para atender, de manera efectiva y estratégica, la diversidad de necesidades de los estudiantes de la clase.

Conozcamos a los maestros y a sus alumnos bilingües

Las ideas presentadas en el libro cobran vida a través del increíble trabajo de los maestros en diferentes tipos de aulas bilingües. En este libro presentamos ejemplos de clases bilingües, inspirados en diferentes maestros y aulas que hemos encontrado a lo largo de nuestro trabajo y que ilustran los diferentes programas bilingües. La mayoría de los ejemplos ilustran o están inspirados en el trabajo de maestros reales. Al nombrarlas, usamos el primer nombre o el apellido, en un intento por ilustrar diferentes tradiciones latinoamericanas de referirse a la maestra como "señora" seguido por el primer nombre, como en la Argentina, o el apellido, como en México. En esta sección presentamos a las maestras, sus aulas y a algunos de sus estudiantes, que serán los protagonistas de los capítulos de este libro.

En cada capítulo presentamos ejemplos del trabajo de las maestras al planificar o implementar lecciones o estrategias en diferentes contextos y programas bilingües. Estos ejemplos resaltan aspectos centrales de la instrucción bilingüe y el desarrollo del bilingüismo y la biliteracidad. Los ejemplos cubren desde kínder hasta quinto grado diferentes tipos de estudiantes y prácticas de biliteracidad.

Kindergarten, con la Sra. González y la Srta. María. En el salón de kindergarten, la Sra. González y la Srta. María enseñan en un programa dual de dos vías 50/50. La Sra. González enseña artes del lenguaje en español e inglés, mientras que la Srta. María enseña ciencias y estudios sociales en español y matemáticas en inglés. En cada salón hay aproximadamente un 50% de estudiantes que hablan español en la casa y el otro 50% habla inglés. Del 50% de los estudiantes que hablan español, aproximadamente, el 40% ingresaron hablando solo español, mientras que un 10% comprendía algo de inglés. La clase incluye dos estudiantes de origen chino que hablan mandarín e inglés en casa. El resto habla inglés solamente.

Zhao es un niño de padres chinos que migraron al país hace diez años. La familia habla mandarín e inglés en la casa, dado que los padres de Zhao son profesionales que usan regularmente el inglés en su trabajo y en su vida social. Zhao transita del mandarín al inglés sin dificultad.

Assael es el menor de tres hermanos de padres peruanos, que migraron a los Estados Unidos hace más de 15 años. Assael habla español, pero entiende inglés porque en la casa interactúa con sus hermanos y sus padres en los dos idiomas.

Primer grado, con la Sra. Medina. La Sra. Medina enseña en primer grado en un programa dual de una vía 90/10. Durante el primer grado la distribución del tiempo es de 80% en el lenguaje del hogar y 20% en inglés. Los estudiantes son latinos nacidos en los Estados Unidos y en diferentes países de Centroamérica. Todos hablan español en la casa. Los alumnos nacidos en los Estados Unidos comprenden y tienen habilidades básicas de comunicación en inglés en un nivel principiante o emergente. Los alumnos de Centroamérica son recién llegados al país y no han desarrollado el inglés, por lo cual se los ubica en un nivel de preproducción, dado que no pueden producir textos orales o escritos en inglés. La Sra. Medina enseña con un modelo secuencial de desarrollo de la biliteracidad, enfocándose en la primera lengua para luego avanzar en la introducción de la literacidad en inglés. En su clase, artes del lenguaje, matemáticas y estudios sociales se enseñan en español y ciencias y materias especiales —*specials*— en inglés. Omar y Miranda son alumnos de la Sra. Medina. Aunque los dos estudiantes han emigrado de Centroamérica y han llegado al país al final de kindergarten con poco conocimiento de inglés, vemos diferencias muy importantes:

Omar tiene poco conocimiento de inglés. En su país ha recibido educación formal durante un año. Habla español y mam, una lengua indígena de Guatemala.

Miranda habla mam con su familia y su comunidad y no ha aprendido español ni conoce el idioma inglés.

Segundo grado, con la Sra. Olivia. La Sra. Olivia enseña a sus alumnos en español y en inglés en un programa dual de una vía 90/10. Esta clase incluye una mayoría de estudiantes bilingües secuenciales, que han inmigrado recientemente o que, a pesar de haber nacido en los Estados Unidos, presentan mayor competencia lingüística en español. Por lo tanto, la Sra. Olivia planifica la enseñanza para desarrollar la biliteracidad en forma secuencial, es decir, primero se enfoca en la literacidad en el idioma de la casa o minoritario.

Carlos es un niño mexicano-americano y bilingüe simultáneo, dado que nació en los Estados Unidos y ha crecido hablando español con su mamá e inglés con su papá.

Nancy nació en los Estados Unidos, habla español en casa y ha aprendido inglés en la escuela desde el kínder. Es hija de madre venezolana que inmigró a los Estados Unidos dos años antes de su nacimiento.

Arely es una alumna recién llegada de México, con una historia de escolaridad esperada para su edad. Es hija de padres profesionales que han inmigrado a los Estados Unidos por razones de trabajo.

Martín, recién llegado de El Salvador, tiene una historia escolar limitada, dado que no completó primer grado en su país. Es hijo de madre salvadoreña que inmigró a los Estados Unidos hace tres años. Martín presenta bajo rendimiento académico en todas las áreas.

Tercer grado, con la Sra. Mendoza y la Sra. Saavedra. En un programa dual de dos vías 50/50, la Sra. Mendoza enseña en español y la Sra. Saavedra en inglés en forma alternada, a dos grupos diferentes de estudiantes. La clase está integrada por alumnos bilingües secuenciales y simultáneos. Algunos de los estudiantes bilingües secuenciales pueden clasificarse como bilingües emergentes por su nivel de competencia en uno de los dos idiomas. Aproximadamente el 30% de los estudiantes en cada salón de clase hablan inglés como lengua del hogar y están en el programa para desarrollar el bilingüismo. El 70% restante habla español o los dos idiomas en sus casas. En esta clase las maestras planifican para desarrollar la biliteracidad en forma simultánea. En el salón de tercer grado encontramos alumnos muy diversos:

Joaquín es un alumno bilingüe emergente, de padres mexicano-americanos nacidos en los Estados Unidos, que habla inglés en su casa con sus hermanos y lo prefiere como lengua de aprendizaje.

Mario es un niño colombiano que ha llegado al país hace un año. Habla español en su casa y está comenzando a aprender inglés. Mario recibió educación formal en Colombia hasta segundo grado.

Juana es una niña mexicana que acaba de ingresar a tercer grado por su edad. Juana vivió alternativamente en una zona rural de México, con su abuela, y en la ciudad, con su madre. Su escolaridad fue interrumpida varias veces por estos cambios.

Morgan es hija de padres profesionales anglosajones que viajan mucho por trabajo y quieren que su hija sea bilingüe. En la casa hablan en inglés. Morgan se comunica con algunos de sus pares que dominan el español, pero aún le cuesta participar oralmente.

Elena nació en los Estados Unidos; habla español con su madre mexicana y su familia y se comunica en inglés con su papá y sus abuelos paternos cuando los visita.

Tamara habla en español con su abuela mexicana, con quien pasa bastante tiempo dado que su mamá y su papá trabajan todo el día. Ambos padres hablan inglés con la niña.

Cuarto grado, con la Sra. Jessica. En cuarto grado de un programa dual de dos vías 90/10, la Sra. Jessica enseña el 50% del tiempo en inglés y el 50% en español. La clase está compuesta por una mayoría de estudiantes bilingües secuenciales, inmigrantes recientes que hablan español, y algunos nacidos en los Estados Unidos que tienen distintos niveles de competencia bilingüe, es decir, hay estudiantes bilingües emergentes y algunos con un mayor desarrollo del bilingüismo. En este programa la biliteracidad se desarrolla en forma secuencial desde kindergarten hasta quinto grado. En la clase de la Sra. Jessica encontramos alumnas como Estefanía y Analía:

Estefanía está recién llegada de la Argentina, con escolaridad adecuada en su primer idioma español y conocimientos básicos de inglés. En la casa se habla español, pero todos los miembros de la familia también hablan inglés. Sus padres son profesionales.

Analía nació en los Estados Unidos; es la hija mayor de una familia que emigró desde Venezuela. Ella habla inglés y español, pero en casa hablan solo español, idioma que ella prefiere. Analía es muy buena lectora en los dos idiomas, pero prefiere escribir en inglés.

Quinto grado, con la Sra. Naty. La Sra. Naty es maestra de quinto grado en un programa dual de una vía o salida tardía —*late exit*—. En su clase la mayoría de los alumnos son bilingües con diferentes niveles de desarrollo de la literacidad en inglés y en español. Algunos de sus estudiantes no han logrado los niveles de lectura y escritura esperados para su grado y tienen bajo desempeño académico, según los resultados de los exámenes estandarizados. En esa escuela se los identifica como aprendientes de inglés a largo plazo —*long term English learners - LTELLs*—, dado que no logran los resultados esperados para dejar de ser clasificados como *ELLs*. Para ayudar a sus alumnos, la Sra. Naty apoya la enseñanza del contenido en inglés incluyendo el español para introducir conceptos y apoyar la comprensión, haciendo conexiones con experiencias y fondos de conocimiento de sus estudiantes. En la clase de la Sra. Naty hay alumnos con experiencias culturales y perfiles lingüísticos diversos como Lou, Francisco y Josué:

Lou es hijo de peruanos de origen asiático. Sus padres hablan español. La familia de Lou vivió por muchos años en Perú, donde nació. Hace cinco años y por razones de trabajo su familia emigró a los Estados Unidos.

Francisco asiste a la escuela en Texas desde kínder, pero debido a cambios de residencia por el trabajo de su papá no ha recibido el apoyo necesario para su desarrollo lingüístico y académico. Francisco todavía está clasificado como aprendiente de inglés, tiene muchas dificultades académicas y no ha pasado los exámenes estandarizados del estado.

Josué, hijo de trabajadores migrantes, comenzó su educación en los Estados Unidos en cuarto grado. Su escolarización en Guatemala no fue continua. Josué no aprendió a leer y ni a escribir bien en quiché, su idioma.

Las investigaciones indican que, con el crecimiento continuo de la población estudiantil bilingüe, los maestros que enseñan en programas duales necesitan adquirir habilidades lingüísticas avanzadas en los lenguajes de enseñanza, desarrollar en profundidad conocimientos de las áreas de contenido y comprender los principios pedagógicos y las técnicas de enseñanza apropiadas para el aula bilingüe, para poder planificar lecciones que apoyen a los estudiantes bilingües a tener éxito académico (Pawan y Craig, 2011). Además, deben desarrollar los conocimientos necesarios para interpretar datos de evaluaciones estandarizadas y formativas para informar la planificación de la enseñanza. La tabla 1.3 resume los grados, los programas y las unidades interdisciplinarias de cada maestra que se ilustran en los diferentes capítulos del libro.

Conozcamos a los estudiantes bilingües en nuestras aulas

Para poder ofrecer una educación de calidad, que considere las necesidades individuales y garantice las mismas oportunidades de aprendizaje a todos los estudiantes bilingües, es importante que los maestros conozcan a sus alumnos en términos de su historia escolar, sus experiencias lingüísticas y culturales, sus habilidades lingüísticas y su rendimiento académico. Los maestros no solo tienen que estar al tanto de la trayectoria escolar de los estudiantes de su clase, sino también entender sus fortalezas —lo que saben— y sus necesidades —lo que necesitan aprender o desarrollar— para poder diferenciar la enseñanza.

Entonces, las primeras preguntas que deberá hacerse el maestro son:

¿Quiénes son los estudiantes que hay en mi clase?

¿Cuáles son sus necesidades de aprendizaje?

¿Qué experiencias traen a clase que podemos integrar en nuestro currículo?

Para contestar estas preguntas, los maestros deben recopilar información acerca de todos los estudiantes de su clase, por ejemplo, usando el formato de recopilación

Tabla 1.3 Grados, programas y macroestructura interdisciplinaria ilustrados en el libro

Grado	Programa	Maestra	Estudiantes bilingües y tipo de biliteracidad	Distribución del lenguaje	Macroestructura interdisciplinaria
Kindergarten	Programa bilingüe dual de dos vías —Two-way dual language bilingual program—	Sra. González Sra. María	Bilingües emergentes. 50% de alumnos habla el lenguaje minoritario en la casa y 50% inglés. Biliteracidad simultánea	Español 50% Inglés 50%	Plantas y animales en nuestro medio ambiente
Primer grado	Programa bilingüe dual de una sola vía —One-way dual language bilingual program—	Sra. Medina	Estudiantes latinos que hablan español, nacidos en los Estados Unidos y en diferentes países de Centroamérica. Biliteracidad secuencial	Español 80% Inglés 20%	Las comunidades del pasado y del presente
Segundo grado	Programa bilingüe dual de una sola vía —One-way dual language bilingual program—	Sra. Olivia	Estudiantes bilingües secuenciales, inmigrantes recientes y algunos nacidos en los Estados Unidos. Biliteracidad secuencial	Español 60% Inglés 40%	Explorando nuestro medio ambiente
Tercer grado	Programa bilingüe dual de dos vías —Two-way dual language bilingual program—	Sra. Mendoza (español) Sra. Saavedra (inglés)	Estudiantes bilingües secuenciales y simultáneos. 70% hablan español en la casa. 30% hablan inglés en la casa. Biliteracidad simultánea.	Español 50% Inglés 50%	Objetos en el espacio. Ecosistemas
Cuarto grado	Programa bilingüe dual de dos vías —Two-way dual language bilingual program—	Sra. Jessica	Estudiantes bilingües secuenciales, inmigrantes recientes que hablan español y bilingües simultáneos experimentados. Biliteracidad simultánea.	Español 50% Inglés 50%	Nativos americanos, una mirada crítica al encuentro de dos mundos
Quinto grado	Programa bilingüe dual de una vía (de salida tardía —Transitional late exit—).	Sra. Naty	Estudiantes bilingües con diferentes niveles de desarrollo de la literacidad en uno u otro idioma. Énfasis en el desarrollo de literacidad en inglés con apoyo en español.	Inglés 70% Español 30%	El clima y los cambios climáticos extremos

Tabla 1.4 Información inicial sobre los estudiantes			
Alumno	**Información general y cultural**	**Desarrollo del lenguaje**	**Rendimiento académico**
Carlos	Nacido en los Estados Unidos. Habla español con su mamá e inglés con su papá. Mexicano-americano. Hijo de padre de ascendencia mexicana (segunda generación) y de madre mexicana.	Bilingüe simultáneo	Rendimiento promedio en todas las áreas de contenido. Destaca en ciencias y en matemáticas. Clasificado como aprendiente de inglés (*ELL*).
Nancy	Nacida y criada en los Estados Unidos. Habla español en casa. Ha aprendido inglés en la escuela desde kínder. Hija de madre venezolana que emigró a los Estados Unidos dos años antes del nacimiento de Nancy.	Bilingüe secuencial	Rendimiento promedio en todas las áreas de contenido. Alto rendimiento en lectura en español. Clasificada como aprendiente de inglés (*ELL*).
Arely	Recién llegada de México, con escolaridad adecuada. Estudió inglés en su escuela, en México. Mexicana. Hija de padres profesionales recién llegados a los Estados Unidos.	Bilingüe secuencial	Alto rendimiento en todas las áreas de contenido, especialmente en lectura en español y en matemáticas. Clasificada como aprendiente de inglés (*ELL*).
Martín	Hijo de madre salvadoreña que emigró a los Estados Unidos tres años atrás. Martín recién ha llegado a los Estados Unidos a reunirse con su madre. Está recién llegado de El Salvador y tiene escolaridad limitada.	Bilingüe secuencial	Bajo rendimiento académico en todas las áreas de contenido. Literacidad emergente en español. Clasificado como aprendiente de inglés (*ELL*).

de datos que presentamos en la tabla 1.4. Esta información ayuda a los maestros a planificar la enseñanza, de acuerdo con las fortalezas y las necesidades de sus alumnos. A continuación, detallamos los tipos de información que los maestros pueden recoger y analizar.

Información general y cultural. Este tipo de información incluye características de la familia, tipo de actividades extraescolares —si las realiza—, experiencias significativas antes de entrar a la escuela (p. ej., si su familia emigró debido a situaciones de violencia en su país de origen), lugares donde vivió (p. ej., si vivió lejos de sus padres), situación económica (los niños de familias que viven en situación de pobreza tienen más posibilidades de estar en desventaja) y el historial de escolaridad (es importante saber dónde fueron a la escuela, por cuánto tiempo, si lo hicieron en forma continuada o interrumpida y si completaron la escolaridad formal esperada). De acuerdo con la información general de los estudiantes, también podremos identificar si los estudiantes desarrollan el bilingüismo en forma secuencial o simultánea.

Los alumnos se benefician cuando los maestros destinamos tiempo a conocer su cultura. Por ejemplo, entender los valores, las creencias, los roles asociados con el género y la edad, las expectativas que las familias tienen de la escuela y sus actitudes hacia el aprendizaje de inglés. Esta información se puede obtener de varias maneras. Una forma efectiva es a través de entrevistas con los padres o los guardianes legales o con visitas al barrio o a la casa de los estudiantes. Estas entrevistas y visitas son primordiales para descubrir los fondos de conocimiento, tanto lingüísticos como culturales, que existen en los hogares (González et al., 2005), es decir, los conocimientos y las habilidades que definen las prácticas sociales en las que participan las familias y que garantizan su funcionamiento y su bienestar; por ejemplo, la tradición familiar de transmitir conocimientos contando historias en el idioma nativo o ciertos oficios familiares como tallar madera, jardinería, etc. Estas prácticas se pueden constituir en un recurso de aprendizaje si se integran en la enseñanza. Las maestras pueden integrar el conocimiento de las familias sobre plantas medicinales, sobre mecánica o sobre tradiciones o cocina típica. Esto abre la posibilidad de que las familias participen activamente en las aulas.

Información sobre el desarrollo del lenguaje. La educación de los estudiantes bilingües es determinada por leyes federales, estatales y locales (distritos escolares). La legislación federal exige que los estados y los distritos escolares evalúen el desarrollo de las competencias lingüísticas. La ley federal *Every Student Succeeds Act (ESSA, 2015)* establece que los estados deben crear un proceso uniforme para identificar a los estudiantes bilingües que la ley denomina aprendientes de inglés —*English language learners (ELLs)*—. La ley establece que los distritos escolares deben incrementar los niveles de competencia lingüística de estos estudiantes y estos niveles se deben medir para recibir los fondos federales del Título I destinados a apoyar a estudiantes de bajos recursos económicos. Los exámenes o pruebas estandarizadas sirven para identificar el nivel de destreza en el lenguaje académico. Cada estado decide qué examen utiliza y cada distrito también identifica o crea pruebas que el maestro usa para identificar el nivel de desarrollo del lenguaje en las cuatro dimensiones: escuchar, hablar, leer y escribir. Algunos estados o distritos usan pruebas para determinar el nivel de español.

En general, para identificar a los estudiantes aprendientes de inglés (*ELLs*), las escuelas usan un proceso de dos pasos. El primer paso es identificar si en el hogar se habla un lenguaje que no sea inglés, a través de un cuestionario que completan los padres o los guardianes legales. Si en el hogar se habla otro lenguaje, entonces se evalúa la competencia lingüística en inglés del estudiante con una prueba estandarizada aprobada por el estado. El consorcio WIDA ha desarrollado un marco de estándares para el desarrollo del inglés —*English language development (ELD)*— acompañados de la filosofía *Can Do*, que se basa en la creencia de que todas las prácticas lingüísticas y culturales de los estudiantes contribuyen positivamente a su aprendizaje. Los estándares WIDA del desarrollo del inglés son cinco e incluyen el **lenguaje social** —*social language*— así como el lenguaje de las artes de lenguaje, de las matemáticas, de las ciencias y de los estudios sociales (WIDA, 2012a).

Asimismo, WIDA (2013) ha desarrollado un marco de estándares para el desarrollo del español. Los descriptores "Podemo*s"* son un componente del marco de estándares y proporcionan una guía sobre lo que los estudiantes bilingües pueden hacer en cada uno de los cinco niveles de desempeño lingüístico (1, nivel de entrada; 2, nivel emergente; 3, nivel de desarrollo; 4, nivel de extensión; y 5, nivel de transformación). Los descriptores "Podemos" y *Can Do* muestran estos niveles de desempeño en cuatro usos del lenguaje (relatar, explicar, argumentar y discutir) y en las cuatro **dimensiones del lenguaje** —escuchar, hablar, leer y escribir (WIDA, 2016a; 2016b)— a través de los cuales los estudiantes pueden demostrar su competencia lingüística tanto en inglés como en español.

Similarmente, ELPA 21, otro consorcio multiestatal, se formó como respuesta a la necesidad de desarrollar estándares de competencia en inglés —*English language proficiency (ELP)*—, correspondientes a los estándares de contenido, utilizando los parámetros de alineación establecidos por el Consejo de Jefes de Oficiales de Escuelas Estatales —*Council of Chief State School Officers (CCSSO)*—, en el documento conocido como *ELDP Framework*.

Del mismo modo, algunos estados han desarrollado sus propios estándares para el desarrollo del inglés. El estado de Texas, por ejemplo, ha publicado los *English language proficiency standards* (*ELPS*). Se espera que todos los maestros del estado de Texas que tengan estudiantes que están en el proceso de desarrollar el inglés integren la enseñanza del contenido con la enseñanza del lenguaje, incorporando los *ELPS* en su planificación.

Es importante tener en cuenta que los datos que las pruebas estandarizadas proveen son limitados y no informan de manera continua el proceso de enseñanza y aprendizaje; sus resultados son aplicados principalmente a evaluar el desempeño —*accountability*— de las escuelas y los maestros. No obstante, estos estándares ayudan a los maestros en la planificación, incorporando las cuatro dimensiones del lenguaje e indicando los niveles de desarrollo del lenguaje con ejemplos de lo que el alumno puede hacer en cada una de ellas (Fairbairn y Jones-Vo, 2019).

Una fuente de información cualitativa importante se genera a través de evaluaciones informales y de desempeño como proyectos o portafolios que permiten identificar el nivel de desarrollo del lenguaje social y académico, necesario para el logro académico, que han alcanzado los estudiantes. Por ejemplo, si pueden comprender instrucciones indirectas como cuando la maestra dice "*I like the way Mary is sitting*" o "me gusta la manera en que Pedro estuvo escuchando la explicación de su compañero". Estas instrucciones tienen un mensaje implícito que recompensa el comportamiento asociado con estar atento y escuchar a la maestra o los compañeros que los alumnos bilingües deben entender; es parte de aprender sobre la cultura y el lenguaje escolar, qué se hace y qué se dice en la escuela. A través de observaciones informales durante la interacción en el aula, las maestras pueden identificar el nivel de comprensión del lenguaje social de la escuela.

Información sobre el rendimiento académico. La historia escolar de cada estudiante permite reconstruir sus logros y sus dificultades en cada área de contenido. Por ejemplo, como maestros es importante saber si nuestros estudiantes bilingües emergentes recién llegados al país han logrado los aprendizajes esperados para su nivel de grado en su país de origen o si es un estudiante bilingüe que ha venido de otro estado, si sus logros en lectura y escritura son los esperados y equivalentes a los indicados para el distrito escolar. Es importante intentar tener acceso a los registros escolares, el currículo o plan de estudios previo y las calificaciones previas, para conocer el nivel de conocimiento de contenidos y determinar qué necesitan aprender. Cuando los estudiantes vienen de otros países, es necesario que los maestros se familiaricen con los métodos para medir el aprendizaje a fin de interpretar correctamente los documentos.

El uso de la información para planificar la enseñanza bilingüe. Como ya explicamos, los estados, los distritos escolares y las escuelas deben identificar el nivel de competencia lingüística de sus estudiantes bilingües para ofrecerles la enseñanza que necesitan. Los datos recopilados proporcionan evidencia del aprendizaje y el desarrollo de lenguaje de los estudiantes y pueden usarse para guiar la instrucción, el seguimiento de los estudiantes y el desarrollo de los programas.

Aunque los datos de las pruebas estandarizadas no son perfectos, proporcionan un punto de partida importante. Por ejemplo, la Sra. Jessica es maestra de Estefanía en cuarto grado y sabe que ella es una estudiante bilingüe experimentada de Argentina, previamente clasificada como aprendiente de inglés pero reclasificada como *former-ELL* o exaprendiente de inglés. Según las pruebas del estado, Estefanía puede leer, escribir y hablar español con fines académicos y se ubica en un nivel 5 de competencia en inglés —*ELP (English language proficiency)*— y un nivel 6 en español —*SLP (Spanish language proficiency)*—. Debido a su sólida formación educativa y a sus fuertes competencias lingüísticas en español e inglés, es poco probable que Estefanía necesite **andamiajes** —*scaffolds*— adicionales y el apoyo de la maestra. Sin embargo, la Sra. Naty, maestra de quinto grado, necesitará diferenciar la instrucción para Josué, un hablante de quiché, proveniente de Guatemala. La escolaridad de Josué fue interrumpida y no ha aprendido a leer y escribir en quiché o español. Josué tiene un nivel 3 en inglés y en español, con puntuaciones más altas al escuchar y hablar que al leer y escribir.

Aunque no todos los distritos escolares recolectan sistemáticamente evidencia de las habilidades lingüísticas en español en las cuatro dimensiones (escuchar, hablar, leer y escribir), sería importante para los maestros y los administradores usar evaluaciones que lo hagan posible, para poder incluir esto en la planificación de la enseñanza.

Tanto los administradores como los maestros que trabajan con estudiantes bilingües deben considerar la importancia de recopilar los tres tipos de información (general y cultural, desarrollo del lenguaje y rendimiento académico) para diseñar un currículo y una instrucción apropiados para la población a la que sirven en los distintos programas. Por ejemplo, la Sra. Olivia, maestra de segundo grado en un programa dual de una vía, tiene cuatro estudiantes recién llegados a su salón de clase. Dos de ellos vienen de otras escuelas del mismo distrito escolar, mientras que los otros dos son recién llegados al país. La maestra se asegura de recopilar toda la información necesaria para tomar las decisiones de enseñanza más apropiadas para cada uno de ellos como muestra la tabla 1.4.

Esta información permite a la Sra. Olivia planificar la instrucción no solo basada en los estándares del grado escolar sino también en las habilidades y las experiencias culturales de los estudiantes de su clase. Por ejemplo, exploran las diferentes tradiciones culinarias de los diferentes países latinoamericanos representados en la clase, establecen diferencias y similitudes entre los diferentes tipos de tamales, mientras hacen conexiones con el tipo de agricultura y el clima de cada país y utilizan este contexto cultural para aprender conceptos matemáticos como medición de cantidades en la elaboración de tamales. De esta manera, la maestra puede brindar oportunidades de aprendizaje más equitativas al organizar los grupos de enseñanza de forma más efectiva, utilizando andamiajes que permiten a todos los estudiantes de la clase tener acceso al contenido académico, al tiempo que desarrollan el lenguaje y la biliteracidad.

Review

In exploring the different bilingual programs presented in this chapter, it is important to keep in mind that although research has shown the positive results of dual language programs (Lindholm-Leary, 2016; Thomas y Collier, 2012b), in the current sociopolitical context there is still a predominance of school policies and practices that legitimize education only in English. These types of bilingual programs are based on a monolingual ideology that sees bilingualism as a problem and bilingual programs as the strategy for English learners to overcome their language deficit (García y Kleifgen, 2018; Palmer et al., 2014). These ideologies and practices harm students and affect educational equity by endorsing a subtractive approach to teaching bilingual students. Dual language programs can contribute to educational equity for bilingual learners when well-implemented, paying special attention to providing high-quality instruction for students who are traditionally marginalized and not favoring majority students (Valdés, 1997).

Effective bilingual teachers start with a clear understanding of who their students are, and what resources for learning they bring with them to school, especially their linguistic repertoire and cultural background. Understanding the characteristics of diverse bilingual learners helps bilingual teachers make instructional decisions aligned with the goals of traditional DL programs and more dynamic DLBE classrooms that is bilingualism and biliteracy, academic achievement, and cross-cultural understandings. With a focus on social justice and equity, teachers who know their students will infuse their instruction with culturally sustaining practices that tap on students' funds of knowledge to enhance their learning. Moreover, teachers of bilingual students need to keep in mind that when learning, bilingual learners tap into all of their linguistic resources to make sense of the world. Therefore, effective bilingual teachers value students' bilingualism and endorse a holistic and dynamic approach to content, language, and biliteracy instruction.

Aplicaciones prácticas

Aspirantes a maestros

Seleccione una escuela y elabore una descripción de la composición demográfica de los estudiantes, identificando: país de origen, etnicidad, lenguaje o lenguajes hablados y nivel de competencia en inglés. Explique cuál es el proceso de clasificación de los estudiantes según la competencia lingüística y qué opciones de programas bilingües se ofrecen en su región o estado. De acuerdo con los perfiles lingüísticos de los alumnos, identifique qué programa bilingüe es el más apropiado. Justifique su respuesta.

Maestros

Investigue las experiencias escolares de sus estudiantes y el tiempo que llevan viviendo en los Estados Unidos. Entreviste a sus estudiantes y/o a sus padres si es necesario. Después, reflexione sobre las implicaciones de lo aprendido para la enseñanza.

Administrators

Examine the different bilingual programs. Considering the characteristics of the students in your school or district, and the characteristics of the community, analyze the advantages and disadvantages of each bilingual program. Evaluate your bilingual program and determine if it is the most appropriate to meet the needs of students in your school or district.

2

Bilingüismo, biliteracidad y la enseñanza del contenido
A dynamic and holistic approach

Instructional attempts to develop biliteracy and academic language proficiency in bilingual students' two languages are entirely consistent with notions of translanguaging and heteroglossic orientations to linguistic diversity. (Jim Cummins, 2017, p. 416)

Objetivos

- Definir el bilingüismo y la biliteracidad desde una perspectiva holística y dinámica.
- Analizar las implicaciones para la enseñanza de la pedagogía del translenguar y la integración estratégica de conexiones interlingüísticas.
- Explicar la importancia del lenguaje oral en el desarrollo de la biliteracidad.
- Definir el concepto de biliteracidad interdisciplinaria en relación con la enseñanza del contenido en el aula bilingüe.
- Explorar los principios y las implicaciones de la enseñanza y la evaluación integrada e interdisciplinaria del contenido y el lenguaje en el aula bilingüe.

This chapter provides the theoretical and pedagogical foundation for the integrated approach to teaching content and language for biliteracy that we propose in this book. We begin with recent developments in bilingualism, continue with contemporary understandings of biliteracy and biliteracy development, and conclude with a brief discussion of teaching content through language in the bilingual classroom.

To effectively build on what students know and can do with oral and written Spanish and English in the bilingual classroom, bilingual educators need to embrace a dynamic bilingual perspective that treats bilingualism as the norm and that views oral and written Spanish and English language holistically. This view challenges the static monolingual perspective—still prevalent in bilingual education today—that views "the multiple languages of bilinguals in isolation from each other" (García, 2009, p. 220) and defines the bilingual learner as the sum of two monolinguals (Flores & Schissel, 2014). Following the work of García et al. (2017), we approach instruction in the bilingual classroom with a translanguaging stance, that is, embracing a mindset that understands "that the many different language practices of bilingual students work *juntos*/together, not separately as if they belonged to different realms" (p. 27). This means engaging in developing instructional and assessment practices that dynamically integrate students' full linguistic repertoire.

Critical to bilingual learners' achievement is the development of biliteracy, and it is a primary component of our work. We define biliteracy as the capacity to produce and interpret texts in two languages drawing on bilingual students' complete linguistic repertoires (Beeman & Urow, 2012; Escamilla et al., 2014; Soltero-González & Butvilofsky, 2017). Like bilingualism, we consider bilingual students' language use holistically, that is, Spanish and English oral and written language side by side, never in isolation.

Our dynamic and holistic notion of bilingualism is reflected in our proposal for an interdisciplinary approach to biliteracy development in the bilingual classroom. The notion of interdisciplinary biliteracy as a holistic process frames the approach to planning and teaching in the content areas in bilingual contexts. We bring this approach to life with examples from the bilingual classrooms of Sra. Olivia, a second-grade one-way dual language teacher; Ms. Mendoza and Ms. Saavedra, a third-grade dual language team teaching in a two-way dual language context; and Sra. Gonzalez, a teacher in a two-way immersion kinder classroom. Teachers are encouraged to reflect on how their perspectives of bilingualism and biliteracy inform content and language learning and teaching in their bilingual classrooms.

La enseñanza bilingüe como un proceso dinámico y holístico

Los alumnos de la clase dual de dos vías de tercer grado de las Sras. Mendoza y Saavedra están trabajando en la escritura de libros bilingües sobre el cuidado del medio ambiente para entregar a las familias en Navidad. Para esto, los niños han investigado sobre el medio ambiente y su cuidado, y ahora quieren compartir los resultados de esa investigación con sus familias para que todos sepan cómo cuidarlo. Los alumnos están escribiendo sus libros en español y en inglés para que todos los miembros de sus familias los puedan leer. Como son bilingües emergentes, algunos niños necesitan ayuda para escribir en un idioma o el otro. Por eso la maestra organizó el trabajo en grupos heterogéneos donde hay estudiantes con diferentes competencias bilingües, tanto en español como en inglés. Por ejemplo, durante el tiempo de escritura en inglés, se puede escuchar a los niños conversando en español sobre la manera de escribir en inglés ciertos términos claves como "reciclar basura". John, un alumno que habla inglés en su casa con sus padres y que está en un nivel emergente de español, aporta la ortografía correcta. Este tipo de escenas son comunes en las aulas bilingües e ilustran la manera en que los lenguajes conviven y se transforman en recursos necesarios para el aprendizaje.

En este capítulo exploramos el modo en que las diferentes formas de entender el bilingüismo han tenido influencia en cómo se enseña en el aula bilingüe, cómo se usan los lenguajes al enseñar y cómo se entiende el aprendizaje de los alumnos bilingües. Dos perspectivas casi opuestas han predominado: una visión fragmentada del bilingüismo y una visión holística. Desde una perspectiva fragmentada, una persona bilingüe es equivalente a la suma de dos monolingües. Esta visión considera que las personas bilingües desarrollan la competencia lingüística en ambos idiomas en forma paralela, pero separada. Por ello se mide el nivel de competencia lingüística de las personas bilingües, aplicando los parámetros que definen las competencias de una persona monolingüe en cada idioma.

Por ejemplo, la Sra. Olivia (segundo grado) y la Sra. Mendoza (tercer grado), quienes han sido maestras bilingües en programas duales durante más de 10 años, pensaban que la mejor manera de enseñar a niños bilingües era mantener una separación estricta de los lenguajes en la clase. Con el tiempo comenzaron a notar lo difícil y poco natural que resultaba intentar forzar a los niños a usar solo un lenguaje durante las conversaciones que a ellas les importaba generar para conectar el aprendizaje del contenido con las experiencias de sus alumnos. Para muchos de sus alumnos nacidos en los Estados Unidos, el uso de los dos lenguajes para comunicarse era parte de su cotidianeidad. Es más, ellas habían aprendido durante su formación de maestras y en muchos entrenamientos del distrito a diferenciar solo entre primera y segunda lengua. Pero con el tiempo se dieron cuenta de que es difícil identificar una primera y una segunda lengua, cuando muchos de sus alumnos tienen experiencias como Carlos, que está en la clase de la Sra. Olivia. Carlos nació y creció en los Estados Unidos, hablando español con su mamá e inglés con su papá. Carlos es un claro ejemplo de lo que se denomina un estudiante bilingüe simultáneo, dado que aprendió ambos idiomas al mismo tiempo, desde su nacimiento. Otro ejemplo de las diferentes experiencias de los niños bilingües con el desarrollo del bilingüismo es el de Tamara, que está en la clase de la Sra. Mendoza. A pesar de que Tamara creció hablando en español con su abuela, que la cuida desde pequeña mientras sus padres trabajan, ella tiende a preferir el inglés para comunicarse con sus padres, en la escuela, con amigos y con parientes. El bilingüismo de estos niños no es simplemente la suma o adición de una nueva lengua a la lengua del hogar, sino el uso de su complejo repertorio lingüístico para construir significado de acuerdo con lo que requiera la situación en la que se encuentren (Otheguy et al., 2015).

Una visión holística del bilingüismo afirma que cada persona bilingüe es un individuo único que integra ambos idiomas en su interacción con el mundo y en la construcción del conocimiento (Grosjean, 2010; García y Kleifgen, 2018). Desde un punto de vista externo o social, los lenguajes existen como entidades separadas, pero desde el punto de vista del individuo, esta visión dinámica del bilingüismo nos permite entender que cada persona tiene un repertorio lingüístico integrado y único, diferente al de una persona monolingüe. Las comunidades y las personas bilingües como Carlos y Tamara desarrollan y utilizan competencias lingüísticas en ambos idiomas de acuerdo con la situación específica (p. ej., al comunicarse con su familia, con amigos, al leer un libro, mirar una película, estudiar, etc.), apelando a todo su repertorio lingüístico de forma fluida, sin importar el nivel de competencia que hayan adquirido en cada idioma.

Más allá de una visión monolingüe del aula bilingüe

Las aulas bilingües y los estudiantes bilingües han sido tradicionalmente definidos a partir de una visión monolingüe y estática de la lengua, que trata al estudiante bilingüe como alguien que está aprendiendo una segunda lengua (García y Kleifgen, 2018). Cummins (2007; 2008) denomina esto como el "supuesto de dos soledades", dado que se ve al alumno bilingüe como la suma de dos monolingües. Según Cummins (2007), esta forma de entender al alumno bilingüe responde al **modelo de competencia subyacente separada** —*separate underlying proficiency (SUP) model of bilingual proficiency*—, que se opone a una visión integrada de la competencia lingüística o **competencia subyacente común** —*common underlying proficiency (CUP) model of bilingual proficiency*—.

El "supuesto de dos soledades" que describe Cummins (2008) se expresa en la separación estricta de idiomas en la educación bilingüe y ha promovido la agrupa-

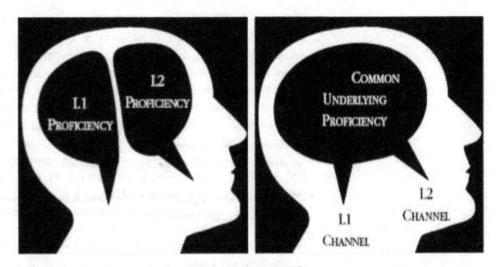

Figura 2.1 El modelo de competencia subyacente separada, izquierdo. El modelo de competencia subyacente común, derecho. *(Imagen reproducida con permiso de TESOL. Jim Cummins, Teaching for Cross-Language Transfer in Dual Language Education: Possibilities and Pitfalls (Alexandria, VA: Teachers of English to Speakers of Other Languages, Inc., 2005, p. 4.)*

ción homogénea de los estudiantes en función de niveles de dominio de la lengua definidos por tests estandarizados (García y Kleifgen, 2018; Palmer et al., 2014). Por ejemplo, en la escuela de la Sra. Olivia, en Texas, aun se hace mucho énfasis en mantener los lenguajes completamente separados. Hay días para el inglés y días para el español. Los niños pueden ser reprendidos si se los encuentra hablando el otro lenguaje o "mezclando" los dos lenguajes. En esta escuela, es común ver cómo los alumnos son agrupados en el aula según su competencia lingüística en inglés, siguiendo los estándares de Texas (*English Language Proficiency Skills*, *ELPS*), desde principiante hasta altamente avanzado: *beginning, intermediate, advanced* y *high advanced*. Esta forma de agrupar a los estudiantes no promueve la interacción entre los alumnos bilingües más experimentados, es decir, aquellos que tienen mayor desarrollo del bilingüismo y la biliteracidad, y los bilingües emergentes, que tienen un desarrollo inicial del bilingüismo y habilidades básicas de lectoescritura (García et al., 2017).

En conclusión, actualmente sigue predominando una visión estática del alumno bilingüe como la suma de dos monolingües, que tiene como resultado la separación estricta de los lenguajes en la enseñanza. Esta visión es cuestionada por investigaciones que proponen una visión holística, dinámica y fluida del bilingüismo, que da por resultado el uso integrado de los lenguajes en un repertorio lingüístico único (Flores y Schissel, 2014; Fu et al., 2019; García y Kleifgen, 2018, García et al., 2017). En las aulas bilingües, el lenguaje de enseñanza o la norma lingüística debe ser el bilingüismo, entendido como meta de la enseñanza y recurso central para el aprendizaje.

> "Many, if not most, classrooms are multilingual, with students who speak languages in addition to English. Some of these students are highly bilingual and biliterate (experienced bilinguals), whereas others' bilingualism and biliteracy is emerging (emergent bilinguals)" (García, Johnson, & Seltzer, 2017, p. x).

El translenguar en educación

El concepto de translenguar surge de una visión dinámica y holística del bilingüismo y reconoce que las personas bilingües usan el lenguaje para muchos propósitos, incluyendo la expresión de ideas y la interacción (Blum Martínez, 2017;

García et al., 2017; Fu et al., 2019). Por ejemplo, en el sur de Texas, donde vivieron las autoras de este libro, la mayoría de la población es bilingüe. En las calles se escucha a la gente hablar transitando del español al inglés con facilidad, los carteles en los negocios se ven algunos en español, otros en inglés y muchos en ambos idiomas; en los bancos y las oficinas públicas se atiende en español o inglés según el cliente y, en sus juegos, los niños usan de forma integrada los dos idiomas.

Ofelia García (2013), una de las pioneras en la introducción de esta idea en el campo de la educación, fue inspirada por el trabajo original de Cen Williams sobre el uso del idioma inglés y galés en escuelas secundarias (Baker y Wright, 2017) de Gales. García (2013) define el translenguar "como el conjunto de prácticas discursivas complejas de todos los bilingües y las estrategias pedagógicas que utilizan esas prácticas discursivas para liberar las maneras de hablar, ser y conocer de comunidades bilingües subalternas" (p. 354). En las comunidades bilingües, así como en los salones de clase que sirven a estudiantes bilingües, los participantes utilizan el translenguar como un mecanismo no solo de comunicación sino también de pertenencia al grupo de hablantes que negocia significados a través del uso de las dos lenguas con diferentes personas, en diferentes contextos y con diferentes propósitos. Translenguar no es simplemente moverse de un lenguaje a otro en la interacción oral, por ejemplo, cambiando de código o lenguaje al hablar, sino el uso estratégico del repertorio lingüístico singular de los participantes bilingües, que da flexibilidad a las prácticas lingüísticas de aquellos que hablan más de un idioma. Esta flexibilidad en el uso y la integración lingüística debe considerarse como un recurso de las personas bilingües para acceder al conocimiento y construir significados. Según Seltzer y García (2019), es importante no confundir el translenguar con la alternancia de códigos —*code-switching*—, dado que son conceptos epistemológicamente diferentes. El concepto de alternancia de códigos asume una perspectiva monolingüe en la cual las personas bilingües se mueven de un lenguaje a otro y usan alternativamente "dos idiomas establecidos", en vez de un sistema lingüístico integrado, como propone el translenguar. La alternancia de código por parte de estudiantes y docentes por igual se ha asociado históricamente con la deficiencia lingüística. Cuando un estudiante bilingüe cambia de un idioma a otro a mitad de la oración o entre oraciones, se asocia ese hecho con habilidades lingüísticas limitadas. Además, el uso de la alternancia de código por parte de la maestra ha sido y es aún interpretado como un signo de mala instrucción y como presentación de modelos deficientes del uso del lenguaje a los estudiantes. Desde la perspectiva del translenguar, la alternancia de código no es un signo de deficiencia sino una práctica propia de las personas bilingües y una indicación de cómo está desplegando deliberadamente su repertorio lingüístico para interactuar con una audiencia (Solorza, 2019).

Translenguar involucra el uso de prácticas discursivas que integran de una manera dinámica elementos de los dos lenguajes y que no pueden ser identificadas como prácticas propias de uno u otro idioma. Una idea central en el translenguar es la distinción entre una perspectiva interna (individuo) y una externa (sociedad) en la definición del ser bilingüe. Otheguy et al. (2015) explican que desde una perspectiva externa se identifican **idiomas establecidos** —*named languages*—, es decir, se identifican el español y el inglés como lenguajes separados, por lo cual la alternancia de códigos corresponde a esta perspectiva. Esto es el resultado de procesos sociohistóricos que identifican y diferencian ciertas características y estándares lingüísticos para cada lenguaje. Desde una perspectiva interna, es decir, desde el punto de vista del individuo bilingüe o multilingüe, lo que predomina es el uso de un sistema lingüístico —*languaging*—, entendido como un complejo repertorio

> From a sociolinguistic perspective, translanguaging describes the fluid language practices of bilingual communities. From a pedagogical perspective, it describes a pedagogical approach whereby teachers build bridges from these languages practices and the language practices desired in formal school settings (Flores & Schissel, 2014, pp. 461–462).

interrelacionado de características y prácticas que las personas bilingües utilizan para expresarse y comunicarse.

El translanguaging *da prioridad no a los "idiomas establecidos" de los estudiantes latinos, sino a la unidad de su sistema lingüístico. La lengua, entonces, se entiende como que los estudiantes latinos pueden "hacer lengua" con sus propios sistemas lingüísticos unitarios, y no simplemente acogiéndose a las convenciones sociales externas del español y del inglés. [las cursivas son del original] (Seltzer y García, 2019, p. 16)*

El énfasis que pone la definición de translenguar en la existencia de un sistema único e integrado del lenguaje en el nivel del individuo no es incompatible con el reconocimiento de que los maestros enseñan en un contexto sociopolítico e histórico que reconoce la existencia de idiomas establecidos como entidades separadas que siguen y responden a normas lingüísticas y culturales diferentes (Cummins, 2017). Los maestros tienen que diferenciar lenguajes y separarlos durante la enseñanza, pero esto no significa que no estén operando desde una postura pedagógica e ideológica que entiende el translenguar como algo inherente al ser bilingüe y, por ende, un recurso esencial en el aprendizaje. Es decir, la separación de los lenguajes, elemento esencial de la estructura de los programas bilingües, se refiere a la necesidad de determinar cómo se estructura la enseñanza usando los dos lenguajes como meta de enseñanza y cómo se distribuye el tiempo de enseñanza entre uno y otro idioma. El translenguar es la postura pedagógica estratégica que asumen los docentes bilingües para aprovechar y valorar el repertorio bilingüe de sus estudiantes.

Investigaciones recientes han mostrado el potencial transformador de la integración del translenguar en contextos de enseñanza al explorar de qué manera diferentes estrategias pedagógicas diseñadas desde esta perspectiva apoyan el aprendizaje de estudiantes bilingües (Gort y Sembiante, 2015; Palmer et al., 2014; Velasco y García, 2014; Rowe, 2018). Velasco y García (2014) analizaron el uso de prácticas del translenguar en ejemplos de escritura de niños bilingües emergentes. En estos textos que los niños claramente intentaban escribir en el lenguaje de enseñanza, el translenguar era utilizado como una herramienta de autorregulación en el proceso de escritura. Los niños hicieron uso del translenguar durante los diferentes momentos de la producción escrita: esquema, borrador y producto final, usando múltiples formas de representar ideas (dibujos, símbolos) o insertando palabras en ambos lenguajes y usando diferentes lenguajes para diferentes tipos de textos. Gort y Sembiante (2015) describen la manera en que una maestra de preescolar en un programa dual usa prácticas pedagógicas del translenguar para resolver la contradicción entre la ideología de la separación del lenguaje y su convicción de la necesidad de apoyar a los estudiantes bilingües emergentes a través de actividades lingüísticas y literarias flexibles. Esta maestra integró prácticas de alternancia de código, traducción y modelado de la expresión oral en el lenguaje meta, facilitando situaciones donde los niños pudieran usar los dos idiomas en la comunicación de ideas —*language brokering*—. Este tipo de prácticas permite al maestro integrar los fondos de conocimiento lingüísticos y culturales de los niños y validar las identidades bilingües de sus alumnos.

A pesar del desarrollo que ha tenido la investigación en este campo, algunos educadores afirman que, en la práctica, la propuesta del translenguar se presta a interpretaciones y distorsiones. Más aún, algunos han argumentado que esta propuesta puede diluir la educación bilingüe, apoyando la mezcla de lenguajes en el aula, en detrimento del desarrollo de los lenguajes minoritarios como el español.

Four primary translanguaging purposes (García et al., 2017, p. 7):

1. Supporting students as they engage with and comprehend complex content and texts
2. Providing opportunities for students to develop linguistic practices for academic contexts
3. Making space for students' bilingualism and ways of knowing
4. Supporting students' bilingual identities and socioemotional development

En este libro describimos formas de enseñar que demuestran que es posible estructurar la enseñanza con la incorporación intencional de instancias de translenguar. Para esto anclamos nuestras propuestas en los propósitos que García et al. (2017) identifican para construir una pedagogía del translenguar. Una clase donde tiene lugar una pedagogía del translenguar es un espacio centrado en los alumnos y construido en forma colectiva por docentes y alumnos mediante el uso de diferentes prácticas lingüísticas como recursos para enseñar y aprender en forma creativa y dinámica. García et al. (2017) explican que la pedagogía del translenguar requiere de maestros que tengan una filosofía de la enseñanza que abogue por el translenguar —*translanguaging stance*— y utilicen esta filosofía al planificar la enseñanza, así como en la toma de decisiones diarias que supone el acto de enseñar. De este modo, los principios de lo que García et al. (2017) han denominado corriente del translenguar —*translanguaging corriente*—, que fluye como el agua en un río, pueden aplicarse en forma sistemática y estratégica en vez de usarse al azar o solo como una forma de apoyo ocasional —*scaffold*— para facilitar la comprensión del contenido.

La propuesta de la pedagogía del translenguar básicamente apela a la necesidad de justicia social y equidad en el acceso al conocimiento y en las posibilidades de aprender de acuerdo con las expectativas escolares, abriendo espacios educativos que integren los recursos bilingües de los alumnos, así como sus formas de comunicarse y conocer, para anclar nuevos aprendizajes académicos y lingüísticos complejos. García et al. (2017) argumentan que, para desafiar la visión monolingüe de la educación bilingüe sostenida por jerarquías de poder que perpetúan el inglés como lenguaje privilegiado y dominante, las maestras deben modelar el uso de todos los recursos culturales y lingüísticos de sus estudiantes y crear situaciones de aprendizaje donde ellos puedan ver críticamente de qué manera su repertorio bilingüe es un complejo sistema lingüístico que pueden usar en forma creativa para construir ideas y comunicarse.

En el aula bilingüe, los maestros que asumen una pedagogía del translenguar promoverán el diseño de estrategias de enseñanza y formas de evaluación que permitan a los estudiantes usar todo su repertorio lingüístico y comprender cómo usan el/los lenguaje/s en diferentes contextos, así como los diferentes elementos que constituyen los idiomas establecidos (como español e inglés) integrados en su repertorio. Esto es importante porque es necesario generar oportunidades en las que, al interactuar hablando, leyendo o escribiendo con diferentes tipos de textos, ellos usen todos los elementos de su repertorio bilingüe, incluyendo vocabulario (lexicón), gramática (sintaxis) y diferentes textos (discurso), de modo que al usarlos puedan ir estableciendo conexiones entre los elementos lingüísticos que ya conocen y los nuevos que agregan al expandir su repertorio bilingüe.

Conexiones interlingüísticas y conciencia metalingüística

El desarrollo de **conexiones interlingüísticas** —*crosslinguistic connections*— es un elemento clave en una pedagogía holística del bilingüismo y en aulas bilingües que se proponen desarrollar la biliteracidad. Las conexiones interlingüísticas permiten al estudiante conectar y comparar elementos de fonología, gramática, semántica o pragmática aprendidos en un idioma con elementos del otro idioma y aplicar este conocimiento a nuevas situaciones al usar su repertorio lingüístico. De esta manera, el estudiante está demostrando la capacidad de aprovechar y aplicar recursos a través de sus dos idiomas. Varios autores proponen ideas que ayudan a comprender la importancia de diseñar la enseñanza de modo de promover la comprensión de las conexiones entre lenguajes. Cummins (2017) reconoce la naturaleza dinámica de las prácticas lingüísticas bilingües y multilingües y las implicaciones educativas de esta conceptualización a través del concepto de bilingüismo activo y de **transferencia lingüística multidireccional** —*crosslinguistic transference*—, entendida como la posibilidad de usar el conocimiento aprendido a través de diferentes lenguajes. Escamilla et al. (2014) se refieren a esta idea como transferencia bidireccional —*bidirectional transfer*— del español al inglés y del inglés al español que se produce al establecer interconexiones del lenguaje —*cross-language connections*—. Consideramos que estas son ideas de suma importancia para los maestros que enseñan en contextos bilingües, en tanto permiten entender la manera en que los alumnos bilingües y multilingües operan, se comunican y aprenden a través de un sistema conceptual y lingüístico integrado. El desarrollo del repertorio bilingüe de los estudiantes se apoya en la posibilidad de establecer la transferencia lingüística multidireccional creando interconexiones entre los lenguajes. Entonces, es esencial diseñar la enseñanza de modo de promover el desarrollo de la **conciencia metalingüística** —*metalinguistic awareness*—, y **metalenguaje** —*metalanguage*— es decir la capacidad de pensar y hablar sobre el lenguaje que los maestros pueden facilitar al crear situaciones de aprendizaje donde los alumnos analicen e identifiquen similitudes y diferencias entre palabras, en el nivel de la formación de oraciones, la estructura de párrafos y los **géneros** —*genres*— discursivos (Escamilla et al., 2014). La conciencia metalingüística incluye habilidades para identificar, analizar y manipular sonidos, símbolos, gramática, vocabulario y estructuras lingüísticas dentro y entre lenguajes. En este texto proponemos planificar la enseñanza identificando conexiones interlingüísticas (Soltero-González y Butvilofsky, 2017), entendidas como situaciones de aprendizaje planificadas para comparar y contrastar lenguajes de modo que se facilite la transferencia multidireccional y se promueva el desarrollo de la conciencia metalingüística. Según Soltero-González y Butvilofsky (2017), esto requiere que el maestro planifique la enseñanza explícita y contextualizada de estas conexiones entre los lenguajes, de modo de hacerlas visibles para los estudiantes, para que sean capaces de:

- Conocer, analizar y verbalizar las características y las estructuras de cada uno de los idiomas.
- Comparar y contrastar las semejanzas y las diferencias entre el español y el inglés con respecto a fonología y ortografía, morfología (formación de palabras, prefijos y sufijos, cognados), gramática (puntuación, orden de palabras) y pragmática (funciones del lenguaje, como uso de diferentes registros en diferentes contextos).

Por ejemplo, explorar los fonemas de las vocales en inglés y asociarlos con los fonemas de las vocales en español, para descubrir que en español hay 5 vocales y 5 fonemas, mientras que en inglés hay 5 vocales y 15 fonemas. Esta conexión interlingüística será importante para futuros aprendizajes y para el desarrollo de la lectura y la escritura en ambos lenguajes. Esta estrategia requiere del uso estratégico y planificado de los dos idiomas y no simplemente de la traducción de un lenguaje a otro. Los estudiantes tienen que poder conectar lo que saben en un idioma para usarlo en el otro y viceversa.

Aun cuando los docentes enseñen desde una pedagogía del translenguar, deberán identificar momentos en los que el lenguaje de enseñanza sea el español, así como momentos en los que el lenguaje de enseñanza sea el inglés. Esto es necesario para focalizar la enseñanza en uno u otro lenguaje y estructurar los momentos estratégicos en los cuales integrar el translenguar. Una de las estrategias pedagógicas de translenguar que proponemos e ilustramos en este libro es la que se ha denominado **vista previa-vista-repaso** —*preview-view-review (PVR)*—. Esta es una estrategia que posibilita la planificación de conexiones interlingüísticas y el desarrollo de la conciencia metalingüística.

La Sra. Mendoza y la Sra. Saavedra usan esta estrategia en su clase dual de tercer grado en un programa 50/50, dado que les facilita la planificación integrada de las áreas de contenido. Decidieron usarla para hacer un uso estratégico de ambos lenguajes en la enseñanza, al considerar que aproximadamente el 70% de los estudiantes de su salón de clase son bilingües emergentes que hablan inglés en el hogar. El resto de los estudiantes hablan en la casa español o ambos idiomas. Entonces, las maestras organizan la enseñanza de modo tal que la Sra. Saavedra activa el conocimiento previo relativo al tema en inglés (vista previa), luego la Sra. Mendoza desarrolla la lección en español (vista), dado que es el lenguaje de enseñanza de las ciencias naturales, y, para finalizar, la Sra. Saavedra cierra o repasa (repaso) la lección en inglés, para monitorear la comprensión e integrar los contenidos. En cada uno de estos momentos, las maestras planifican para apelar a todo el repertorio bilingüe de sus alumnos e integran actividades para establecer conexiones interlingüísticas que expandan el repertorio bilingüe de los alumnos.

El impacto de esta estrategia se demuestra en la experiencia de Joaquín, un estudiante hijo de padres mexicano-americanos nacidos en los Estados Unidos, que habla inglés en su casa con sus hermanos y lo prefiere como lenguaje para aprender. Él comenta su entusiasmo con esta nueva forma de aprender que han introducido sus nuevas maestras: *"Now I don't get lost, in second grade I used to be lost all the time. Now I like it. It's easier for me. I can answer questions at the end"*. Joaquín expresa el impacto que tiene el hecho de planificar estratégicamente la transición entre los diferentes momentos de la lección, creando espacios para el translenguar, promoviendo la biliteracidad (uso de libros bilingües), compartiendo experiencias biculturales y planeando conversaciones estructuradas para establecer conexiones interlingüísticas. En línea con uno de los propósitos de la pedagogía del translenguar enunciados por García et al. (2017), el uso de esta estrategia permite apoyar el desarrollo emocional de los alumnos bilingües, facilitando la participación de todos los estudiantes, tanto bilingües emergentes como bilingües experimentados, en los diferentes momentos de la lección, a la vez que legitima el bilingüismo como recurso de aprendizaje.

La biliteracidad

Biliteracy development is a complex, multidirectional, and dynamic process that happens throughout formal schooling that involves interpreting and producing texts using the full bilingual linguistic repertoire (Bauer & Gort, 2012).

El bilingüismo y la biliteracidad pueden considerarse formas de capital cultural y un recurso muy valioso en una sociedad diversa y en rápida evolución. La biliteracidad es una forma especial de literacidad, distinta a la que desarrollan los niños monolingües. **La biliteracidad** es la capacidad de las personas bilingües de usar todo el repertorio lingüístico para comprender y producir textos, usando dos lenguajes. El desarrollo de la biliteracidad es un proceso continuo, flexible y dinámico a través del cual los estudiantes bilingües usan los dos lenguajes de forma interdependiente para comunicar ideas y construir significados, usando múltiples formas de representar el conocimiento y el mundo que los rodea tanto de manera oral como escrita. Anclamos la discusión del concepto de biliteracidad en el concepto de literacidad entendida como la capacidad de comprender, producir, crear y comunicar ideas usando diferentes tipos de textos, en distintos contextos y para diferentes destinatarios (Torres Velázquez, 2016).

Consideramos que el concepto de literacidad es inclusivo de las ideas de lectoescritura y alfabetización. Estos términos son más limitados en alcance y significado y se han usado tradicionalmente para referirse al desarrollo de la alfabetización en los primeros años. Torres Velásquez (2016) presenta claramente las diferencias entre estos conceptos. El concepto de lectoescritura es usado en Latinoamérica porque, a diferencia de lo que sucede en los Estados Unidos, la enseñanza de la lectura y la escritura se hace en forma conjunta y no como procesos separados. El concepto de alfabetización se limita al aprendizaje emergente de la lectura y la escritura, tanto en el caso de niños al comienzo de la escolarización como de adultos iletrados. En cambio, el término "literacidad" debe entenderse "como una tecnología que está siempre inmersa en procesos sociales y discursivos, y que representa la práctica de lo letrado no solo en programas escolares sino en cualquier contexto sociocultural" (Torres Velázquez, 2016, p. 2). Es decir, la idea de literacidad nos hace considerar no solo las habilidades requeridas para leer y escribir, sino la posibilidad de construir significados a partir de la interacción con diferentes textos y con los usos sociales de la lectura y escritura en contextos específicos. Brisk y Harrington (2007) explican que los niños bilingües, al desarrollar la literacidad, deben aprender a usarla en diferentes contextos y para diferentes propósitos; es decir, deben adquirir habilidades para comprender y producir textos apropiados a cada lenguaje y de acuerdo con diferentes contextos socioculturales. De este modo, el desarrollo de la biliteracidad es un proceso bidireccional en el que los alumnos usan lo que aprenden en un idioma en el otro idioma, lo que implica que el desarrollo de un lenguaje hace avanzar el desarrollo del otro, de modo que se expande y enriquece la capacidad de escuchar, pensar, hablar, leer, escribir, crear y comunicar ideas usando su repertorio bilingüe.

Hoy en día se conoce mucho sobre el desarrollo de la literacidad de los niños monolingües, pero, a pesar de la expansión y la generalizada presencia del bilingüismo y el multilingüismo en el mundo, hay todavía muy poca investigación sobre el desarrollo de la biliteracidad o la multiliteracidad (Bauer y Gort, 2012). Sin embargo, diversas investigaciones ya han demostrado que los niños tienen el potencial de desarrollar habilidades de lectura y escritura en dos lenguajes, ya sea en forma sucesiva o simultánea, en contextos que den oportunidades y apoyos necesarios como la escuela, la casa y la comunidad (Bauer y Gort, 2012; Dworin, 2003; Escamilla et al., 2014; Reyes, 2006).

En 2005, Slavin y Cheung completaron un análisis de investigaciones experimentales que comparaban resultados de programas de lectura bilingües y monolingües en inglés para aprendientes de inglés. Los autores concluyeron que, aunque el número de estudios que pudieron analizar era bajo, los resultados eran contundentes respecto de la efectividad de los programas de lectura bilingües para los aprendientes de inglés, especialmente los que enseñaban estrategias de lectura en los dos idiomas, en diferentes momentos del día. Desde entonces, otras investigaciones han demostrado que cuando las personas bilingües desarrollan la literacidad en un idioma, este desarrollo contribuye positivamente al crecimiento de sus habilidades de literacidad en el otro idioma (Bauer y Gort, 2012; Lindholm-Leary, 2016; Steele et al., 2017; Velasco y García, 2014). Además, esto puede contribuir a desarrollar aún más las habilidades intelectuales, en tanto permite el desarrollo de una variedad más amplia de recursos lingüísticos y culturales que aumentan el acceso a la información y la capacidad de negociar el significado.

También es importante tener en cuenta que las diferencias y las similitudes entre los lenguajes influyen en el desarrollo de las habilidades de lectura y escritura en los dos idiomas, afectando el proceso de transferencia lingüística multidireccional entre ambos lenguajes. El desarrollo de la biliteracidad es complejo e incluye una multiplicidad de caminos que son parte del proceso de desarrollo, e involucra una relación bidireccional, es decir, que el desarrollo de las habilidades en un lenguaje impacta, influencia o se transfiere al otro y viceversa (Bauer y Gort, 2012).

El desarrollo del lenguaje oral para la biliteracidad

Las investigaciones también han demostrado la importancia del lenguaje oral en el desarrollo de la literacidad. Es importante comprender que la oralidad está intrínsecamente relacionada con el conocimiento y es el medio a través del cual los pensamientos se construyen y son expresados (Vygotsky, 1978). Según Rodríguez (2002):

Hablar no es pronunciar palabras sino recrearlas en la construcción de textos que se organizan en relación con las distintas intencionalidades de los hablantes, las diferentes expectativas de los receptores, las variadas exigencias de las situaciones de comunicación . . . El sujeto va construyendo su repertorio lingüístico con la ayuda del grupo, a través de la resolución de diferentes problemas de habla y escucha. Por eso los trabajos con la lengua oral en el aula deben combinar la comunicación espontánea con el trabajo sistemático de diferentes tipos de textos. (p. 65)

El Panel Nacional de la Literacidad —*National Literacy Panel*— (August y Shanahan, 2006) realizó una revisión de la literatura y resaltó entre sus conclusiones la importancia de la oralidad en el desarrollo de la lectura y la escritura en inglés, para los aprendientes del idioma como segunda lengua. Es decir, la habilidad para leer y escribir depende en buena parte de la habilidad para hablar y comprender el lenguaje oral. Gran parte de la investigación ha sido realizada con niños monolingües tanto en inglés como en español (Ferreiro y Teberosky, 1982; Norman, 1992). Teberosky (2003) explica que, desde una perspectiva constructivista, "la lectura, la escritura y el lenguaje oral no se desarrollan por separado, sino de manera interdependiente, desde la más temprana edad" (p. 44). Algunas investigaciones recientes se han enfocado en explorar el desarrollo del lenguaje oral en la adquisición de la biliteracidad (Lee Swanson et al., 2008; Miller et al., 2006; Prevoo et al., 2016). El estudio de Prevoo et al. sobre estudiantes inmigrantes bilingües corrobora la interdependencia entre la competencia oral y la literacidad y concluye que priorizar también el desarrollo de la oralidad es clave para el mejoramiento académico de estos estudiantes. Además, debemos ser conscientes de las diferentes maneras en que los niños desarrollan sus dos lenguas oralmente, para no tomar las variaciones en el uso y el desarrollo del lenguaje como un signo de confusión o como problema. Por ejemplo, el alumno bilingüe simultáneo, desde el principio, usará ambos idiomas, al expresarse integrando los dos idiomas en una misma oración o moviéndose de un idioma a otro entre oraciones (Beeman y Urow, 2012).

Esto nos permite afirmar que el desarrollo de la oralidad debe ser una parte integral de una propuesta de enseñanza que se enfoque en el desarrollo de la biliteracidad. Específicamente, al enseñar es importante preguntarse qué aspectos del lenguaje oral es necesario que los estudiantes usen para lograr completar las tareas y comprender el contenido. Para Escamilla et al. (2014), la oralidad —*oracy*— incluye una serie de habilidades y estrategias específicas que se relacionan estrechamente con la literacidad: el diálogo, las estructuras del lenguaje y el vocabulario. El diálogo es necesario para asegurar que los estudiantes participen significativamente en diferentes formas de intercambio oral, formales e informales, en situaciones auténticas y en interacciones con pares y con la maestra. El diálogo es esencial para desarrollar las habilidades comunicativas en ambos idiomas y requiere que la maestra planifique estratégicamente oportunidades para usar el lenguaje formal en conversaciones estructuradas. Estas conversaciones deben enfocarse en desarrollar estructuras de lenguaje en los dos idiomas, para expandir la complejidad gramatical del habla de los estudiantes y dar a estos los apoyos necesarios para lograrlo, diferenciándolos según el nivel de competencia lingüística que demuestren. Por ejemplo, si la maestra planifica una actividad grupal que incluye conversación estructurada en la que comparten predicciones, puede dar a los estudiantes **marcos de oraciones** —*sentence frames*— que les faciliten enunciar las ideas (p. ej., "Yo creo que. . ." o "Yo pienso que. . ."). Si bien muchos estudiantes bilingües pueden comprender un texto al leerlo, eso no quiere decir que tengan en su repertorio lingüístico las estructuras gramaticales para discutirlo o expresar la comprensión al usar diferentes funciones lingüísticas como predecir, concluir, inferir, etc. Por último, es necesario desarrollar el vocabulario para refinar y expandir el léxico disponible para comprender textos o expresarse de forma escrita. El conocimiento de vocabulario es un predictor valioso de la comprensión lectora. Es importante que se integren oportunidades para usar diferente vocabulario de forma consistente y en ambos idiomas, por ejemplo, a través del uso de cognados y familias de palabras. Al aprender sobre las plantas, los estudiantes pueden ampliar su vocabulario construyendo la familia de palabras de "planta" como "plantar", "plantación", "plantador", "plantío", "trasplantar", "replantar", "implantar", etc. El desarrollo de la oralidad requiere del diseño de la enseñanza centrada en el alumno, en la que la maestra facilita la interacción creando oportunidades auténticas para que los alumnos hablen y minimizando el tiempo durante el cual el docente habla (Lara, 2017).

A continuación, destacamos tres propuestas teórico-prácticas que integran la oralidad como parte central del desarrollo de la biliteracidad y contribuyen con ideas y estrategias clave para la enseñanza en el aula bilingüe, que es importante comprender y considerar al planificar actividades que apoyen el desarrollo de aquella.

Propuesta del continuo de la biliteracidad

Hornberger (2005) define la biliteracidad como toda instancia en la cual la comunicación se desarrolla en dos (o más) lenguas en relación con un texto escrito. Ofrece un modelo del continuo de la biliteracidad que explica que el desarrollo del lenguaje y la biliteracidad ocurre en términos de la interconexión de múltiples continuos de desarrollo y en cuatro espacios multidimensionales: contextos, medios, contenido y desarrollo de la biliteracidad. La noción de continuo sirve para romper con las dicotomías que se acostumbra a usar para representar el desarrollo de forma mutuamente excluyente. Es decir, el modelo sugiere que "cuanto más los contextos de aprendizaje y de uso de la lengua oral y escrita permitan que los usuarios puedan recurrir a todos los continua de la biliteracidad, tanto más son posibles el desarrollo y expresión amplios de su biliteracidad" (Hornberger, 2005, p. 59). En otras palabras, y de acuerdo con una visión dinámica del bilingüismo, esta propuesta muestra que el aprendizaje de la biliteracidad se da en distintas direcciones y a través de múltiples dimensiones, de forma tal que todos los puntos en un continuo están interrelacionados (Hornberger, 2003). El continuo de la biliteracidad plantea un enfoque integrado, dinámico y holístico para comprender de qué manera podemos apoyar mejor a los estudiantes para que desarrollen su biliteracidad y propone superar las limitaciones impuestas por supuestos y prácticas de enseñanza monolingües, haciendo posible que los estudiantes bilingües aprovechen todas las habilidades lingüísticas que poseen en dos o más idiomas para maximizar su rendimiento en todas las áreas de contenido.

Propuesta holística de la biliteracidad: *paired literacy*

Una visión holística de la biliteracidad se basa en la idea de que los estudiantes bilingües usan y desarrollan su repertorio lingüístico en forma integrada a través de un proceso bidireccional y continuo de desarrollo. La propuesta de literacidad a la par o lado a lado —*paired literacy*— propone la enseñanza articulada y concurrente de la oralidad y la lectoescritura en ambos idiomas. Esta propuesta surge como respuesta a la predominancia de programas que se estructuraron para desarrollar la biliteracidad de bilingües secuenciales, es decir, niños que aprenden inglés después de los 5 años y que tienen un lenguaje del hogar diferente del inglés (Escamilla et al., 2014). Un estudio longitudinal realizado por el equipo de investigadores dirigidos por Escamilla investigó los resultados de la implementación de la enseñanza a la par de la lectura y la escritura a estudiantes bilingües emergentes desde primer grado. Los resultados muestran que la práctica sostenida de este enfoque, junto con la calidad de la instrucción y la enseñanza explícita de las conexiones interlingüísticas, contribuye a una trayectoria positiva hacia la biliteracidad y se traduce en un rendimiento académico más alto que el de sus pares, que se demuestra en los resultados de exámenes estandarizados (Escamilla y Hopewell, 2010; Sparrow et al., 2014; Soltero-González et al., 2016). Este enfoque holístico de enseñanza de la biliteracidad, si bien mantiene la atención en el lenguaje de instrucción, mejora el enfoque al atender a los métodos y los objetivos de instrucción que se alinean mejor con las características lingüísticas de los niños bilingües emergentes simultáneos.

Esta perspectiva propone el diseño de la enseñanza de literacidad en ambos idiomas a la par a lo largo de toda la escolaridad tanto estudiantes bilingües simultáneos cómo secuenciales. Es decir, la enseñanza de la literacidad en español —*Spanish literacy instruction*— comienza en el salón de kínder, junto con el desarrollo del lenguaje inglés centrado en la literacidad —*Literacy-based English language development instruction (ELD)*—. Esta propuesta es holística en el sentido de que define la literacidad de manera amplia, incluyendo la oralidad, la lectura, la escritura y el metalenguaje, y dado que entiende el desarrollo de la biliteracidad, no como el desarrollo separado del español e inglés, sino como un sistema integrado, y por eso propone la enseñanza de ambos lenguajes en forma simultánea, de modo que se integren a través de las conexiones interlingüísticas. Esta propuesta afirma que las metodologías para enseñar a leer y escribir en español y en inglés son básicamente las mismas, pero teniendo en cuenta la estructura interna de cada lenguaje. Es decir, el español y el inglés son lenguajes alfabéticos y, por ende, el proceso de aprender a leer y escribir es similar. Pero diferencias como la segmentación de las palabras en uno u otro lenguaje dan por resultado la existencia de diferentes estrategias. Por ejemplo, las maestras al enseñar a leer y escribir en español comienzan enseñando las vocales y conectando vocales y consonantes para formar sílabas ("sa", "se", "si", "so", "su") y palabras ("sapo", "sol"). Esto se relaciona con el hecho de que en español las palabras son decodificables y se pueden dividir fácilmente en sílabas. En cambio, en inglés comienzan por enseñar los nombres de las letras y el sonido de las consonantes. Además, la literacidad emergente se basa en la formación de palabras monosilábicas de tres letras como *bat*, *mat*, *pat* y *sat*. Los estudiantes pueden pronunciar esas palabras letra por letra, *b-a-t*, o identificar el primer sonido – *onset*- y la rima- *rhymes*, por ejemplo *b-at*, *m-at*, *p-at* y *s-at*.

> Within a paired literacy approach, English literacy instruction is not delayed while children are learning to read and write in Spanish. It is also unnecessary to cease Spanish literacy instruction once children reach a certain reading level in Spanish (Escamilla et al., 2014, p. 6).

Tres premisas sociolingüísticas de la biliteracidad

Beeman y Urow (2017) afirman que "para poder integrar el desarrollo del lenguaje, tanto oral como escrito, en las unidades de contenido, la enseñanza en los programas de doble inmersión tiene que reflejar un paradigma multilingüe en vez de un paradigma monolingüe" (p. 160). Ellas identifican tres premisas constitutivas de un paradigma bilingüe para guiar el desarrollo de la biliteracidad. La primera premisa explica que, dado que el español es un lenguaje minoritario dentro de una cultura mayoritaria, la sociedad y las políticas educativas deberían contribuir a elevar el estatus del español a través de la educación bilingüe, así como en toda la comunidad educativa. Los niños de habla hispana en los Estados Unidos rápidamente interiorizan el estatus inferior que tiene el español en la sociedad en general y manifiestan su percepción al mostrar preferencia por el inglés. Por lo tanto, una comunidad escolar debe implementar intencionalmente formas de elevar la importancia del español, como modelar su uso en diferentes eventos sociales y validarlo como forma de comunicación. En el ámbito de las escuelas, se valora y valida el estatus del español cuando su presencia es constante tanto para enseñar como para comunicar mensajes informal o formalmente a las familias y a los alumnos. La segunda premisa refiere a una idea clave en este libro, que es que los alumnos bilingües usan todos sus recursos lingüísticos y sus conocimientos previos para aprender el nuevo contenido, por lo cual es de suma importancia desarrollar ambos lenguajes para apoyar la comprensión del contenido, respetando e integrando el repertorio lingüístico y cultural de los alumnos, las familias y la comunidad de pertenencia. La tercera premisa de la propuesta de estas autoras destaca la importancia de comprender que el español y el inglés responden a diferentes normas culturales y lingüísticas que los estudiantes deben conocer, comprender, comparar y contrastar para desarrollar la conciencia metalingüística, una habilidad central en el desarrollo de la biliteracidad. Por ejemplo, cuando se enseña a estudiantes bilingües es importante trabajar con el significado de expresiones idiomáticas o lenguaje figurativo, especialmente si los niños están en un nivel emergente del idioma. Todas las culturas tienen formas específicas de expresar ideas. Por ejemplo, cuando algo no presenta dificultad, en el inglés de los Estados Unidos se diría: *"This is piece of cake"*, y en español "es pan comido". La idea de que llueve mucho o intensamente en inglés de Estados Unidos se dice *"It is raining cats and dogs"* y en español, "llueve a cántaros".

De acuerdo con estas tres premisas, Beeman y Urow (2012), proponen una estrategia para avanzar en la enseñanza de la biliteracidad denominada el puente —*the bridge*—, en la que se crea un momento al final de una lección de contenido, como matemáticas o ciencias que se ha enseñado en español o en inglés, en la cual la maestra establece conexiones entre los dos idiomas para profundizar el aprendizaje de los conceptos y desarrollar la conciencia metalingüística de los estudiantes. Durante el puente se exploran las similitudes y las diferencias en la fonología (sistema de sonidos), la morfología (formación de palabras), la sintaxis y gramática (construcción de oraciones) y la pragmática (uso o función del lenguaje). Por ejemplo, una unidad sobre el ciclo del agua permite ver lado a lado cognados como "condensación" —*condensation*—, "precipitación" —*precipitation*— y "evaporación" —*evaporation*—, e identificar el uso de los sufijos "-ción" y "-*ion*" en ambos lenguajes. Este proceso se denomina análisis contrastivo y permite establecer conexiones, comparando los lenguajes en su forma estándar, académica o en formas dialectales o de uso cotidiano, para posibilitar la transferencia de lo que se ha aprendido en un lenguaje o se sabe de un lenguaje al otro, así como su integración en el sistema lingüístico del estudiante.

En conclusión, estas propuestas dejan en claro que el desarrollo de la biliteracidad es diferente del desarrollo de la literacidad en un niño monolingüe; específicamente, las maestras deben diseñar la enseñanza teniendo en cuenta que los estudiantes bilingües usan sus conocimientos en ambos idiomas y sus experiencias cuando leen o escriben en otro idioma. Esto significa que las habilidades y el conocimiento de los niños se transfieren a través de los lenguajes en forma bidireccional, al producir e interpretar textos en los diferentes idiomas que integran sus repertorios lingüísticos; es decir, las habilidades para leer y escribir en un idioma se usan en el otro y viceversa. Además, para desarrollar la biliteracidad es esencial apoyar el desarrollo del lenguaje oral en dos idiomas, dado que este está positivamente correlacionado con el desarrollo de aquella.

La enseñanza integrada del contenido y el lenguaje

La adquisición del lenguaje y el aprendizaje del contenido se dan simultáneamente en el acto de la enseñanza en el aula bilingüe cuando los maestros enseñan el lenguaje como medio de acceso al aprendizaje sobre el mundo. La enseñanza del lenguaje a través del contenido da a los estudiantes experiencias que facilitan la adquisición del lenguaje y contextualizan el contenido académico. Cuando los maestros planifican lecciones alrededor de **unidades de investigación interdisciplinarias** —*interdisciplinary units of inquiry*—, los estudiantes se motivan porque el lenguaje se transforma en el medio que les permite acceder a actividades significativas y materiales apropiados a su desarrollo cognitivo y no se presenta como algo aislado, difícil de comprender y aprender.

La enseñanza del lenguaje a través del contenido es un enfoque efectivo para los estudiantes bilingües emergentes que están desarrollando su bilingüismo porque les permite desarrollar habilidades lingüísticas y académicas simultáneamente. Cuando enseñamos el contenido y el lenguaje en forma integrada, nuestros alumnos tienen más y mejores oportunidades para desarrollar un nuevo lenguaje, mientras aprenden las diferentes disciplinas académicas, como estudios sociales, ciencias naturales y matemáticas. Como se verá en los ejemplos de situaciones de clase que compartimos en los diferentes capítulos, nuestra propuesta de planificación de enseñanza está enfocada en el lenguaje y en la manera en que este se puede enseñar mientras se abordan los diferentes contenidos académicos, al mismo tiempo que se enfatiza el lenguaje como el medio para aprender los contenidos y construir significados.

La enseñanza contextualizada en el aula bilingüe

El modelo de enseñanza propuesto por *Sheltered Instruction Observation Protocol* (SIOP) es uno de los enfoques que más han influenciado la educación bilingüe y se deriva del trabajo de Echevarría et al. (2016), en el diseño y la implementación de una propuesta de enseñanza para alumnos identificados como aprendientes de inglés. Los principios de este enfoque son conocidos como *sheltered instruction*, que traducimos como "enseñanza contextualizada" en consideración a las características centrales de la propuesta, que permite enseñar en el lenguaje emergente contextualizando el contenido de forma tal que sea comprensible (Sandoval, 2015). Este enfoque tiene dos metas: 1) facilitar el acceso al contenido apropiado para el grado y 2) promover el desarrollo de las competencias lingüísticas en inglés. Para ello, se propone una serie de estrategias con el fin de adaptar las lecciones a los diferentes niveles de lenguaje de los alumnos, haciendo el lenguaje comprensible y poniendo énfasis en simplificar el lenguaje para que los estudiantes bilingües puedan comprender los textos (Echevarría et al., 2016). Si bien originalmente la enseñanza contextualizada tenía como meta el desarrollo del inglés, creemos que las estrategias de la enseñanza contextualizada son aplicables a cualquier contexto de enseñanza bilingüe donde los estudiantes estén desarrollando dos lenguajes, cualesquiera sean. Este enfoque es muy efectivo cuando el lenguaje de enseñanza es el lenguaje que necesitan desarrollar y, más aún, en contextos o aulas donde los alumnos son bilingües emergentes y están comenzando a incorporar un nuevo lenguaje a su repertorio bilingüe, por ejemplo, un aula bilingüe en un programa de una vía donde la mayoría de los estudiantes son hijos de inmigrantes recientes de diferentes países latinoamericanos con un nivel emergente de inglés. Es decir, en un aula donde se utiliza la enseñanza contextualizada los estudiantes bilingües, independientemente de su nivel de competencia lingüística, entienden lo que están aprendiendo, dado que se integran los apoyos necesarios. Básicamente, el docente utiliza técnicas específicas para hacer accesible el contenido a todos los estudiantes. La enseñanza contextualizada generalmente incluye por lo menos las siguientes estrategias:

- Activar el conocimiento previo del estudiante en relación con el contenido.
- Usar andamiajes para hacer el contenido comprensible —*comprehensible input*—.
- Enseñar el vocabulario en forma explícita y directa.
- Modelar "pensar en voz alta", donde el maestro muestra exactamente la manera en que piensa para resolver un problema o tarea.
- Integrar múltiples oportunidades de interacción de los estudiantes, entre sí y con la maestra.
- Enseñar explícitamente estrategias de aprendizaje o metacognición e incluir oportunidades para practicar el uso de esas estrategias.

Estas son estrategias que es importante incorporar en la enseñanza en un aula bilingüe, especialmente cuando tenemos estudiantes de los lenguajes minoritario y mayoritario compartiendo la clase. Por ejemplo, en la clase de primer grado la Sra. Medina, dado que es una clase de un programa bilingüe dual de una sola vía y como todos sus estudiantes son bilingües secuenciales que hablan español, ella enfatiza el uso de estrategias de enseñanza contextualizada durante los segmentos de enseñanza en inglés. En la clase de kindergarten de la Sra. González, de inmersión dual de doble vía, ella usa estas estrategias en la enseñanza en inglés y también al enseñar en español, dado que en su clase el 40% de los estudiantes habla español, un 10% comprende algo de inglés y el resto de la clase habla solo inglés.

Dado que los alumnos bilingües varían en sus necesidades de aprendizaje, sus experiencias de vida y su repertorio lingüístico, es importante que los maestros integren en su planificación estrategias que les permitan diferenciar la enseñanza de acuerdo con los niveles de desarrollo del lenguaje en español y en inglés. La diferenciación de la enseñanza de los alumnos bilingües es un enfoque que los maestros pueden usar para que la enseñanza del contenido a nivel de grado sea comprensible y desafiante para todos los alumnos de la clase, en tanto presta especial atención a las diferencias en el lenguaje y a las necesidades de aprendizaje de los alumnos bilingües (Fairbairn y Jones-Vo, 2019).

Este enfoque también permite que cada maestro diseñe e implemente andamiajes —*scaffolds*— es decir, diferentes apoyos o soportes para facilitar la comprensión a lo largo del continuo de desarrollo del lenguaje. Esta idea se ancla en la importancia de hacer comprensible el lenguaje, de acuerdo con la idea de zona de desarrollo próximo propuesta por Vygotsky (1978). Este autor explica la zona de desarrollo próximo (ZDP) como la distancia entre lo que los alumnos pueden hacer solos y aquello que pueden lograr con la ayuda de otros, y también es una indicación de lo que los alumnos pueden lograr independientemente en el futuro. Enseñar en la ZDP de cada alumno bilingüe significa tener en cuenta sus competencias lingüísticas para diferenciar la instrucción, de modo de hacer el contenido comprensible. La enseñanza diferenciada contribuye a una mayor equidad, dado que genera oportunidades para el aprendizaje y los logros académicos de estos estudiantes.

Algunos criterios esenciales para diferenciar la enseñanza en un aula bilingüe son:

- Conocer a los estudiantes en términos de historias académicas, habilidades de lenguaje, intereses y cultura.
- Tener expectativas altas para el aprendizaje de todos los alumnos en la clase.
- Utilizar diversas estrategias para seguir y monitorear el progreso de los alumnos.
- Usar una variedad de materiales, incluyendo textos en diferentes lenguajes.
- Hacer comprensible el contenido, utilizando diferentes modalidades de acceso al conocimiento con múltiples formas de representación (texto, gráficos, imágenes, símbolos, uso de todo el repertorio lingüístico, etc.).
- Usar formas de agrupamiento flexible para facilitar la colaboración y el intercambio.
- Usar estrategias de enseñanza variadas e identificadas como efectivas por la investigación.

Interdisciplinariedad, biliteracidad y aprendizaje del contenido

La enseñanza integrada de lenguaje, contenido y biliteracidad se logra cuando el currículo se organiza alrededor de unidades interdisciplinarias que permitan a los estudiantes ver ideas desde la perspectiva de distintas disciplinas, así como también desarrollar su repertorio bilingüe tanto en su función receptiva como productiva, incorporando elementos del español y el inglés en las cuatro dimensiones del lenguaje: hablar, escuchar, leer y escribir, representadas en la figura 2.2.

La interdisciplinariedad y el aprendizaje integrado del contenido y la biliteracidad se observan en el siguiente ejemplo: Morgan y Tamara, dos estudiantes de la clase de tercer grado de dos vías de la Sra. Mendoza, trabajan en equipo investigando el rol de las plantas en la conservación de un ecosistema saludable, durante

Figura 2.2 Dimensiones del lenguaje

la unidad interdisciplinaria sobre el medio ambiente. Entre otras tareas, fueron a la biblioteca y encontraron libros informativos en inglés y español que están leyendo para comenzar a escribir su reporte en español. Han identificado diferentes tipos de hábitats e incluirán una descripción de la flora típica de cada hábitat o ecosistema. Mientras leen, identifican ideas principales y luego conversan, usando los dos idiomas, sobre qué contenido incluir para completar un cuadro informativo. Morgan y Tamara están aprendiendo el contenido de esta unidad usando como lenguaje de enseñanza el español y exploran también fuentes de información en inglés que luego incorporarán en su reporte en español y, además, aprenden diferentes habilidades en cuanto a artes del lenguaje: completar un cuadro comparativo, diseñar diagramas de ecosistemas en su diario de ciencias, escribir textos informativos, desarrollar argumentos científicos sobre lo que están aprendiendo y explicar los argumentos de manera oral o escrita, habilidades que pueden ser usadas tanto para procesar contenido en uno u otro idioma o en ambos en forma integrada. La meta principal de esta lección es el desarrollo del lenguaje en español en las cuatro dimensiones, en forma integrada con la enseñanza del contenido.

Considerando la centralidad del desarrollo de la biliteracidad en forma integrada con la enseñanza del contenido, proponemos la idea de **biliteracidad interdisciplinaria** —*interdisciplinary biliteracy*— como marco para planificar la enseñanza en el aula bilingüe. La biliteracidad interdisciplinaria es un proceso dinámico y holístico en el que las prácticas de literacidad en distintos idiomas se entrelazan al ser integradas en todas las áreas de contenido. Esto significa que, en el proceso de planificación e implementación del currículo a través de unidades interdisciplinarias, las habilidades de literacidad se desarrollan al promover en forma estratégica la intersección de los idiomas, lo que brinda a los estudiantes la oportunidad de aprovechar su complejo repertorio lingüístico en inglés y en español (Mercuri y Musanti, 2018).

Estas ideas se ilustran en el siguiente ejemplo de la clase de kínder de la Sra. González, en un programa de doble inmersión. Ella ha estado enseñando la manera de resolver problemas de matemáticas, en articulación con contenidos de ciencias naturales sobre la vida en el océano, en español. Ella decide incluir versiones en inglés de los problemas de palabras que los niños han resuelto antes. La Sra. González comenzó la clase planteando el siguiente problema: "*In my fish tank I put five fish and then Ms. Craw gave me three more. How many do I have in the fish tank?*". Los alumnos trabajan individualmente resolviendo el problema y luego levantan la mano cuando piensan que están listos. Algunos estudiantes modelan la manera en que lo resolvieron usando los dedos y otros pasan al pizarrón para dibujar y escribir su respuesta. Uno de ellos escribió la oración numérica (5 + 3 = 8) y la señora González decidió desafiar a los estudiantes pidiéndoles que leyeran en voz alta la oración numérica en inglés por primera vez. Los estudiantes a coro leen "*Five plus three (they pause before the equal sign) same as eight*". La señora González les pide que piensen cómo se lee "=" en español. Los niños responden: "igual". Y luego usa el conocimiento de los cognados para introducir la palabra *equal* (ejemplo adaptado de Musanti y Celedón-Pattichis, 2013). En este ejemplo se ve cómo la Sra. González valida todo el repertorio lingüístico de sus alumnos, los ayuda a establecer una conexión interlingüística que les permitió usar su conocimiento de ambos lenguajes para demostrar el nivel de comprensión del contenido matemático y les da una oportunidad de usar vocabulario de la lección de ciencia sobre los peces. Además, promueve el desarrollo de la conciencia metalingüística de los niños respecto de similitudes y diferencias en el uso de términos matemáticos como igual/*equal*.

Un enfoque integrado y dinámico de la evaluación

"Because so much of our students' educational experience is tied to measuring student performances, it is important that what students know and can do is authentically represented. . . .When we assess our students holistically . . . we are engaged in an act of social justice." (Garcia, Johnson, & Seltzer, 2017, pp. 164–165).

Desde una perspectiva holística y dinámica del desarrollo de la biliteracidad y la enseñanza del contenido, evaluar el aprendizaje del alumno requiere observar el procesamiento del contenido y del lenguaje tanto en español como inglés, de forma integrada en vez de separada. Adoptar una perspectiva bilingüe holística de la evaluación significa medir el progreso de un niño de manera integral y teniendo en cuenta la diversidad cultural, social y lingüística de los alumnos. Esto hace posible una evaluación más efectiva, holística e inclusiva, al crear igualdad de oportunidades para todos los estudiantes. Esto significa tener en cuenta que los estudiantes bilingües necesitan desarrollar las competencias académicas del idioma para cumplir con los estándares de nivel de grado; por ende, es necesario incorporar formas de evaluación bilingüe (Sánchez et al., 2013).

Esta idea se ilustra claramente con el ejemplo anterior de la Sra. González, dado que ella pudo evaluar informalmente la comprensión del concepto matemático a través de un uso dinámico del repertorio lingüístico de sus estudiantes.

Los enfoques predominantes en la evaluación de los estudiantes bilingües privilegian el inglés, es decir, son formulados desde una perspectiva monolingüe. Es más, algunos educadores presumen que, si el instrumento de evaluación ha sido validado con hablantes de inglés, entonces también es válido para estudiantes bilingües con diferentes niveles de dominio del idioma inglés. Sin embargo, Solano Flores (2008) afirma que cualquier evaluación que se base en el uso del lenguaje estará también midiendo la competencia lingüística. Es decir, por ejemplo, si una alumna de la Sra. Olivia como Arely —quien recién ha llegado de México con una historia de escolaridad esperada para su edad y un historial de aprendizaje destacado en México— es evaluada en inglés en las diferentes áreas de contenido, los resultados de su evaluación estarán representando más el nivel de competencia en inglés de Arely que su comprensión del contenido.

Para superar la inequidad de las formas actuales de evaluar a los estudiantes bilingües, López et al. (2017) ofrecen un marco teórico centrado en el uso del translenguar para evaluar el conocimiento del contenido académico de los estudiantes bilingües, centrado en dos ideas: brindar oportunidades de evaluación para que los estudiantes bilingües aprovechen todos sus recursos en sus repertorios lingüísticos y crear espacios de evaluación interactivos que incorporen el translenguar a través de la interacción entre alumnos y entre alumnos y maestra. De esta manera, se hace posible el acceso al repertorio lingüístico para demostrar la comprensión del contenido.

La evaluación bilingüe debe ser dinámica y holística y debe transformarse en parte integral de una perspectiva de enseñanza bilingüe que integre una pedagogía del translenguar para promover y evaluar el desarrollo de la biliteracidad y el aprendizaje del contenido en forma simultánea o lado a lado en ambos idiomas, teniendo en cuenta las competencias lingüísticas de cada estudiante (Escamilla et al., 2014). Esta perspectiva holística y dinámica de la evaluación da a los estudiantes bilingües la oportunidad de demostrar lo que saben y pueden hacer con el contenido, aprovechando todos los idiomas de su repertorio bilingüe.

En conclusión, los maestros bilingües que entienden el bilingüismo como holístico y dinámico y se enfocan en el desarrollo de la biliteracidad en articulación con el aprendizaje del contenido académico se guían por las siguientes pautas:

- Planificar la enseñanza de la biliteracidad interdisciplinaria integrando todo el repertorio lingüístico de los estudiantes.
- Enseñar a leer y escribir en ambos lenguajes utilizando andamiajes apropiados de acuerdo con las habilidades lingüísticas de los estudiantes para que puedan tener acceso al contenido académico.
- Proporcionar espacios para el desarrollo del lenguaje oral donde se use todo el repertorio bilingüe para profundizar la comprensión del contenido.
- Crear espacios interlingüísticos para desarrollar la conciencia metalingüística, analizando los lenguajes y su uso e identificando con los estudiantes similitudes y diferencias entre los idiomas de enseñanza, en forma estratégica.
- Dar múltiples y variadas oportunidades para usar el lenguaje, aprender sobre el lenguaje y hablar y pensar sobre el lenguaje (Halliday, 2004).
- Integrar estrategias de seguimiento y evaluación auténtica del aprendizaje que hagan posible que todos los estudiantes bilingües comuniquen y demuestren sus conocimientos del contenido y el desarrollo de la biliteracidad, usando todo su repertorio lingüístico.

Review

The monolingual perspective on educating bilingual students has been progressively questioned by research that proposes a more dynamic and fluid vision of bilingualism. Bilingualism and biliteracy are assets and valuable resources in a diverse and rapidly evolving society. It is important for bilingual teachers to understand that bilingual individuals operate with an integrated language system they can draw on to make meaning. A translanguaging pedagogy provides teachers with the opportunity to leverage students' bilingualism to support content learning and biliteracy development, which is turn advances equity, access, and social justice for bilingual learners at school.

In sum, we argue for an interdisciplinary biliteracy approach that draws on students' complex linguistic repertoires to access and produce knowledge across content areas, using practices that research has shown to support bilingual students' content learning and biliteracy development. For this to be possible, bilingual students should be assessed through a holistic and dynamic approach that involves opportunities to use their whole linguistic repertoire. Then, bilingual assessments allow students to demonstrate learning in both languages.

Aplicaciones prácticas

Aspirantes a maestros

Haga una lista de posibles estrategias para apoyar el desarrollo del lenguaje oral en el aula bilingüe. Compare y contraste la lista con sus propias experiencias como estudiante bilingüe. Después, reflexione sobre su rol futuro como maestro(a) bilingüe: ¿Qué tomará en cuenta para planificar la enseñanza en el aula bilingüe para el desarrollo de la biliteracidad y el aprendizaje del contenido?

Maestros

Identifique en su práctica cotidiana eventos donde el translenguar sea parte de la enseñanza o haya permitido generar momentos de aprendizaje, facilitando las conexiones interlingüísticas. Reflexione sobre el impacto que esto tiene en la comprensión del contenido de los estudiantes bilingües.

Administrators, Specialists and Facilitators

During a collaboration and/or professional learning community time, ask bilingual teachers to share a lesson or a teaching strategy that they believe illustrates a dynamic and holistic understanding of bilingualism and biliteracy. Discuss how these principles should inform the curriculum and teachers' moves in the bilingual classroom.

3

Integración curricular
Interdisciplinary planning for biliteracy

The interdisciplinary curriculum makes more explicit connections across the subject areas. . . . The curriculum revolves around a common theme, issue, or problem, but interdisciplinary concepts or skills are emphasized across the subject areas. (Drake, 2012)

Objetivos

- Definir la enseñanza interdisciplinaria integrada e identificar sus características.
- Describir la importancia de planificar de una manera holística para el desarrollo de la biliteracidad interdisciplinaria.
- Explicar la planificación integrada en el nivel de la macro y la microestructura.
- Analizar y ejemplificar los distintos elementos de macro y microestructuras de planificación integrada.

In this chapter, we introduce and exemplify the concept of macro- and microstructures for effective interdisciplinary planning for biliteracy. We use the term *macrostructure* to refer to the unit plan level, where teachers map the intersection of language, literacy, and content across disciplines and languages. We refer to *microstructure* at the lesson planning level where teachers make decisions about strategies to facilitate students' content learning through reading, writing, talking, and thinking in Spanish and English. The macro- and microstructures provide a holistic planning framework for the development of authentic interdisciplinary biliteracy instruction. Key to bilingual teachers' interdisciplinary planning is a view of student bilingualism as a resource for learning content and for communicating their content-area knowledge in multiple ways, given consideration of students' linguistic competencies in both languages. Teachers intentionally structure spaces for oral language development where the two languages work together to deepen student understanding of content. Moreover, this planning approach highlights the interdependent teaching of reading and writing in both languages with scaffolds in a way that promotes consistent student engagement with language, learning about language, and talking about language. Finally, achieving interdisciplinary biliteracy requires strategically planned opportunities for the discussion of similarities and differences between the linguistic features of the languages of instruction (Mercuri & Musanti, 2018).

We present classroom examples that bring to life the planning decisions teachers make based on the teaching context and student populations they serve. We anchor our discussion in Mrs. Olivia's second-grade one-way dual language classroom. This teacher's planning helps us exemplify the different components of the planning process at both the macro and micro levels. Mrs. Olivia's decision-making also highlights the factors she considers when designing and assessing bilingual instruction.

¿Cómo planificamos en el aula bilingüe?

La enseñanza es una actividad compleja que requiere que tomemos decisiones específicas sobre qué metas, objetivos de aprendizaje y actividades vamos a desarrollar para lograr que nuestros alumnos aprendan el contenido y desarrollen las habilidades de lenguaje en cada área de contenido. De esta manera se logra que el aprendizaje sea significativo y esté fomentado por estrategias apropiadas para las necesidades y las características de los diferentes estudiantes en nuestras clases. Es por esto que cada maestro debe planificar qué objetivos, actividades y formas de evaluar a largo plazo (mensual o semestral) y también a corto plazo (semanalmente, por día y por hora) se incluirán en la planificación curricular. Todas las decisiones que el docente tome respecto de su planificación tienen que estar interrelacionadas y conformar una estructura que responda a las metas y los estándares de cada grado, al programa bilingüe implementado y a las necesidades lingüísticas y académicas de los estudiantes de la clase. Además, este tipo de planificación debe alinearse de manera horizontal en el nivel de grado y de manera vertical en todos los grados de nivel primario (Freeman et al., 2018).

> Bilingual students do not have the time it takes to develop academic language before learning content. Therefore, the teaching of language and content should be integrated (García & Kleifgen, 2018).

En las escuelas públicas de los Estados Unidos, el currículo escolar de cada distrito y los estándares estatales tienen un papel fundamental en la definición de lo que los estudiantes deben aprender, pero es el maestro quien debe proponer la estructura que haga posible que todos los estudiantes aprendan. En un salón bilingüe, donde se negocia el conocimiento en dos idiomas, una planificación estratégica de la enseñanza del contenido disciplinar e inclusiva del repertorio lingüístico de los estudiantes bilingües es clave para el éxito académico de todos los estudiantes de la clase.

En este libro, las maestras cuyas experiencias presentamos planifican siguiendo una pedagogía informada por una visión holística y dinámica del bilingüismo y el desarrollo de la biliteracidad que promueve el uso estratégico e intencional de prácticas que integran todo el repertorio lingüístico de los estudiantes. Como guía en el proceso de toma de decisiones para la planificación, las maestras utilizan una serie de preguntas que contribuyen a una colaboración efectiva con sus pares. Por ejemplo, las maestras comienzan preguntándose: ¿Qué estándares son centrales para la planificación interdisciplinaria que queremos desarrollar? Luego, discuten los conceptos a integrar contestando la pregunta: ¿Cuáles son los conceptos o las habilidades incluidos en estos estándares en los que nos vamos a enfocar? Dado que el lenguaje es central en el proceso de planificación, las maestras consideran las siguientes preguntas: ¿Cuáles son el lenguaje y los usos de este, asociados con dichos conceptos y habilidades para este grado? ¿Cómo utilizarán los estudiantes el lenguaje para procesar, interpretar y mostrar comprensión de la macroestructura interdisciplinaria? Otras preguntas que guían la toma de decisiones son: ¿Cómo evaluaremos el contenido y el lenguaje de forma integrada en la macroestructura? ¿Qué tipos de textos y géneros incluiremos en la macroestructura? ¿Qué materiales proporcionaremos en los dos idiomas para que los estudiantes lean e investiguen sobre el tema de estudio? ¿Qué estrategias de apoyo facilitaremos para que tengan acceso a la comprensión del contenido y el lenguaje?

Recordemos que la planificación es un proceso que posibilita a los maestros estar bien preparados al entrar al aula cada día. Esto es esencial en un aula bilingüe, donde todos los alumnos están desarrollando su repertorio lingüístico al mismo tiempo que aprenden los contenidos disciplinares. Esto impone desafíos importantes en la tarea de enseñar, dado que cada maestro deberá considerar el desarrollo del lenguaje de sus alumnos y crear estrategias en las que se utilicen los dos lenguajes de los alumnos de manera complementaria e integradora, de modo que estos puedan comprender el contenido.

Macro y microestructuras de planificación

Nuestra propuesta de planificación interdisciplinaria se centra en los conceptos de macro y microestructura de planificación de la enseñanza, como lineamientos para determinar la manera de apoyar el desarrollo de la biliteracidad de los estudiantes bilingües. En este enfoque, la **macroestructura** —*macrostructure*— de planificación es el resultado de la integración del lenguaje y el contenido dentro y a través de la articulación de lo que conocemos como unidades de enseñanza interdisciplinaria, distribuidos entre los dos lenguajes de instrucción (Bunch et al., 2013). A diferencia del concepto de unidad que se ha usado tradicionalmente, el concepto de macroestructura hace énfasis en la articulación de los diferentes elementos de la planificación y en la interdisciplinariedad como enfoque de la enseñanza del contenido. Las **microestructuras** —*microstructures*— se ubican en el nivel de la lección e incluyen la planificación integrada e interdisciplinaria de estrategias para hacer comprensible el contenido, apoyar el desarrollo del lenguaje y la conciencia metalingüística, y también las decisiones espontáneas basadas en lo planificado, que los maestros van tomando al momento de enseñar (Bunch et al., 2013).

> "Instruction for ELs must include both 'macro-scaffolding,' in which teachers attend to the integration of language and content within and across lessons and units, as well as 'micro-scaffolding' during the 'moment-to-moment work of teaching'" (Bunch et al., 2013, p. 2).

Preferimos el uso del término "microestructura" al de "lección", dado que enfatiza la interrelación de sus elementos y supera la tradicional reducción del concepto de lección al segmento de enseñanza delimitado por el período de tiempo escolar asignado diariamente a una disciplina. En otras palabras, la macroestructura corresponde a lo que Walqui y Van Lier (2010) llaman "andamio estructural", o estructura que permite organizar los elementos esenciales para el desarrollo de la planificación interdisciplinaria. Por otro lado, el microandamiaje corresponde a la articulación de procesos en microestructuras que ayudan a los estudiantes a alcanzar los resultados planeados por el maestro en la macroestructura.

Es importante destacar que, al realizar este tipo de planificación, los maestros reflexionan no solo sobre el contenido a enseñar y las conexiones interdisciplinarias sino también sobre cómo enseñar y cómo integrar el lenguaje de instrucción de acuerdo con el tipo de programa bilingüe y las oportunidades para desarrollar la oralidad y las habilidades de lectura y escritura en toda la macroestructura interdisciplinaria. La planificación de la macroestructura es un andamiaje importante para enseñar el lenguaje y el contenido a todos los estudiantes y es esencial para la enseñanza en las clases bilingües y de enseñanza dual. Cuando los maestros bilingües planifican integrando las diferentes áreas del currículo, facilitan la adquisición de destrezas de aprendizaje y de los dos lenguajes de enseñanza, integrando de forma estratégica espacios de translenguar y conexiones intralingüísticas de modo que se facilite la transferencia bidireccional de las habilidades lingüísticas aprendidas. Además, la planificación integrada hace posible que los estudiantes participen más activamente en el proceso de aprendizaje y esto le da sentido al contenido curricular (Ackerman y Perkins, 2002).

La planificación interdisciplinaria en el aula bilingüe

Los maestros que presentamos en los diferentes capítulos del libro toman decisiones estratégicas y con propósitos claros para facilitar el aprendizaje del contenido y el desarrollo de la **biliteracidad académica** —*academic biliteracy*— de sus estudiantes. Veamos el ejemplo de la Sra. Olivia, de segundo grado, para comprender la manera en que se desarrolla la planificación interdisciplinaria para la biliteracidad en un programa de doble inmersión de una vía.

La Sra. Olivia tiene en cuenta al planificar que sus estudiantes son todos bilingües emergentes latinos, cuyo idioma del hogar es español, con distinto nivel de competencia en los dos idiomas. Su escuela se encuentra localizada en un área urbana en un estado del centro de los Estados Unidos. En su clase, la mayoría de los estudiantes son nacidos en los Estados Unidos, con la excepción de dos, que han inmigrado al país este año. La Sra. Olivia y el equipo de maestras de segundo grado se juntan regularmente para planificar y compartir ideas acerca de cómo enseñar el lenguaje y el contenido basándose en las normas del distrito y los estándares del estado, pero a la vez considerando las experiencias previas de sus estudiantes, la competencia lingüística y las necesidades académicas de cada uno de ellos. Para lograrlo, el equipo de maestras busca conexiones entre los conceptos de distintas áreas de contenido que deben enseñar, escogen recursos apropiados y seleccionan estrategias de desarrollo de las cuatro dimensiones del lenguaje, como marcos de oraciones, para facilitar el desarrollo de la oralidad y la escritura académica de los estudiantes bilingües en torno al tema de estudio. Los recursos seleccionados y los marcos de oraciones provistos por el maestro presentan diferente complejidad de acuerdo con el nivel de competencia lingüística de los estudiantes en español e inglés. Además, desarrollan **evaluaciones auténticas** —*authentic assessments*— para fomentar y monitorear el desarrollo de la biliteracidad de los estudiantes bilingües emergentes con los que trabajan.

Las maestras como la Sra. Olivia trabajan con estudiantes bilingües y buscan formas de enseñar el contenido mientras desarrollan los dos lenguajes de sus estudiantes de una manera integrada. La planificación integrada del contenido y el lenguaje en macroestructuras se relaciona con el concepto de unidades de investigación interdisciplinarias —*interdisciplinary units of inquiry*— caracterizado por Freeman et al. (2018) como una de las formas más apropiadas para lograr un currículo de calidad que prepare a los estudiantes bilingües para tener éxito académico en la escuela, dado que interconectan el aprendizaje a partir de conceptos o ideas que integran diferentes áreas de contenido. Este tipo de planificación curricular de la enseñanza en aulas bilingües y de enseñanza dual integra las siguientes ideas (Freeman et al., 2018):

- La enseñanza del lenguaje y la literacidad a través del contenido se organiza en unidades de investigación a partir de preguntas esenciales.
- Los diferentes aspectos del currículo se interconectan por medio de la enseñanza interdisciplinaria.
- Los estudiantes bilingües operan con un sistema lingüístico integrado que posibilita las conexiones interlingüísticas y la transferencia bidireccional de las habilidades y los conocimientos entre los dos idiomas de instrucción.

Tabla 3.1 Comparación del currículo (adaptado de Ortiz Hernández, 2006 y traducido por las autoras)

Currículo tradicional	Currículo integrado
Las áreas de contenido son categorías abstractas.	Las áreas de contenido integradas son espacios donde se comparten destrezas, conceptos y actitudes de manera interdisciplinaria y se ofrece la información de manera concreta.
La información, las destrezas y los conceptos están fragmentados y separados.	La información, las destrezas y los conceptos se conectan con las ideas nuevas. Se busca la integración de estos.
El maestro presenta hechos y destrezas de unidades programadas aisladamente.	El maestro presenta hechos y destrezas a través de temas generadores o metaconceptos.

Este tipo de enseñanza requiere que existan oportunidades auténticas para la comparación entre ambos idiomas en diferentes niveles (textual, sintáctico, gramatical, fonológico y morfológico), en las distintas áreas de contenido (Mercuri y Musanti, 2018).

Ortiz Hernández (2006) presenta una comparación entre el currículo integrado y el currículo tradicional que muestra los elementos que diferencian cada una de estas estrategias pedagógicas. La tabla 3.1 presenta una comparación de los tipos de currículo y muestra por qué la planificación en macroestructuras interdisciplinarias permite a maestros como la Sra. Olivia diseñar propuestas de enseñanza que promuevan el aprendizaje auténtico, presentando el contenido de una manera integrada y contextualizada y no como áreas separadas, a la vez que se usa el lenguaje y las prácticas de literacidad como medio de enseñanza. En los diferentes capítulos del libro se presentan ejemplos de currículo integrado.

Además, la importancia de planificar conectando las disciplinas está sostenida por investigaciones de las neurociencias sobre el funcionamiento del cerebro y también por la teoría cognitiva. Estas investigaciones nos confirman la importancia de las estrategias de enseñanza integradas, dado que el cerebro humano al procesar información busca patrones para crear significado (Zadina, 2014). El cerebro constantemente trata de establecer conexiones entre hechos e ideas, en un intento por dar sentido al mundo. Las macroestructuras interdisciplinarias sirven para conectar ideas o conceptos de diferentes áreas de contenido en torno a una estructura (pregunta esencial y tema), en los dos lenguajes utilizados para la instrucción.

La planificación interdisciplinaria en el nivel de la macroestructura

Al tomar decisiones durante el proceso de planificación, los maestros deben considerar la distribución de los dos lenguajes de instrucción de acuerdo con el modelo de programa en el que enseñan. Por ejemplo, las decisiones que la Sra. Olivia toma en relación con la distribución de los lenguajes en su programa dual de una vía se ven reflejadas en la macroestructura interdisciplinaria que desarrollamos en este capítulo. Además, a través de las macroestructuras interdisciplinarias los maestros

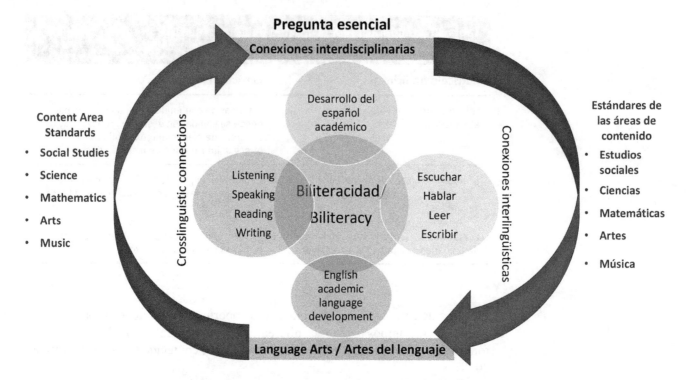

Figura 3.1 Planificación interdisciplinaria en el aula bilingüe

deben proporcionar a los estudiantes bilingües las herramientas necesarias para satisfacer las demandas de los estándares académicos que se ajustan a cada área de contenido en los dos idiomas de instrucción.

La figura 3.1 muestra que artes del lenguaje es un área de contenido que debe integrarse transversalmente, dado que es importante desarrollar la biliteracidad considerando las cuatro dimensiones del lenguaje en toda la macroestructura: comprensión y expresión oral, lectura y escritura en los dos idiomas. De este modo, las cuatro dimensiones del lenguaje no se enseñan de manera aislada sino de forma contextualizada e interdependiente a través de las disciplinas académicas, creando oportunidades para establecer conexiones interlingüísticas y desarrollar la conciencia metalingüística, facilitando el desarrollo de la biliteracidad.

Es importante que los maestros que trabajan con estudiantes bilingües tomen decisiones curriculares basándose no solo en los estándares del estado sino también en las necesidades de los estudiantes. Para esto es necesario considerar el contexto de la enseñanza, es decir, la manera en que el contenido y la competencia lingüística de los estudiantes influencian el diseño de la macroestructura, así como también las lecciones o microestructura que la materializan y hacen posible su implementación.

Los elementos de planificación en el nivel de la macroestructura interdisciplinaria

En esta sección presentamos los elementos claves que los maestros bilingües deben considerar cuando planifican en el nivel de la macroestructura interdisciplinaria e incluimos la primera parte de una plantilla de planificación que integra esos componentes en la tabla 3.2. Además, ilustramos cada componente con el trabajo de planificación que la Sra. Olivia y su equipo de maestras de segundo grado realizaron para la macroestructura interdisciplinaria titulada "Explorando nuestro medio

Tabla 3.2 Plantilla de planificación de la macroestructura: parte 1

Macroestructura: Nivel de la unidad

Título	Asignación de idiomas
Explorando nuestro medio ambiente	*40% inglés (estudios sociales y matemáticas)*
	60% español (artes del lenguaje y ciencias naturales)

Tema
El medio ambiente, sus hábitats y el impacto que los seres vivos ejercen sobre éste

Estándares de contenido

Artes de lenguaje en español e inglés (CCSS)
(Estándares que son iguales en los dos idiomas de instrucción)

RI.2.3/LI.2.3. Describen la relación entre una serie de ideas o conceptos científicos en un texto.

RI.2.5/LI.2.5. Identifican y usan características del texto (p. ej., tabla de contenidos, titulares, etc.) para localizar información específica.

RI.2.5/LI.2.6. Identifican el propósito principal de un texto, incluyendo lo que el autor quiere contestar, explicar o describir.

W.2.7./E.2.7. Participan en proyectos compartidos de investigación y escritura

RL.2.8./E.2.8. Recopilan información de diversas fuentes disponibles para contestar una pregunta.

W.2.2./E.2.2. Escriben textos informativos y explicativos en los cuales se presenta un tema, usando datos y definiciones para desarrollar los puntos y proporcionando una conclusión o sección final.

L.2.1f./L.2.1f. Producen, elaboran y reorganizan oraciones completas, simples y compuestas.

SL.2.1./AE.2.1. Participan en conversaciones colaborativas con diversos compañeros y adultos, en grupos pequeños y grandes, sobre temas y textos apropiados para segundo grado.

Ciencias naturales (NGSS)
LS2.A: Explican la relación de interdependencia en los ecosistemas y describen las necesidades básicas de los organismos y la manera en que el medio ambiente tiene influencia en el comportamiento de los seres vivos.

Estudios sociales (NCSS)
III *People, places and environments*: Analizan y explican de qué manera las características físicas de lugares y regiones afectan las actividades y los patrones de asentamiento de las personas y los efectos económicos de los cambios del medio ambiente originados por los asentamientos.

Matemáticas (CCSS)
2.OA. Representan y resuelven problemas con guías que incorporan los procesos de comprender el problema, planear, implementar el plan y evaluar la solución, utilizando estrategias como dibujar y buscar patrones.

Específico en español
DF.2.3e. Identifican palabras que contienen el mismo fonema, pero distinto grafema (*b-v*; *c-s-z-x*; *c-k-qu*; *g-j*; *y-ll*; *r-rr*). Pronunciación y ortografía.

L. 2.1. Demuestran dominio de las reglas de gramática del español y su uso al escribir y al hablar.

Específico en inglés
RF.2.3a. Distinguish long and short vowels when reading regularly spelled one-syllable words (e.g., pay-pat, cube-duck, bike-sit).

L.2.1. Demonstrate command of the conventions of standard English grammar and usage when writing or speaking.

Estándares de desarrollo del lenguaje

Los bilingües emergentes se comunican utilizando el lenguaje social y de enseñanza en el ámbito escolar (1). Igualmente utilizan el lenguaje de las artes del lenguaje (2), de matemáticas (3), de ciencias naturales (4) y de los estudios sociales (5) (WIDA, 2012a).

Pregunta esencial

¿Cómo se relacionan los seres vivos para sobrevivir en el medio ambiente?

ambiente", la cual se va a evaluar con un proyecto de culminación que integra diferentes áreas de contenido. Este proyecto permite que los estudiantes demuestren lo aprendido en los dos idiomas de instrucción, tanto en el nivel del contenido como en el del desarrollo del lenguaje. Se puede encontrar la plantilla de planificación en el nivel de la macroestructura en blanco en el apéndice.

Este enfoque interdisciplinario se alinea con las recomendaciones que proponen los estándares para la evaluación del desarrollo de inglés y el español. Entre ellas se destaca la que propugna que los estudiantes usen el lenguaje con fines académicos y profesionales en todas las áreas de contenido y que los maestros planifiquen estratégicamente las habilidades integradas a través de diversas disciplinas, conectadas por la pregunta esencial y, en el caso de las aulas bilingües, en los dos idiomas de enseñanza. Esto es posible con la planificación interdisciplinaria intencional y estratégica, que incluye las cuatro dimensiones del lenguaje: escuchar, hablar, leer y escribir, basándose en las necesidades lingüísticas de los estudiantes. De esta manera, los estudiantes bilingües desarrollan habilidades de pensamiento de orden superior, aprendiendo contenido cognitivamente desafiante y estableciendo conexiones de temas interrelacionados.

Título, asignación de idiomas y tema. En esta macroestructura, titulada "Explorando nuestro medio ambiente", los estudiantes investigan el tema del medio ambiente y el impacto que los seres vivos tienen sobre este. Además, aprenden sobre los diferentes hábitats y las adaptaciones de los animales a su medio ambiente, como el camuflaje. Estas ideas o conceptos están determinados por los estándares académicos y del lenguaje desarrollados por el estado y basados en estándares nacionales para cada área de contenido y del desarrollo del(los) lenguaje(s) de instrucción. La macroestructura incluye oportunidades múltiples para que los estudiantes conversen, lean y escriban sobre el tema de estudio, utilizando los dos idiomas de instrucción de manera estratégica y con propósitos específicos, de acuerdo con el tipo de proyecto, la actividad o la evaluación planificados por el equipo de maestras de segundo grado.

Los estándares de contenido. Cuarenta y seis estados de los Estados Unidos han adoptado un conjunto de estándares comunes —*Common Core State Standards* (*CCSS*) (CCSSO, 2010)—, con la excepción de algunos estados como Texas, que han desarrollado estándares propios. Actualmente, luego de una masiva implementación, algunos estados han desarrollado variaciones de CCSS, con el objetivo de clarificar algunas ideas y así hacerlos más accesibles a los maestros y al público en general. Estos **estándares de contenido** —*content standards*— son importantes porque definen lo que los estudiantes deben aprender y ser capaces de hacer al finalizar el grado y guían la planificación del docente, identificando las habilidades y los conocimientos necesarios para tener éxito en la escuela. Asimismo, ayudan a los padres a entender lo que se espera de sus hijos. Los estándares CCSS tienen una versión en español creada para facilitar la adquisición y el desarrollo del español, de modo que los maestros puedan enseñar a un alto nivel que permita a los estudiantes conseguir el éxito intelectual, social y económico, promoviendo el bilingüismo y la biliteracidad, y también para que los padres tengan disponibles instrumentos que los guíen para apoyar el uso del idioma en la casa.

De acuerdo con los estándares del estado, la mayoría de los distritos escolares establecen **indicadores de desempeño** —*benchmarks*— que identifican los aprendizajes y las habilidades que los estudiantes necesitan desarrollar en cada área de contenido para cada grado, durante un período de evaluación determinado. Esto significa que, antes de comenzar a planificar, los maestros deben conocer los estándares del estado, los indicadores de desempeño identificados por el distrito escolar y el tipo de evaluación que se aplicará a los estudiantes. También, para planificar las maestras tendrán que utilizar los conceptos clave que el distrito seleccionó para que sean enseñados durante cada período de evaluación, que puede variar entre 6, 9 o 12 semanas, dependiendo del estado. Por ejemplo, la macroestructura interdisciplinaria desarrollada por el equipo de la Sra. Olivia cubrirá nueve semanas de enseñanza, lo cual corresponde a uno de los cuatro períodos de evaluación del año escolar del distrito en el cual ella trabaja.

En la plantilla de la macroestructura sobre el medio ambiente que incluimos, presentamos en detalle los estándares que fueron seleccionados por la Sra. Olivia y su equipo para esta macroestructura, incluyendo los estándares estatales comunes —*Common Core State Standards (CCSS)*— de lectoescritura y matemáticas, los conceptos de ciencia sobre los organismos y el medio ambiente de los estándares de ciencia —*Next Generation Science Standards (NGSS)*— y los conceptos de geografía del Consejo Nacional para los Estudios Sociales —*National Council for the Social Studies (NCSS)*.

Esta selección de estándares les permite materializar la naturaleza interdisciplinaria de la macroestructura. Por ejemplo, la macroestructura está anclada en ciencias naturales con el estándar (NGSS) LS2.A: "Explicar la relación de interdependencia en los ecosistemas y describir las necesidades básicas de los organismos y la manera en que el medio ambiente afecta el comportamiento de los seres vivos". Además, se conecta con el estándar de estudios sociales III (NCSS), *People, places and environment*, según el cual los estudiantes deben analizar y explicar de qué manera las características físicas de lugares y regiones afectan las actividades y los patrones de asentamiento de las personas, así como los efectos económicos de los cambios del medio ambiente originados por los asentamientos. La conexión con matemáticas se realiza a través de la resolución de problemas y la representación de la información sobre el tema de ciencias y estudios sociales que están aprendiendo con diferentes tipos de gráficos. Finalmente, los estándares de artes del lenguaje seleccionados habilitan a los estudiantes bilingües el acceso al contenido mediante la lectura de diferentes tipos de textos y de las conversaciones académicas con sus compañeros de clase, así como permiten demostrar lo aprendido mediante la escritura de diferentes tipos de textos. Al hacerlo, aprenderán sobre estructuras gramaticales y sintácticas, ampliarán su vocabulario y solidificarán el conocimiento de la ortografía en ambos lenguajes.

Los estándares de desarrollo del lenguaje. La enseñanza impartida a alumnos bilingües en las diferentes áreas de contenido se debe alinear con estándares de desarrollo de lenguaje. En el caso de los programas bilingües, los maestros deben planificar siguiendo estándares del lenguaje que definan los logros obtenidos en los dos idiomas. La planificación interdisciplinaria permite que los maestros integren las cuatro dimensiones del lenguaje —*language domains*— escuchar, hablar, leer y escribir —*listening, speaking, writing and reading*— usando diferentes géneros, en las diferentes áreas de contenido académico.

Los docentes bilingües pueden usar estos estándares de desarrollo del español con los de desarrollo del inglés para tener una idea básica de lo que un estudiante puede hacer con español e inglés en las cuatro dimensiones del lenguaje. WIDA identifica cinco niveles de desempeño del lenguaje. Los diferentes niveles están diseñados para ayudar a los maestros a diferenciar la enseñanza del contenido de acuerdo con la competencia lingüística de los estudiantes, tanto en inglés como en español. Para esto las maestras bilingües deben conocer los estándares nacionales o del estado que especifiquen lo que deben lograr los alumnos en términos del desarrollo del lenguaje español. De esta manera, se incluyen en la enseñanza las distintas habilidades lingüísticas y de biliteracidad que los estudiantes bilingües deben adquirir, tanto para tener éxito en la escuela y poder acceder al contenido académico como para prepararse para el campo laboral. La tabla 3.3 muestra a la par los estándares de desarrollo del lenguaje inglés y español.

Tabla 3.3 Estándares de desarrollo del lenguaje español e inglés utilizados para planificar la macroestructura (WIDA, 2012a)

Estándares de español		English Standards	
Estándar 1	Los bilingües emergentes se comunican con fines sociales y de instrucción en el entorno escolar.	**Standard 1**	Students communicate with social and academic purpose within the educational context.
Estándar 2	Los bilingües emergentes comunican información, ideas y conceptos necesarios para el éxito académico en el área de las artes de lenguaje.	**Standard 2**	Students communicate ideas, information and concepts necessary for academic success in the area of language arts.
Estándar 3	Los bilingües emergentes comunican información, ideas y conceptos necesarios para el éxito académico en el área de las matemáticas.	**Standard 3**	Students communicate ideas, information and concepts necessary for academic success in the area of mathematics.
Estándar 4	Los bilingües emergentes comunican información, ideas y conceptos necesarios para el éxito académico en el área de las ciencias naturales.	**Standard 4**	Students communicate ideas, information and concepts necessary for academic success in the area of science.
Estándar 5	Los bilingües emergentes comunican información, ideas y conceptos necesarios para el éxito académico en el área de los estudios sociales.	**Standard 5**	Students communicate ideas, information and concepts necessary for academic success in the area of social studies.

En el caso de la macroestructura planificada por la Sra. Olivia, los estándares del desarrollo del lenguaje corresponden a los niveles de desempeño lingüístico en las cuatro dimensiones de lenguaje: leer, escuchar, hablar y escribir, como muestra la tabla 3.3. Tanto en inglés como en español, esta macroestructura enfatiza las habilidades lingüísticas específicas indicadas en los estándares, para permitir que los estudiantes bilingües tengan acceso al contenido mediante la biliteracidad y el desarrollo del lenguaje académico asociado con las diferentes disciplinas, en los dos lenguajes de instrucción.

La pregunta esencial. Un aspecto importante de la planificación en el nivel de la macroestructura es la identificación de una **pregunta esencial** —*essential question*— que funciona como el hilo conector de la macroestructura. Para cumplir con ese objetivo los maestros deben tener en cuenta los estándares de distintas áreas de contenido y de lenguaje en forma integrada e interdependiente. La pregunta esencial es el eje que conecta las diferentes áreas de contenido, transformando la enseñanza en una actividad espiralada, que favorece la internalización del contenido y el desarrollo del lenguaje. Por **enseñanza espiralada** —*recursive teaching*— nos referimos a la manera recursiva de presentar conceptos y habilidades sobre un tema de estudio. Esto permite a los estudiantes revisitar conceptos, tener oportunidades múltiples para practicar diferentes habilidades y reusar vocabulario académico a través de la lectura, la escritura y las actividades orales sobre distintos tipos de textos. Así, la pregunta esencial permite estructurar conexiones interdisciplinarias que guían la enseñanza y hace posible que los estudiantes establezcan conexiones significativas entre los diferentes conceptos. De esta manera, los estudiantes comprenden los conceptos de manera holística e interdisciplinaria, mediante el uso de los dos idiomas de instrucción.

Es importante que la pregunta esencial integre los temas de forma tal que los maestros puedan conectar el currículo a la vida y a las experiencias de los estudiantes mientras aprovechan sus fortalezas lingüísticas en los dos idiomas (Freeman et

Essential questions are an important part of integrated or interdisciplinary planning. Educators should strive to develop and deepen students' understanding of important ideas and processes so that they can transfer their learning within and outside school (McTighe & Wiggins, 2012).

al., 2018; Wood, 2015). Una vez que la pregunta esencial ha sido identificada, los maestros deben empezar a crear un proyecto de culminación de la macroestructura que permita a los estudiantes mostrar lo aprendido, integrando las áreas de contenido de manera holística en los dos idiomas.

La Sra. Olivia y el grupo de maestras que trabaja con ella consideran que esta macroestructura interdisciplinaria interrelacionada en las distintas áreas de contenido ayudará a sus estudiantes a mejorar la comprensión de los temas estudiados y a entender el hilo conector de las ideas presentadas a medida que tratan de responder a la pregunta esencial. La pregunta esencial de esta macroestructura es: "¿Cómo se relacionan los seres vivos para sobrevivir en el medio ambiente?". Las macroestructuras interdisciplinarias organizadas en torno a preguntas esenciales ayudan a los estudiantes bilingües a comprender en forma integral el tema de estudio, en lugar de enfocarse en información aislada y fragmentada. A medida que los estudiantes interactúan con una variedad de textos seleccionados y participan en las actividades planificadas por el maestro, pueden formular respuestas a la pregunta esencial desde los distintos puntos de vista de las diferentes áreas de contenido y así arribar a generalizaciones sobre el tema de estudio, lo cual requiere un complejo proceso cognitivo.

Una vez que los maestros de segundo grado decidieron los estándares que van a aplicar en su macroestructura y desarrollaron la pregunta esencial, definen las metas de contenido y de lenguaje para la biliteracidad y piensan en la manera de evaluar el aprendizaje de toda la macroestructura en forma integrada, mediante el diseño de un proyecto de culminación que les permita analizar de manera comprensiva y auténtica lo aprendido por los estudiantes bilingües, integrando todo su repertorio bilingüe.

La segunda parte de planificación de la macroestructura aparece en la tabla 3.4. En esta tabla comenzamos incluyendo nuevamente la pregunta esencial, para destacar como hilo conector y mostrar claramente la relación entre los estándares de contenido y de lenguaje con las metas y el proyecto de culminación o evaluación integrada de la macroestructura.

Metas de contenido y de lenguaje para la biliteracidad. Para planificar un currículo integrado es importante que los maestros identifiquen una meta general de contenido y una meta de lenguaje para guiar y organizar la macroestructura (Gottlieb y Ernst-Slavit, 2014). Las metas se encuadran con la pregunta esencial; la meta de contenido se desprende de los estándares de contenido, en tanto que la meta de lenguaje se alinea con la meta del contenido y con los estándares de desarrollo del lenguaje. Al comenzar la planificación, con el fin de establecer las metas, los maestros se pueden hacer las siguientes preguntas:

• Para identificar metas de contenido, los maestros pueden preguntarse: "¿Cuáles son los conceptos que los estudiantes necesitan aprender en esta macroestructura?".
• Para identificar las metas de lenguaje para la biliteracidad, pueden preguntarse: "¿Cuáles son las funciones del lenguaje más importantes que los estudiantes usarán en la macroestructura?" y "¿Cuál es la expectativa para el desarrollo del lenguaje en esta macroestructura?".

El equipo de segundo grado que integra la Sra. Olivia, al diseñar la macroestructura interdisciplinaria identificó las metas de contenido en las disciplinas de artes del lenguaje en español e inglés, matemáticas, ciencias y estudios sociales. Como vemos en la tabla 3.3, las metas de artes de lenguaje requieren que los alumnos resuman las ideas recabadas de una variedad de textos informativos y de diferentes

Tabla 3.4 Plantilla de planificación de la macroestructura: parte 2

Pregunta esencial
¿Cómo se relacionan los seres vivos para sobrevivir en el medio ambiente?

Metas de contenido	Metas de lenguaje para la biliteracidad
Artes de lenguaje en español e inglés Leen una variedad de textos informativos sobre el tema de estudio en inglés y español. Resumen información de diferentes fuentes de la red y de textos de no ficción. Escriben textos informativos cortos para demostrar lo aprendido sobre el tema de estudio, utilizando ortografía apropiada para el nivel del grado escolar.	**Oralidad** Utilizan diferentes funciones del lenguaje en conversaciones académicas, tales como clasificar, comparar y contrastar, analizar y persuadir. Resumen de manera oral sus conocimientos sobre el tema de estudio en diferentes actividades. **Lectura** Analizan y explican diferentes tipos de textos leídos en inglés o en español.
Matemáticas Resuelven problemas matemáticos relacionados con el tema de ciencias y estudios sociales.	**Escritura** Utilizan diferentes funciones del lenguaje en la escritura, tales como resumir, clasificar, comparar y contrastar, analizar y persuadir. Demuestran dominio de la gramática del idioma de instrucción al escribir textos expositivos.
Ciencias Analizan la relación entre los seres vivos y su medioambiente. Describen las diferentes formas de adaptación de los animales, como el camuflaje, que les permiten sobrevivir en su hábitat.	
Estudios sociales Describen las formas de adaptación de los seres humanos al lugar de su asentamiento. Explican el impacto que tienen los asentamientos en el medio ambiente.	

Proyecto de culminación
Los estudiantes investigan de qué manera los cambios en el entorno físico pueden afectar el medio ambiente y desequilibrar los ecosistemas de las diferentes regiones que han estudiado y de qué manera el hombre puede afectar el medio ambiente, de manera positiva o negativa.

Impacto positivo: El reciclaje y la conservación del agua tienen influencia en la relación de los seres vivos con su medio ambiente.

Impacto negativo: La polución de lagos y arroyos, la degradación del suelo y los cambios climáticos afectan la relación de los seres vivos con su medio ambiente

Evaluación formativa de las actividades completadas para elaborar el producto final:

• Identificación de información relevante sobre el tema en diferentes fuentes de información.

• Discusiones grupales para elaborar la presentación usando las ideas recabadas en las diferentes lecturas y en las discusiones de la clase.

• Uso del lenguaje académico y la puntuación y aplicación de las mayúsculas de manera apropiada al nivel de grado escolar.

• Elaboración de ideas de manera secuencial y descriptiva, utilizando el lenguaje académico apropiado para el área de contenido específico.

Evaluación sumativa del producto final – Uso de rúbricas de evaluación de la maestra, de pares y autoevaluación de la presentación oral y escrita del proyecto de culminación.

fuentes de internet sobre el tema de estudio y expliquen lo aprendido sobre el tema de estudio en un texto informativo. En matemáticas, las metas establecen que los alumnos deben resolver problemas matemáticos relacionados con los temas de ciencias y estudios sociales que están estudiando. En ciencias, las metas invitan a los alumnos a analizar la relación entre los seres vivos y su medioambiente y a describir las diferentes formas de adaptación de los animales, como el camuflaje, que les permiten sobrevivir en su hábitat.

Luego, en articulación con las metas de contenido y los estándares identificados, las maestras establecen las metas de lenguaje. Esperan que los estudiantes:

sean capaces de analizar y explicar de manera oral y escrita diferentes tipos de textos leídos en inglés o español; puedan utilizar de manera oral y escrita diversas funciones del lenguaje, tales como clasificar, comparar y contrastar, analizar y persuadir; logren resumir de manera oral sus conocimientos sobre el tema de estudio, utilizando un lenguaje académico, en diferentes actividades, y sean capaces de mostrar dominio de la gramática del idioma de instrucción al escribir textos narrativos, expositivos y de procedimiento. Estas metas guían el diseño del proyecto de culminación, la selección de materiales y géneros, la identificación de conexiones interdisciplinarias y el diseño de estrategias de implementación de prácticas que responden a la pedagogía del translenguar.

Proyecto de culminación. La evaluación integrada del contenido y del lenguaje se puede llevar a cabo por medio de proyectos. Gottlieb (2006) explica que un conjunto de actividades interconectadas conforma un proyecto y enfatiza que la evaluación de proyectos está estrechamente ligada a la enseñanza. El proyecto final o de culminación permite integrar y evaluar las metas de la macroestructura interdisciplinaria, dando a los alumnos la oportunidad de utilizar el lenguaje mientras demuestran sus conocimientos. El proyecto de culminación integra el aprendizaje de la macroestructura en el nivel del contenido y del lenguaje y se debe diseñar para posibilitar que los estudiantes utilicen las cuatro dimensiones del lenguaje (escuchar, hablar, leer y escribir), incluir uno o más géneros (p. ej., de procedimiento, persuasivos y poéticos, entre otros) y usar tecnología para demostrar una comprensión profunda del contenido en dos idiomas. Estos proyectos finales de la macroestructura interdisciplinaria también son una oportunidad para integrar todo el repertorio lingüístico de los estudiantes, creando espacios para el uso de ambos lenguajes y para mostrar habilidades de biliteracidad.

Es importante que este proyecto se planifique inmediatamente después de la selección de estándares para tener una correlación clara entre lo que se enseña y lo que se evalúa, aunque se presente al final de la macroestructura interdisciplinaria.

Cuando se trabaja con estudiantes que están desarrollando el bilingüismo y la biliteracidad y se integra de manera estratégica la enseñanza del contenido con el desarrollo del lenguaje, es de suma importancia combinar la evaluación del contenido y del lenguaje de manera integradora y comprensiva. Además de identificar las metas de contenido y de lenguaje que se van a cubrir durante la macroestructura, la Sra. Olivia y sus colegas consideran la competencia lingüística de sus alumnos y diseñan el proyecto de culminación como evaluación integrada y auténtica del aprendizaje de sus alumnos. Este tipo de proyecto permite evaluar las metas de la macroestructura de manera formativa y sumativa. En la clase de la Sra. Olivia, como proyecto de culminación los estudiantes investigan la manera en que los cambios en el entorno físico pueden afectar el medio ambiente, tener impacto en el uso de la tierra y desequilibrar los ecosistemas de las diferentes regiones que han estudiado.

La maestra puede evaluar de manera formativa el desempeño de los estudiantes a medida que van completando las actividades requeridas para el proyecto. Puede hacerlo, por ejemplo, mediante la observación del uso del lenguaje académico en las discusiones grupales sobre las ideas recabadas en los textos leídos en los dos idiomas. El producto final de proyecto se evalúa de forma sumativa para determinar el logro de las metas. Como producto final del proyecto, los estudiantes elaborarán una presentación con diapositivas, pósters, videos, o en forma de un libro grande —*big book*— seleccionando uno de los siguientes temas:

• Impacto positivo: El reciclaje y la conservación del agua tienen influencia en la relación de los seres vivos con su medio ambiente.

- Impacto negativo: La polución de lagos y arroyos, la degradación del suelo y los cambios climáticos afectan la relación de los seres vivos con su medio ambiente.

Para elaborar el producto final del proyecto, los estudiantes utilizan sus conocimientos de inglés y de español. Por ejemplo, de acuerdo con las metas, el proyecto puede ser presentado en uno de los dos idiomas de instrucción, o puede presentar algunas partes en inglés y otras en español, de acuerdo con el lenguaje asignado a cada área de contenido específico o según la preferencia del estudiante.

Este proyecto se realizará con guía del maestro y durante el tiempo de trabajo en centros. A lo largo de este proyecto los estudiantes leerán diferentes textos en los dos idiomas de instrucción facilitados por la maestra y visitarán internet en busca de información y fotografías. Los estudiantes utilizarán una serie de sitios de la red en inglés y en español, seleccionados por el equipo de maestras de segundo grado con el propósito de facilitar el acceso al contenido en diferentes niveles de competencia lingüística, en los dos idiomas. Además, desarrollarán la oralidad al sostener conversaciones académicas sobre el tema de estudio con sus compañeros. Estas conversaciones les permitirán negociar el significado nuevo y así comunicarlo de manera efectiva al momento de la presentación final a la clase. Todos estos usos del lenguaje se realizarán en inglés o en español, dependiendo del idioma asignado a la disciplina o del lenguaje de preferencia de los estudiantes. Además, los estudiantes deberán decidir de qué manera presentarán la información escrita como síntesis de la información aprendida, lo cual exige no solo un trabajo de colaboración sino también habilidades de **pensamiento crítico** —*critical thinking*—, al mismo tiempo que desarrollan las cuatro dimensiones del lenguaje y aprenden el contenido académico.

La tercera parte de planificación de la macroestructura aparece en la tabla 3.5. En esta tabla incluimos el vocabulario bilingüe, los tipos de géneros integrados y ejemplos de materiales. Además, mostramos claramente las relaciones interdisciplinarias y las conexiones interlingüísticas que las maestras integran de manera intencional y estratégica en la macroestructura.

Vocabulario. El vocabulario académico general y específico de cada área de contenido integrada debe ser identificado y se deben incluir instancias para enseñar en forma directa el vocabulario en ambos idiomas. Esto requiere usar estrategias que permitan un análisis contrastivo con el fin de identificar diferencias y similitudes, ampliando el repertorio lingüístico y desarrollando la conciencia metalingüística al promover la transferencia bidireccional de lo que saben acerca de ciertas palabras en un idioma al otro idioma. Por ejemplo, en el nivel del vocabulario, siguiendo el modelo de puente propuesto por Beeman y Urow (2012) para establecer conexiones interlingüísticas, el análisis comparativo del uso de afijos en español e inglés para formar palabras e inferir su significado es una estrategia muy efectiva para enriquecer y expandir el vocabulario. Por ejemplo, de-coloración/*dis-coloration*, adapta-ción/*adapta-tion*.

La Sra. Olivia y su equipo reconocen la importancia de incluir actividades para el desarrollo del vocabulario académico de la macroestructura, no solo de contenido específico como "camuflaje" *y* "organismos", sino también algunos términos académicos generales que pueden presentar desafíos para los estudiantes bilingües, tales como los adjetivos "decolorado", "sumergido", "inadvertido", para describir conceptos como "organismo" y "camuflaje". Además, basándose en el tipo de texto que los estudiantes van a leer o escribir para demostrar el conocimiento adquirido, el equipo de segundo grado incluye actividades con **palabras de señalización** —

Tabla 3.5 Plantilla de planificación de la macroestructura: parte 3

Vocabulario de la macroestructura

Vocabulario académico general	Vocabulario académico específico
patrones/*patterns*	hábitat/*habitat*
conservación/*conservation*	hibernación/*hibernation*
sumergido/*submerged*	recursos naturales/*natural resources*
comunidades/*communities*	clima/*climate*
inadvertido/*unnoticed*	reciclaje/*recycling*
decoloración/*discoloration*	camuflaje/*camouflage*
adaptación/*adaptation*	polución/*polution*
sedosos/*silky*	medio ambiente/*environment*
transparente/*transparent*	aéreos/*aerial*
sobrevivir/*survive*	terrestres/*land*
tipos/*types*	acuáticos/*aquatic*
categorías/*categories*	carnívoros/*carnivores*
explicar/*explain*	herbívoros/*herbivores*
	omnívoros/*omnivores*
	branquias/*gills*
	escamas/*scales*

Materiales	Género(s)
Español e inglés (Los materiales están disponibles en los dos idiomas) a) Ciencias naturales: *StemScopes Curriculum* y *Fusion* b) Estudios sociales: *Social Studies Weekly* c) Artes del lenguaje: *Benchmark Education* d) *Reading A-Z* y *Epic* e) Variedad de videos, poesías y rimas, refranes y canciones de diferentes fuentes	Ficción Expositivo

Conexiones interdisciplinarias

Conexiones con ciencias y artes del lenguaje - Los estudiantes comprenderán, identificarán, clasificarán, analizarán y evaluarán la importancia de los hábitats para determinados organismos y sus adaptaciones internas y externas que facilitan su supervivencia a través de la lectura de diferentes textos y escritura de textos cortos.

Conexiones con matemáticas - Los estudiantes se enfocarán en resolver problemas matemáticos orientados a la identificación de patrones y a la aplicación de procesos a situaciones de la vida diaria.

Conexiones con estudios sociales - Los estudiantes analizarán patrones del clima y maneras en las que los seres humanos dependen de su medio ambiente para satisfacer sus necesidades básicas.

Espacios interlingüísticos

Los estudiantes leerán y analizarán textos en los dos idiomas para acceder al contenido y entender el género, la gramática y la sintaxis usados para comunicar ideas apropiadas en el lenguaje de enseñanza. Además, escribirán en los dos idiomas en las distintas disciplinas integradas. También, presentarán conclusiones, elaborarán ideas y explicarán en inglés o en español de forma flexible o dependiendo del lenguaje de enseñanza. Finalmente, identificarán y analizarán patrones de cognados.

Miniunidad 1 *Series de microestructuras* (aproximadamente 5 semanas)	Miniunidad 2 *Series de microestructuras* (aproximadamente 4 semanas)
Los organismos, sus hábitats y sus adaptaciones para sobrevivir	*Las personas, su ambiente físico y los recursos naturales de la comunidad*

signal words— para que los estudiantes logren entender la relación entre las ideas del texto y la manera de utilizarlas en sus escritos (p. ej., términos como "sin embargo", "además", "consecuentemente").

Géneros. La integración interdisciplinaria del contenido requiere de la selección de diferentes géneros o tipos de textos para acceder al contenido y contextualizar las habilidades de lectura y escritura que se están enseñando. Es importante que los docentes tengan una idea clara de los géneros que permitirán a los estudiantes tener acceso al contenido. Bunch et al. (2012) explican que los docentes deben enfocarse en que los estudiantes bilingües interactúen con textos complejos en ambos idiomas, pero apropiados para el nivel de grado. Más aún, es importante que los docentes tengan dominio de los distintos tipos de textos que los estudiantes deben aprender y de las características gramaticales, fonéticas, sintácticas y pragmáticas particulares de cada lenguaje de instrucción, para facilitar la transferencia de aquellas habilidades que son iguales en los dos idiomas o enseñar intencionalmente aquellas que no se transfieren, con el fin de promover la biliteracidad de manera estratégica.

La interacción con textos de diferente tipo y complejidad y en los dos idiomas de instrucción permite a los estudiantes discernir las diferencias entre los textos de ficción e informativos, siendo que cada tipo de texto sirve a un propósito diferente y agrega información sobre el tema de manera peculiar. Además, los textos informativos abarcan todas las áreas de contenido y permiten que los estudiantes hagan conexiones entre ellas, al mismo tiempo que acceden a un conocimiento más profundo sobre el tema de estudio (Gottlieb y Ernst-Slavit, 2014). Desde una perspectiva pedagógica del translenguar, la enseñanza que incluye el mismo género en los dos idiomas permite la integración estratégica de conexiones interlingüísticas y posibilita la transferencia bidireccional de los conceptos estudiados (lo que se aprende en un lenguaje no necesita aprenderse en el otro) y facilita el desarrollo de la biliteracidad de manera auténtica (Mercuri y Musanti, 2018).

La selección de géneros para la macroestructura "Explorando el medio ambiente" involucró la selección de textos de ficción e informativos. Durante el aprendizaje de la macroestructura interdisciplinaria, los estudiantes de la Sra. Olivia leerán y escribirán diferentes textos, a través de los cuales desarrollarán sus habilidades lingüísticas, incorporando vocabulario científico a sus conocimientos previos. De la misma manera, los alumnos desarrollarán su comprensión sobre diferentes elementos del texto, como idea principal, resumen, comparación y contraste, y la distinción de marcadores de secuencia en textos de ficción o de procedimiento. También, los estudiantes tendrán acceso a los conceptos interrelacionados en los dos idiomas para aprovechar todo su repertorio bilingüe como recurso de aprendizaje. Esto se facilita con estrategias tales como vista previa-vista-repaso (*PVR*). Por ejemplo, en la clase de la señora Olivia se enseña ciencias naturales en español. Para implementar la estrategia PVR, en este caso se usa inglés para la vista previa, español para la vista o lección e inglés para el repaso, lo cual permite el desarrollo de la biliteracidad.

Materiales. Para responder a la pregunta esencial, una vez que los estándares de contenido y lenguaje han sido seleccionados, el proyecto de culminación ha sido explicado en detalle y los géneros han sido identificados y alineados con los estándares, los docentes seleccionan diferentes tipos de materiales en los dos idiomas para facilitar el acceso al contenido académico, el desarrollo de las cuatro dimensiones del lenguaje y el completamiento del proyecto de culminación. Por ejemplo, en el caso de la Sra. Olivia, los materiales incluyen libros de texto que el distrito escolar ha elegido para las distintas disciplinas como ciencias naturales: *StemScopes*

Curriculum (inglés) y *Fusion* (inglés y español); estudios sociales: *Social Studies Weekly* (inglés y español) y artes del lenguaje: *Benchmark Education* (inglés y español); libros de ficción e informativos tales como *Reading A-Z* y *Epic* (inglés y español); así como también una variedad de videos, poesías, rimas, refranes y canciones de diferentes fuentes. Otros materiales incluyen láminas, marcadores, imágenes y objetos reales, los cuales permiten a los docentes desarrollar la lección o microestructura con los estudiantes a través de la instrucción cuidadosamente planificada.

Conexiones interdisciplinarias. La meta de contenido requerirá la selección estratégica de actividades y lecturas en los dos idiomas, por medio de las cuales los estudiantes podrán hacer conexiones con contenidos específicos de estudios sociales, tales como patrones del clima y maneras en las que los seres humanos dependen de su medio ambiente para satisfacer sus necesidades básicas. Por otra parte, los estudiantes se enfocarán en la resolución de problemas matemáticos orientados a la identificación de patrones y la aplicación de procesos a situaciones de la vida diaria. En otras palabras, la meta general de contenido de esta macroestructura es que los estudiantes puedan comprender, identificar, clasificar, analizar y evaluar la importancia de los hábitats para determinados organismos y las adaptaciones internas y externas que facilitan su supervivencia.

La meta de lenguaje guiará a las maestras de segundo grado para identificar estrategias de desarrollo del lenguaje que se articulen con la meta de contenido. Esto lo lograrán a través de la integración de la lectura y la escritura de textos expositivos con un enfoque en las funciones del lenguaje como clasificar, comparar y contrastar, secuencia de eventos y análisis y evaluación de los textos informativos y de procedimiento. Además, como parte de la meta de lenguaje, los estudiantes participarán en distintos tipos de actividades para el desarrollo del lenguaje oral, tales como presentaciones de su trabajo y conversaciones académicas acerca del tema de estudio.

Espacios interlingüísticos. Desde una perspectiva pedagógica del translenguar, identificar las demandas lingüísticas y definir las metas de lenguaje en articulación con las de contenido académico de la macroestructura permite identificar objetivos de lenguaje en el nivel de la microestructura y planificar estrategias y actividades que involucren a los estudiantes en múltiples eventos de desarrollo de la biliteracidad. Esto se logra creando espacios para que los estudiantes usen y expandan todo su repertorio lingüístico, profundizando la comprensión del contenido, estableciendo conexiones interlingüísticas entre los dos idiomas de instrucción y desarrollando la conciencia metalingüística o metalenguaje (Escamilla et al., 2013). Según Cummins (2017), las prácticas que integran de forma dinámica el repertorio lingüístico de los estudiantes bilingües facilitan la transferencia multidireccional de las habilidades y los conocimientos adquiridos en uno u otro lenguaje, permitiéndoles negociar de manera flexible el significado del texto o del lenguaje y desarrollar así un conocimiento metalingüístico más profundo. Estas prácticas del translenguar requieren de un espacio en la planificación dedicado a diseñar estrategias que posibiliten la integración de lo que los estudiantes saben del contenido y su repertorio lingüístico.

Por ejemplo, guiadas por la necesidad de aprovechar todo el repertorio bilingüe de los estudiantes, la Sra. Olivia y sus compañeras de equipo integran prácticas del translenguar al seleccionar textos apropiados en los dos idiomas, para que los estudiantes no solo tengan acceso a los contenidos de las disciplinas sino también los usen como textos mentores para entender el tipo de género, la gramática y la sintaxis usados para comunicar ideas de una manera efectiva y apropiada al lenguaje de enseñanza. Además, el equipo planifica oportunidades para que los estudiantes lean en un idioma y escriban en el otro o utilicen el idioma que tienen más desarrollado para hablar de los textos leídos en grupos o con la clase.

Una vez que la planificación en el nivel de la macroestructura está completa, los maestros deben comenzar a planificar en el nivel de la microestructura. Las microestructuras se organizan alrededor de un concepto y conforman una miniunidad de microestructuras interrelacionadas que constituyen la macroestructura interdisciplinaria. Por ejemplo, la macroestructura interdisciplinaria de la maestra Olivia y su equipo de segundo grado "Explorando nuestro medio ambiente" está formada por dos miniunidades que articulan una serie de microestructuras o lecciones: 1) "Los organismos, sus hábitats y sus adaptaciones para sobrevivir" y 2) "Las personas, su ambiente físico y los recursos naturales de la comunidad".

La planificación interdisciplinaria en el nivel de la microestructura

En este nivel de planificación, las maestras deben considerar las exigencias que el contenido de las diferentes disciplinas impone a los estudiantes bilingües. La planificación en este nivel requiere enfocarse en diferentes dimensiones del lenguaje para maximizar las oportunidades que los estudiantes tienen de desarrollar el lenguaje académico. Para esto las microestructuras deben incluir diferentes tipos de andamiaje para apoyar el desarrollo del lenguaje de los estudiantes y, desde el punto de la equidad educativa, permitir que todos los estudiantes tengan acceso al contenido académico. Los maestros deben tomar decisiones estratégicas en la planificación para facilitar el desarrollo de la biliteracidad, integrando artes del lenguaje en las diferentes áreas de contenido e incluyendo estrategias que posibiliten el uso de todo el repertorio lingüístico e incorporen conexiones interlingüísticas para el desarrollo de la conciencia metalingüística.

Es decir que, en el nivel de la microestructura, la planificación se organiza alrededor de ideas centrales del contenido de la macroestructura en articulación con conceptos y habilidades de artes del lenguaje que atraviesan la planificación. Esto se logra al integrar estrategias para desarrollar la comprensión y la producción de textos en español y en inglés acerca del tema de estudio, con actividades para desarrollar el vocabulario relevante a las diferentes áreas de contenido en los dos idiomas, de acuerdo con el grado.

En este nivel de planificación, los conceptos de artes del lenguaje se introducen, refuerzan y finalmente se adquieren al ser presentados a través de múltiples oportunidades de lectura, escritura y discusión académica en todas las áreas de contenido, acerca del tema de la microestructura. Para esto, los maestros de estudiantes bilingües deben incorporar una serie de elementos clave en la microestructura o lección, que se describen a continuación.

Los elementos de la planificación en el nivel de la microestructura

Una planificación integrada efectiva requiere anclar las microestructuras en los estándares de contenido y de desarrollo del lenguaje inglés y/o español, seleccionados en articulación con lo que se ha propuesto para la macroestructura. Cada lección o microestructura puede insumir más de un día y se centra en algunos de los conceptos interrelacionados en la miniunidad interdisciplinaria.

Tabla 3.6 Planificación en el nivel de la microestructura: parte 1

Microestructura: Nivel de la lección

Título de la lección *Clasificación de los animales según sus hábitats*	Lenguaje de enseñanza: Español

Estándares de contenido
(Indicar los estándares de las distintas disciplinas integrados en la lección)

Artes del lenguaje – CCSS
SL.2.1. Participan en conversaciones colaborativas con diversos compañeros y adultos en grupos pequeños y grandes sobre temas y textos apropiados para segundo grado.

L.2.1. Demuestran dominio de las reglas de gramática del español y de su uso al escribir y al hablar.

Ciencias – NGSS –
LS2.A: Explican la relación de interdependencia en los ecosistemas y describen las necesidades básicas de los organismos y la manera en que el medio ambiente tiene influencia en el comportamiento de los seres vivos.

Estándares de desarrollo del lenguaje
(Indicar los estándares correspondientes a las dimensiones del lenguaje a desarrollar en la lección: escuchar, hablar, leer y escribir)

Oralidad
Los bilingües emergentes comunican información, ideas y conceptos necesarios para el éxito académico en el área de las ciencias naturales y artes del lenguaje (WIDA, 2012a, estándares 1 y 3)

Los maestros se guían con los descriptores "Podemos" correspondientes a segundo y tercer grado para las funciones del lenguaje: explicar y discutir.

Pregunta de enfoque
¿Cuáles son las características de los animales de acuerdo con su hábitat?

Objetivos de contenido
Los estudiantes clasificarán los distintos animales de acuerdo con sus hábitats, creando una tabla de clasificación de triple entrada.

Objetivos de lenguaje para la biliteracidad
Los estudiantes describirán oralmente las características de los animales y sus hábitats, utilizando lenguaje académico de contenido específico y adjetivos o frases descriptivas a medida que completan la tabla de triple entrada.

Los estudiantes compararán y contrastarán cognados, identificando oralmente similitudes y diferencias en los siguientes términos: carnívoro/*carnivorous*, herbívoro/*herbivorous*, omnívoro/*omnivorous*.

Evaluación integrada
Evaluación formativa de la descripción oral de la tabla de clasificación de triple entrada de los diferentes hábitats observando si los estudiantes identifican, describen y clasifican las principales características de los animales y sus hábitats (contenido) y el uso de adjetivos y frases descriptivas (desarrollo del lenguaje).

La tabla 3.6 muestra la primera parte de los elementos de la planificación en el nivel de la microestructura o lección y representa una guía de cómo los maestros pueden utilizar los elementos esenciales de la planificación integrada. Se puede encontrar la plantilla de planificación en el nivel de la microestructura en blanco en el apéndice.

La Sra. Olivia y su equipo planifican una de las microestructuras de la miniunidad "Los organismos, sus hábitats y sus adaptaciones para sobrevivir", correspondiente a la macroestructura de segundo grado titulada "Explorando nuestro medio ambiente". En este proceso, las maestras se basan en los estándares de contenido y de desarrollo del lenguaje. Con este marco de planificación, las maestras seleccionan los estándares que cubrirán en cada microestructura de la miniunidad, previamente identificados e interconectados en el nivel de la macroestructura.

La pregunta de enfoque. Luego de la selección de los estándares, la microestructura o lección está organizada verticalmente por la **pregunta de enfoque** —

focus question—. Las preguntas de enfoque se alinean con la pregunta esencial de la macroestructura, pero son más específicas porque están directamente conectadas con las ideas presentadas en cada lección.

La microestructura de segundo grado de la Sra. Olivia se centra en la clasificación de los animales según su hábitat y se organiza alrededor de la pregunta de enfoque: "¿Cuáles son las características de los animales de acuerdo con su hábitat?". Con este marco de planificación, las maestras identifican los objetivos que cubrirán en cada lección o microestructura.

Objetivos de contenido y de lenguaje para la biliteracidad. En un aula bilingüe la planificación de las lecciones que integran la macroestructura interdisciplinaria está guiada por la identificación de objetivos de contenido y objetivos de lenguaje que deben estar alineados con los estándares de contenido y lenguaje respectivamente, con la pregunta de enfoque y con la evaluación integradora. Los objetivos en el nivel de la microestructura identifican con claridad lo que se espera que los alumnos aprendan y la manera en que se espera que usen el lenguaje durante la lección, de forma que sea medible.

Los objetivos de contenido indican el conocimiento y las habilidades (hechos, ideas y procesos) que los alumnos deben desarrollar en cada área de contenido, es decir, determinan lo que los estudiantes deben saber (conocimiento teórico) y lo que deben ser capaces de hacer para demostrar su comprensión del contenido (conocimiento procedimental). Estos objetivos se alinean con los estándares estatales o federales para cada grado. Al identificar los objetivos de contenido la maestra se pregunta qué espera que aprendan sus estudiantes. El marco de oración que sigue facilita la escritura de objetivos de contenido:

> Los estudiantes _____ **(verbo derivado del estándar y**
>
> **contenido académico)** _____ (*actividad que permite demostrar o dar evidencia de aprendizaje del contenido*).

Por ejemplo, la Sra. Olivia toma decisiones estratégicas para apoyar a todos sus estudiantes bilingües emergentes en el desarrollo de la escritura académica a través del contenido, por lo cual desarrolló el siguiente objetivo apropiado para segundo grado y que corresponde al área de ciencias.

> Los estudiantes **clasificarán los distintos animales de acuerdo con sus hábitats,** *creando una tabla de clasificación de triple entrada.*

Los objetivos de lenguaje se relacionan con el contenido que se propone enseñar. Estos objetivos especifican la dimensión del lenguaje que se utiliza para demostrar el conocimiento sobre el contenido académico, es decir, la forma en que los estudiantes bilingües necesitan usar el lenguaje para acceder o comunicar el contenido. Por ejemplo, las estructuras gramaticales, el tipo de vocabulario o la función con la que se usa el lenguaje al comparar y contrastar dos tipos de adaptaciones de animales a su medio ambiente o al explicar el proceso de pensamiento utilizado para resolver problemas matemáticos. En otras palabras, los objetivos del lenguaje definen las formas y las funciones lingüísticas que un estudiante debe mostrar al escribir y hablar sobre los temas de las asignaturas. El siguiente marco de oración muestra los elementos necesarios para escribir objetivos del lenguaje:

> Los estudiantes _____ **(verbo indicando la función/uso y la**
>
> **dimensión del lenguaje)** _____ *(habilidades, gramática o*
>
> *vocabulario).*

La Sra. Olivia y su equipo, en su microestructura sobre los tipos de animales y sus hábitats, para identificar el objetivo de lenguaje toman en cuenta el objetivo del contenido. Las maestras consideran las formas y las funciones del lenguaje que los niños necesitan para hablar, leer y escribir sobre este contenido, como por ejemplo conjugaciones verbales, formas comparativas, posesivos, tipos de preguntas, puntuación, adjetivos y adverbios descriptivos, entre otros. Las maestras saben que estas formas del lenguaje son necesarias para llevar a cabo funciones del lenguaje tales como resumir, describir, explicar, comparar o contrastar. Por ejemplo:

> Los estudiantes **describirán oralmente las características de los animales y sus hábitats,** *utilizando lenguaje académico de contenido específico y adjetivos o frases descriptivas a medida que completan la tabla de triple entrada.*
>
> Los estudiantes **compararán y contrastarán cognados,** *identificando oralmente similitudes y diferencias estructurales (morfología), en los siguientes términos:* herbívor**o**/herbivor**ous**; carnívor**o**/carnivor**ous**; omnívor**o**/omnivor**ous**.

De acuerdo con Gottlieb y Ernst-Slavit (2014), los objetivos de lenguaje pueden ser escritos en el nivel del texto o discurso, de la oración o de la palabra. Por ejemplo, en una microestructura sobre el ciclo de la vida de los animales creada por la Sra. Olivia y su equipo para la miniunidad "Los seres vivos, sus hábitats y sus adaptaciones para sobrevivir", se identifica como objetivo de contenido que los estudiantes demuestren su comprensión del ciclo de la vida de la rana dibujando un diagrama y rotulando cada fase. Luego, considerando el objetivo de contenido y los estándares de lenguaje, la maestra identifica los siguientes objetivos de lenguaje:

- En el nivel del texto o género en ciencias: Los alumnos escribirán en tiempo presente el primer párrafo o introducción de un reporte científico sobre un experimento sobre el ciclo de vida de la rana.
- En el nivel de la oración: Los alumnos explicarán el diagrama del ciclo de vida de la rana en forma oral, usando oraciones completas que muestren la secuencia del ciclo.
- En el nivel de la palabra: Los alumnos escribirán oraciones completas utilizando palabras de señalización que marquen la relación de secuencia entre las ideas tales como "primero", "segundo", "luego", "seguidamente" y "al final".

El siguiente paso de la microestructura de la Sra. Olivia es tomar en cuenta los objetivos de contenido y lenguaje para planificar una evaluación integrada que permita a los estudiantes demostrar los conocimientos adquiridos en la lección.

Evaluación integrada. En cada microestructura se evalúa de forma integrada el lenguaje y el contenido central de la lección, en articulación con la pregunta de enfoque. Es importante que los maestros tengan en cuenta la importancia de modificar la evaluación de acuerdo con las necesidades del estudiante para diferenciar la enseñanza. Si bien la evaluación integrada se diseña al comienzo de la planificación de la microestructura para encuadrar el resto de las actividades, se implementa al finalizarla como forma de articular el aprendizaje y dar oportunidad al maestro y a los alumnos para identificar lo aprendido y las áreas o habilidades que es necesario mejorar. El propósito central de la evaluación en la microestructura es formativo: sirve para informar los ajustes necesarios de la enseñanza y para que los alumnos y la maestra puedan identificar lo aprendido y aquello que necesitan reforzar o volver a enseñar, en relación con los objetivos tanto de contenido como de lenguaje.

El equipo docente de segundo grado entiende que es importante evaluar el desempeño académico y lingüístico de los alumnos con la utilización de múltiples y variadas formas de evaluación alineadas con los objetivos de contenido y lenguaje. En esta lección sobre las características de los animales y sus hábitats la evaluación se hace a través de una actividad de descripción oral de los diferentes hábitats y la creación de una tabla de clasificación de triple entrada identificando los tipos de hábitats. Durante la actividad de descripción oral, la Sra. Olivia evalúa a los estudiantes al completar la tabla de triple entrada, aplicando lo aprendido a medida que identifican, describen y clasifican los animales de acuerdo con sus características. Desde el punto de vista lingüístico, la maestra evalúa el uso del lenguaje académico y de adjetivos o frases descriptivas, mediante la utilización de marcos de oraciones para apoyar el lenguaje oral, de acuerdo con las competencias lingüísticas de los estudiantes de la clase, tales como:

El _____ (insecto) tiene alas _____ (sedosas). Algunos

animales _____ (terrestres) son muy _____ (veloces).

Luego de la selección de los estándares, de los objetivos de desarrollo del lenguaje y de contenido y de la evaluación integrada, el equipo de la Sra. Olivia identifica el vocabulario bilingüe, selecciona los materiales en inglés y español y las estrategias de apoyo al aprendizaje del contenido y del lenguaje académico, así como también las de desarrollo de la biliteracidad presentadas en la tabla 3.7.

Vocabulario bilingüe. La identificación de vocabulario en el nivel de la microestructura requiere que el docente seleccione las palabras de vocabulario académico general y específico, así como palabras de señalización clave para la construcción de significado alrededor de la pregunta de enfoque y los conceptos clave que estructuran la lección. En otras palabras, del vocabulario total seleccionado para la macroestructura interdisciplinaria, el maestro debe enfocarse solo en aquellos términos que son de importancia central al tema de la lección, haciendo conexiones con otros términos relacionados ya estudiados. Las actividades planificadas para la microestructura incluirán oportunidades para que los estudiantes usen su repertorio bilingüe y su conocimiento previo de vocabulario relacionado en uno u otro idioma.

El vocabulario que identifican la Sra. Olivia y su equipo de segundo grado en la microestructura que trata sobre los animales y sus hábitats permite a los estudiantes bilingües participar en las actividades de descripción oral y de elaboración de la tabla de triple entrada. Algunos de los términos que necesitan comprender los estudiantes para participar activamente en las actividades de la microestructura son aéreos/*flying*, terrestres/*land*, acuáticos/*aquatic*, carnívoros/*carnivores*, herbívoros/*herbivores*, omnívoros/*omnivores*, sedosos/*silky*, transparente/*transparent*, sobrevivir/*survive*, branquias/*gills,* escamas/*scales* y camuflaje/*camouflage*.

Tabla 3.7 Planificación en el nivel de la microestructura: parte 2

Vocabulario bilingüe

Académico específico	Académico general
aéreos/*aereal* - terrestres/*land* -acuáticos/*aquatic* - carnívoros/*carnivores* - herbívoros/*herbivores* - omnívoros/*omnivores* - branquias/*gills* - escamas/*scales* - camuflaje/*camouflage*	sobrevivir/*survive* sedosos/*silky* transparente/*transparent*

Materiales

- "El safari de los animales" (Lee, 2013)
- "Enciclopedia de los animales" (Spelman, 2014)
- Presentación de diapositivas en español sobre los animales y sus hábitats.

Conexiones interdisciplinarias

Ciencias naturales y artes del lenguaje en inglés y español: Conversaciones en el idioma de preferencia usando el vocabulario bilingüe con conceptos de ciencias sobre diferentes animales y sobre las características que tienen de acuerdo con su medio ambiente.

- **Estrategias de apoyo al aprendizaje del contenido y el lenguaje académico**
  - Organizador gráfico: Tabla de triple entrada
  - Imágenes de los animales para clasificar en la tabla.
  - Marcos de oraciones usando adjetivos y frases descriptivas.

- **Estrategias de desarrollo de la biliteracidad**

*Conexiones interlingüísticas en los niveles del **vocabulario**, la oración y el texto.*

Los estudiantes clasifican los cognados basándose en el patrón representado por el sufijo de cada palabra en español y en inglés:

- herbí-vor**o** (come plantas)   herbi-vor**ous**
- carní-vor**o** (come animales)   carni-vor**ous**
- omní-vor**o** (come plantas y animales)   omni-vor**ous**

Evaluación formativa de la descripción oral de la tabla de clasificación de triple entrada de los diferentes hábitats observando si los estudiantes identifican, describen y clasifican las principales características de los animales y sus hábitats (contenido) y el uso de adjetivos y frases descriptivas (desarrollo del lenguaje).

Materiales. Para las diferentes microestructuras, los maestros utilizan lecturas, actividades, videos, ilustraciones y otros tipos de andamiaje provistos en los programas adoptados por el distrito para las diferentes disciplinas interconectadas en la lección. Estos materiales son los mismos que se proponen para la macroestructura, pero se utilizan solo los que se articulan con los objetivos de la microestructura. Por ejemplo, en el caso de la microestructura de segundo grado, los docentes utilizan una presentación de diapositivas en español que resume la información recopilada del currículo *StemScopes* (en inglés) y otros libros tales como la versión auditiva de "El safari de los animales" (Lee, 2013) y la "Enciclopedia de los animales" (Spelman, 2014).

Conexiones interdisciplinarias. La microestructura o lección integra las diferentes áreas de contenido con artes del lenguaje, dado que esta es una disciplina que debe atravesar la planificación. En la microestructura sobre la clasificación de los animales según sus hábitats, el equipo de segundo grado conecta el contenido de ciencias naturales con las habilidades de lectura y expresión oral de artes del lenguaje y la comprensión de la información presentada en las dispositivas. Por ejemplo, planifican en español la actividad de clasificación de animales de acuerdo con su hábitat y sus características y los estudiantes participan oralmente al completar la tabla de triple entrada.

Estrategias de apoyo al aprendizaje del contenido y lenguaje académico. Las estrategias de enseñanza deben enfocarse en apoyar el aprendizaje, es decir utilizar un andamiaje —*scaffold*— para el acceso al contenido en forma diferenciada, de acuerdo con las competencias académicas y lingüísticas de los estudiantes. Walqui y Van Lier (2010) explican el concepto de andamiaje o estrategias de apoyo utilizadas para que los estudiantes puedan completar sus tareas académicas en contextos específicos facilitados por el maestro o otros estudiantes.

Al planificar, las maestras deben tener en cuenta el nivel de lenguaje de cada alumno, es decir, lo que el alumno puede comprender, sea en forma auditiva o por medio de la lectura, así como lo que el alumno puede producir, sea en forma oral o escrita. Para apoyar la comprensión del contenido y el desarrollo del lenguaje se integran estrategias de andamiaje lingüísticas, gráficas o visuales, tales como cognados, imágenes, organizadores gráficos, así como diferentes tipos de agrupamiento de estudiantes que promuevan la interacción y las estrategias que integren movimiento y gestos, como **respuesta física total** —*Total Physical Response (TPR)*—. Estas estrategias son especialmente importantes para ayudar a la comprensión de conceptos abstractos y complejos que se presenten en las diferentes disciplinas, tanto en inglés como en español. En la microestructura de la Sra. Olivia, es el caso de conceptos como "camuflaje" —*camouflage*–, que ella deberá acompañar de imágenes para facilitar la comprensión. Es decir, la Sra. Olivia y su equipo planifican la inclusión de apoyos visuales y gráficos para facilitar la comprensión, así como trabajo colaborativo y actividades que permiten el uso de ambos lenguajes para aprovechar el repertorio lingüístico de los estudiantes.

Entre las estrategias planificadas se incluye una actividad de descripción oral mediante el uso de una serie de fotografías (figura 3.2) que se distribuyen para que, guiados por la maestra, los estudiantes hablen entre ellos acerca de las características de los animales y predigan el hábitat correspondiente a cada animal. Durante esta actividad oral que activa el conocimiento previo, los estudiantes usan uno o ambos lenguajes según su preferencia para hablar sobre las fotografías y hacer conexiones personales con el tema.

En articulación con esta actividad, para desarrollar y apoyar la comprensión del contenido, la maestra comparte una presentación en español en la que muestra los diferentes hábitats, animales y sus características e incluye una explicación sobre los diferentes lugares en los que viven los animales según el grupo al que pertenezcan. El siguiente es un resumen de la información que presenta la maestra:

> Los animales terrestres viven en los desiertos, los bosques, los valles, las praderas, las selvas y las montañas, como el camello, el lobo, el venado, el buey, el león y las ardillas. Estos animales terrestres son carnívoros, herbívoros u omnívoros, de sangre caliente y tienen pelo. Algunos animales acuáticos viven en los ríos, lagos o lagunas (agua dulce), como la trucha y el pejerrey; otros, en cambio, viven en mares y océanos, como el delfín y la ballena. Algunas de las características pueden ser las branquias y las escamas o la piel gomosa como la del delfín, así también como tipos de patas, como los patos. Fuera de este medio ambiente no pueden sobrevivir. Los animales aéreos viven en los troncos de los árboles o en las altas montañas, como la paloma, el cóndor o el águila. Una característica de los animales aéreos es que tienen alas. Las alas pueden tener plumas (pájaros) o estar hechas de un material sedoso y transparente (insectos).

Because notions of scaffolding have sometimes drifted from the theoretical base, we will focus on the critical differences between, on the one hand, simply helping students complete tasks they cannot do independently and, on the other hand, the theoretical intent of scaffolding—to create the contexts and supports that allow students to interact in their zone of proximal development (Walqui & Van Lier, 2010, p. 12).

Figura 3.2 Fotografías de animales *(En el sentido de las agujas del reloj desde la parte superior izquierda: imágenes libres de derechos de _2859581_ DrZoltan/Pixabay; _1069473_ DonnaOpferSongwriter/Pixabay; _2807216_ Cairomoon/Pixabay; _719613_ Mikadago/ Pixabay; _3262715_ Edmondlafoto/Pixabay; _686100_ Magee/ Pixabay.)*

A medida que hablan sobre la información presentada en las diapositivas, la maestra escribe los adjetivos o frases descriptivas correspondientes a cada tipo de animal en tarjetas de vocabulario, para luego agregarlas a la **pared de palabras** —*word wall*— en español, utilizarlas para la comparación y el contraste estructural de cognados y así extender el repertorio lingüístico de los estudiantes.

Luego, los estudiantes y la maestra leen a coro el texto informativo corto "La enciclopedia de los animales" (Spelman, 2014). A través de la lectura los estudiantes solidifican su conocimiento acerca de los hábitats y de la manera en la que los animales se adaptan a su medio ambiente para sobrevivir, basados en sus características particulares. Por ejemplo, los patos tienen patas en forma de remo y las jirafas usan su cuello largo para alcanzar la comida en la parte alta de los árboles. Finalmente, después del modelaje presentado por la maestra, los estudiantes, como parte de la evaluación integrada, van a crear una tabla de clasificación de triple entrada. Para completar este organizador gráfico y demostrar el logro del objetivo

Tabla 3.8 Organizador gráfico: Clasificación de los animales de acuerdo con su hábitat y sus características

Aéreos	Terrestres	Acuáticos

de lenguaje, los estudiantes deberán expresar en oraciones completas los conocimientos adquiridos, utilizando adjetivos y/o frases descriptivas.

A aquellos que necesitan ayuda para expresarse oralmente usando oraciones completas, la maestra les proporciona marcos de oraciones —*sentence frames*—:

El _____ (lobo) es un animal _____ (terrestre).

Una característica de un animal _____ (aéreo) es que tiene

_____ (alas).

El _____ (insecto) tiene alas _____ (sedosas).

Algunos animales _____ (terrestres/acuáticos/aéreos) son

muy _____ (veloces).

Los animales tienen _____ (características) específicas que

les permiten _____ (adaptarse) a su _____ (hábitat

o medio ambiente).

Los marcos de oraciones son una estrategia efectiva para integrar la representación del contenido académico de la disciplina —en este caso, la descripción de características de diferentes animales— y el uso del vocabulario académico en estructuras de lenguaje apropiadas.

Estrategias de desarrollo de la biliteracidad. La diversidad de la población estudiantil bilingüe requiere que los maestros identifiquen las habilidades lingüísticas y de literacidad académica en ambos lenguajes y que estén preparados para modificar sus prácticas pedagógicas para apoyar a todos los estudiantes bilingües a desarrollar sus competencias lingüísticas en los dos idiomas. Esto significa que la enseñanza debe incluir estrategias para desarrollar la competencia lingüística en las diferentes dimensiones del lenguaje (recepción y expresión oral, comprensión lectora y expresión escrita). Dentro de las estrategias que proponemos incluir destacamos la integración estratégica de conexiones interlingüísticas en el nivel de la palabra, oración y texto, y el uso de vista previa-vista-repaso. Vista previa-vista-repaso es una estrategia que permite la integración de todo el repertorio lingüístico de los estudiantes mediante la alternancia del lenguaje de enseñanza y que ha sido definida en el capítulo 2 y se desarrolla con más profundidad en el capítulo 4. Esta estrategia permite oportunidades para usar el lenguaje oral en ambos lenguajes, un elemento integral en el desarrollo de la biliteracidad. El desarrollo del lenguaje oral se puede apoyar con prácticas de trabajo colaborativo y con el uso estratégico de los dos idiomas para aprender el contenido (Celic y Seltzer, 2016). Algunas de estas estrategias incluyen: a) discutir y reflexionar sobre el contenido en inglés, español o ambos y presentar sus conclusiones en el idioma de instrucción; b) escuchar sobre el tema en español y luego discutir sobre el tema en grupos pequeños en inglés, c) elaborar ideas usando los idiomas en forma flexible y luego escribir en el idioma de instrucción.

El desarrollo de la biliteracidad requiere incluir oportunidades para interactuar con textos escritos, tanto modeladas por el maestro como realizadas en forma grupal o independiente. Estas prácticas incluyen el uso de múltiples tipos de textos en ambos idiomas y también bilingües y el uso de textos culturalmente relevantes, así como el diseño de espacios en la enseñanza para trabajar sobre conexiones interlingüísticas mediante el análisis contrastivo en el nivel de la palabra, la oración y el texto. Por ejemplo, en la microestructura de la Sra. Olivia sobre los animales y sus hábitats, un objetivo del lenguaje en el nivel de la palabra podría ser que los estudiantes aprendan a utilizar la estructura de las palabras para leer vocabulario académico específico en español y en inglés. Los alumnos y la maestra pueden analizar palabras clave como "adaptación", descomponiéndolas en el verbo y el sufijo correspondiente (Freeman y Freeman, 2009):

adaptar (verbo) + -ción (sufijo)
observar (verbo) + ción (sufijo)

Con estas ideas en mente, la Sra. Olivia y su equipo planificaron el uso de conexiones interlingüísticas, mediante la comparación del vocabulario del español con los cognados en inglés, para analizar las variaciones predecibles. Específicamente, incluyen una actividad para ampliar el vocabulario de los estudiantes analizando y comparando conceptos clave como "herbívoro", "carnívoro" y "omnívoro" en ambos idiomas. El objetivo de la actividad es que los estudiantes identifiquen y clasifiquen los cognados basándose en el patrón representado por el sufijo de cada palabra en español y en inglés:

herbí-vor**o** (come plantas)   *herbi-vor**ous***
carní-vor**o** (come animales)   *carni-vor**ous***
omni-vor**o** (come plantas y animales)   *omni-vor**ous***

De esta manera, los estudiantes bilingües podrán no solo acceder al contenido académico de la disciplina, sino que también tendrán oportunidades de ampliar su repertorio lingüístico en el nivel de la palabra, en los dos idiomas.

Al planificar de manera estratégica este tipo de actividades de comparación entre el español y el inglés en relación con diferentes aspectos del lenguaje (fonología, gramática, sintaxis y morfología), los maestros facilitan el desarrollo de la biliteracidad de manera auténtica e intencional.

Si bien los ejemplos proporcionados en este capítulo son de aulas bilingües duales, los maestros que trabajan con grupos de estudiantes multilingües o en programas de inglés como segunda lengua (ESL) pueden planificar macroestructuras interdisciplinarias con espacios interlingüísticos que posibiliten que los estudiantes usen todo su repertorio lingüístico. Para los maestros de ESL, las macro y microestructuras estarán todas en inglés, mientras que para los maestros en otros tipos de programas bilingües tendrán recursos y partes de la enseñanza en inglés y otras partes en el lenguaje asociado, según los estándares de nivel del grado y las necesidades lingüísticas de los estudiantes.

Para avanzar hacia la equidad educativa y la justicia social, en todos los contextos de aula donde haya estudiantes bilingües o multilingües, es importante planificar la enseñanza teniendo en cuenta la inclusión de prácticas discursivas que promuevan el desarrollo de las competencias lingüísticas y la biliteracidad. Esto significa planificar para alcanzar los objetivos de contenido, creando un medio ambiente enriquecido lingüísticamente y dando oportunidades de aprendizaje a través de una pedagogía de translenguar donde los estudiantes puedan utilizar todo su repertorio lingüístico, para lograr altos niveles de pensamiento crítico y resolver problemas académicos, interactuando con los compañeros y la maestra para demonstrar lo que saben y pueden hacer.

Review

Well-implemented bilingual programs strive to provide teachers and students with opportunities to develop biliteracy through intentional planning and spaces where languages are strategically used. Interdisciplinary standard-based planning, as discussed in this chapter, is at the core of effective instruction tailored to students' content and linguistic needs. Planning at the macrostructure level allows teachers to strategically organize the content by connecting the different disciplines in meaningful ways, granting students multiple opportunities to access new knowledge. Moreover, it allows teachers to embed language arts across content areas and to develop the four language domains throughout the unit of study and across languages in a holistic manner for more comprehensive instruction. In addition, planning the microstructures allows teachers to design instruction that is tailored to the needs of the students in their classroom without deviating from the big ideas and guiding questions presented in the macrostructure, which keeps high expectations for all students. Last, to connect both Spanish and English instruction, this holistic planning process allows for the implementation of translanguaging pedagogy to leverage students' bilingualism and develop biliteracy across content areas.

Teachers can create spaces where languages are strategically used, allowing students to better understand how their languages are similar or different and achieve high levels of academic biliteracy. Interdisciplinary planning at the macro- and microstructure levels affords all teachers working with bilingual learners the opportunity to present curriculum in an integrated and holistic way that facilitates not only access to content but also language and biliteracy development. This type of holistic planning allows for all teachers in the grade level to plan together regardless of language of instruction, which provides a more equitable education for all students served.

Aplicaciones prácticas

Aspirantes a maestros

En equipos, seleccionen un grado escolar. Analicen los estándares de contenido de ese grado, así como los estándares de lenguaje que se utilicen en su estado (TESOL, WIDA, etc.). Identifiquen una meta de contenido y una meta de lenguaje para una macroestructura interdisciplinaria. Luego comience la planificación de una microestructura, identifique una pregunta de enfoque y un objetivo de contenido y uno de lenguaje.

Maestros

Seleccione una macroestructura que haya desarrollado e implementado en su salón de clase con anterioridad. Identifique los elementos de la macroestructura y las microestructuras. Identifique las metas de contenido y de lenguaje de la macroestructura. Reflexione sobre los aspectos de la macroestructura que se pueden mejorar tomando en cuenta las ideas presentadas en este capítulo.

Administrators

Gather your teachers by grade level. Have teachers analyze the school district's scope and sequence. Ask teachers to brainstorm how they can plan interdisciplinary biliteracy units of instruction, making sure the required standards are addressed at the macro and micro levels. Then, guide them to plan instruction organized in a meaningful way for students integrating language into content instruction, connected by the essential and focal questions.

4

Language, thinking and learning are inextricably linked. When children are forced to study through a language they cannot fully understand in the early primary grades, they face a serious learning disadvantage that can stunt their cognitive development and adversely affect their self-esteem and self-confidence for life. . . . This is further exacerbated when the children's culture, along with their language, is completely excluded from the classroom. (Dhir Jhingran, 2009, p. 263)

La enseñanza del contenido en el aula bilingüe
Contextualizing instruction

Objetivos

- Identificar prácticas efectivas para el desarrollo académico en la enseñanza en un aula bilingüe.
- Explicar las características y las implicaciones de desarrollar el lenguaje a través de la enseñanza del contenido.
- Reflexionar sobre la manera en que las competencias lingüísticas de los estudiantes informan la enseñanza del contenido en el aula bilingüe.
- Describir estrategias que articulen el aprendizaje del contenido, el desarrollo del lenguaje oral y la literacidad para maximizar los logros académicos.

This chapter explains and illustrates how teachers can use language to make complex content comprehensible for diverse learners in the bilingual classroom. Teachers contextualize instruction by providing bilingual learners with extensive opportunities to use language for academic purposes to develop academic literacy in two languages. Academic literacy is a complex process that includes the four language domains—listening, speaking, reading, and writing—as well as the ability to reason, interpret, and represent ideas. To design instruction that targets academic literacy, a pedagogical approach grounded in the understanding of language as a resource for learning content is needed. Ultimately, teachers need to embrace the notion that language and content can develop simultaneously. Students have opportunities to strengthen their use of academic language in the different content areas when teachers purposefully design instruction that targets language development and content learning at the same time.

To accomplish this, teachers can contextualize the instructional design considering students' complex linguistic resources and integrate teaching practices that tap into those resources. The chapter illustrates how teachers can use their understanding of what students can do with oral and written language in Spanish and English to differentiate instruction and assessment, and we examine a set of five core practices that can contribute to bilingual learners' achievement and academic literacy development.

Examples of Sra. Olivia's second-grade one-way dual language classro
Sra. Mendoza's and Sra. Saavedra's third-grade two-way dual language class
show how these teachers help their students use language as a resource for learning
and foster both content learning and academic language development by integrating
core bilingual teaching practices in their instruction. These language-rich classrooms
demonstrate how language learning happens as students listen, speak, read, and write
about content providing authentic motives to use academic language in context.

La enseñanza del contenido y el desarrollo del lenguaje

Max y Omar son alumnos de la clase de segundo grado de lenguaje dual de una vía
de la Sra. Olivia. Hoy es su turno de compartir alguna experiencia divertida. Max y
Omar cuentan a la clase sobre el juego de video Spyro y sobre cuánto les gusta com-
petir para ver quién obtiene más puntos. Ellos describen al protagonista, el dragón
Spyro, y a su amiga Sparx, la libélula. La Sra. Olivia toma nota de esta experiencia
y decide integrarla en la lección de matemáticas en español. Comienza su lección
diciendo que hoy trabajarán en problemas de matemáticas de comparación. La
maestra escribe "Problemas de comparación" en el pizarrón empieza la leccion:

> **Maestra:** Omar y Alex estaban jugando "Spyro". Omar anotó 26 puntos.
> Alex anotó 14 puntos. ¿Cuántos puntos más anotó Omar que Alex?
> Quiero que primero lean el problema y piensen cuál es la pregunta.
> ¿Qué queremos saber?

La maestra lee el problema del pizarrón, haciendo énfasis cuando lee "cuántos
puntos más". Algunos alumnos levantan la mano para responder, identificando las
preguntas que indican lo que necesitan averiguar.

> **Alex:** ¿Quién ganó?
> **María:** ¿Cuántos más puntos tiene Omar?

La Sra. Olivia tiene como objetivo trabajar sobre el concepto de comparar cantidades y utiliza este problema para apoyar el razonamiento de sus estudiantes, usando
una experiencia común a todos. Antes de resolver el problema, la Sra. Olivia conversa con sus alumnos usando preguntas que guían el pensamiento hacia el lenguaje
del problema y su significado:

> **Maestra:** Ahora piensen y levanten la mano si quieren compartir su
> idea: ¿cuál es la información importante en este problema, que necesi-
> tamos para responder la pregunta?
> **Estudiantes:** 26, 14 (varios estudiantes al mismo tiempo)

Luego de identificar que la información importante es el puntaje que cada niño
obtuvo en el juego, la Sra. Olivia les pregunta qué pueden hacer para tratar de responder la pregunta.

> **Maestra:** ¿Cómo podemos comparar los puntos de Omar y los de Alex y
> saber cuántos puntos más sacó Omar? Conversen con su compañero y
> piensen juntos cómo podemos hacer.

La Sra. Olivia escribe la palabra "comparar" en la pizarra. Como los alumnos tienen dificultades con esta idea, antes de continuar con el problema van a conversar sobre cosas que se pueden comparar y sobre cómo podemos compararlas.

La comunicación y la comprensión de ideas matemáticas presentadas en problemas de palabras —*word problems*— pueden presentar dificultades para alumnos bilingües, especialmente en relación con el lenguaje de enseñanza. Este ejemplo muestra la manera en que la maestra se propone trabajar sobre un concepto matemático complejo y a la vez incorpora un análisis de la estructura del lenguaje del problema y el significado de vocabulario académico clave como "comparar". Si bien los niños en sus interacciones informales y usando lenguaje social habitualmente comparan cosas en términos de atributos (p. ej., mi hermano tiene un juguete más grande que el mío), esta idea aplicada al campo de las matemáticas requiere habilidades cognitivas y metalingüísticas complejas para identificar cómo se usa el lenguaje para expresar comparaciones y cómo se puede traducir en operaciones matemáticas, como en este caso, de suma o de resta (Musanti y Celedón-Pattichis, 2013).

Como maestros, es importante comprender que el lenguaje y el aprendizaje de matemáticas se construyen en forma conjunta, y no separados. En aulas bilingües, el lenguaje debe entenderse como recurso de aprendizaje, y es importante desarrollar el vocabulario y las estructuras de lenguaje propias de las matemáticas en ambos lenguajes (Musanti y Mercuri, 2016). Esto se puede lograr mediante el uso de estrategias que entienden la literacidad como un proceso complejo, que no se centran solo en enseñar vocabulario, sino que crean múltiples oportunidades para escuchar y comunicar oralmente las ideas y para representar los razonamientos matemáticos con palabras, símbolos y dibujos (Celedón-Pattichis y Turner, 2012). Por lo tanto, las maestras que adoptan un enfoque centrado en el lenguaje para la enseñanza de las matemáticas integran todos o muchos de los criterios de la siguiente lista de verificación:

- Diseñar problemas de matemáticas que se conecten con la vida y la cultura de los alumnos.
- Incluir problemas de matemáticas que desafíen cognitivamente a los estudiantes a pensar matemáticamente, enseñando estrategias para resolver problemas complejos en vez de simplificar el contenido matemático.
- Enseñar explícitamente el lenguaje de las matemáticas, incluyendo vocabulario, estructura sintáctica y símbolos específicos.
- Desarrollar estrategias para comprender la estructura semántica de diferentes problemas matemáticos, identificando información relevante, analizando el uso de palabras de señalización (p. ej., "más que", "menos que", "igual que") y los diferentes tipos de preguntas matemáticas (p. ej., "¿Cuánto más qué?", "¿Cuánto en total?") (Musanti y Mercuri, 2016).

"Developing academic literacy is a complex endeavor that involves reading, writing, listening, and speaking for multiple school-related purposes using a variety of texts and demanding a variety of products" (Short & Fitzsimmons, 2007, p. 8).

De esta manera, contribuimos al desarrollo de la literacidad académica que no solo se reduce a leer y escribir en diferentes áreas disciplinarias, sino que desde una visión más comprensiva y compleja incluye las cuatro dimensiones básicas del lenguaje —escuchar, hablar, escribir y leer—y habilidades como razonar, interpretar imágenes y representar ideas a través de múltiples sistemas de símbolos apropiados al nivel de desarrollo.

Freeman et al. (2018) identifican cuatro razones para enseñar el lenguaje a través del contenido que se aplican a la enseñanza en los diferentes programas bilingües. Primero, los estudiantes adquieren el/los lenguajes y aprenden el contenido al mismo tiempo. Esto permite poner énfasis en estructuras y formas lingüísticas mientras se enseña literatura, ciencias naturales, estudios sociales y matemáticas, facilitando la adquisición de nuevos elementos lingüísticos en el lenguaje de enseñanza, ya sea español o inglés. Por ejemplo, mientras se enseña contenido de estudios sociales en español, la maestra puede enseñar el uso de palabras de señalización que muestran la relación de comparación y contraste entre ideas o párrafos, por ejemplo "a diferencia de" y "como", o de causa y efecto, por ejemplo "porque" y "a consecuencia de".

Segundo, la maestra mantiene la enseñanza del lenguaje en su contexto natural, especialmente si apela a integrar todo el repertorio lingüístico de los estudiantes. Es más fácil aprender el lenguaje español o inglés en el contexto de temas específicos y relevantes a la realidad de los niños que de forma desconectada. Por ejemplo, mientras los niños aprenden en español sobre la manera en que crecen las plantas y experimentan con la creación de un germinador para sus semillas, ellos están aprendiendo el lenguaje de las ciencias, en cuanto vocabulario específico, y el modo en que se expresan las conclusiones en un experimento. La maestra puede construir junto con los estudiantes una red conceptual con los conceptos clave que explican el crecimiento de las plantas; esto les permite conectarlos.

Tercero, los estudiantes tienen motivos para usar el lenguaje académico para comunicar sus ideas o lo que aprendieron sobre el contenido. En lugar de memorizar listas de palabras que no tienen mucho sentido, los alumnos emplean el lenguaje de ciencias, artes o matemáticas que necesitan cuando escuchan en clase, mientras hablan con sus compañeros o al leer libros de texto y cuando escriben o resuelven problemas en uno u otro idioma. Por ejemplo, la maestra provee marcos de oraciones —*sentence frames*— para que los estudiantes, en parejas o en grupos pequeños, practiquen el lenguaje de ciencias en español sobre el crecimiento de las plantas, usando términos de contenido específico tales como "raíz", "tallo", "hoja", "flor" y "fotosíntesis". A través de los siguientes ejemplos de marcos de oraciones se integran conceptos de ciencias y matemáticas al comparar el tamaño de las partes de las plantas y es una oportunidad para practicar el uso de artículos con el correspondiente género y número:

La _____ (raíz) es 5 cm más larga que _____ (la hoja).

El _____ (tallo) es el más _____ (largo) de todos.

_____ (La flor) mide _____ cm de largo mientras que

la _____ (hoja) solo mide _____ cm.

Por último, los estudiantes aprenden el vocabulario académico y las estructuras de texto de las diferentes asignaturas en ambos idiomas, dependiendo del momento de instrucción y el tipo de programa. Esto significa que aprenden las formas de escribir usadas en diferentes disciplinas (p. ej., física, química, historia, geografía, matemáticas, etc.). El lenguaje académico incluye el conocimiento de los diversos géneros usados en varias disciplinas académicas y puede transferirse de un idioma a otro. Por ejemplo, en un programa dual de dos vías 50/50, los maestros planifican juntos y deciden que los alumnos aprenderán las características de un reporte de ciencias en inglés en el cual describirán un experimento y sus resultados. Luego, en estudios sociales, la maestra de español facilitará la transferencia de las características del reporte al escribir junto con los estudiantes un reporte de historia. A través de la construcción del texto junto con los estudiantes resaltará lo que es similar o diferente en la manera en la que el género se utiliza en las distintas disciplinas, así como también en su estructura. Similarmente, como artes del lenguaje se enseña en los dos idiomas, las dos maestras deciden quién introducirá la

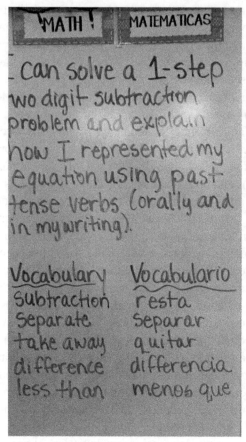
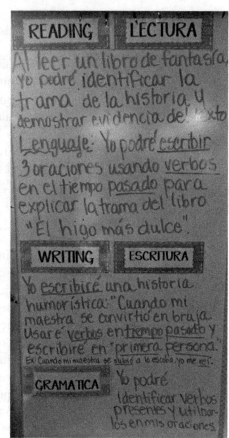

Figura 4.1 Objetivos de contenido y lenguaje

narrativa personal y quién facilitará la transferencia de las características del género de un idioma al otro. Es decir, lo que aprenden sobre cómo escribir diferentes tipos de textos en un idioma pueden usarlo para escribir el mismo género en el otro idioma.

De esta manera se facilita la adquisición del lenguaje de una manera contextualizada y se enfatiza el aprendizaje del contenido académico en ambos lenguajes, propiciando las conexiones interlingüísticas y la transferencia bidireccional que les permite usar lo que saben o han aprendido en un lenguaje al comunicar ideas en el otro lenguaje. Las maestras que aplican este enfoque comprensivo de la enseñanza en el aula bilingüe identifican objetivos de contenido y de lenguaje para cada microestructura o lección.

Esta perspectiva de la enseñanza en el aula bilingüe pone el enfoque en el aprendizaje del contenido, pero ayuda a los maestros a comprender el rol del lenguaje en la construcción del conocimiento de cada disciplina (De Oliveira, 2016). La figura 4.1 ilustra la manera en que una maestra bilingüe integra el lenguaje académico y las habilidades de biliteracidad en todas las áreas de contenido, al planificar de manera estratégica los objetivos de contenido y de lenguaje, enfocándose en el uso gramatical del tiempo pasado en las diferentes disciplinas.

En resumen, un enfoque centrado en el lenguaje para la enseñanza del contenido prioriza que los alumnos construyan significados, haciendo posible que los estudiantes bilingües comprendan el lenguaje académico de los textos de cada disciplina, al tiempo que desarrollan sus competencias lingüísticas en ambos idiomas.

Niveles de competencia lingüística y diferenciación de la enseñanza

Al planificar la enseñanza del contenido en el aula bilingüe es importante tomar en cuenta el nivel de competencia lingüística —*language proficiency*— de cada estudiante en ambos lenguajes y en las cuatro dimensiones de desarrollo del lenguaje (escuchar, hablar, leer y escribir) para proporcionar los apoyos más apropiados (lingüísticos, gráficos, sensoriales o interactivos) en la enseñanza del contenido (Gottlieb, 2016). Para esto los maestros se guían por los estándares de lenguaje usados en el estado. Muchos estados usan los estándares del Consorcio WIDA (2012a; 2013) que identifican estándares para el desarrollo del inglés —*English Language Development (ELD)*— y para el español —*Spanish Language Development (SLD)*—. Algunos estados, como Texas, California y Nueva York, solo tienen disponibles estándares de desarrollo del lenguaje en inglés. Todos los sistemas de estándares reflejan un continuo del lenguaje y ofrecen una manera concreta de indicar lo que los estudiantes bilingües pueden hacer en las cuatro dimensiones (escuchar, hablar, leer y escribir).

Reflejando su perspectiva bilingüe como un continuo de desarrollo del bilingüismo y la biliteracidad, la Sra. Olivia integra información de distintas fuentes, como las evaluaciones estandarizadas del estado del desarrollo del inglés y sus observaciones sobre el uso del español y el inglés de sus estudiantes en las cuatro dimensiones del lenguaje (escuchar, hablar, leer y escribir) siguiendo los descriptores "Podemos" de WIDA (2016b). La Sra. Olivia siempre analiza la manera en la que sus estudiantes usan el lenguaje en español y en inglés a la par y utiliza esta información para diferenciar la enseñanza del contenido. La tabla 4.1 muestra los niveles de competencia lingüística de cuatro de sus estudiantes: Carlos, Martín, Arely y Nancy, de acuerdo con los estándares de WIDA para español e inglés. Según WIDA (2012a; 2013), los niveles en español e inglés son: 1) nivel de entrada —*entering*—; 2) nivel emergente —*emerging*—; 3) nivel de desarrollo —*developing*—; 4) nivel de extensión —*expanding*—; y 5) nivel de transformación —*bridging*—. La tabla 4.1 integra los niveles de competencia lingüística en español e inglés, de modo de ilustrar la idea de un continuo de desarrollo del bilingüismo y la biliteracidad en las cuatro dimensiones.

Al escoger las estrategias para contextualizar la enseñanza del contenido, la Sra. Olivia utiliza el conocimiento sobre los niveles de competencia lingüística de sus alumnos en las cuatro dimensiones del lenguaje. Por ejemplo, vemos en la tabla que Carlos ha llegado al nivel 4 en sus habilidades para procesar información oral (escuchar) en español y ha logrado el nivel 3 en la expresión de sus ideas en forma oral (hablar), en la comprensión de la lectura (leer) y la expresión escrita (escribir). En inglés, se ve que Carlos logra un nivel 4 en todas las dimensiones, excepto en escritura, en la cual logra un nivel 3. La Sra. Olivia analiza estos resultados y sabe que Carlos necesita más apoyo en español que en inglés, particularmente para hablar, leer y escribir.

Arely, otra alumna de la clase de la Sra. Olivia, presenta una gran brecha entre sus habilidades de lectura y escritura en español (lectura: nivel 5 y escritura: nivel 4) e inglés (lectura: nivel 2 y escritura: nivel 2). Basándose en estos resultados, la Sra. Olivia considera que Arely tiene un alto desarrollo de las habilidades de lectura en español y que puede usar estas habilidades para apoyar la lectura de textos en inglés de un nivel más avanzado de lo que la evaluación en el idioma indica, por ejemplo, nivel 3 o 4, dependiendo del género o del conocimiento previo que la estudiante tenga sobre el contenido del texto. Una actividad que beneficia tanto a Carlos como a Arely es la lectura del libro "Los tres cerditos" (Kirland, 2015) en español, y luego la lectura de *The Three Little Javelinas* (Lowell & Harris, 1992)

Tabla 4.1 Estudiantes ubicados según sus niveles de competencia lingüística en español e inglés de acuerdo con los descriptores *Can Do* y "Podemos" de WIDA (2012a; 2013)

Nivel / Level	Entrada 1	Entering 1	Emergente 2	Emerging 2	Desarrollo 3	Developing 3	Extensión 4	Expanding 4	Transformación 5	Bridging 5
Escuchar / *Listening*	Martín				Martín	Arely	Carlos Nancy	Carlos Nancy	Arely	
Hablar / *Speaking*	Martín			Arely	Martín Carlos	Nancy	Nancy	Carlos	Arely	
Leer / *Reading*	Martín		Martín	Arely	Carlos	Nancy	Nancy	Carlos	Arely	
Escribir / *Writing*	Martín		Martín	Arely	Carlos Nancy	Carlos Nancy	Arely			

en inglés. La lectura del libro en inglés tiene como andamiaje o apoyo la vista previa —*preview*— de la historia realizada al leer el libro en español, lo que permite establecer similitudes entre la trama de la historia de uno y otro libro o introducir vocabulario nuevo para el estudiante durante la lectura en español y en inglés. De esta manera, Arely y Carlos pueden leer primero con la maestra y luego solos, y comprender el texto basándose en la familiaridad del contenido y del género. Esto se debe a que los estudiantes tienen ya internalizados muchas estrategias y procesos cognitivos de la lectura que, con ayuda del andamiaje apropiado, pueden usar en uno u otro idioma y de esta manera progresar más rápida y eficientemente en su trayectoria hacia la biliteracidad.

En el caso de Martín, cuyos resultados muestran un nivel 2 de la lectura y la escritura en español y un nivel 1 en inglés, la Sra. Olivia implementará estrategias para el desarrollo de la biliteracidad inicial en los dos idiomas.

Con una idea de lo que los estudiantes pueden hacer en español y en inglés, los maestros como la Sra. Olivia pueden seleccionar estrategias para asegurar que todos comprendan el contenido y tengan oportunidades de demostrar lo que han aprendido, de acuerdo con sus niveles de desarrollo en los dos idiomas, así como asegurarse de que todos sus alumnos estén progresando en el desarrollo de las competencias lingüísticas, aunque no todos los estudiantes tengan el mismo nivel de desempeño lingüístico en ambos idiomas.

La información sobre las competencias lingüísticas de los estudiantes puede ser utilizada para orientar la planificación de la enseñanza del contenido. En la macroestructura sobre el medio ambiente, la Sra. Olivia y su equipo planificaron una actividad que se centra en el concepto de adaptación. La maestra utiliza la información que se ha recolectado sobre la competencia lingüística de sus estudiantes para adaptar la instrucción y los tipos de apoyo de acuerdo con el nivel de desempeño lingüístico de cada uno de ellos.

Tras una discusión general sobre la importancia y las diferentes formas de adaptación de los animales, la Sra. Olivia enseña los conceptos de ciencias por medio de una actividad de carrusel donde se muestran fotografías de animales camuflados en carteles didácticos expuestos alrededor del aula. En esta actividad los niños se mueven en grupos describiendo lo que ven y haciendo conexiones con experiencias personales. La Sra. Olivia pide a los estudiantes que identifiquen los animales y su forma de camuflaje. En esta actividad oral, ella utiliza diferentes tipos de apoyos —*scaffolds*— que permitan diferenciar la actividad de acuerdo con el nivel de lenguaje y posibilitan que los estudiantes profundicen el tema. Por ejemplo, la Sra. Olivia utiliza apoyos visuales (figura 4.2) al presentar las imágenes.

Durante la actividad, los estudiantes conversan con sus compañeros sobre las características de las imágenes. Esto proporciona un apoyo interactivo a traves del intercambio verbal. El siguiente ejemplo muestra la manera en que los alumnos interactúan con las imágenes y describen las características de un pez camuflado.

Nancy: ¡Mira, es un pez!
Martín: Sí, pero está como aplanado.
Carlos: Y es del mismo color de la arena.
Arely: Eso lo ayuda a camuflarse, porque es muy difícil distinguirlo.
Carlos: Entonces, ¿qué tipo de camuflaje es?
Nancy: Yo creo que es por color.
Todos: Sí, sí.
Arely: Sí, por coloración. El color lo ayuda a protegerse.

Los estudiantes con niveles más altos de desempeño lingüístico en español, como Arely (nivel 4 o de transformación), contribuyen durante el intercambio con el len-

Figura 4.2 Apoyos visuales *(En el sentido de las agujas del reloj desde la parte superior izquierda, imágenes libres de derechos de: Frank Vassen/ Wikimedia Commons bajo una licencia de Creative Commons CC 2.0; Brett Hondow/Pixabay; MartinStr/Pixabay; Moondigger/Wikimedia Commons bajo una licencia de Ceative Commons CC 2.5.)*

guaje académico asociado a la descripción proporcionado por otros estudiantes en un registro más coloquial. De este modo, todos los miembros del grupo participan activamente utilizando los recursos lingüísticos disponibles y contribuyendo a la internalización de los conceptos, como el de camuflaje, en el ejemplo.

Luego la maestra introduce un apoyo lingüístico en forma de marcos de oraciones que los estudiantes utilizan para escribir debajo de cada fotografía lo que piensan que cada imagen representa:

(yo) Pienso que es _____ porque _____.

(yo) Creo que _____ porque _____.

El uso de apoyos gráficos, como el uso de tablas u otros organizadores gráficos, puede ser otra forma de diferenciar esta actividad tomando en cuenta el nivel de lenguaje de los estudiantes. Por ejemplo, la maestra puede pedir a los alumnos que clasifiquen las fotografías según la forma de camuflaje, usando una tabla de doble entrada, como muestra la tabla 4.2. Los alumnos primero agrupan las imágenes y luego escriben los nombres en la columna correspondiente de la tabla comparativa.

El uso de un apoyo sensorial como vemos en la tabla 4.3 es una forma de diferenciar esta actividad para los alumnos que están en una etapa emergente del desarrollo del lenguaje de enseñanza. En este caso, el apoyo adicional seleccionado por la maestra para los estudiantes que lo requieren es recortar las fotografías y pegarlas en la columna indicada. De este modo, los estudiantes con niveles iniciales de

Tabla 4.2 Ejemplo de tabla de clasificación

Camuflaje por coloración	Camuflaje por patrón
camaleón	insecto hoja

literacidad, como Martín (nivel 2 o emergente en español y 1 o de entrada en inglés), pueden demostrar su aprendizaje.

A través de este ejemplo hemos ilustrado diferentes tipos de apoyos: interactivo, visual, lingüístico, gráfico y sensorial. Los diferentes tipos de apoyos ilustrados como los marcos de oraciones o la tabla comparativa proporcionan apoyos para que todos los estudiantes, inclusive aquellos que están en nivel de desarrollo emergente de la literacidad en el lenguaje de enseñanza, puedan demostrar su aprendizaje del contenido. Por ejemplo, durante la instrucción en inglés, la Sra. Olivia utiliza marcos de oraciones en inglés como apoyo para establecer conexiones interlingüísticas.

> *Camouflage is a characteristic of **animal and plant adaptation** to the environment.*
> **El camuflaje** es una característica de **la adaptación de los animales y las plantas** al medio ambiente.

Una vez completados los marcos de oraciones en grupos pequeños, la Sra. Olivia realiza con los estudiantes un análisis contrastivo para identificar las diferencias

Tabla 4.3 Apoyo sensorial

Camuflaje por coloración	Camuflaje por patrón

Imágenes libre de derechos de Katja/Pixabay; de Miniformat65/Pixabay.

estructurales entre los dos idiomas, como el uso del artículo en español o el orden de las palabras de la frase descriptiva.

Los apoyos en este ejemplo se determinan de acuerdo con el nivel de competencia lingüística de los estudiantes para facilitar la comprensión del contenido. De tal modo, las expectativas en cuanto al desempeño académico se mantienen altas y se espera que todos los estudiantes puedan demostrar su aprendizaje acerca de las diversas formas de adaptación de los animales.

La integración de prácticas para contextualizar el contenido

"Core practices in teaching are identifiable components fundamental to teaching that teachers enact to support learning. Core practices include both general and content-specific practices and consist of strategies, routines, and moves that can be unpacked and learned by teachers" (Core Practice Consortium, n.d.).

En los últimos años las investigaciones han mostrado la importancia de formar a los maestros para que integren consistentemente **prácticas pedagógicas claves** —*core practices*— identificadas como de alto impacto o efectividad para apoyar el aprendizaje de los estudiantes bilingües (Grossman, 2018). Además, permiten al maestro mejorar sus habilidades de enseñanza con estudiantes bilingües.

Las investigaciones han mostrado que hay ciertas prácticas pedagógicas en educación bilingüe que contribuyen al desarrollo académico de los estudiantes bilingües emergentes y de los más avanzados. A continuación, identificamos cinco tipos de prácticas necesarias para desarrollar el lenguaje y la literacidad académica en las áreas de contenido, prácticas que:

- Activan el conocimiento previo;
- Apoyan el desarrollo del lenguaje oral y el pensamiento crítico;
- Utilizan diferentes formas de agrupamiento y comunicación;
- Promueven el uso integrado de los recursos lingüísticos.

La Sra. Mendoza integra algunas de estas prácticas en su clase de tercer grado al enseñar artes del lenguaje, ciencias y estudios sociales en español. La compañera de la Sra. Mendoza es la Sra. Saavedra, quien enseña artes del lenguaje y matemáticas en inglés. En este programa, la Sra. Mendoza y la Sra. Saavedra trabajan en equipo y las dos maestras colaboran en la planificación de la manera de enseñar todo el contenido de la macroestructura interdisciplinaria en dos idiomas.

En esta clase los estudiantes están distribuidos proporcionalmente de acuerdo con su idioma del hogar. Aproximadamente el 30% de los estudiantes en cada salón de clase hablan inglés en su hogar y se pueden identificar como bilingües secuenciales, dado que están en el programa para desarrollar el bilingüismo. El 70% de los alumnos habla español (30%) o los dos idiomas (40%) en su casa y pueden identificarse como bilingües secuenciales o simultáneos respectivamente. Al planificar las actividades según el idioma meta o de instrucción, las maestras tienen en cuenta qué estudiantes necesitarán apoyos para comprender el contenido. Por ejemplo, si la microestructura está planificada en español, la Sra. Mendoza se asegura de que los estudiantes bilingües secuenciales que hablan inglés en su casa tengan acceso a conceptos claves en inglés para poder anclar la comprensión. Por ejemplo, crea grupos pequeños que usan imágenes para conversar en inglés sobre lo que saben del tema, creando un esquema conceptual en el idioma del hogar antes de continuar con la actividad en español, que es el lenguaje meta de la microestructura o lección.

La Sra. Mendoza comienza su microestructura de estudios sociales sobre las elecciones en los Estados Unidos y en el estado de Oregón donde se localiza esta escuela con una tabla **S-Q-A (Sé, Quiero saber y Aprendí)** —*Know-Want-to-know-Learned - KWL chart*—. Esta microestructura es una introducción en español del tema que será desarrollado en inglés por la Sra. Saavedra en artes del len-

"A teacher's knowledge of common student misconceptions could be crucial to student learning . . . [L]earning is as much about unlearning old ideas as it is about learning new ones. Learners often find it difficult to change their misconceptions, since these are ideas that make sense to them" (Sadler & Sonnert, 2016, p. 26).

guaje. La Sra. Mendoza se propone activar el conocimiento previo con esta actividad y dar a los estudiantes la oportunidad de expresar lo que saben sobre el tema. Por ejemplo, identificando y compartiendo otras experiencias de elecciones democráticas en otros países como México. La Sra. Mendoza también quiere identificar los conceptos erróneos —*misconceptions*— que puedan tener sus alumnos sobre este tema. Por ejemplo, quiere asegurarse de que todos tienen ideas similares de lo que significa el voto popular. Además, la maestra sabe que para muchas familias inmigrantes la idea de colegio electoral es totalmente nueva, dado que en la mayoría de las democracias latinoamericanas las elecciones se definen con el voto popular directo.

Es decir que los maestros deben reconocer conceptos erróneos comunes que los estudiantes presentan sobre los temas de estudio, a través de entrevistas o evaluaciones informales de sus estudiantes que revelen los preconceptos que tienen los estudiantes al comienzo del proceso de aprendizaje. Por ejemplo, la Sra. Mendoza usará esta información para ajustar la microestructura y clarificar ideas claves como "voto popular", "colegio electoral" y "democracia". También sabe que este tema implica una importante demanda cognitiva para los alumnos bilingües, dado que son conceptos abstractos que están aprendiendo en idiomas que aún están desarrollando (Harper y De Jong, 2004).

Las maestras planifican juntas para conectar las actividades desarrolladas en inglés y en español sobre el tema de las votaciones e incorporan estrategias para permitir el acceso al contenido en los dos lenguajes, utilizando todo el repertorio lingüístico de los estudiantes y facilitando las conexiones interlingüísticas para desarrollar el vocabulario académico, por ejemplo, identificando cognados.

Incluyen actividades que den contexto al tema y permitan establecer conexiones con las experiencias de los alumnos, para que puedan comprender las ideas. Por ejemplo, la Sra. Mendoza ha pensado una serie de preguntas que le van a permitir estructurar la conversación sobre el tema y establecer conexiones con las experiencias de sus alumnos, mientras apoya la expresión oral con el uso de marcos de oraciones para aquellos niños que tienen un nivel emergente o intermedio del lenguaje meta o lenguaje de enseñanza.

A continuación, explicamos estas prácticas y damos ejemplos de su uso y su integración en la enseñanza impartida a alumnos bilingües. Estas prácticas son apropiadas para todas las aulas bilingües, sin importar el tipo de programa, dado que ayudan a los alumnos a expresar ideas, leer o escribir, usando convenciones del discurso propias de cada disciplina, por lo cual su implementación debe adecuarse al grado, el contenido y el lenguaje de enseñanza.

Prácticas que activan el conocimiento previo

Una práctica central para apoyar la comprensión del nuevo contenido y producir aprendizajes significativos es la activación del conocimiento previo de los estudiantes bilingües. Este conocimiento incluye experiencias culturales y lingüísticas que pueden ayudar a anclar los nuevos conceptos o conceptos aprendidos previamente, así como conexiones con textos leídos. El conocimiento previo también se define como la **estructura mental** —mental *schema*—, donde se incorporan los nuevos conocimientos. Existen diferentes prácticas que favorecen y facilitan la activación del conocimiento previo, entre ellas el uso de organizadores gráficos para establecer conexiones entre conceptos claves del contenido y el uso de imágenes para representar ideas conocidas y su conexión con experiencias compartidas o individuales.

Organizadores gráficos

Una forma efectiva de activar, organizar o construir conocimiento previo con alumnos bilingües es el uso de diferentes organizadores gráficos que apoyen la construcción de esquemas mentales donde anclar los nuevos conocimientos. Por ejemplo, la Sra. Mendoza usa un cuadro S-Q-A (Sé, Quiero saber y Aprendí) —*KWL (Know,Want to Know, Learn)*— para que sus alumnos de tercer grado identifiquen y organicen lo que saben sobre las elecciones presidenciales en los Estados Unidos y gubernamentales en su estado.

Además, los organizadores gráficos constituyen una representación visual de temas que permite que los alumnos conecten y muestren las relaciones entre ideas (clasificar, resumir, comparar, contrastar, etc.) mientras construyen significado de diferentes textos o fuentes de información, a través de la participación oral o escrita, independientemente de los niveles de competencia lingüística (Mercuri, 2010). Más aún, permiten la evaluación continua del aprendizaje para diseñar y modificar la instrucción y así satisfacer las necesidades relacionadas con el aprendizaje lingüístico y de contenido de todos los estudiantes de la clase. Los organizadores gráficos como **redes conceptuales** —*concept web*—, **mapa conceptual** —*concept map*— o **carteles didácticos** —*anchor charts*— son estrategias efectivas para introducir diferentes elementos del lenguaje como el vocabulario académico clave en relación con un tema.

Los mapas conceptuales y las láminas de anclaje son representaciones visuales que muestran la información de manera clara para que los niños la entiendan y la usen como referencia durante el aprendizaje. Estos gráficos pueden ser creados y utilizados por los estudiantes como apoyo para aprender cosas que son difíciles de recordar y comprender, a la vez que incorporan vocabulario académico. Por ejemplo, la señora Mendoza ha preparado un cartel didáctico —*anchor chart*— con preguntas para pensar y también crea otro cartel con ayuda de los alumnos que incluye marcos de oraciones para usar durante la conversación entre pares sobre el tema de la votación y el voto popular.

El uso de organizadores gráficos también facilita la introducción de temas nuevos, al establecer conexiones visuales con conceptos ya aprendidos o experiencias de los alumnos. Por ejemplo, se puede comenzar una microestructura sobre el sistema solar creando un gráfico S-Q-A, identificando lo que los alumnos ya conocen sobre el tema o creando un mapa conceptual que represente lo que los alumnos saben, y luego trabajar en forma compartida para agregar información nueva.

Además, desde una perspectiva del translenguar, se pueden crear espacios donde los estudiantes usen todo su repertorio lingüístico, integrando ideas en inglés y español y luego estableciendo conexiones metalingüísticas entre los lenguajes, por ejemplo, identificando cognados o captando las ideas que proponen los estudiantes sin importar en qué lenguaje lo hagan. En la clase de la Sra. Mendoza, los estudiantes y la maestra, a manera de escritura interactiva, pueden completar un organizador gráfico con ideas sobre la democracia, escribiendo sus contribuciones sobre el tema. La maestra les permite decidir qué idioma usan al escribir sus ideas. Esto permite que los estudiantes puedan decidir cómo se expresan, priorizando la elaboración del contenido y el lenguaje como un recurso. Además, esto demuestra una valoración del lenguaje de los estudiantes, valida la participación de todos y facilita las conexiones interlingüísticas sobre el vocabulario académico a través de la discusión oral.

Los maestros bilingües también pueden usar organizadores gráficos con propósitos evaluativos, para monitorear el aprendizaje de estudiantes bilingües, es decir, como evaluación auténtica o formativa. Esta información permite al maestro modificar la enseñanza de acuerdo con qué aspectos del lenguaje necesita desarrollar, con la consideración del nivel de competencia lingüística y los estándares de desarrollo del lenguaje esperados para la edad y el grado. Por ejemplo, un maestro puede evaluar la comprensión de vocabulario académico disciplinar al construir una red conceptual.

Es importante que los estudiantes bilingües aprendan a usar diferentes tipos de organizadores gráficos y a identificar el tipo de gráfico según la forma en que organizan y muestran visualmente la información, para comparar, contrastar, mostrar causa y efecto, entre otras posibles relaciones, como vemos en la tabla 4.4. Esto también requiere el uso de un lenguaje específico para comunicar el tipo de relaciones que el gráfico establece entre las ideas. Es decir, los diferentes tipos de organizadores gráficos apoyan el uso y el desarrollo de diferentes habilidades cognitivas, así como también proveen un andamiaje para diferentes funciones del lenguaje. Por ejemplo, el organizador gráfico que muestra una estructura jerárquica —*tree map*— se utiliza para clasificar, mientras que el gráfico de círculos concéntricos —*circle map*— se usa para describir y dar detalles sobre un tema. La tabla 4.4 muestra algunos gráficos con ejemplos del modo de usarlos en diferentes áreas de contenido.

Uso de imágenes

La importancia de usar apoyos visuales cuando enseñamos a niños bilingües está sustentada en la necesidad de generar lo que se denomina **información comprensible** —*comprehensible input*—, término que se deriva de un principio importante de las teorías de adquisición de la segunda lengua desarrollado por Stephen Krashen en la década de los ochenta.

La idea de información comprensible se basa en el principio que explica que las personas adquieren el lenguaje únicamente cuando entienden el mensaje o reciben información comprensible (Krashen, 1985). Con la ayuda del contexto, sea o no lingüístico, el alumno puede entender el *input* que no ha adquirido todavía. Al entender el significado de esta información, los alumnos mejoran su competencia lingüística. Esta idea ha tenido impacto en la enseñanza en contextos bilingües y del lenguaje como lengua extranjera dado que permite entender la importancia de apoyar el proceso de adquisición del lenguaje con estrategias que favorezcan la comprensión. Los alumnos bilingües con diferentes niveles de competencia lingüística pueden conectar imágenes con ideas y con el vocabulario que las acompaña.

Al aprender, los estudiantes bilingües se benefician del uso de fotos, dibujos, libros grandes, libros de imágenes, arte, videos, modelos y otros objetos para contextualizar el lenguaje y poder conectar y comprender las claves informativas del contenido de la microestructura. Es importante destacar que, si bien estas estrategias benefician a todos los estudiantes para que comprendan nuevas ideas, es necesario entender por qué debemos integrarlas en la enseñanza de niños bilingües, de modo que permitan el desarrollo del lenguaje y la comprensión del contenido. Usar imágenes en el aula bilingüe es importante porque ellas ayudan a crear motivación y comprensión; crean una imagen mental del objeto de estudio; crean el conocimiento de contexto necesario para que los estudiantes bilingües comprendan el

Tabla 4.4 Organizadores gráficos

Tipo de gráfico	Función del lenguaje	Ejemplo	Áreas de contenido/temas
Diagrama jerárquico	Clasificar Ordenar Sintetizar		Artes del lenguaje • ideas principales y detalles Estudios sociales • ideas principales y secundarias • eventos o ideas claves Ciencias • clasificación de fenómenos o conceptos científicos
Cadenas de secuencia	Secuenciar Ordenar Resumir		Ciencias naturales • pasos de un experimento Artes del lenguaje • secuencia de eventos en una narrativa
Mapa conceptual	Analizar Justificar Persuadir Comparar/contrastar		Ciencias naturales • partes o procesos claves Estudios sociales • diferentes factores que se relacionan con un acontecimiento histórico
Diagrama de Venn	Comparar Contrastar Sintetizar		Ciencias naturales • comparar y contrastar grupos
Ciclo	Secuenciar Ordenar Resumir		Ciencias naturales • proceso Estudios sociales • relación entre eventos

Mapa conceptual, imagen libre de derechos de BiljaST/Pixabay.

nuevo contenido, mejoran la comprensión lectora y apoyan la construcción de nuevo vocabulario.

Hay otras formas de activar el conocimiento previo. Por ejemplo, los maestros pueden anticipar y enseñar el vocabulario requerido para comprender el tema a través de la **introducción de vocabulario** —*frontloading vocabulary*—, creando múltiples oportunidades para usarlo. Otra manera de activar el conocimiento previo es a través de experiencias directas tales como **actividades prácticas de aprendizaje** —*hands-on activities*—, **visitas o viajes de estudio** —*field trips*— o invitar a miembros de la comunidad para hablar sobre ciertos temas. Por ejemplo, durante una macroestructura sobre culturas alrededor del mundo, la Sra. Mendoza y la Sra. Saavedra invitan a miembros de la comunidad china, por ejemplo, para que compartan su cultura contando historias de su lugar de origen o relatando sus tradiciones.

Prácticas que apoyan el desarrollo del lenguaje oral y el pensamiento crítico

El uso integrado de estrategias que apoyen el desarrollo del lenguaje oral y el pensamiento crítico —*critical thinking*— es un elemento ineludible en una enseñanza equitativa donde todos los estudiantes bilingües tengan oportunidades para aprender el contenido mientras desarrollan su lenguaje. Además, tanto el lenguaje oral como el pensamiento crítico son elementos esenciales de la literacidad académica.

Los maestros pueden usar una gran variedad de actividades que permitan que los estudiantes bilingües participen en las diferentes áreas de contenido a través de un uso auténtico del lenguaje oral. En el diseño de estas actividades los maestros tomarán en cuenta el nivel del desarrollo del lenguaje de sus estudiantes en cada idioma. Además, la maestra planificará estas estrategias para adecuarlas al contenido y a los objetivos de su microestructura, integrando los fondos de conocimiento de los estudiantes para contextualizarlas. Por ejemplo, se pueden utilizar conversaciones estructuradas, descripciones de experiencias, diálogos o situaciones comunicativas y dramatización, así como contar historias cortas, hacer entrevistas y otras actividades como trabajar con adivinanzas, chistes, trabalenguas, canciones, rimas, poesías, noticias o debates, entre otras posibilidades.

Uso efectivo de preguntas

Una práctica importante para contribuir al desarrollo del lenguaje oral académico en la escuela es el uso de preguntas y el apoyo que otorga un trabajo intencional sobre las estructuras del lenguaje para responder a las preguntas a través del andamiaje, usando marcos de oraciones. Una manera fácil de motivar a los estudiantes y captar su atención es a través de preguntas que requieren procesos complejos de pensamiento sobre el tema —*higher order thinking questions*—. Estas preguntas requieren que los estudiantes apliquen, analicen, sinteticen y evalúen la información de manera crítica, en lugar de simplemente recordar hechos. Los maestros pueden usar una pregunta de enfoque para la macroestructura e involucrar a los estudiantes en múltiples actividades que los ayudarán a responder de manera efectiva. Una pregunta puede guiar una serie de actividades múltiples a lo largo de muchos días o semanas. Por ejemplo, la Sra. Mendoza ha integrado en su microestructura prácticas que activan el conocimiento previo, como la tabla S-Q-A, y prácticas que apoyan el uso y el desarrollo del lenguaje oral, como el uso de preguntas que estimulan el pensamiento crítico. Veamos las preguntas que la Sra. Mendoza pensó para su microestructura y para ayudar a completar el S-Q-A:

> ¿Qué creen que hace un presidente?
> ¿Cuál es la función del gobernador de California?
> ¿Cómo votamos?
> ¿Por qué es importante votar?

La maestra integra preguntas para identificar características y definir (¿Qué hace un presidente?), preguntas para identificar información clave (¿Cuál es la función?) y preguntas para explicar una razón o justificar (¿Por qué votar?). La variedad en las preguntas es importante para superar la tendencia que existe a usar casi exclusivamente preguntas cerradas que admiten solo una respuesta correcta y típicamente se contestan usando una sola palabra. Estas preguntas requieren solo el uso de habilidades de pensamiento básicas como recordar información —*recalling facts*—. Por ejemplo: ¿Quién es el presidente de los Estados Unidos?

En la tabla 4.5 vemos un ejemplo de las preguntas que hizo la Sra. Mendoza y los marcos de oraciones que usaron los alumnos para responder durante la lección sobre las elecciones presidenciales en los Estados Unidos.

La función principal del uso de este tipo de preguntas es estructurar el pensamiento y facilitar la comprensión del estudiante (Cazden, 2001; Gibbons, 2015; Mohr y Mohr, 2007). Por ejemplo, las preguntas de los maestros pueden ayudar a los alumnos a identificar los conocimientos básicos relacionados con las ideas claves de un texto y los guían en el uso de estrategias de comprensión (como resumir o aclarar) para procesar y monitorear lo que leen. El trabajo pionero de Cazden (2001) sobre la importancia del discurso en el aula y el trabajo de Wong-Fillmore (1991) en aulas con estudiantes que hablan inglés como segunda lengua y el **habla del maestro** —*teacher talk*— demostraron que el uso de las preguntas con los estudiantes bilingües requiere variedad y direccionalidad. El tipo de preguntas que hacen los maestros nos da una idea de su intención de direccionar el pensamiento del estudiante hacia una meta de enseñanza específica y de mayor nivel. Lamentablemente, a muchos estudiantes bilingües solo se les hacen preguntas de orden de pensamiento bajo, que no estimulan el aprendizaje ni desarrollan el lenguaje académico de la disciplina.

Las preguntas abiertas promueven el uso de **habilidades de pensamiento más complejo** —*higher order thinking skills*— y estimulan el uso del lenguaje oral por parte de los estudiantes.

> **Preguntas para obtener explicaciones —*explaining or justifying*—:**
> ¿Puedes explicar cómo pensaste eso?
> ¿Cómo lo hiciste?
> ¿En qué se diferencia esta forma de resolver el problema de la anterior?
> **Preguntas para clarificar ideas —*recasting and retelling*—:**
> ¿Puedes tratar de explicarlo usando otras palabras?
> ¿Quién puede explicar lo que acaba de compartir José?
> **Preguntas para comparar y contrastar —*compare and contrast*—:**
> ¿En qué se parecen? ¿En qué se diferencian?
> Preguntas para aplicar una idea —*applying*—:
> ¿Quién puede dar un ejemplo?
> ¿Podemos pensar en una situación en la que. . .?

Tabla 4.5 Ejemplos de preguntas	
Preguntas que usó la maestra	**Marcos de oraciones para que usen los alumnos**
Sé:	Yo sé que _____.
Díganme lo que saben sobre _____.	Escuché que _____.
¿Por qué piensan que _____?	Leí que _____.
¿Quiénes pueden _____?	Yo pienso esto porque _____.
¿Cuándo _____?	Lo que yo sé sobre este tema es _____.
Quiero saber:	
¿Qué creen que vamos a aprender sobre este tema mientras leemos _____?	Yo creo que vamos a aprender _____.
	Vamos a aprender que _____.
¿Qué más les gustaría saber sobre _____?	Me gustaría saber _____.
	Me gustaría aprender sobre _____.
Aprendí:	
¿Qué aprendimos sobre _____?	Aprendí que _____.
¿Qué sabemos sobre _____ que no sabíamos al comenzar la lección?	Yo no sabía que _____ y ahora entiendo _____.
	Pienso que esto es importante porque _____.

En todos los tipos de clases bilingües, es importante hacer preguntas y generar situaciones donde los alumnos puedan representar sus respuestas tanto en forma oral como escrita, usando español, inglés o ambos lenguajes, y conversar sobre la manera en que usan el lenguaje para desarrollar la conciencia metalingüística. Leyendo un texto bilingüe o el mismo texto a la par, la maestra puede hacer preguntas para el análisis intertextual en el nivel del lenguaje, la estructura sintáctica o el vocabulario, tales como:

> ¿Qué notan sobre la manera en que se usa el lenguaje en español y la manera en que se usa el lenguaje en inglés en estos textos?
> ¿Se comunica la idea de la misma manera en inglés? ¿De qué manera es diferente la construcción de la oración?

Por ejemplo, en estudios sociales, durante la macroestructura sobre la ciudadanía y las elecciones tanto del presidente en los Estados Unidos como del gobernador de Oregón, la Sra. Saavedra leyó el texto *We Vote* (Martin, 2001). Durante el desarrollo de la microestructura los estudiantes aprendieron sobre el contenido académico, leyeron a coro algunas páginas del libro con la maestra y completaron un organizador gráfico con las ideas principales.

Para conectar los momentos de instrucción en inglés y en español, la Sra. Mendoza profundizó en su clase de artes del lenguaje el tema de estudios sociales, pero desde un enfoque lingüístico. Apoyándose en la pedagogía del translenguar, presentó el mismo libro en español e inglés a la par con el propósito de conectar y extender el estándar de artes del lenguaje que los estudiantes estaban estudiando, el de conjugaciones verbales.

Primero, hizo preguntas de contenido para activar el conocimiento previo acerca de las votaciones y los diferentes tipos de gobierno.

Segundo, pidió a los estudiantes que observaran la forma en la cual el título del texto se escribía en inglés y español.

> "Votamos" —*We Vote*—
> ¿Qué observan en la conjugación del verbo en español y en inglés?
> ¿Existe alguna diferencia?
> ¿Por qué creen que sucede esto?

Esta actividad es un buen ejemplo de análisis contrastivo (Beeman y Urow, 2012) y de desarrollo de la conciencia metalingüística (Escamilla et al., 2014). La maestra permite que los estudiantes respondan a las preguntas utilizando el lenguaje que sientan que les permite explicar mejor la idea; algunos lo hacen inglés y otros en español. El objetivo de la discusión académica en el nivel del lenguaje permite una comprensión más profunda de la omisión del sujeto, característica particular del español que no existe en inglés. Para contextualizar la discusión sobre este aspecto del lenguaje, la maestra utiliza el contenido académico de estudios sociales para facilitar la interconexión de los conocimientos en los dos contextos lingüísticos.

Hacer preguntas es una habilidad cognitiva diferente y tan importante como contestar preguntas. La Sra. Mendoza puede guiar a sus alumnos a hacer preguntas para profundizar sus conocimientos sobre el tema y escribirlas en la columna sobre "Quiero saber" de la tabla S-Q-A. Estas preguntas pueden guiar la investigación sobre el tema en los dos lenguajes de enseñanza y conectar el trabajo de estudios sociales con artes del lenguaje, al explorar diferentes tipos de textos sobre la votación. Con consideración de los estándares de desarrollo del lenguaje, la Sra. Mendoza apoya a los estudiantes a formular preguntas de acuerdo con el nivel de desarrollo del español de sus estudiantes. Por ejemplo, espera que sus alumnos en un nivel inicial de español (nivel 2 - emergente) usen oraciones simples y para sus estudiantes más avanzados (nivel 4 - extensión) espera que sus preguntas sean oraciones más complejas y organizadas.

Uso de marcos de oraciones

Una estrategia esencial para apoyar a los alumnos bilingües en el desarrollo de su competencia lingüística es el trabajo sobre las estructuras de lenguaje necesarias para expresar ideas de forma cada vez más específica y compleja. Es necesario que los maestros diseñen estrategias para estructurar el aprendizaje, incluyendo apoyos en forma de andamiajes —*scaffolds*— que posibilitan al estudiante comprender contenido nuevo o desarrollar nuevas habilidades que no lograría solo (Karpov, 2014; Vygotsky, 1978). Entonces, para apoyar el desarrollo del lenguaje es importante que los maestros integren estructuras o andamiajes que posibiliten que los alumnos expresen ideas con mayor complejidad de lo que podrían hacer solos. Los marcos de oraciones funcionan como andamiajes lingüísticos.

Inicialmente, los maestros pueden identificar marcos de oraciones —*sentence frames*— que los estudiantes bilingües necesitan conocer y usar en las diferentes áreas de contenido. Las estructuras de lenguaje usadas en los marcos de oraciones

"Scaffolding . . . is not simply another word for help, it is a special kind of help that assist learners in moving toward new skills, concepts, or levels of understanding" (Gibbons, 2015, p. 16).

se deben adecuar al nivel de competencia del lenguaje de acuerdo con los estándares de lenguaje usados. Por ejemplo, en Texas, los maestros consideran si los estudiantes están en un nivel de inglés emergente, intermedio, avanzado o avanzado alto, según los estándares de lenguaje del estado —*English Language Proficiency Standards (ELPS)*—. Una manera de alinear los estándares y el nivel de competencia lingüística de los estudiantes es diferenciar el andamiaje provisto para la actividad. Por ejemplo, una maestra puede diferenciar el uso de marcos de oraciones utilizando oraciones más simples para los estudiantes intermedios como en la primera oración y más complejas para los estudiantes avanzados como en la segunda oración:

Creo que _____ fue causado por _____ porque _____.

_____ ocurrió y consecuentemente _____.

Los marcos de oraciones proveen una estructura que los estudiantes pueden usar al hablar y también al escribir oraciones completas sobre el contenido. Además, ayudan a los estudiantes a enfocarse en la tarea y dan la oportunidad de usar y practicar el nuevo lenguaje académico en un contexto natural y comprensible.

Veamos la manera en que la Sra. Olivia usa los marcos de oraciones en su clase de segundo grado en un programa dual de una vía, donde la mayoría de los estudiantes son bilingües emergentes. Su meta durante el tiempo de enseñanza en español es desarrollar el lenguaje académico y la literacidad en el idioma del hogar. Por ejemplo, en una microestructura dedicada al uso de lenguaje descriptivo, la Sra. Olivia preparó junto con los estudiantes un cartel didáctico con los siguientes marcos de oraciones para apoyar el desarrollo del lenguaje oral en español:

(Yo) Noto _____

Veo _____

Observo _____

_____ y yo tenemos _____

Somos diferentes porque _____

Luego la maestra modela el uso de los marcos de oraciones a partir de observaciones sobre la portada de un libro que leerá con sus alumnos, primero en forma oral y luego escribiendo un párrafo:

Noto que hay una niña y cuatro adultos. **Observo** unas flores en un florero. **Veo** un señor con anteojos. Tanto la niña como yo **tenemos** familias grandes. **Las dos** también **tenemos** abuelos. Pero, **somos diferentes porque** mientras que la niña tiene abuelos, yo solo tengo abuelas.

Otra aplicación de los marcos de oraciones es para el uso de vocabulario descriptivo y para familiarizarse con estructuras de lenguaje más complejas de lo que los alumnos pueden producir independientemente. Por ejemplo, en la producción de un enunciado comparativo que muestre las diferencias entre las ballenas y los peces, los alumnos de la Sra. Olivia usan un marco de oración como:

_____ tienen _____, mientras que _____

tienen _____.

Martín, un niño bilingüe emergente de la clase de la Sra. Olivia, escribe en su diario de ciencias usando este marco de oración: "Las ballenas tienen pulmones, mientras que los peces tienen branquias". La complejidad de la estructura del marco de oración se puede adaptar para escribir oraciones más complejas usando diferentes términos académicos, de acuerdo con el nivel de competencia lingüística de los alumnos, como por ejemplo:

_____ puede _____, en cambio _____

no puede _____.

En conclusión, _____ y _____

se diferencian en que _____.

También se pueden usar inicios de oraciones —*sentence starters*— para que los estudiantes adquieran vocabulario y mayor autonomía en el uso del lenguaje. Inicios de oraciones pueden usarse para relaciones de orden o para secuenciar eventos:

Primero _____,

Segundo _____,

Por último, _____

Lo primero que _____.

Después de que _____

Estos inicios de oraciones incluyen una gran variedad de términos académicos que se usan en distintas áreas de contenido y que es importante que los estudiantes utilicen al hablar y al escribir. También es importante que los alumnos usen palabras de señalización —*signal words*— como: "si", "luego", "por esta razón", "por lo tanto", "porque", "finalmente", etcétera.

Durante la implementación de la macroestructura del medio ambiente, la Sra. Olivia observa la dificultad que los estudiantes tienen para transferir al inglés habilidades de lectura y escritura que ya han alcanzado en español. Por esa razón, ella decide hacer un ajuste en su planificación y selecciona un texto en español escrito por uno de los estudiantes que incluye palabras de secuencia para trabajar en una actividad grupal. El texto es usado como modelo para mostrar y facilitar la transferencia lingüística de una habilidad adquirida en un idioma al otro. La Sra. Olivia organiza la actividad en diferentes pasos. Primero, los estudiantes leen el texto con la maestra, identifican los cuatro niveles de la selva tropical y subrayan las palabras de secuencia que aparecen en el texto. A continuación, repasan los números ordinales que aparecen en el texto para indicar secuencia: primero/*first*; segundo/

Tabla 4.6 Ejemplo de similitudes y diferencias entre dos textos

Texto en español	English Text
El bosque tropical tiene cuatro niveles. **Primero**, está el piso del bosque. **Segundo**, encontramos el sotobosque. **Tercero**, vemos el dosel y, **finalmente**, se encuentra la capa emergente.	The tropical rainforest has four layers. **First** is the forest floor. **Second**, we find the understory. **Third**, we see the canopy, and, **finally**, we see the emergent layer.

second, tercero/*third* y último/*last*, utilizando un cartel didáctico que crearon junto con la maestra durante la hora de matemáticas. Luego, se organizan en grupos y reciben una oración que describe uno de los niveles de la selva tropical y deciden de qué manera escribirla en inglés, usando las palabras del cartel didáctico. Finalmente, cada grupo comparte su versión de la oración en inglés; la maestra escribe las oraciones de los estudiantes al lado del texto original en español y juntos analizan las similitudes y las diferencias entre los dos textos.

El análisis de los textos a la par en colaboración con el maestro permite a los estudiantes comprender de qué manera pueden utilizar los conocimientos de un idioma para crear el texto en otro idioma. Además, es una estrategia de aprendizaje que permite a los estudiantes desarrollar la biliteracidad interdisciplinaria (Mercuri y Musanti, 2018) a través de conversaciones sobre el uso del lenguaje en diferentes textos y áreas de contenido. Por ejemplo, los estudiantes conversan sobre la manera de utilizar sus conocimientos de palabras de secuencia y números ordinales en matemáticas, para escribir y leer en ciencias naturales.

Prácticas que utilizan diferentes formas de agrupamiento

Una de las prácticas más importantes en el aula bilingüe es el uso de estrategias de agrupamiento de los alumnos que fomentan la comunicación entre pares usando el lenguaje y la colaboración en el desarrollo de tareas. Es importante que los maestros integren formatos de agrupamiento múltiples que posibiliten dar cuenta de las necesidades de aprendizaje de todos los alumnos. Esto significa alternar formatos de grupo total y de grupos pequeños que permitan diferenciar la enseñanza de acuerdo con necesidades específicas, así como el uso de enseñanza individualizada cuando sea posible. Una de las ventajas más importantes del uso de agrupamientos múltiples es que los estudiantes aprenden unos de otros y todos tienen oportunidades de participar en las diferentes actividades, de acuerdo con su nivel de competencia en el lenguaje. Los maestros deben modelar o explicar cómo trabajar en cada formato, de modo tal que los alumnos sepan qué esperar y qué hacer en cada situación. Por ejemplo, respetar el turno para hablar o turnarse para participar en el trabajo en grupo, de manera que todos los integrantes del grupo tengan oportunidades para contribuir.

El aprendizaje cooperativo

Una de las estrategias de agrupamiento y de andamiaje del aprendizaje más efectivas es el aprendizaje cooperativo. Los maestros que usan esta estrategia entienden el desarrollo y el aprendizaje como un proceso de interacción social (Vygotsky, 1978). Es decir, aprendemos más y mejor en interacción con pares o con otros más expertos. Las investigaciones han demostrado que el aprendizaje cooperativo es útil para incrementar el aprendizaje y mejora la participación y la motivación de los estudiantes. Kagan y Kagan (2008) explican que cuando la tarea de aprendizaje promueve el trabajo en equipo cada estudiante se siente parte importante de la tarea y es responsable por su contribución individual en el grupo. De esta manera, los estudiantes participan de forma equivalente o comparativa y varios estudiantes pueden participar en forma simultánea. Además, en el uso de estrategias de agrupamiento cooperativo en el aula bilingüe es importante considerar cuándo y por qué formar grupos con habilidades mixtas (Freeman y Freeman, 2008).

Uno de los criterios a considerar durante los agrupamientos es el nivel de desarrollo del lenguaje. En el aula bilingüe es esencial que se organicen actividades donde se integren los estudiantes de acuerdo con sus diferentes niveles de competencia lingüística, es decir, grupos con aprendientes de inglés o español avanzado e intermedio y principiante de forma tal que se establezca una interacción productiva entre alumnos con diferente nivel de desarrollo del lenguaje meta para cada actividad. Esto permite que los alumnos interactúen en situaciones auténticas, desarrolla la competencia lingüística, eleva la motivación para el aprendizaje. De este modo, se los expone a situaciones de enseñanza más rigurosa y exigente (Freeman et al., 2018).

Dependiendo de la actividad y de los objetivos de contenido y de lenguaje, los estudiantes se pueden agrupar de acuerdo con otros criterios como logros de aprendizaje, intereses, género, etc. Destacamos tres opciones importantes a incluir:

- **Pares bilingües**: Pares de estudiantes con el mismo o con diferente nivel de habilidad lingüística en un idioma determinado. A través de estrategias como **pensar, juntarse y compartir** —*Think-Pair-Share*—, la maestra promueve el intercambio entre pares y crea oportunidades para el uso y el desarrollo del lenguaje oral.
- **Grupos homogéneos de lenguaje o habilidad**: Un grupo con estudiantes que están en un nivel similar de desarrollo del lenguaje o que comparten habilidades similares en relación con el contenido. Son efectivos para trabajar sobre habilidades o contenido específico de acuerdo con las necesidades detectadas para cada grupo. Por ejemplo, grupos homogéneos según el nivel de lectura.
- **Grupos heterogéneos de lenguaje o habilidad**: Estos grupos están integrados por estudiantes con diferentes habilidades o niveles de competencia lingüística. Este tipo de agrupamiento facilita la interacción entre estudiantes con diferentes habilidades, promoviendo la influencia recíproca. En grupos heterogéneos, los estudiantes con niveles de lenguaje intermedio pueden proporcionar modelos de lenguaje para los que se encuentran en un nivel emergente o principiante de desarrollo de un lenguaje, mientras que los estudiantes más avanzados pueden apoyar a los que están en un nivel intermedio.

Estrategias interactivas para el agrupamiento heterogéneo

En una clase bilingüe, los maestros deben variar la conformación de los grupos de trabajo y evitar que los estudiantes bilingües con un nivel emergente o intermedio del lenguaje de enseñanza sean asignados al mismo grupo regularmente. Si bien el agrupamiento homogéneo es efectivo para trabajar sobre habilidades específicas, no es recomendable dividir a los estudiantes en grupos homogéneos y estáticos, basándose exclusivamente en la competencia lingüística. Es decir, los maestros deben evitar crear grupos separados por habilidad, donde un grupo esté formado por aquellos estudiantes con un nivel avanzado en el lenguaje de enseñanza y otro grupo lo integren aquellos estudiantes que están desarrollando el lenguaje de enseñanza en un nivel emergente o intermedio.

Los grupos heterogéneos deben incluir estudiantes que se encuentren en niveles de competencia lingüística complementarios que les permitan comunicarse e interactuar mientras aprenden el contenido. Los maestros pueden implementar diferentes estrategias que posibilitan formas de agrupamiento heterogéneo con alta interacción y uso del lenguaje para favorecer la comunicación y la comprensión del contenido. Ejemplos de estas estrategias incluyen la ya nombrada **pensar, juntarse y compartir** —*Think-Pair-Share*—, **adentro y afuera del círculo** —*Inside/Outside Circle*—, **debate de cuatro esquinas** —*Four Corners debate*— y **encuentra a alguien que** —*Find Someone Who*—.

Pensar, juntarse y compartir: En esta estrategia los estudiantes trabajan en pares pensando juntos, conversando y compartiendo luego sus ideas. Por ejemplo, la Sra. Olivia usa esta estrategia cada vez que aparece una nueva palabra para que los estudiantes la expliquen a un compañero y den en forma oral un ejemplo de cómo la usarían en una oración, antes de hacerlo en forma escrita.

Adentro y afuera del círculo: Se da a los estudiantes un tema de discusión. Los estudiantes forman dos círculos diferentes: la mitad del grupo se para en un círculo mirando hacia afuera, mientras la otra mitad mira hacia adentro. Los estudiantes intercambian información en pares hasta que la maestra les indica a quienes están en el círculo de afuera que se muevan en una dirección, y así los estudiantes tienen otro compañero con el cual interactuar. Por ejemplo, la Sra. Mendoza y la Sra. Saavedra usan esta estrategia para discutir sobre las preguntas "¿Por qué votamos?" y "¿Qué es una democracia?".

Debate de cuatro esquinas: Debatir sobre las opiniones de los estudiantes sobre un tema que están a punto de estudiar puede ser una actividad de motivación y activación del conocimiento previo muy útil. El debate de cuatro esquinas requiere que los estudiantes definan su posición en una declaración específica (muy de acuerdo, de acuerdo, en desacuerdo, totalmente en desacuerdo) de pie en una esquina particular de la habitación. Esta actividad promueve la participación de todos los estudiantes, exigiendo que todos tomen una posición. Esta actividad también puede ser una tarea de preescritura para definir argumentos y evidencias antes de la redacción del ensayo. Por ejemplo, la Sra. Olivia usa esta estrategia para debatir si es necesario reciclar la basura o no, o si es necesario cambiar el menú de los almuerzos escolares para hacerlos más saludables, entre otros temas. Similarmente, una maestra de quinto grado en el área de estudios sociales usa esta estrategia para generar la discusión de los estudiantes acerca del voto sobre la ley migratoria relacionada con hechos de la realidad del momento y que afecta directamente a varias de las familias de los estudiantes de la clase. El uso de esta estrategia permite a los estudiantes justificar su posición, acceder al contenido y desarrollar el lenguaje académico oral.

Encuentra a alguien que: Esta actividad puede ser usada como revisión del contenido. Los estudiantes reciben una tabla con preguntas sobre un tema en particular. Los estudiantes buscan a distintos compañeros para que contesten las preguntas de la tabla. Los estudiantes escriben las respuestas en el espacio asignado en la tabla. Aquellos que proporcionaron las respuestas firman en la tabla. Después de que los estudiantes han completado la tabla, el maestro corrige el ejercicio con la clase. La tabla 4.7 muestra como la Sra. Mendoza usa esta estrategia para integrar ideas aprendidas en la macroestructura de ciencias sobre los ecosistemas.

Tabla 4.7 Ejemplo de una tabla para la tarea de "Encuentra a alguien que. . ."

Encuentra a alguien que. . .	Encuentra a alguien que. . .	Encuentra a alguien que. . .
Explique la diferencia entre el bosque tropical y el bosque caduco	*Defina un ecosistema*	*Describa la flora y la fauna de la capa del sotobosque*
Respuesta:	Respuesta:	Respuesta:
Nombre:	Nombre:	Nombre:
Encuentra a alguien que...	Encuentra a alguien que. . .	Encuentra a alguien que. . .
Respuesta:	Respuesta:	Respuesta:
Nombre:	Nombre:	Nombre:

Prácticas que promueven el uso integrado de los recursos lingüísticos

Es importante que los maestros de un aula bilingüe generen oportunidades que integren todos los recursos lingüísticos de los estudiantes. Esto supone que, de forma sistemática, los alumnos tengan oportunidades para aprender sobre diferentes temas leyendo, escribiendo, hablando y escuchando en ambos idiomas. Una pedagogía que reconoce el translenguar como práctica propia de las personas bilingües puede promover formas de enseñanza donde los dos idiomas se integren de forma dinámica y efectiva, apoyando la comprensión conceptual y el pensamiento crítico en las diferentes áreas de contenido.

Según el programa bilingüe y el modelo que se esté usando, dependiendo de distribución del lenguaje (90/10 o 50/50), habrá un enfoque en uno u otro lenguaje de enseñanza. A nivel del programa, la enseñanza se organiza a través de una macroalternancia de idiomas (p. ej., alternancia basada en el tiempo de instrucción o en el contenido a enseñar en cada idioma). En el aula, es importante planificar la enseñanza, promoviendo una microalternancia de los lenguajes de modo de favorecer el uso de todo el repertorio lingüístico de los estudiantes bilingües. Es decir, siguiendo la pedagogía del translenguar se integran en las lecciones espacios planificados donde se promueve el uso flexible, estratégico y diferenciado del lenguaje por parte de maestros y estudiantes.

Es importante no confundir la propuesta de la pedagogía del translenguar de propiciar un uso flexible de los lenguajes con la práctica de traducir el contenido, usada al azar en muchas aulas bilingües, pero especialmente en programas de salida tardía o temprana. Es común observar que como forma común de integrar la otra lengua durante la enseñanza es la simple traducción de la lengua de enseñanza a la lengua del hogar de los estudiantes, es decir, del inglés al español. La traducción simultánea —*concurrent translation*— de un lenguaje a otro no es una estrategia efectiva si se transforma en la única forma de apoyar a los estudiantes bilingües.

Esta traducción, realizada por la maestra, no lleva a la adquisición de los conceptos ni apoya el desarrollo de la otra lengua. Sin embargo, es importante aclarar que la traducción puede ser una forma de desarrollar la conciencia metalingüística y la biliteracidad cuando se involucra a los alumnos activamente en el proceso de traducir de un lenguaje a otro (Cummins, 2007).

Para planificar espacios que flexibilizan el uso del lenguaje para apoyar el aprendizaje del contenido, los maestros bilingües tienen en cuenta el nivel de competencia del lenguaje de enseñanza de los estudiantes bilingües. Por ejemplo, si la enseñanza del contenido se imparte en español como lenguaje meta, el foco de atención puede estar en el desarrollo de vocabulario académico de la disciplina en español y/o en el uso de estructuras de lenguaje correspondientes al español por medio de marcos de oraciones adecuadas a los diferentes niveles de competencia lingüística. Durante el tiempo de enseñanza del contenido en inglés, se apoyarán las estructuras del lenguaje en inglés, considerando los diferentes niveles de desarrollo del inglés de los estudiantes de la clase. Un ejemplo del uso estratégico de ambos lenguajes de forma integrada es la estrategia vista previa-vista-repaso que explicamos a continuación.

Vista previa-vista-repaso —*preview-view-review*—: una estrategia pedagógica de translenguar

Una estrategia que apela al uso de todo el repertorio lingüístico de un estudiante bilingüe es vista previa-vista-repaso —*preview-view-review (PVR)*—. Esta estrategia propone una microalternancia de los idiomas en la planificación de las microestructuras o lecciones, de modo de crear de forma intencional y estratégica espacios interlingüísticos para que los estudiantes puedan utilizar todo el repertorio lingüístico y así poder acceder al contenido académico, ampliando su competencia en cada idioma (Mercuri, 2015; Mercuri y Musanti, 2018). Es decir, la estrategia propone alternar el uso del español y el inglés en los diferentes momentos de una lección: introducción o vista previa —*preview (P)*—, vista o desarrollo —*view (V)*— y repaso o cierre —*review (R)*—. La distribución del lenguaje entre las tres partes de la estrategia PVR dependerá del lenguaje de enseñanza, el tipo de programa, así como la composición de la clase y las diferencias en las competencias lingüísticas de los estudiantes de la clase en los dos idiomas de enseñanza.

En un programa dual de una vía donde la mayoría de los alumnos son bilingües emergentes con español como lenguaje del hogar e inglés como lenguaje emergente, la estrategia PVR se organiza introduciendo la lección en español, desarrollando la lección en inglés y cerrando la lección en español. Esto permite que los alumnos bilingües activen conocimiento previo en español, el idioma con mayor competencia lingüística, con el propósito de conectarlo con la información que se presentará en inglés, durante la vista —*view*—. Por ejemplo, en una microestructura de ciencias naturales que se enseña en inglés (vista), la maestra puede introducir el tema (vista previa) leyendo con los estudiantes un texto en español, identificando ideas, analizando imágenes y creando una pared de vocabulario académico. Durante la vista, la maestra lee un texto diferente en inglés y ayuda a los estudiantes a identificar en el texto el vocabulario académico, y así completan la pared de palabras comenzada durante la vista previa con los cognados en inglés. De esta manera, la maestra puede generar conexiones interlingüísticas que permiten a los estudiantes usar el conocimiento adquirido en uno u otro idioma y transferir bidireccionalmente habilidades y conocimientos, tales como estrategias de lectura aprendidas durante la clase en inglés o en español. Durante el momento de cierre o repaso de la vista o lección la maestra usa el español para revisar definiciones de ideas claves.

Por ejemplo, distribuye las palabras de vocabulario académico sobre el tema en los dos idiomas y pide a los estudiantes que, en pares y por turnos, definan cada palabra en español, de forma oral.

La estrategia de PVR conserva momentos de enseñanza en cada idioma, pero permite de forma más orgánica y estratégica incorporar momentos donde de forma dinámica se realizan conexiones interlingüísticas, especialmente durante el desarrollo del tema o vista o también durante el repaso, dado que durante la vista previa es importante enfocarse en introducir las ideas básicas para anclar el resto de la lección.

Los programas duales de doble vía que incluyen estudiantes que hablan español, inglés o los dos idiomas en la casa requieren que los maestros implementen la estrategia PVR de manera tal de facilitar el desarrollo del lenguaje de enseñanza para los dos grupos lingüísticos de su clase, que incluyen estudiantes con un amplio rango de habilidades en español y en inglés oral y escrito. En estos programas, la microalternancia que proponemos a través de la estructura de PVR permite planificar lecciones en las que se estructure el uso alternativo de los lenguajes en un continuo que responda al lenguaje de enseñanza del contenido y a las necesidades de desarrollo del lenguaje evaluadas por la maestra. Por ejemplo, para una microestructura planificada para enseñar contenido en inglés, la vista previa permite, con la ayuda de andamiaje diferenciado de acuerdo con la competencia lingüística, activar o construir conocimiento previo sobre el tema en el lenguaje alternativo, es decir español, para todos los estudiantes bilingües emergentes, al mismo tiempo que posibilita profundizar su desarrollo para los estudiantes que han desarrollado el español como lengua del hogar. Durante la vista, que se desarrolla en inglés como lenguaje de enseñanza de la microestructura, los maestros enseñan el contenido mientras ayudan a los estudiantes a hacer conexiones interlingüísticas con el conocimiento activado en español durante la vista previa. Lo mismo puede suceder durante el repaso, donde al integrar con el uso del español el contenido aprendido durante el segmento de enseñanza en inglés se refuerzan las conexiones interlingüísticas establecidas para acceder al contenido académico en los dos idiomas, lo cual contribuye a desarrollar de manera bidireccional las competencias en los dos lenguajes y facilita la biliteracidad.

La tabla 4.8 describe los momentos de una microestructura organizada con el enfoque de PVR en un programa de dos vías según sea el lenguaje de enseñanza (opciones 1 o 2 en la tabla) e incluye ejemplos de algunas estrategias que el maestro puede utilizar para la implementación efectiva de la estrategia en un salón dual de dos vías. La tabla muestra la manera en que en cada momento de la estrategia PVR se desarrollan habilidades lingüísticas en un continuo, que se refuerzan e internalizan a lo largo de las tres partes de la estructura de manera bidireccional y en los dos idiomas de instrucción. Cada momento de la estrategia PVR integra espacios interlingüísticos facilitados por una pedagogía del translenguar e integrando de forma intencional y estratégica conexiones interlingüísticas. Para facilitar a todos los tipos de estudiantes bilingües la comprensión del contenido, cuando corresponde enseñar la disciplina en inglés los maestros considerarán la implementación de la vista previa y el repaso de la lección en español. Cuando corresponde enseñar el contenido en español, el maestro comenzará (vista previa) y cerrará (repaso) la lección en inglés, alternando los lenguajes de forma de apoyar la enseñanza bilingüe, de acuerdo con la distribución del lenguaje de enseñanza correspondiente al programa dual implementado.

Por ejemplo, la Sra. Mendoza y la Sra. Saavedra enseñan en tercer grado, en un programa dual de dos vías. En esta clase la Sra. Mendoza enseña en español y la Sra. Saavedra en inglés y planifican intencionalmente para apoyar y extender el

Tabla 4.8 Momentos de una lección usando la estrategia *PVR* en un programa dual de dos vías

Partes de PVR	Distribución del lenguaje - Opción A	Distribución del lenguaje - Opción B	Propósito del espacio interlingüístico	El maestro puede:
P - Vista previa	Español (lenguaje asociado)	Inglés (lenguaje asociado)	Activación y desarrollo del conocimiento previo y enfoque en el vocabulario general y específico nuevo usando el idioma asociado al lenguaje de instrucción asignado, dependiendo de la distribución de los lenguajes del programa dual	Leer un libro sobre el tema Mostrar un video Presentar una canción Introducir el vocabulario Conversar acerca de imágenes Crear una lluvia de ideas Completar un organizador gráfico
V - Vista	Inglés (lenguaje de instrucción)	Español (lenguaje de instrucción)	Desarrollo de la lección usando estrategias de apoyo para el desarrollo del lenguaje de instrucción según los principios de la enseñanza contextualizada —*sheltered instruction*—	Usar fotos y objetos reales Usar diferentes tipos de agrupación de estudiantes Pensar en voz alta —*Think aloud*— Movimiento —*Total physical response and role play*— Hacer actividades manuales —*Hands-on activities*— Planificar escritura compartida Trabajar con cognados
R - Repaso	Español (lenguaje asociado)	Inglés (lenguaje asociado)	Repaso e integración de ideas principales usando el idioma asociado al lenguaje de instrucción asignado, dependiendo de la distribución de los lenguajes del programa dual.	Usar estrategias como: Pase oral de salida —*Exit ticket*— Juegos de palabras Preguntas sorpresas —*Pop quiz*— Buscar los pares —*Picture match*— Me pregunto —*Wonder questions*— Escritura compartida Cognados

aprendizaje del contenido y el lenguaje de todos sus estudiantes bilingües en las dos clases de manera interdependiente. En el ejemplo que compartimos a continuación, las maestras trabajan con sus estudiantes sobre una microestructura interdisciplinaria que articula contenido de artes del lenguaje y ciencias naturales y se centra en el tema de la rotación del planeta alrededor del sol y en cómo se generan las estaciones. Las maestras deciden que la Sra. Saavedra, durante la clase de artes del lenguaje en inglés, introduzca el tema haciendo la vista previa de la microestructura y luego realice el repaso para integrar, al finalizar los contenidos, mientras que la Sra. Mendoza realizará la vista o desarrollo del tema en español, dado que es el lenguaje de enseñanza de las ciencias naturales en tercer grado en este programa dual de dos vías.

Durante la clase de artes del lenguaje en inglés, la Sra. Saavedra realiza la vista previa y se enfoca en activar o construir el conocimiento previo sobre el tema de ciencias leyendo un libro expositivo en inglés que tiene imágenes que ayudan a clarificar los conceptos descriptos en el texto. Al mismo tiempo que introduce el tema de ciencias, se enfoca en un estándar específico de artes del lenguaje: identifica evidencia textual para facilitar la comprensión del texto y del vocabulario académico. Como vemos a continuación, durante la lectura, construye con sus alumnos una pared de palabras sobre el tema, y marcan con un asterisco las que no son cognados. La Sra. Saavedra durante la instrucción en inglés crea de manera intencional espacios interlingüísticos en los que los estudiantes conversan entre ellos acerca de los términos académicos, utilizando todo su repertorio lingüístico.

Pared de palabras en la clase de la Sra. Saavedra

Sun	Sol
Planet	Planeta
Moon (*)	Luna (*)
Orbit	Órbita
Star	Estrella
Rotation	Rotación

Durante la vista o desarrollo de ciencias en español, la Sra. Mendoza explica el contenido usando estrategias para hacer comprensible la información. Primero, la maestra presenta un video corto sobre la rotación de la tierra alrededor del sol en español. Luego, muestra imágenes de las diferentes estaciones del año con información relevante sobre cada una y alienta a los estudiantes a hacer conexiones con la información que aprendieron a través de la lectura del texto en inglés en la clase de la Sra. Saavedra. Con la Sra. Mendoza, al conversar sobre la rotación del planeta alrededor del sol y sobre cómo se generan las estaciones, los estudiantes utilizan todo su repertorio lingüístico haciendo conexiones interlingüísticas con la pared de palabras construida durante la vista previa en inglés, identificando vocabulario nuevo y usando los cognados para construir significado sobre las nuevas palabras. Por ejemplo, identifican cognados y agregan a la pared de palabras nuevo vocabulario como "rotación" —*rotation*— y "revolución" — *revolution*—, y trabajan identificando los significados múltiples del término *revolution*.

Como los estudiantes bilingües emergentes presentan diferentes niveles de competencia lingüística en español, la Sra. Mendoza usa imágenes para contextualizar el tema y marcos de oraciones diferenciados para la explicación oral sobre la relación entre la rotación de la tierra alrededor del sol y las estaciones del año. Durante la actividad, la maestra escribe en una lámina las contribuciones de los estudiantes hechas en español, modelando la escritura. La clase concluye con una actividad kinestésica en el patio de la escuela donde los estudiantes representan de manera física el orden del sistema solar y el movimiento de los planetas alrededor del sol. Durante la actividad, describen de forma oral en español el movimiento de la tierra alrededor del sol y su relación con las estaciones del año.

Finalmente, el repaso de la lección se realiza en la clase de la Sra. Saavedra, en inglés. Ella crea junto con los estudiantes un organizador gráfico para repasar y resumir los conceptos aprendidos con la Sra. Mendoza. Como esta actividad que integra ciencias en la clase de artes de lenguaje, la Sra. Saavedra se enfoca no solo en el contenido académico de la disciplina sobre la formación de las estaciones con respecto a la rotación de la tierra alrededor del sol, sino también en el uso de palabras o frases descriptivas para describir el proceso de rotación y las características de cada estación del año. Este enfoque simultáneo en el desarrollo del lenguaje descriptivo facilitará el resumen que los estudiantes bilingües emergentes deberán hacer con su grupo acerca del tema de estudio. Esta escritura compartida será utilizada como instrumento de evaluación por las dos maestras, pero con un enfoque diferente. La Sra. Mendoza evaluará el texto creado teniendo en cuenta el contenido presentado, mientras que la Sra. Saavedra lo evaluará por el tipo de lenguaje académico utilizado en el resumen en el que describirán las estaciones del año y en

Tabla 4.9 Ejemplo de vista previa, vista, repaso		
Preview **Vista previa** **English** **Sra. Saavedra**	*View* **Vista** **Español** **Sra. Mendoza**	*Review* **Repaso o revisión** **English** **Sra. Saavedra**
The teacher reads a book about the seasons and talks with the students about the part of the story or the book that summarizes the key information. The teacher uses the book images to support understanding.	Los estudiantes estudian cómo se forman las estaciones del año por la rotación de la tierra alrededor del sol y muestran la idea a través de actividades kinestésicas.	As part of a collaborative writing activity, students and teacher complete a graphic organizer about the seasons.

el cual deben incluir términos de ciencias, así como diferentes tipos de oraciones y palabras de señalización que demuestren la función del lenguaje del texto creado (p. ej., comparar, mostrar causa y efecto, etc.).

La tabla 4.9 muestra la manera en que la organización de la enseñanza a través de PVR apoya la adquisición del conocimiento y el desarrollo de la biliteracidad con la lectura como medio fundamental para la construcción de conocimiento previo y del contenido académico de los estudiantes bilingües. Este tipo de instrucción, que se enfoca en el contenido y el lenguaje de la disciplina simultáneamente permite a todos los estudiantes bilingües emergentes internalizar de manera más profunda el contenido y desarrollar el lenguaje académico de la disciplina a un mayor nivel de sofisticación, a lo largo de las tres partes de la estructura PVR, de manera fluida e integrada.

Esta forma de estructurar la enseñanza es también útil en otros contextos educativos, como programas donde solo se usa inglés como lenguaje de enseñanza. Los maestros pueden enviar material de lectura o vocabulario sobre el tema que se enseñará al día siguiente en la clase para que se lea con los padres en la casa a manera de vista previa. En todos estos contextos, el uso de PVR ayuda a los maestros a poner énfasis en el uso del lenguaje de enseñanza durante el desarrollo de la parte central de la lección o vista. La vista previa facilita el andamiaje necesario para que los estudiantes tengan acceso al conocimiento, en tanto que el repaso permite la clarificación y la integración de los conceptos. En los tres momentos se incorporan elementos lingüísticos, tanto en el lenguaje de enseñanza como en el lenguaje asociado del programa que se implementa. Esto se constituye en una forma dinámica de usar los dos lenguajes durante la enseñanza, integrando todos los recursos lingüísticos de los alumnos bilingües.

En resumen, en este capítulo vimos de qué manera, al enseñar contenido, las maestras bilingües deben integrar en forma consistente el lenguaje académico y las habilidades de biliteracidad que sus estudiantes necesitan desarrollar, sin importar el lenguaje en el que enseñen. Las prácticas pedagógicas que subyacen en el trabajo de las maestras que integran el contenido y el lenguaje en forma efectiva y que promueven múltiples oportunidades para la producción del lenguaje incluyen la planificación de oportunidades para que los alumnos interactúen entre ellos y con la maestra, usando un enfoque temático interdisciplinario que promueve la colaboración y el aprendizaje integrado de contenidos de diferentes disciplinas. También, contienen tareas que promueven el desarrollo de la lectura, la escritura, la comprensión oral, la expresión oral y otras formas de representación (visual y gráfica) del contenido, por ejemplo, aprendiendo a leer e interpretar diferentes tipos de gráficos y creando tareas que permitan representar diferentes textos a través de imágenes o dibujos. Al mismo tiempo, estas prácticas muestran la manera de modelar y enseñar en forma explícita vocabulario académico y patrones del lenguaje (p. ej., marcos de oraciones) para que los alumnos puedan usarlos al expresar lo que piensan y aprenden sobre el tema y para apoyar las tareas de lectura y escritura, a través de estrategias que permiten el uso flexible y fluido de todo el repertorio bilingüe de los estudiantes.

Para tener éxito en la escuela, todos los estudiantes necesitan desarrollar la biliteracidad académica en cada área de contenido y en los dos idiomas. Esto requiere que en cada disciplina exista un foco de enseñanza en el desarrollo de competencias para el dominio del lenguaje oral y la lectura y escritura, pero también de la representación visual y gráfica del conocimiento.

Review

In this chapter we examine how teachers can make complex content comprehensible in two languages for bilingual learners. We demonstrate the interdependency of language, literacy, and content instruction through examples that show how teachers provide access to academic content through language and literacy practices. In addition, other examples illustrate how teachers who teach language through content also integrate core practices that provide opportunities for students to develop their oral skills and biliteracy for academic purposes.

The bilingual teachers illustrated in this chapter recognize that bilingual students possess a complex linguistic repertoire. When bilingual teachers teach language through content, they design instruction using strategies that support the development of features of both languages, giving students opportunities to develop listening, speaking, reading, and writing skills across languages as well as academic content across disciplines. Among the core practices highlighted that teachers can integrate are activating background knowledge through the use of graphic organizers and images; fostering oral language and critical thinking development through effective questioning and use of sentence frames; supporting the use of language to represent thinking and knowledge in multiple ways; promoting effective grouping; and designing Preview, View, Review lessons to leverage students' full linguistic repertoire. From a holistic and dynamic view of bilingualism, bilingual teachers should consider all the linguistic resources students bring to the classroom, appealing to flexible pedagogies, using core bilingual practices that leverage students' bilingualism, and understanding language as a resource for learning. This approach allows teachers to contextualize language learning and maximize the opportunities that students have to develop language while learning content.

Aplicaciones prácticas

Aspirantes a maestros

Utilizando los estándares del estado, seleccione un concepto de alguna de las áreas de contenido. Luego seleccione un texto apropiado para enseñar dicho concepto. Analice el lenguaje del texto. Planifique una microestructura en la que incorpore por lo menos dos prácticas pedagógicas claves descritas en este capítulo para enseñar el lenguaje académico necesario para comprender el concepto a enseñar.

Maestros

Piense en una lección que haya enseñado y en la cual sus estudiantes hayan tenido dificultad para comprender los conceptos o no desempeñaron las actividades como usted hubiera esperado. Vuelva a su microestructura e identifique prácticas críticas que pueda incorporar para facilitar el desarrollo del lenguaje de sus estudiantes, así como el acceso al contenido. Antes de volver a enseñar el concepto, entable una conversación con sus estudiantes para activar sus conocimientos previos. Identifique las preguntas y las estructuras de lenguaje que puede utilizar para apoyar el aprendizaje de sus estudiantes.

Administrators

Have your bilingual teachers reflect on their use of the high leverage practices in the bilingual classroom. Have your teachers explore the classification of core practices presented in this chapter. Ask them to identify those they use more often, those they use less frequently, and other practices they might consider critical that are not listed in this chapter. Encourage your teachers to integrate these practices across content areas and grade levels to promote academic language development and collect data to provide evidence of the impact on student learning.

5

El lenguaje para el aprendizaje académico
Learning language through content

A major challenge to students learning science is the academic language in which science is written. Academic language is designed to be concise, precise, and authoritative. To achieve these goals, it uses sophisticated words and complex grammatical constructions that can disrupt reading comprehension and block learning. Students need help in learning academic vocabulary and how to process academic language if they are to become independent learners of science. (Snow, 2010)

Objetivos

- Definir qué es el lenguaje académico e identificar sus tres niveles: texto, oración y vocabulario contextualizado en las áreas de contenido.
- Interpretar el desarrollo del lenguaje académico como parte integral de los procesos de lectura y escritura en las áreas de contenido.
- Diferenciar los distintos tipos de vocabulario académico necesarios para leer y escribir en las áreas de contenido.
- Comprender la importancia de la conciencia metalingüística en el nivel del texto, la oración y el vocabulario para el desarrollo de la biliteracidad de los estudiantes bilingües.

To be successful and to achieve in schools, bilingual learners need to develop academic language, that is, the language they need to understand content, process complex concepts, develop academic skills, and be successful navigating school expectations and cultural norms (Zwiers, 2014). Academic language is different from the conversational or social language that students use to communicate within and outside the school since it is more abstract and more complex, and it includes a range of formal language skills such as vocabulary, grammar, punctuation, syntax, discipline-specific terminology, and rhetorical conventions. This is particularly important to consider when planning instruction for bilingual learners given the cognitive demands of learning content while learning language.

In this chapter, we describe the three levels of academic language that students encounter in the different content areas and that they need to master to make meaning of the different disciplinary registers: text or discourse, sentence, and vocabulary (Gottlieb & Ernst-Slavit, 2014). We explain the importance of a focus on metalinguistic awareness, the conscious reflection on language use, at all three levels of academic language to build bilingual learners' cognitive flexibility and biliteracy. We also show how emergent bilinguals can develop academic language through meaningful reading and writing opportunities in both languages of instruction. In addition, we illustrate how emergent bilinguals can develop academic language through structured conversations that focus on academic functions of language as well as meaningful reading and writing opportunities in both languages of instruction. We provide illustrations of the implementation of strategies designed to promote academic language development and metalinguistic awareness across different types of bilingual and dual language programs from Ms. Naty's fifth-grade late exit, Mrs. Jessica's fourth grade, Mrs. Mendoza and Mrs. Saavedra's third grade, and Ms. Gonzalez and Ms. María's kindergarten two-way dual language classrooms. These examples demonstrate how teachers can teach language, biliteracy, and content through an interdisciplinary approach to instruction.

¿Qué es el lenguaje académico?

"Because academic language conveys the kind of abstract, technical, and complex ideas and phenomena of the disciplines, it allows users to think and act, for example, as scientists, historians, and mathematicians. Thus, academic language promotes and affords a kind of thinking different from everyday language" (Gottlieb & Ernst-Slavit, 2014, pp. 4–5).

El lenguaje académico —*academic language*— es el lenguaje que todos los estudiantes necesitan incorporar para comprender los conceptos y comunicar ideas de las diferentes áreas de contenido, así como también para tener éxito en la escuela. El lenguaje académico es diferente del lenguaje social o conversacional que usamos en las interacciones cotidianas para comunicar lo que necesitamos, queremos o sentimos con la familia o amigos, o al hacer compras, interactuar con un vecino, saludar en la escuela a la maestra y a los compañeros o pedir permiso. El lenguaje social —*social language*— es concreto; es el que se usa todos los días en situaciones informales y también incluye el uso de expresiones idiomáticas como "tomar el pelo" (burlarse de alguien), "traer por la calle de la amargura" (hacer sufrir) o "dar gato por liebre" (engañar). En cambio, el lenguaje académico es formal y especializado de acuerdo con las diferentes disciplinas (Gottlieb y Ernst-Slavit, 2014). Los alumnos bilingües necesitan desarrollarlo para poder participar activamente en las discusiones que se llevan a cabo en un salón de clase, así como para poder comprender y producir en forma oral o escrita diferentes tipos de textos en las diferentes áreas de contenido (Freeman et al., 2016).

Desde un punto de vista de la equidad educativa, los maestros bilingües deben modelar el lenguaje de las disciplinas y dar a sus estudiantes oportunidades de escuchar y usar distintos tipos de lenguaje académico para comprender y demostrar su conocimiento. Cuando la enseñanza no incluye un enfoque claro en los distintos aspectos del lenguaje académico, los estudiantes que pertenecen a las minorías lingüísticas se encuentran en desventaja con respecto a sus pares angloparlantes monolingües, quienes en general han tenido acceso a más oportunidades para desarrollar las habilidades lingüísticas que se privilegian en la escuela (Gottlieb y Ernst-Slavit, 2014). Entonces, en los salones bilingües se debe considerar el apoyo al desarrollo del lenguaje académico en los dos idiomas de enseñanza de manera equitativa. Es más, si nuestra meta es la justicia social, dado que el inglés es el lenguaje privilegiado socialmente como lenguaje de la enseñanza y como lenguaje de producción del conocimiento, es importante que las escuelas y sus maestros se aseguren de crear espacios que promuevan la valoración y el uso de lenguaje minoritario más allá del tiempo asignado a la enseñanza, de acuerdo con el modelo de programa dual que se implemente. Para avanzar en la equidad educativa es crítico que se promueva el desarrollo de la dimensión académica de los lenguajes a través del uso de todo el repertorio bilingüe de los estudiantes. A continuación, explicamos la importancia de planificar oportunidades para que los estudiantes bilingües desarrollen el lenguaje académico en el nivel de texto o discurso, en el nivel de la oración (aspectos sintácticos y gramaticales) y en el nivel del vocabulario.

El lenguaje académico en el nivel del texto

Bunch et al. (2013) explican que es importante diseñar experiencias de aprendizaje que hagan posible que los estudiantes bilingües interactúen con textos complejos en ambos lenguajes, en todas las áreas de contenido. También es importante planificar la integración balanceada de una amplia variedad de géneros, tipos de textos que se diferencian en cuanto a su contenido y su estructura. Es decir, desde temprana edad, los estudiantes deben estar expuestos a una variedad de textos, tanto textos literarios o de ficción como textos informativos o de no ficción, de modo que logren identificar e internalizar las características específicas de cada género. La interacción con textos de diferente tipo y complejidad permite a los estudiantes discernir las diferencias entre los textos de ficción e informativos, especialmente entender que se construyen con propósitos diferentes y tienen una forma distinta de organizar y presentar la información sobre el tema. Además, es importante que los estudiantes interactúen con diferentes tipos de textos informativos en las áreas de contenido, de modo que puedan establecer conexiones al mismo tiempo que acceden a una comprensión más profunda sobre el tema de estudio (Gottlieb y Ernst-Slavit, 2014).

Los textos se clasifican de acuerdo con el tipo, el género y la estructura. Dentro de cada tipo de texto se encuentran géneros específicos, los cuales tienen estructura, organización y elementos gramaticales particulares y distintivos que los definen. Mora-Flores (2008) explica que los estudiantes deben aprender diferentes tipos de textos en la escuela y presenta cuatro categorías específicas:

- **Textos narrativos** —*narrative texts*—. Son historias de ficción o no ficción e incluyen géneros tales como autobiografías, cuentos de hadas, mitos, leyendas, diarios, fábulas, cuentos de fantasía y misterio entre otros;
- **Textos expositivo**s —*expositive texts*—. Son textos que dan información e incluyen géneros como las biografías, los artículos y los reportes, además de los textos de procedimiento;
- **Textos persuasivos** —*persuasive texts*—. Son textos que se usan para informar, explicar, convencer, persuadir, presentar una posición o evaluar una situación o contexto. Entre los géneros más comunes de los textos persuasivos se encuentran los anuncios, las cartas, los editoriales y los ensayos;
- **Poesía** —*poetry*—. Son textos que expresan ideas tanto de ficción como de no ficción en una manera creativa, e incluyen diferentes tipos de poemas como el de verso libre, el *haiku*, patrones de rimas y acrósticos, entre otros.

La tabla 5.1 muestra algunas de las características lingüísticas de estos géneros más comunes de la escuela.

Para alcanzar el nivel de lenguaje académico que les permita acceder al contenido de las distintas disciplinas, los estudiantes necesitan comprender las diferentes estructuras y características de cada tipo de texto y los elementos lingüísticos asociados. Algunos ejemplos incluyen: el uso del tiempo presente al escribir un reporte de investigación sobre un tema específico, el uso del tiempo pasado en la narración de eventos o experiencias y la utilización de palabras de señalización tales como "primero", "luego" y "finalmente", como estructuras del lenguaje de secuencia al contar una historia o narrar eventos (Gottlieb y Ernst-Slavit, 2014).

En este libro hacemos énfasis especialmente en la necesidad de incrementar el uso de textos informativos desde los primeros grados como elemento central de la metodología de enseñanza del lenguaje a través del contenido en el salón bilingüe. Por lo tanto, las macro y microestructuras interdisciplinarias que compartimos hacen mayor énfasis en los textos informativos que en los de ficción. No obstante, es importante destacar la importancia de incorporar los dos tipos de textos, ficción e

Tipo de texto	Propósito	Nos dicen	Palabras o frases de señalización	Estructuras lingüísticas comunes del género
Tabla 5.1 Características de los géneros que son comunes en la escuela				
Narrativo	Entretener	Quién, qué y cuándo tiene lugar una serie de eventos y presenta un problema y una solución, es decir, un conflicto y un desenlace.	Había una vez Un día Después Al final	Usa tiempo pasado para explicar lo que sucedió; también, verbos de acción y de pensamiento, y a veces diálogo.
Expositivo: Narrativa personal	Narrar lo que pasó	Quién, qué dónde y cuándo tiene lugar una serie de eventos personales y tiene una conclusión.	Primero Segundo Entonces Luego Después Al final	Usa tiempo pasado para explicar lo que pasó; también, verbos de acción y palabras descriptivas para referirse a personas, hechos o acciones.
Expositivo: Procedimiento	Explicar la manera de hacer algo	Pasos en una secuencia	Primero Segundo Tercero Por último	Usa verbos de acción para dar instrucciones.
Expositivo: Reporte	Dar información acerca de algo	Un enunciado general con subsecuentes descripciones de las características concretas de la información presentada.	Los subtítulos estructuran la información. A veces utilizan conectores tales como "primero", "unos días más tarde", "luego" y "finalmente".	Usa tiempo presente y vocabulario específico al tema de estudio.
Persuasivo	Persuadir a otros, tomando una posición y justificándola, mostrando dos o más posiciones de un argumento.	Primero, el problema; segundo, el primer argumento con sus puntos de apoyo o evidencia; tercero, el segundo argumento; luego, los contraargumentos y, finalmente, la conclusión.	Cada argumento se introduce con "primero", "segundo" o "además". Luego, los contraargumentos usan "sin embargo", "por otro lado", "no obstante". Para la conclusión se utiliza "por consiguiente" y "por eso".	El texto argumentativo utiliza los términos específicos del tema en discusión y vocabulario subjetivo que muestra las creencias de quien presenta el tema.
Poesía	Expresa ideas en una manera creativa	Rimas e imágenes que atraen al lector a una experiencia sensorial y despiertan su imaginación y sus emociones.	No tiene	El poeta organiza el lenguaje cuidadosamente en versos y estrofas para crear significado, ritmo y sonido por medio de las rimas y el lenguaje figurado, que transmite diferentes significados e interpretaciones.

informativos en la enseñanza de las áreas de contenido, en vez de reservar los textos de ficción solo para artes del lenguaje. Por ejemplo, hay textos narrativos como autobiografías o biografías como las de Martin Luther King, Malcom X o César Chávez, que es importante leer para diferentes temas de estudios sociales, y hay textos de ficción que permiten introducir temas de matemáticas como "Las semillas mágicas" (Mitsumasa, 2004), para aprender diferentes estrategias de conteo.

Trabajar con diferentes géneros en actividades tanto de lectura como de escritura permite desarrollar elementos del lenguaje como los identificados en la tabla 5.1 e integrarlos al repertorio lingüístico de los estudiantes, de forma tal que ellos puedan establecer conexiones interlingüísticas y transferir esas habilidades de un lenguaje a otro, así como también en las distintas disciplinas con un propósito académico. Para esto los maestros tienen que planificar estrategias o actividades que permitan hacer explícitas las conexiones interlingüísticas. Por ejemplo, en el nivel del texto, al analizar narraciones los estudiantes pueden identificar que las historias escritas en inglés y en español siguen la misma estructura de comienzo, nudo y desenlace. En el nivel de la oración, el maestro puede guiar a los estudiantes a descubrir la similitud en la estructura de las oraciones que abren la historia como "Había una vez. . ." y *"Once upon a time"*. En el nivel del vocabulario, los maestros pueden incluir actividades que permitan identificar en diferentes partes de la historia palabras de señalización que son cognados, tales como "Finalmente" y *Finally.*

Los textos informativos tienen muchos beneficios para el desarrollo lingüístico y académico de los estudiantes, especialmente en la escuela elemental, donde hasta ahora se ve una preponderancia clara de los géneros de ficción (Gallo y Ness, 2013). A través de la lectura de textos informativos, los niños acceden a la información que necesitan para comprender los conceptos básicos de las distintas áreas de contenido (Young et al., 2007). Además, el texto informativo promueve la adquisición del vocabulario específico de la disciplina porque los estudiantes se familiarizan con el lenguaje utilizado y así aumentan tanto su conocimiento del tema de estudio como su vocabulario académico.

Common Core State Standards (2010) también enfatiza la importancia de los textos informativos que los estudiantes deben aprender en la escuela primaria tales como no ficción literaria y textos históricos, científicos y técnicos. Estos tipos de texto incluyen biografías y autobiografías; libros sobre historia, estudios sociales y artes; textos técnicos, incluyendo direcciones, formularios e información mostrados en gráficos o mapas; y fuentes digitales sobre una variedad de temas. Para que los estudiantes aprendan la variedad de géneros que se espera en la escuela primaria, los maestros deben planificar de manera estratégica, en el nivel de la macroestructura, la enseñanza de uno o más de estos géneros que servirá de enfoque o meta del lenguaje.

De esta manera, se pueden diseñar oportunidades auténticas para la adquisición de las habilidades de literacidad en articulación con el aprendizaje del contenido de las disciplinas. Para lograr la meta del lenguaje de la macroestructura enfocada en el género, los maestros planifican en el nivel de la microestructura varias lecciones que integran objetivos de lenguaje para enseñar las características del género propuesto para la macroestructura. Esto significa que, en cada lección, los estudiantes tendrán oportunidades de trabajar con diferentes textos en ambos idiomas, leyéndolos y analizándolos para comprender la estructura del género, discutir de manera oral características esenciales del género e identificar su propósito. Esto les permitirá usar estas habilidades en ambos idiomas al producir textos informativos en forma oral o escrita que presenten las mismas características del género aprendido. Más aún, el lenguaje académico tiene características específicas que se observan en los diferentes tipos de textos que se leen y escriben en las áreas de contenido. Por ejemplo, en estudios sociales se utilizan con frecuencia los diarios históricos, mientras que en las matemáticas se utilizan los problemas de palabras —*word problems/story problems*—. Estas diferencias constituyen el lenguaje académico en el nivel del texto o discurso (Egbert y Ernst-Slavit, 2010; Gottlieb y Ernst-Slavit, 2014).

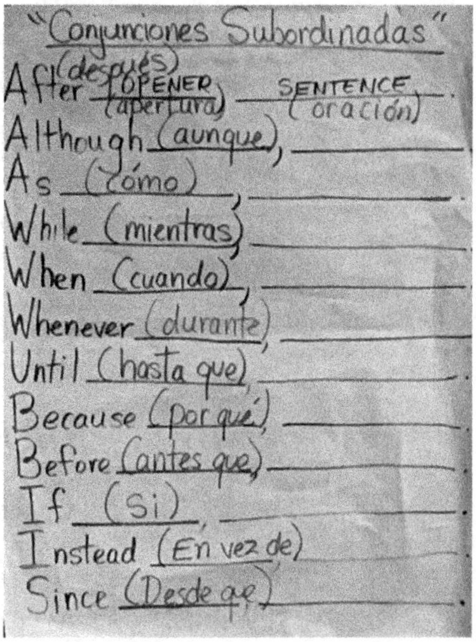

Figura 5.1 Pared de palabras que facilita el desarrollo del lenguaje académico

Los maestros podemos proveer un andamiaje concreto para que los estudiantes desarrollen el lenguaje académico, creando múltiples actividades que incluyen discusiones orales, lectura y escritura de distintos tipos de textos, dando a los alumnos oportunidades más equitativas de acceder al conocimiento y de poder producirlo de manera académica. Para planificar estratégicamente actividades para el desarrollo del lenguaje académico, los maestros pueden considerar la siguiente secuencia de actividades:

1. Analizar los textos leídos con los estudiantes, proveyendo marcos de oraciones que permitan a los estudiantes participar de manera activa en conversaciones estructuradas, enfatizando la función del lenguaje del estándar del contenido. Por ejemplo, si los estudiantes deben explicar la interacción entre el sol y el océano en el ciclo del agua, usan marcos de oraciones que expresan causa y efecto, tales como

   "Si _____, entonces _____".

2. Construir una base de conocimientos sobre lo que los alumnos van a escribir o presentar. Para esto, se pueden establecer conexiones entre el salón de inglés y de español, de manera que los textos que se leen puedan ser en inglés o español y las paredes de palabras creadas junto con los estudiantes en los dos idiomas estén disponibles como fuentes de conocimiento para la escritura, como vemos en la figura 5.1. De la misma manera, los carteles didácticos o los organizadores gráficos sobre el tema en un idioma pueden servir como fuente de información para la escritura o la presentación oral del tema en el otro idioma.

3. Integrar espacios donde se modela un tipo de texto similar al que los estudiantes deben crear para presentar de manera oral o escrita. Aquí se introduce el texto mentor, que puede ser comercial o creado por el maestro junto con los estudiantes al escribir un texto en forma conjunta. A medida que la maestra y los alumnos interactúan con el texto, la maestra enfatiza la estructura general,

el uso del tiempo verbal correcto dependiendo del género que está modelando, así como también la utilización de los conectores de ideas necesarios para la fluidez del texto escrito y las palabras de vocabulario específicas al género o al tema. De esta manera, la gramática del texto o género se enseña en el contexto del uso auténtico del lenguaje.

4. Crear un texto similar al texto mentor en colaboración con o guiados por el maestro. En este caso, la maestra escribe las contribuciones de los estudiantes y los guía por medio de preguntas, enfocándose en la estructura y la gramática del texto así como también en el uso de la terminología apropiada para el tema y el género. Durante este proceso, los estudiantes y la maestra releen el texto escrito en conjunto buscando formas de mejorarlo y tratando de imitar el texto mentor utilizado como referencia. Al mismo tiempo, esta actividad modela el proceso de la escritura para el momento en que los estudiantes escriben solos. La conversación entre la maestra y los alumnos acerca del mejor uso del lenguaje en la construcción del texto escrito en forma conjunta es la estrategia clave para guiar a los estudiantes en la reflexión sobre la manera en que los escritores hábiles utilizan el lenguaje para comunicar ideas. Esto contribuye a aumentar la conciencia metalingüística sobre la construcción de diferentes tipos de géneros. Por ejemplo, los estudiantes pueden comparar un tipo de texto en ambos lenguajes para identificar similitudes y diferencias, reflexionando sobre la manera en que se usan diferentes elementos en cada lenguaje.

5. Escribir textos de manera independiente, que es la meta a lograr. Los estudiantes usan las habilidades y los elementos del lenguaje aprendidos en relación con cada tipo de texto para producir uno propio. Los estudiantes tendrán disponibles todos los ejemplos modelados por la maestra o creados junto con ella para poder seguir los pasos en la construcción de su propio texto (Gibbons, 2015). Estos textos serán compartidos con los compañeros y la maestra, presentándolos de manera oral o escrita a la clase.

En conclusión, al enseñar el contenido en contextos bilingües en los dos lenguajes, es importante enfatizar la reflexión sobre el lenguaje académico y considerar las formas en que el discurso se utiliza en los diferentes géneros, con un propósito determinado y para un destinatario en particular. Esta discusión explícita sobre y acerca del lenguaje se desarrolla con el uso auténtico del lenguaje.

El lenguaje académico en el nivel de la oración

Para construir textos, los alumnos bilingües necesitan comprender qué es una oración, sus elementos gramaticales y los diferentes tipos de oración que pueden encontrar en la lectura de diferentes textos y que pueden producir para expresarse oralmente y por escrito. En el nivel de la oración, el lenguaje académico se caracteriza por una variedad de estructuras gramaticales y formas particulares del lenguaje de enseñanza que son la llave de acceso al contenido académico de las disciplinas. La estructura de las oraciones varía en cada una de las áreas de contenido de forma similar a las diferencias encontradas en el lenguaje en el nivel del texto o discurso. Por ejemplo, mientras que en ciencias se utiliza a menudo la voz pasiva, en artes de lenguaje se utiliza frecuentemente la aliteración y la hipérbole. Entre los aspectos importantes a considerar con respecto al lenguaje académico en el nivel de la oración, encontramos estructuras de oraciones complejas que corresponden a funciones específicas de uso del lenguaje (p. ej., comparación y contraste).

Entre las estructuras gramaticales complejas que se encuentran en los textos en español o que se requieren para escribir académicamente podemos diferenciar las siguientes:

- Oraciones complejas con más de una cláusula: "en un barrio de casas bajas, que está situado al sur de la ciudad, sucedió lo que se cuenta en la historia"**;**
- La nominalización, que transforma el verbo o el adjetivo en un sustantivo, como, "fertilizar" en "fertilización": "la fertilización ocurre internamente";
- El uso del condicional: "el cuento será leído si los estudiantes terminan con sus tareas".

Una vez que los estudiantes han sido expuestos a diferentes tipos de textos y han identificado oraciones complejas y su importancia para comunicar el mensaje del autor, es importante que los maestros diseñen actividades para apoyar el análisis contrastivo entre oraciones complejas en español y en inglés. Al enseñar ciencias naturales se puede trabajar comparando oraciones de causa y efecto en textos escritos en español e inglés. Por ejemplo, en la clase de ciencias los estudiantes están aprendiendo sobre el problema de la contaminación del medio ambiente. La maestra les permite leer en el idioma de su preferencia sobre el tema de estudio. Los estudiantes deben recolectar información sobre las causas y las consecuencias de la polución y compartirlas con el grupo. Un análisis de las oraciones compartidas por los estudiantes muestra que la construcción de causa y efecto es similar en los dos idiomas:

> *The increasing traffic in major cities in the US creates problems that*
> Cause
> *affect the community. One problem is that car fumes cause pollution.*
> Problem
> **As a result,** *many people suffer from respiratory diseases.*
> Effect
> El aumento del tráfico en las principales ciudades de los Estados
> Causa
> Unidos crea problemas que afectan a la comunidad. Un problema es
> que los gases de los automóviles provocan contaminación. **Como**
> Problema
> **resultado,** muchas personas sufren de enfermedades respiratorias.
> Efecto

Al enseñar las funciones del lenguaje hacemos énfasis en su uso específico para comunicar ideas, incluyendo describir, definir, secuenciar, comparar, contrastar, mostrar causa y efecto y generalizar, entre otros. Los maestros efectivos identifican dentro de las oraciones palabras o frases de señalización que corresponden a textos de las diferentes áreas de contenido para contextualizar su aprendizaje. Por ejemplo, al secuenciar los pasos de un experimento en la clase de ciencias se pide a los alumnos que los escriban en su cuaderno de tareas, para lo cual la maestra introduce y discute con los estudiantes antes de la escritura expresiones que indican secuencia como "primero", "segundo", "luego" y "finalmente". Si la escritura se realiza en cuarto o quinto grado, se utilizarán palabras apropiadas al nivel de grado como "a continuación", "seguidamente" o "para concluir".

En el aula bilingüe, es necesario modelar la manera de usar y construir formas gramaticales específicas correspondientes a distintas funciones comunicativas tales como la estructura de comparación y contraste:

_____ y _____ difieren en que _____.

Además, se deben dar múltiples oportunidades de practicar tanto de manera oral como escrita en ambos lenguajes para que los estudiantes puedan integrar estas estructuras lingüísticas a su repertorio bilingüe (Freeman et al., 2016; García et al., 2017). También, los maestros pueden incorporar de manera intencional en cada lección actividades para establecer conexiones interlingüísticas, al analizar estas estructuras gramaticales en los dos idiomas. Por ejemplo, después de que la Sra. Mendoza introdujo la estructura gramatical de comparación y contraste en español, la Sra. Saavedra generó una discusión académica sobre las diferencias y las similitudes entre las dos estructuras durante la hora de inglés. Este análisis metalingüístico facilitará el acceso y la comprensión de textos académicos y su uso en la escritura de diferentes textos.

Al planificar actividades para usar diferentes tipos de oraciones en forma oral o al leer o escribir, la maestra puede modelar la manera de expresar diferentes tipos de ideas y conectar las distintas oraciones para crear párrafos. En una microestructura sobre el ciclo del agua, la maestra puede integrar los siguientes pasos:

1. Usar oraciones simples para describir el fenómeno observado de manera oral o escrita. Por ejemplo:
   - *El sol evapora el agua de los ríos y los océanos.*
   - *El vapor sube y forma nubes.*
   - *El vapor se condensa en las nubes y cae a la tierra en forma de lluvia.*
   - *El agua de lluvia se acumula en los ríos y los océanos.*
2. Presentar palabras o frases que permitan explicar el proceso de causa y efecto: "como resultado", "consecuentemente", "por esta razón", etcétera.
3. Modelar oralmente o en la escritura la manera de unir las oraciones simples y crear párrafos con estructuras gramaticales más complejas como las siguientes: *El sol evapora el agua de los ríos y los océanos. **Como resultado**, el vapor sube y forma nubes. Luego, el vapor de las nubes se condensa y cae a la tierra en forma de lluvia. **Como consecuencia**, el agua de lluvia se acumula en los ríos y los océanos, y el ciclo del agua comienza otra vez.*
4. Presentar un texto simple en inglés que incluya estas palabras de señalización de causa y efecto, durante la clase de artes del lenguaje en inglés.
5. Leer el párrafo a coro con los alumnos y pedir que reconozcan las palabras de señalización que muestran la función de causa y efecto como "**as a result**", "**consequently**".
6. Discutir el texto y agregar las contribuciones en inglés correspondientes a las diferentes funciones del lenguaje escritas en español.

La tabla 5.2 provee una lista de palabras o frases de señalización utilizadas en la escuela para diferentes funciones del lenguaje y ejemplos de los estándares de

Tabla 5.2 Ejemplos de funciones del lenguaje y sus correspondientes palabras o frases de señalización

Función del lenguaje	Palabra o frase dentro de la oración		Ejemplos de función el lenguaje en los estándares (CCSS, 2014)
	Español	*English*	
Describir	Como en Enfrente de Se parece a	*As in* *In front of* *It looks like*	Describen los personajes, el ambiente, los eventos más importantes y la estructura de la historia. Describen atributos medibles de objetos, como longitud o peso. Describen y analizan las formas examinando sus lados y ángulos.

Tabla 5.2

Función del lenguaje	Palabra o frase dentro de la oración		Ejemplos de función el lenguaje en los estándares (CCSS, 2014)
	Español	**English**	
Secuenciar	Primero, segundo, tercero, por último Finalmente Inmediatamente Después	First, second, third, then, last Finally Immediately Later	Describen la conexión lógica entre oraciones particulares y párrafos en un texto (p. ej.: "primero"/"segundo"/"tercero", en una secuencia).
Definir	Se refiere a Está caracterizado por En otras palabras Usualmente Por ejemplo	Refers to Is characterized by In other words Usually For example	Definen el tema o idea principal de un texto y como esta se transmite a través de determinados detalles. Definen el punto de vista o el propósito del autor de un texto.
Comparar y contrastar	Similarmente Por otro lado En lugar de A pesar de Sin embargo	Similarly On the other hand Instead of In spite of However, nevertheless	Comparan y contrastan textos de diferentes formas o géneros (p. ej.: cuentos y poemas, novelas históricas y cuentos de fantasía) en cuanto a la manera en que estos abordan temas y asuntos similares. Comparan dos fracciones con numeradores y denominadores distintos, por ejemplo, al crear denominadores o numeradores comunes, o al comparar una fracción de referencia como 1/2.
Mostrar causa y efecto	Como resultado Consecuentemente Debido a Por esta razón Es causado por	As a result Consequently Because For this reason It is caused by	Describen la relación en una serie de acontecimientos históricos, en un texto, usando un lenguaje que se refiera a causa/efecto. Determinan las relaciones de causa y efecto de interacciones eléctricas o magnéticas entre dos objetos que no están en contacto entre sí.
Resumir	Brevemente Para resumir Finalmente En conclusión En resumen En general Por lo tanto Así	In short To sum up/to summarize Finally In conclusion In summary Overall Therefore Thus	Hacen un resumen de las ideas clave y los detalles del texto. Resumen *sets* de datos en relación con el contexto.
Explicar	Además de Además, Igualmente importante No solo, sino también / así como, Igualmente / similarmente Como resultado/ consecuentemente, Por ejemplo / por ejemplo,	In addition to Furthermore / moreover Equally important Not only,-but also / as well as Likewise / similarly As a result / consequently For example / for instance	Explican la función de los sustantivos, los pronombres, los verbos, los adjetivos y los adverbios en general, así como sus funciones en oraciones particulares. Explican por qué las estrategias de suma y resta funcionan, al usar el valor posicional y las propiedades de las operaciones.

Common Core en español para contextualizar la discusión. Identificando y usando palabras de señalización que marcan diferentes funciones del lenguaje, los estudiantes bilingües podrán acceder al contenido académico de las disciplinas a través de la lectura de distintos textos en los dos idiomas. Al mismo tiempo, comprenderán cómo seleccionar las formas gramaticales más apropiadas para comunicar de manera eficaz sus ideas, dependiendo de la función del lenguaje.

El lenguaje académico en el nivel del vocabulario

El desarrollo del vocabulario mejora todas las áreas de comunicación: escuchar, hablar, leer y escribir. La adquisición de vocabulario está asociada con la fluidez en la oralidad y con la comprensión lectora (Hickman et al., 2004). Incorporar nuevo vocabulario requiere las siguientes habilidades: definir una palabra, reconocer cuándo se puede usar esa palabra, distinguir significados múltiples de una palabra en relación con su contexto de uso (p. ej., "tabla de planchar" y "tabla comparativa") y poder escribir la palabra usando la ortografía apropiada. La selección de vocabulario a integrar en cada lección debe ayudar a los estudiantes a desarrollar conocimientos conceptuales acerca de diferentes temas de estudio correspondientes al nivel de grado, así como expandir el repertorio bilingüe y contribuir al desarrollo de la literacidad. En los salones bilingües, es necesario exponer a los estudiantes a una variedad de vocabulario para que puedan leer los textos académicos, así como escribir y hablar sobre el contenido disciplinar en los dos idiomas.

A continuación, mostramos de qué manera la Sra. María, en su salón de kínder en un programa dual de dos vías 50/50, utiliza estrategias para el desarrollo del vocabulario a través de la discusión oral para que los estudiantes hagan conexiones personales con el tema de estudio. También, la lectura del texto permite a los estudiantes extender lo que conocen sobre el tema y discutir la información nueva, utilizando el nuevo vocabulario académico aprendido. Durante la hora de ciencias naturales en español, la maestra se centra en el desarrollo del vocabulario académico de sus estudiantes, conectando la lectura del texto informativo "La semilla de zanahoria" (Krauss y Johnson, 1996) con los conceptos de ciencias que están aprendiendo.

Maestra: Hoy vamos a aprender cómo nacen las plantas. ¿Alguien ha visto cómo nace una planta?
Juan: Mi abuelita tiene jardín. Yo vi muchas plantas.
Maestra: ¿Has visto cómo nacen las plantas de tu abuelita?
María: Mi mami pone una semilla y nace una planta y tiene flores.
Maestra: Muy bien, María; sí, algunas plantas nacen de semillas y el proceso se llama germinación. A ver, repitan todos juntos conmigo.(al mismo tiempo señala en el muro de palabras la palabra "germinación")
Todos: ¡Germinación!
Maestra: Ahora vamos a leer un libro sobre cómo nacen las plantas o cómo germinan y durante nuestra hora de ciencias haremos un jardín de bolsillo para hacer germinar nuestra propia planta. El libro que vamos a leer se titula "La semilla de zanahoria". Lean conmigo el título.
Todos: La semilla de zanahoria.
Maestra: ¿Alguien sabe lo que significa ser el autor del libro?
Andrés: Es el que escribió el libro, *teacher*.
Janeth: Es el *author, teacher. I know that.*
Maestra: Muy bien, la persona que escribe el libro se llama el autor o la autora, si es una mujer. La autora de este libro es Ruth Krauss. Repitan conmigo. . .

Todos: La autora del libro es Ruth Krauss.
Maestra: ¿Y alguien sabe lo que significa ser el ilustrador del libro?
Jacob: *Illustrator? I draw pictures too. My stories have pictures too.*
Martha: ¿Es el que hace los dibujos?
Maestra: Sí, muy bien Martha, es el que hace los dibujos. Muy bien, Jacob. Jacob también es un ilustrador de sus cuentos. El ilustrador del libro es Crockett Johnson. Repitan conmigo. . .
Todos: El ilustrador del libro es Crockett Johnson.
Maestra: Muy bien, ahora les leeré el libro y quiero que presten atención a lo que hace el personaje de la historia.

Esta interacción entre la Sra. María de kínder y sus estudiantes muestra la manera en que la planificación interdisciplinaria integrada entre artes del lenguaje y ciencias naturales permite que la microestructura no se enfoque solo en el vocabulario de ciencias —"germinar"—, sino también en las habilidades de la lectura, como identificar el título de un texto, así como al autor y el ilustrador. También en este ejemplo se ve con claridad la manera en que la maestra valida las contribuciones de los alumnos en inglés, a través de su reformulación —*revoicing*— en español de la idea expresada por el alumno. Esto facilita el desarrollo de la literacidad académica en español, al mismo tiempo que valida todo el repertorio lingüístico de los estudiantes. La lección concluye con la creación de un cartel didáctico del vocabulario académico de ciencias y los correspondientes dibujos que permiten la comprensión del tema.

De manera estratégica, las maestras de kínder decidieron establecer conexiones interlingüísticas entre el inglés y el español en la microestructura, con el objeto de apoyar el desarrollo de la biliteracidad de los estudiantes, incluyendo cognados para ampliar el vocabulario académico. Con este propósito, la Sra. González introdujo otro texto informativo durante la hora de artes del lenguaje en inglés e introdujo vocabulario sobre el tema como *seeds*, *roots*, *germination*, *stem* y *sunlight*, y completó junto con los estudiantes el cartel didáctico que comenzaron en la clase de español con la Sra. María, marcando las palabras que son cognados y las que no. Este tipo de prácticas apoya el desarrollo de la conciencia metalingüística y promueve la biliteracidad, de manera que los estudiantes sean conscientes de las habilidades de lectura y escritura que desarrollan y las integren al leer y escribir en ambos idiomas.

Una vez que el maestro ha identificado el nivel de competencia lingüística de los estudiantes de la clase en los dos idiomas debe planificar actividades para el desarrollo de la oralidad, la lectura y la escritura que faciliten la adquisición de distintos tipos de vocabulario en todas las áreas de contenido. El punto de partida en la enseñanza de vocabulario académico nuevo es la activación de los conocimientos previos de los estudiantes y el modelado del uso de distintos tipos de vocabulario complejo que los estudiantes encontrarán difícil de entender en los textos de estudio. Por ejemplo, el término "metamorfosis" para nombrar el ciclo de transformación de la semilla en planta, el huevo en mariposa o el bebé en adulto. Esto se puede apoyar con el uso de distintas estrategias de contextualización de cada término, tales como el uso de elementos visuales o imágenes, o ejemplos de la vida real o experiencias de los estudiantes.

Otras estrategias específicas y efectivas son la de respuesta física total y el modelo Frayer. Respuesta física total (RFT) —*Total Physical Response (TPR)*— es un método efectivo y muy utilizado en la enseñanza de un nuevo idioma, que permite asociar el lenguaje con acciones físicas. Por ejemplo, el maestro da órdenes o introduce vocabulario utilizando acciones o gestos y los estudiantes responden asociando el lenguaje con los mismos gestos (Harrasi, 2014). El **modelo Frayer** —

Tabla 5.3 Tarjeta de vocabulario		
Sinónimo	Palabra	Imagen
Antónimo		
Prefijo	Definición	
Cognado	Ejemplo	Oración

Students use the Frayer Model to (1) define target vocabulary, (2) generate examples and non-examples, (3) give characteristics, and (4) draw a picture to illustrate the meaning of the word (http://www.the teachertoolkit.com/index.php /tool/frayer-model).

Frayer model— se puede usar en actividades grupales o individuales. Este modelo integra el uso de un organizador gráfico para desarrollar y analizar el vocabulario académico en las distintas áreas de contenido, adecuando el grado de dificultad al nivel de desarrollo del lenguaje (Frayer et al., 1969; Reed et al., 2019).

Hay diversas maneras de implementar el modelo Frayer, pero en general se requiere que los estudiantes completen un gráfico o tabla que incluye espacios para definir un término, identificar ejemplos y contraejemplos, o también sinónimos y antónimos, que dibujen algo representativo del término y que lo usen en una oración o escriban sus características. Esta estrategia es efectiva para la comprensión conceptual asociada al desarrollo del vocabulario académico. Por ejemplo, en los grados inferiores los maestros pueden usar tarjetas de vocabulario que incluyan la escritura del término o palabra, un dibujo relacionado y una oración que use la palabra. Como vemos en la tabla 5.3, en los grados superiores los maestros adaptan el gráfico y agregan características de los términos apropiadas para el nivel de grado de los estudiantes, como antónimos y sinónimos, o identificar la clase de palabra (adjetivo, sustantivo, verbo o adverbio) o si tiene un prefijo o sufijo. También puede incluirse un espacio para agregar el término en el otro idioma y/o identificar si son cognados o no. Estas estrategias extienden la competencia lingüística de los estudiantes bilingües en los dos idiomas y contribuyen a establecer conexiones interlingüísticas.

Los estudiantes bilingües se benefician de múltiples oportunidades para practicar el uso del vocabulario de manera oral, en diferentes situaciones comunicativas. Por ejemplo, juegos como *Jeopardy* permiten que los estudiantes tengan oportunidades de participar en actividades para desarrollar el lenguaje académico y comprender mejor el contenido que están estudiando. Esto lo vemos en el salón de tercer grado de la Sra. Mendoza y la Sra. Saavedra, quienes han preparado un *Jeopardy* como parte de su macroestructura sobre los ecosistemas. Cada maestra usará versiones diferentes pero complementarias del mismo juego, incluyendo preguntas en el idioma de enseñanza de cada una. Las preguntas del juego se enfocan en la identificación del rol de los distintos tipos de organismos en sus diferentes biomas, y también preguntas que permitan el uso de conexiones lingüísticas aprendidas para enriquecer su repertorio lingüístico (p. ej., "¿Cuál es el cognado de. . .?").

Los maestros modelan la manera en que se usa el vocabulario académico, especialmente aquellas palabras que tienen significados múltiples en las distintas áreas de contenido, como "revolución", "hoja" y "tabla", o aquellos términos que representan procesos de pensamiento tales como "interpretar", "analizar", "evaluar", etc. Por ejemplo, las maestras pueden modelar la manera de seleccionar palabras de los textos leídos, utilizar distintas fuentes, incluyendo el diccionario para encontrar el significado de los términos seleccionados, como los términos de sig-

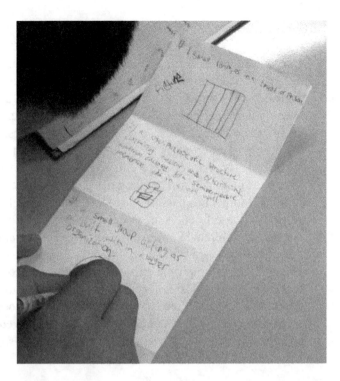

Figura 5.2 Plegable sobre los significados múltiples de
la palabra *cell*

nificados múltiples, y completar organizadores gráficos y plegables —*foldables*—
para luego utilizarlos en diferentes actividades orales o escritas y con distinto propósito. Por ejemplo, en la figura 5.2 vemos un alumno que completa un plegable
donde define y representa con un dibujo los diferentes significados de la palabra
cell. Esta actividad se puede extender incluyendo un espacio donde los estudiantes
exploren los conceptos asociados con la palabra "célula", para hacer visibles las
similitudes y las diferencias.

Finalmente, las maestras utilizan la taxonomía de Bloom para elaborar preguntas que facilitan el desarrollo del pensamiento crítico a medida que los estudiantes conversan sobre el vocabulario académico (Zwiers y Crawford, 2011). El
uso de preguntas permite activar diferentes procesos cognitivos críticos como "inferir", "comparar", "explicar", "justificar", etc.) que los maestros pueden diferenciar basándose en los niveles de competencia lingüística de sus estudiantes. Por
ejemplo:

¿Cómo se compara/contrasta _____?

¿Qué causa _____?

¿Cuáles son los efectos de _____?

Al responder a las preguntas en el contexto de conversaciones académicas, los estudiantes profundizan la comprensión de conceptos e internalizan el vocabulario.

A través de estas estrategias se construye el lenguaje académico y se contribuye al desarrollo de la literacidad en interacción con diferentes textos contextualizados en relación con el contenido y/o las experiencias culturales y lingüísticas
de los estudiantes bilingües.

Tipos de vocabulario académico

Existen diferentes formas de categorizar el vocabulario necesario para apoyar el desarrollo académico. Por ejemplo, Beck et al. (2008) clasifican las palabras en inglés en tres categorías: niveles 1, 2, y 3 —*Tier 1, 2 and 3*—. Palabras como *girl*, *house*, *table*, *sun* y *flower* son consideradas de nivel 1. Estas palabras, aunque son conocidas por la mayoría de los hablantes de inglés, pueden ser desconocidas por los bilingües emergentes. Palabras de nivel 1 como *table* pueden tener múltiples significados, por lo que presentan un desafío para los que están aprendiendo el idioma de instrucción. Algunas palabras de nivel 1 en español son "perro", "árbol", "flor", y "libro". Las palabras de nivel 2 tanto en inglés como en español son las que se utilizan en diferentes áreas de contenido como resumen/*summary*, predicción/*prediction*, inferencia/*inference* y observación/*obser*vation. Las palabras de nivel 3 son términos específicos de cada disciplina, tales como metamorfosis/*metamorphosis*, fracción impropia/*improper fraction*, meteorización/*weathering*, etc. Otra clasificación de tipos de vocabulario que los estudiantes deben desarrollar para alcanzar la literacidad académica diferencia entre **vocabulario académico general** —*general academic vocabulary*—, **vocabulario de contenido específico** —*content specific vocabulary*— y palabras de señalización —*signal words*— (Egbert y Ernst-Slavit, 2010; Zwiers, 2014).

Vocabulario académico general. Este tipo de vocabulario es usado en distintas áreas de contenido. Este tipo de palabras presenta características particulares que los maestros deben considerar para crear oportunidades de enseñanza auténticas para el desarrollo del lenguaje académico. El vocabulario académico general incluye: a) términos que no pueden ser fácilmente definidos por las pistas contextuales; b) términos que aparecen en textos de diferentes áreas de contenido; y c) términos que pueden tener significados múltiples o representan formas sutiles o precisas de expresar conceptos bastante sencillos. Algunos ejemplos de vocabulario académico general son: "análisis", "definición", "comparación", "experimento", "observación", "inferencia", "contexto", "estructura", etcétera.

Al planificar, en primer lugar, los maestros consideran actividades que apoyan la adquisición de vocabulario académico general, dado que el aprendizaje de los conceptos y de las palabras que los representan es progresivo. Esto significa que los estudiantes necesitan múltiples oportunidades para interactuar con textos que incluyan el vocabulario, de modo de poder usarlo en distintos contextos. En segundo lugar, es importante no perder de vista que la comprensión de una palabra es multidimensional. Hay palabras que tienen varios significados y diferentes funciones dependiendo del contexto en el que se usa. Por ejemplo, la palabra "revolución", así como su cognado *revolution*, desde el punto de vista de las ciencias significa el movimiento de la tierra alrededor del sol, pero desde el punto de vista de los estudios sociales significa un movimiento popular para lograr un objetivo político específico. En tercer lugar, al enseñar vocabulario es importante demostrar la manera en que el significado de una palabra está interrelacionado con otras palabras de la misma disciplina. En español es importante conocer lo que se denomina "familia de palabras", es decir, una palabra primitiva que da origen a otras palabras asociadas. Por ejemplo, la palabra "urbana" se conecta con otras palabras como "suburbano", "urbanización", "urbanidad" (Nagy y Scott, 2000). De la misma manera, la palabra "flor" pertenece a la familia de palabras que incluye "florería", "floral", "florero", "florecer", "florista" y "florido". En inglés, las familias de palabras se identifican de forma diferente. Una familia de palabras —*word family*— es

> **General academic vocabulary** or words are found in different content areas (i.e., explanations, conclusion); **specialized academic vocabulary** or terms are specific to a content area or discipline (i.e., cell, digestive system) and **technical academic vocabulary**, are needed to explain certain topics (i.e., mitosis, metaphase) (Egbert & Ernst-Slavit, 2010).

un grupo de palabras que tiene una característica o patrón común, como combinaciones de letras o sonido similar, y que son importantes para desarrollar la ortografía y la pronunciación; por ejemplo, hay palabras asociadas con -*ink*, tales como *blink*, *drink*, *link*, *pink*, *rink*, *sink*, *stink* o *think*. Por esta razón, es importante que los maestros que trabajan con estudiantes bilingües incluyan vocabulario académico general en sus lecciones y que lo enseñen de manera explícita y en relación directa con el contenido de cada disciplina, estableciendo conexiones interlingüísticas entre el vocabulario en español y en inglés.

Vocabulario de contenido específico. Está integrado por las palabras de contenido específico que son usadas originalmente en un área de contenido. Expresan los conceptos claves constitutivos de cada disciplina y en general son desconocidas para los alumnos. Con el fin de apoyar a los alumnos bilingües, es importante explicitar estrategias para identificar este tipo de vocabulario. Freeman y Freeman (2009) explican que este tipo de palabras generalmente aparecen en los textos escolares escritas en trazos gruesos o remarcadas en colores brillantes para llamar la atención del lector. Además, estas palabras aparecen en el glosario de los textos y generalmente están relacionadas con otras palabras de la disciplina. Por ejemplo, como vemos en la tabla 5.4, la palabra "rotación", en el contexto del estudio de los planetas, está relacionada con las palabras "revolución", "órbita", "planeta" y "sol". También estas palabras son fáciles de definir porque se pueden representar por imágenes que dan significado concreto al concepto abstracto.

Los maestros debemos enfatizar estas palabras porque son esenciales para la comprensión del contenido, son requeridas por los estándares del Estado y aparecen identificadas en los textos académicos y en los exámenes estandarizados. Por ejemplo, como muestra la tabla 5.5, en matemáticas se usan términos como "hipotenusa", "cuadrilátero", "álgebra" y "ecuación"; en ciencias se usan términos como "mitosis", "erosión", "metamorfosis" y "vertebrado". Este tipo de palabras son generalmente poco conocidas para los estudiantes y presentan ideas necesarias para comprender nuevos temas.

Palabras de señalización. Además del vocabulario académico, los estudiantes deben prestar atención a las palabras o frases de señalización, que fueron ya introducidas en la sección anterior sobre el lenguaje académico en el nivel de la oración. Son palabras o frases cortas que señalan o indican una conexión o relación entre las cláusulas que integran una oración, de modo que afecta el significado del mensaje. Son generalmente conjunciones, preposiciones o frases preposicionales y forman parte de oraciones complejas para indicar distintas funciones del lenguaje. La tabla 5.2 que vimos incluye las palabras de señalización y las correspondientes funciones del lenguaje que ayudan a entender los textos académicos. Estas palabras o frases deben ser usadas de manera oral y escrita, así como también ser identificadas en los textos académicos.

Por ejemplo, como vimos, la Sra. María en su salón de kínder enseña el contenido de ciencias naturales sobre las plantas; en la microestructura integra actividades para lograr su objetivo de lenguaje, que es incorporar palabras claves que muestran el orden lógico al enunciar los pasos para la creación de un jardín de bolsillo o germinador. Esta actividad se alinea con el objetivo de lenguaje centrado en el uso de palabras de señalización que muestran secuencia. Este vocabulario es importante porque puede usarse también para la escritura del procedimiento de experimentos.

Durante esta actividad, los estudiantes de kínder, sentados en la alfombra, observan a la maestra que muestra la manera de crear un germinador para el jardín de

Tabla 5.4 Ejemplos de vocabulario de contenido específico de ciencias naturales

Concepto	Definición	Imagen
Atmósfera	Masa gaseosa que rodea un astro, especialmente en referencia a la que rodea la Tierra.	
Órbita	Es el camino que sigue un astro en el cielo.	
Rotación	Es uno de los movimientos de la Tierra que consiste en un giro sobre su propio eje.	

Desde la parte superior, imágenes libres de derechos: Qimono/Pixabay; WikiImages/Pixabay; Clker-Free-Vector-Images/Pixabay.

Tabla 5.5 Ejemplos de términos de contenido específico en diferentes áreas de contenido

Matemáticas	Ciencias	Estudios sociales	Artes del lenguaje
hipotenusa	mitosis	ciudadanía	metáfora
cuadrilátero	erosión	líderes	diéresis
álgebra	metamorfosis	república	clímax
ecuación	vertebrado	indígenas	poesía

bolsillo. La maestra usa la estrategia de pensar en voz alta y modela los pasos del experimento.

> **Maestra:** Hmm. . . debo mojar la toalla de papel con el agua que tengo en este recipiente sin desparramar mucha agua, así mis compañeros también pueden usar los materiales. Ahora, necesito escurrir el agua de la toalla de papel antes de colocar las semillas que seleccioné. Debo tener cuidado en la forma en que coloco las semillas sobre la toalla, así tienen espacio para germinar y una plantita crecerá.

Luego, la maestra explica algunos conceptos sobre las semillas y repite los pasos para clarificar el procedimiento, como vemos en la figura 5.3. Usa un cartel didáctico —*anchor chart*— que incluye marcos de oraciones que los estudiantes leen a medida que la maestra los usa para describir los pasos usados al crear un germinador. Mientras lee, señala con un puntero las palabras y las letras en el cartel didáctico, modelando la lectura y la correspondencia entre las letras y los sonidos.

> **Primero,** *mojar* la servilleta de papel.
> **Segundo,** *escurrir* el agua.
> **Tercero,** *colocar* la semilla en la servilleta.
> **Cuarto,** *doblar* la servilleta de papel.
> **Luego,** *poner* la servilleta de papel en la bolsa de plástico.
> **Por último,** *colocar* la bolsa en la ventana o cerca del sol.

A medida que presenta las oraciones, muestra el procedimiento frente a los niños.

Figura 5.3 Estudiante siguiendo el modelado de la maestra para crear un germinador

Luego del modelado de la maestra, los estudiantes muestran en forma independiente el procedimiento científico, creando su propio germinador de acuerdo con los pasos modelados por la maestra para la creación del jardín de bolsillo. Durante la actividad, usan el cartel didáctico para enunciar cada paso en voz alta, usando los marcos de oraciones y el vocabulario en forma oral. Esta es, además, una oportunidad para que practiquen el uso de la correspondiente conjugación del verbo en primera persona al completar cada marco de oración, por ejemplo:

> Primero, mojo la servilleta.
> Segundo, escurro el agua.
> Tercero, coloco la semilla en la servilleta.

Luego de la práctica oral durante la creación del germinador, los estudiantes utilizan las mismas palabras de señalización y los marcos de oraciones para escribir en sus cuadernos de ciencias los pasos del experimento.

Es importante destacar que, aunque describimos los distintos niveles del lenguaje académico en forma separada (texto, oración y vocabulario), es más efectivo enseñarlos en forma integrada, dado que en la realidad se utilizan simultáneamente para comunicar ideas.

El desarrollo del lenguaje académico también debe ser foco de la enseñanza en los grados superiores, como muestra el siguiente ejemplo de cuarto grado del salón dual de dos vías de la maestra Jessica. Esta clase integra un grupo de estudiantes inmigrantes recientes que se pueden identificar como bilingües emergentes, con un desarrollo de la literacidad en español apropiado para cuarto grado y un nivel de literacidad en inglés emergente o en desarrollo. La clase también incluye algunos estudiantes bilingües simultáneos nacidos en los Estados Unidos, que tienen diferentes niveles de desarrollo de la literacidad en ambos idiomas. Por eso, cuando la Sra. Jessica enseña ciencias naturales y trabaja con sus estudiantes en sesiones de laboratorio donde deben comprender la lectura de procedimientos científicos para la preparación y la ejecución del experimento, ella también hace hincapié en conversaciones sobre distintos tipos de vocabulario académico. A través de estas conversaciones que fluyen de la experimentación y la observación, los estudiantes pueden negociar el conocimiento científico, desarrollando explicaciones o argumentaciones basadas en la evidencia recogida por medio de la experimentación. Para apoyar estas conversaciones y la escritura, la Sra. Jessica comparte marcos de oraciones con todos sus estudiantes para que puedan participar activamente y así acceder al contenido. Ella ha preparado marcos de oraciones para apoyar la escritura académica de sus alumnos de forma que puedan usar el vocabulario de contenido específico sobre el tema de estudio y vocabulario académico general, como "evidencia", "argumento", "factor" y conectores causales tales como "porque", "causado por", "por lo tanto", y "debido a". Los estudiantes escriben usando los siguientes marcos de oraciones:

> La evidencia que apoya mi argumento es _____.
>
> El factor que produce _____ *es* _____.
>
> El/la _____ produce/hace _____ porque
>
> _____ (evidencia nro. 1) y _____
>
> (evidencia nro. 2).
>
> Por lo tanto, _____ causó _____.

La maestra ayuda a los estudiantes a usar su conocimiento de cognados para comprender el significado del vocabulario académico general y específico. Los maestros que utilizan este tipo de estrategias permiten a los estudiantes bilingües de diferentes contextos educativos tener acceso al contenido y desarrollar en forma integrada el lenguaje académico en el nivel de la palabra, oración y texto.

El desarrollo de la conciencia metalingüística

El español y el inglés tienen un origen común: ambos pertenecen a la familia de lenguajes indoeuropeos que integran los lenguajes hablados por la mitad de la población mundial, incluyendo el alemán, el francés, el ruso, el hindi, el persa y el kurdo, entre otros (Erichsen, 2018). Por esa razón, presentan patrones de similitudes y también presentan diferencias debido a que, en algunos casos, el significado de las palabras ha cambiado a lo largo del tiempo. Esto significa que se puede trabajar con los estudiantes para que extiendan sus repertorios lingüísticos aprendiendo a reconocer los patrones de palabras que se ven en muchos cognados inglés-español y, a través de ese proceso, contribuir al desarrollo de la conciencia metalingüística, es decir, la habilidad de pensar y discutir acerca del lenguaje. Los alumnos bilingües logran mejorar su competencia lingüística en los dos idiomas de enseñanza a través de la comparación de distintos aspectos del lenguaje tales como la fonología, la morfología, la sintaxis y la gramática (Barac et al., 2014). Esto se debe a que, a pesar de tener un origen similar, estos lenguajes responden a patrones culturales y lingüísticos diferentes (Beeman y Urow, 2012). Sus similitudes y sus diferencias se pueden capitalizar en el desarrollo del bilingüismo y la biliteracidad.

El hecho de que ambos lenguajes usen el alfabeto latino contribuye a la posibilidad de establecer conexiones fonológicas. Aproximadamente cerca del 60% de las palabras usadas en textos en inglés vienen de fuentes griegas y latinas (Lubliner y Hiebert, 2011), lo cual facilita las conexiones interlingüísticas. Es más, cerca del 40% de las palabras en inglés tienen una palabra asociada en español o cognado, similar en sonido, apariencia y significado, como *constitution* y "constitución". En el nivel de la oración, los dos lenguajes presentan estructuras gramaticales básicas similares, por ejemplo, "El agua es un líquido"/*Water is a liquid*, con algunas excepciones como el orden del adjetivo y sustantivo (coche rojo/*red car*). En el nivel de texto también hay similitudes y diferencias. Tanto los textos en inglés como en español utilizan conectores entre las oraciones que muestran las relaciones entre las ideas. Por ejemplo, los textos de secuencia utilizan palabras de señalización tales como primero/*first*, luego/*then* y finalmente/*finally*. Asimismo, existen algunas diferencias en el estilo discursivo y las formas de organizar las ideas. En inglés, las estructuras de los textos académicos tienden a ser más directas y lineales. Por ejemplo, la organización típica de un texto es tesis u oración temática, idea principal, detalles y conclusión. Por su parte, los textos auténticos escritos en español, a diferencia de los textos traducidos del inglés, presentan las ideas en forma más circular, aludiendo al tema en forma más indirecta. Por ejemplo, comienza con el tema, se desvía discutiendo otras ideas, aunque relacionadas, utiliza abundante lenguaje descriptivo y concluye con la idea principal. Es importante destacar que la mayoría de los textos de contenido académico disponibles para enseñar, especialmente en el nivel de la escuela primaria, son traducciones del inglés y, por lo tanto, no muestran claramente las características discursivas del español académico que se verifican en la escritura de este libro. Sin embargo, enseñar en forma explícita tanto las similitudes como las diferencias entre los lenguajes asociados en un programa bilingüe es una estrategia central para el desarrollo de la conciencia metalingüística necesaria para capitalizar en el aprendizaje del contenido todo lo que los estudiantes conocen de uno u otro lenguaje.

El desarrollo de la conciencia metalingüística requiere que los maestros integren conexiones interlingüísticas en la enseñanza, de manera estratégica e intencional, creando puentes entre ambos lenguajes y haciendo visibles las diferencias y las similitudes por medio del análisis contrastivo, de modo de poder usarlas para ampliar y complejizar el repertorio lingüístico (Beeman y Urow, 2012; Escamilla et al., 2014; Soltero-González y Butvilofsky, 2017). Todos los estudiantes resultan beneficiados al comprender cómo se usa el lenguaje, así como sus funciones y sus estructuras, en tanto tiene impacto en el desarrollo de la literacidad y la biliteracidad académica. A continuación, presentamos ejemplos para desarrollar la conciencia metalingüística en el nivel del texto, la oración y el vocabulario y para integrar conexiones interlingüísticas en las lecciones con el fin de apoyar el desarrollo del repertorio lingüístico de los alumnos bilingües en forma integrada.

Conexiones interlingüísticas en el nivel del texto

Una forma de desarrollar la conciencia metalingüística es posibilitar el análisis comparativo de textos. La comprensión de los textos escritos se puede facilitar al analizar la estructura del mismo texto en ambos idiomas a la par. Especialmente en los grados superiores, en los que se espera que los estudiantes lean y escriban textos académicos complejos y de gran densidad estructural y léxica, las maestras deben planificar oportunidades para analizar las estructuras de textos mentores, es decir, textos que sirven de modelo en ambos lenguajes.

En un primer momento del análisis contrastivo, las maestras pueden enfocarse en identificar con qué propósito se utiliza el lenguaje, sea inglés o español, es decir, pueden identificar con sus alumnos si el texto está escrito para persuadir, argumentar, comparar, contrastar o mostrar los efectos de ciertos eventos o fenómenos científicos.

En un segundo momento del análisis contrastivo, se introduce un texto sobre el mismo tema en el otro idioma y se realiza un análisis contrastivo de ambos, identificando similitudes y diferencias. Por ejemplo, en la clase de quinto grado de un programa de salida tardía en una escuela del sur de los Estados Unidos, la Sra. Naty enseña ciencias, matemáticas, estudios sociales y artes de lenguaje en inglés y otro período de artes del lenguaje en español para apoyar el desarrollo del lenguaje y la literacidad enseñados en inglés. En esta lección, ella está usando un texto bilingüe, "El impacto del cambio climático" (Hoyt, 2018), para trabajar estructuras de texto persuasivo y de causa y efecto aplicadas al tema del cambio climático. Para lograr los objetivos de la lección, durante la clase de artes del lenguaje en español la maestra enseña la estructura del texto persuasivo y los elementos lingüísticos representativos de causa y efecto, utilizando textos de ciencias como objetos de análisis. Después, durante la clase de ciencias naturales utiliza textos expositivos en inglés sobre los cambios climáticos. De esta manera, los estudiantes ven los mismos tipos de texto, pero con dos enfoques diferentes. En artes del lenguaje, se enfocan en la estructura textual y la gramática, mientras que el texto es el medio utilizado para contextualizar la enseñanza. En ciencias naturales, los textos utilizados se centran en el contenido académico de la disciplina y ofician como contexto para discutir la estructura y algunos aspectos gramaticales que están estudiando.

En un tercer momento del análisis contrastivo, la maestra planifica de manera intencional una lección para establecer conexiones interlingüísticas, comparando

Veintiún jóvenes activistas, junto con los abogados de la organización Our Children's Trust, afirman que el gobierno hace décadas que sabe que las emisiones de combustibles fósiles están provocando el cambio climático. Sin embargo, ha permitido a las empresas hacer perforaciones en busca de combustibles fósiles, quemar los combustibles y transportarlos por el país.

Estos jóvenes dicen que las políticas que han provocado el cambio climático violan su derecho al debido proceso. Según la Quinta Enmienda de la Constitución de los Estados Unidos, el gobierno no puede quitar la vida, la libertad o la propiedad de sus ciudadanos tomando decisiones que no tienen en cuenta sus derechos.

Los jóvenes creen que el gobierno está violando sus derechos: pone en peligro su salud y les dificulta obtener alimentos, disfrutar de aire puro y agua limpia, vivir en hogares seguros y practicar su religión.

Twenty-one young activists, working with lawyers at Our Children's Trust, state that the government has known for decades that fossil fuel emissions are causing the climate to change. Nevertheless, it has allowed businesses to drill for fossil fuels, to burn them, and to transport them around the country.

The young people argue that the policies that have led to climate change violate their right of due process. Under the 5th Amendment to the US Constitution, government may not take away your life, liberty, or property without going through a decision-making process that considers your rights fairly.

The young people say that the government is violating their rights by endangering their health and making it hard for them to acquire food, enjoy clean air and water, live in safe homes, and practice their religions.

11

Figura 5.4 Texto en español e inglés usado en el análisis contrastivo *(Fuente: The Impact of Climate Change [El Impacto del cambio climático], distribuido en EE. UU. por Okapi Educational Publishing Inc. (www.myokapi.com) Text © E C Licensing Pty Ltd 2018. Con permiso.)*

el mismo texto en inglés y en español. Los alumnos trabajan en grupos pequeños, analizando las similitudes y las diferencias entre los textos, con la ayuda de las preguntas guía que formula la maestra para enfocar el análisis en los aspectos lingüísticos más relevantes.

Por último, esta actividad de análisis de textos sirve como trampolín para la escritura académica de un texto argumentativo o persuasivo sobre el cambio climático que los estudiantes tienen la opción de hacer individualmente, en pares o en grupos pequeños, según el nivel de competencia lingüística o la preferencia que tengan.

Es importante mencionar que los maestros que trabajan con estudiantes en contextos bilingües utilizan en su instrucción tanto textos originalmente escritos en un idioma como textos traducidos o transadaptados, o incluso creados por los estudiantes de la clase. Un texto transadaptado es un texto traducido con ajuste no solo del idioma, sino también de los requisitos culturales. De todas maneras, los textos que utilicen los maestros en contextos bilingües nos permitirán mostrar de qué manera se puede dar el mismo mensaje en cada idioma.

En la figura 5.4, mostramos el mismo texto en inglés y en español usados en el análisis contrastivo en el nivel del texto, la oración y la palabra, y las conexiones interlingüísticas planificadas por la maestra, realizadas en forma conjunta con sus estudiantes de quinto grado. En esta actividad, la maestra selecciona del libro "El impacto del cambio climático" (Hoyt, 2018) para interesar a sus estudiantes en el tema, dado que es un texto sobre un grupo de jóvenes que luchan para lograr conciencia social sobre los cambios climáticos.

Aunque el texto está traducido y presenta limitaciones, al mismo tiempo da a los estudiantes oportunidad para comprender la manera en que se estructura el texto argumentativo de causa y efecto, para poder mejorar la comprensión lectora, así como también la escritura de este tipo de textos. El análisis se enfoca en distintos aspectos del lenguaje académico. Como vemos a continuación, en cuanto a la estructura discursiva, los dos textos presentan una tesis, el argumento y la conclusión:

La tesis se desarrolla y se defiende teniendo en cuenta distintos argumentos a lo largo del texto y presenta al lector la idea principal del texto y su objetivo. Ejemplos del texto:

- Texto en español: "Veintiún jóvenes activistas [. . .], afirman que el gobierno hace décadas que sabe que las emisiones de combustibles fósiles están provocando el cambio climático [. . .]. Estos jóvenes dicen que las políticas que han provocado el cambio climático violan su derecho al debido proceso" (p. 11).
- Texto en inglés: *"Twenty -one young activists [. . .] state that the government has known for decades that fossil fuel emissions are causing the climate to change. [. . .] The young people argue that the policies that have led to climate change violate their right of due process".* (p. 11)

La argumentación se desarrolla en los párrafos que siguen a la tesis y sirve para apoyarla y convencer al lector de que es correcta. Ejemplos del texto:

Texto en español:
- "[. . .] al permitir actividades que contribuyen al cambio climático el gobierno también viola su derecho a igual protección" (p. 12).
- "[. . .] al contribuir indirectamente con el cambio climático, el gobierno ha tratado a los jóvenes y a las futuras generaciones de manera injusta" (p. 12).

Texto en inglés:
- *"[. . .] allowing activities that contribute to climate change, the government also violates their right to equal protection."* (p. 12)
- *"[. . .] by indirectly contributing to climate change, the government has treated young people and future generations unfairly. . ."* (p. 12)

La conclusión integra los argumentos que apoyan la tesis inicial.

- Texto en español: "En noviembre, este grupo de activistas obtuvo una gran victoria cuando una jueza federal [. . .] concluyó que tenían argumentos sólidos de que el gobierno no había hecho nada por detener el cambio climático y así había violado sus derechos" (p. 13).
- Texto en inglés: *"In November 2016, they won a big victory when a federal judge [. . .] found that they'd stated strong claims that the government's failure to address climate change had violated their rights".* (p. 13)

La maestra explica que los argumentos que apoyan la tesis están estructurados como causa y efecto y que el autor de este texto trata de explicar las razones por las que los jóvenes consideran que las acciones del gobierno o la falta de ellas en cuanto al cambio climático han afectado sus derechos civiles, como manera de persuadir al lector. Como los estudiantes ya han estudiado la estructura del texto argumentativo, la maestra les pide que analicen los párrafos en grupos para ver si se organizan de la misma manera, pero no necesariamente utilizando las mismas palabras, y los guía para identificar argumentos de causa y efecto, por ejemplo:

Causa	Efecto
Emisiones de combustibles fósiles	están provocando el cambio climático.
Fossil fuel emissions	*are causing the climate to change.*
El gobierno ha permitido [. . .] hacer perforaciones en busca de combustibles fósiles quemar los combustibles y transportarlos por el país.	Estas políticas violan los derechos civiles de los ciudadanos.

La maestra explora junto con los estudiantes el uso que el autor hace del vocabulario y los ayuda a identificar la manera en que el vocabulario contribuye a delinear el argumento del texto, como se ve en el uso de palabras tales como "afirman" —*state*—, "están provocando" —*are causing*—, "ha permitido" —*has allowed*— y "violan" —*violate*—. También observan el uso de palabras de señalización que refuerzan el argumento, tales como "sin embargo"—*nevertheless*—. Finalmente, la maestra reúne a los estudiantes para discutir sus conclusiones. Guiados por la maestra, los grupos concluyeron que los textos, aunque utilizan diferentes palabras o frases para expresar los argumentos de causa y efecto, se estructuran de forma similar en inglés y en español. Esto se debe a que el texto en español es una traducción del texto en inglés y no es un texto escrito originalmente en español.

Este tipo de análisis estructural del texto se debe comenzar en los grados iniciales para acompañar y fortalecer el desarrollo de la biliteracidad. Por ejemplo, la Sra. María de kínder, después de que terminaron el proyecto de crear un jardín de bolsillo para estudiar la germinación de las semillas, presentó a los estudiantes palabras de secuencia en español que ya conocían —"primero", "segundo", "tercero", "cuarto", "luego", "por último"— y los guió para rotular el cartel didáctico utilizada en la clase de ciencias. Los estudiantes agregaron las palabras de señalización en español y las relacionaron con los números ordinales que estaban aprendiendo en matemáticas. Esta integración intencional y auténtica de conexiones interlingüísticas permitió a los niños de kínder no solo profundizar el contenido académico de las disciplinas sino también desarrollar el lenguaje académico del texto.

Conexiones interlingüísticas en el nivel de la oración

Los maestros de estudiantes bilingües deben planificar oportunidades para la construcción y el análisis de distintos tipos de oraciones y sus partes en un idioma, con el fin de facilitar de manera intencional y estratégica las conexiones interlingüísticas —*crosslinguistic connections*— con el idioma meta, por medio de la comparación a la par. Por ejemplo, los maestros pueden planificar actividades para el desarrollo de la conciencia metalingüística en el nivel de la oración siguiendo estos pasos:

1. Seleccionar el tipo de oraciones que se quiere comparar. Por ejemplo, oraciones interrogativas, exclamativas, oraciones complejas o con cláusulas subordinadas, dependiendo del nivel de grado.
2. Identificar aspectos de la oración que se quiere comparar. Por ejemplo, la puntuación, el orden del sustantivo y el adjetivo, el uso de mayúsculas, el uso de las frases preposicionales o el uso del sujeto omitido.
3. Contextualizar las oraciones utilizando ejemplos del tema que los estudiantes estén aprendiendo en alguna de las áreas de contenido.

Asimismo es importante considerar en qué lengua se enseña la microestructura y planificar la manera de modelar las conexiones interlingüísticas entre los idiomas.

Por ejemplo, si la microestructura se hace en inglés, se incluye una minilección enfocada en el análisis contrastivo de las estructuras de las oraciones con el español, para desarrollar la conciencia metalingüística.

Volvamos al ejemplo presentado en la sección anterior de los textos sobre el cambio climático de la figura 5.4. En una de las lecciones del análisis contrastivo en el nivel de la oración, la maestra y los estudiantes observan aspectos de la puntuación y del uso de mayúsculas que son similares. Por ejemplo, las oraciones comienzan con mayúscula y terminan con un punto final, se usa una coma después de la palabra de señalización "sin embargo"/*nevertheless* y se pone en mayúscula el nombre propio *Our Children's trust*, el cual no se traduce al español dado que es el nombre de una organización. Finalmente, los estudiantes explican que la mayor diferencia existe en el aspecto gramatical de cada oración, como el uso del sustantivo y el adjetivo en un orden diferente, como en "combustibles fósiles"/*fossil fuels*, "aire puro y agua limpia"/*clean air and water*, "hogares seguros"/*safe homes*. También identifican diferencias en la utilización de estructuras gramaticales, como "hacer perforaciones en busca de combustibles fósiles"/*to drill for fossil fuels*, y en el uso de sujeto omitido en español, que no existe en inglés como en "[el gobierno] ha permitido a las empresas"/*it has allowed businesses*.

El análisis en el nivel de la oración también se puede hacer a través del modelado de oraciones simples y complejas planificado por la maestra. Por ejemplo, en otra lección de artes del lenguaje en inglés, la maestra usa el tema de ciencias sobre la energía como medio para enseñar la construcción de oraciones complejas y modela la manera de transformar dos oraciones simples en una compleja. Primero, escribe la primera oración generada por los estudiantes:

- *Drilling and burning fossil fuels are a big problem.*

Luego pide a los estudiantes que contribuyan con más información sobre el tema, dando los detalles que recuerden de la lectura del texto. Al terminar la discusión con sus pares, los estudiantes comparten con la clase y la maestra escribe otra oración que incluye más detalles sobre las causas y las consecuencias del cambio climático.

- *Drilling and burning fossil fuels are causes of climate change.*

A continuación, la maestra modela la manera de transformar estas dos oraciones simples en una oración compleja:

- *Drilling and burning fossil fuels are a big problem **because** they cause climate change.*

Finalmente, pide a los estudiantes que en grupos escriban otras oraciones complejas, utilizando lo que saben sobre el tema y palabras de señalización tales como *because, also, although, moreover*, etc. Para finalizar, cada grupo comparte su oración con el resto de la clase. A continuación, presentamos un ejemplo de Francisco y María, alumnos de cuarto grado de la Sra. Jessica, donde se ve la manera en que los estudiantes usaron la palabra de señalización al comienzo de la oración para establecer la relación entre las cláusulas:

- ***Although** a federal judge found that their claims that the government's failure to address climate change had violated their rights, they still need to work hard to prove their case in trial.*

En otra lección, la maestra conversa con los estudiantes sobre cómo se escribirían las mismas oraciones en español y realiza con ellos una escritura compartida de ambos textos, los cuales analizan a la par, como muestra la tabla 5.6.

Tabla 5.6 Análisis a la par de un párrafo sobre el cambio climático

Texto en español	English text	Análisis comparativo	
		Similitudes	**Diferencias**
Hacer perforaciones y quemar combustibles fósiles son un gran problema **porque** causan cambio climático. **Aunque** un juez federal consideró que el fracaso del gobierno para abordar el cambio climático había violado sus derechos, aún necesitan trabajar duro para probar su caso en el juicio.	*Drilling and burning fossil fuels is a big problem* **because** *they cause climate change.* **Although** *a federal judge found that the government's failure to address climate change had violated their rights, they still need to work hard to prove their case in the trial.*	En los dos idiomas las oraciones empiezan con letra mayúscula y terminan en un punto. Hay concordancia entre el sujeto y el predicado. Usan conjunciones para conectar la cláusula principal con la subordinada: Aunque/*Although*	Se utiliza el infinitivo en español y el presente continuo en inglés como sujetos de la oración: Hacer perforaciones/*drilling* Quemar/*burning* En inglés, el orden del sustantivo y el adjetivo es opuesto al del español. combustibles fósiles/*fossil fuels* cambio climático/*climate change* En español el sujeto está omitido porque la conjugación del verbo permite reconocer quién hace la acción: [ellos] necesitan trabajar/**they** *need to work*

Este tipo de análisis contrastivo permite que los estudiantes bilingües utilicen todo su repertorio lingüístico, no solo para comprender los textos académicos sino también para construir sus propios textos en las diferentes áreas de contenido. Finalmente, considerando la interdependencia entre muchos de los términos del español y el inglés que provienen de las mismas raíces latinas, los maestros pueden capitalizar esto en el vocabulario en español, para construir el lenguaje académico en inglés que ellos necesitan, por medio del análisis y el uso de los cognados.

Conexiones interlingüísticas en el nivel del vocabulario

El uso de los cognados —*cognates*— es una estrategia que aprovecha el bilingüismo de los estudiantes como un recurso para incrementar su vocabulario académico en ambos idiomas. Los cognados son palabras que significan lo mismo en ambos lenguajes, es decir, que son idénticas en el nivel semántico y presentan similitudes o igualdad morfológica y ortográfica. Esto significa que identificar cognados en español y en inglés contribuye al desarrollo de la conciencia metalingüística (Beeman y Urow, 2012). Las palabras pueden ser pronunciadas o deletreadas de forma diferente, pero generalmente son reconocibles entre las dos lenguas. Por ejemplo, algunas palabras se escriben exactamente de la misma manera y significan lo mismo, pero se pronuncian de modo apenas diferente: color/*color*, animal/*animal*. Otras palabras tienen patrones que se pueden identificar, que se llaman patrones de variación predecible y se observan en adjetivos, sustantivos, adverbios y verbos. Asimismo, los sustantivos que terminan en "-ción" en español generalmente terminan en -*tion* en inglés: constitución/*constitution;* resolución/*resolution.* Por su parte, los sustantivos que terminan en "-dad" en español generalmente tienen el sufijo -*ty* como patrón en inglés, en palabras tales como velocidad/*velocity* o comunidad/*community.*

Lo mismo sucede con los adjetivos: así, algunos adjetivos en español que terminan en "-ido", utilizan el patrón -*id* en palabras como intrépido/*intrepid* o líquido/

liquid. Otro patrón común que se observa en algunos cognados que funcionan como adjetivos es el sufijo "-ario", en español, y el correspondiente sufijo *-ary*, en inglés, por ejemplo, ordinario/*ordinary* o beneficiario/*beneficiary.*

Igualmente, casi todos los verbos que terminan en inglés con *-ate*, pueden convertirse en un infinitivo español mediante la sustitución del sufijo *-ate* con "-ar": acelerar/*accelerate*. Además, muchos verbos del español que terminan con "-ificar", pueden ser convertidos en verbos en inglés al cambiar el sufijo en español por el sufijo en inglés *-ify,* como en multiplicar/*multiply* o en diversificar/*diversify.* Los cognados en función de adverbios también presentan un patrón. En este caso es solamente el sufijo "-mente" en español, al que le corresponde el sufijo *-ly* en inglés, por ejemplo, sinceramente/*sincerely*, totalmente/*totally* y frecuentemente/*frequently*, entre otros.

Otro aspecto que debe enseñarse explícitamente son los falsos cognados, o palabras que en diferentes idiomas se escriben de una manera parecida pero tienen diferente significado. Algunos estudiantes tienden a sobregeneralizar el concepto de cognado y, a veces, consideran que todas las palabras tienen cognados. Para evitar esta confusión, el maestro enseña los cognados en contexto y modela de qué manera determinar si la palabra es un cognado, basándose en las pistas del contexto en el cual la palabra aparece. Un ejemplo de cognado falso usado frecuentemente por los estudiantes bilingües es el par éxito/*exit*. "Éxito" significa *success* en inglés, mientras que *exit* significa "salida" en español. Otros cognados falsos son: carpeta/*carpet,* ya que "carpeta" significa *binder*, en inglés, mientras que *carpet* significa "alfombra", en español; también realizar/*realize,* en tanto "realizar" significa *to carry out*, en inglés, y *realize* significa "darse cuenta" en español; y soportar/*support,* ya que "soportar" significa *to suffer or tolerate* en inglés y *support* significa "apoyo" o "apoyar", en español.

El desarrollo de la conciencia metalingüística asociada con el conocimiento y el uso de cognados no ocurre automáticamente. Es necesario que los maestros faciliten este proceso a través de una planificación que integre estrategias específicas para que los estudiantes bilingües identifiquen la relación entre los cognados y la internalicen como una estrategia que pueden usar al construir significados en diferentes textos. Una estrategia simple para incorporar en las lecciones durante la lectura en voz alta es pedir a los estudiantes que levanten la mano cuando escuchen lo que creen que es un cognado. Seguidamente, el maestro escribe el par de cognados en una lista o cartel didáctico construida junto con los alumnos y continúa con la lectura, enfocándose en la comprensión del texto. Al terminar la lectura, el maestro muestra nuevamente los cognados y señala las diferencias sutiles entre las palabras en español y en inglés. Por ejemplo, antes de la lectura en voz alta sobre las plantas, la Sra. González, de kínder, introduce las partes del libro y las escribe en un cartel didáctico a medida que los estudiantes bilingües de su clase las reconocen. La maestra anota las respuestas que los estudiantes han compartido, algunos en inglés y otros en español: título/*title;* autor/*author* e ilustrador/*illustrator,* portada/*cover*, contraportada/*backcover*, lomo/*spine*, o sobre el tema de estudio: planta/*plant* o germinar/*germinate*. La Sra. González pide a los estudiantes que identifiquen cuáles creen que son cognados y los encierra en un círculo para que los usen como referencia. Además, en una actividad de extensión, los estudiantes identifican que los cognados de la lista comienzan con la misma letra, por ejemplo, en el caso de planta/*plant*, los dos comienzan con la letra "p", que tiene también el mismo sonido /p/ en las dos palabras.

Otro ejemplo de una actividad de conexiones interlingüísticas en el nivel del vocabulario sucede durante la hora de artes del lenguaje en español, donde la Sra. González enseña el sonido de la letra "j" utilizando los nombres de los estudiantes

> Helping students identify Spanish/English cognates, with attention to predictable cognate patterns, supports their development of metalinguistic awareness (Beeman & Urow, 2012).

de la clase para ayudar a contextualizar la diferencia de sonido de la letra "j" en inglés y en español:

*J*osé   *J*anie
*J*ulio.   *J*ohn
*J*imena   *J*azmin

En esta actividad la maestra ayuda a los estudiantes a conectar el sonido de la letra "j" en español con el sonido que a veces tiene la letra "h" en inglés. De la misma manera, ayuda a los estudiantes a distinguir el sonido de la letra "j" en inglés, parecido al sonido de la "ll" o la "y" en español. Si bien no son exactamente los mismos sonidos sino solo aproximaciones, estas similitudes ayudan a los estudiantes bilingües emergentes a comprender mejor las diferencias entre los sonidos que ciertas letras tienen en cada idioma.

De la misma manera, se debe dar a los estudiantes de los grados superiores oportunidad para analizar y clasificar palabras, no solo para facilitar la comprensión de textos académicos en los dos idiomas sino también para ampliar el vocabulario escolar en el nivel del grado. Para describir esto, volvamos a la clase de la Sra. Naty, que es maestra de quinto grado en un programa de salida tardía en una escuela cercana a la frontera entre los Estados Unidos y México. Basándose en las experiencias personales de los estudiantes y capitalizando sus fondos de conocimiento, la maestra planifica una macroestructura sobre inmigración. La experiencia migratoria es vivida a diario por muchos de sus estudiantes, que viven en la frontera o cruzan a los Estados Unidos diariamente para su educación. En esta macroestructura que se enseña durante el segundo semestre del año, la maestra lee libros de relevancia cultural en español, como "Amigos del otro lado", de Gloria Anzaldúa (1996), y la novela en inglés *"The Crossing",* de Gary Paulsen (2006), así como también artículos cortos de actualidad sobre temas migratorios. Esta macroestructura se enfoca no solo en el tema sino también en el desarrollo de lenguaje académico en el nivel del texto, por medio de la selección de textos de diferentes géneros, en el nivel de la oración, al enseñar gramática en contexto, y en el nivel de la palabra, con el fin de ampliar el vocabulario de los estudiantes bilingües.

Una de las lecciones sobre vocabulario se centra en diferentes tipos de prefijos. Un prefijo es una sílaba como "bi-" o "pre-" que carece de autonomía y que se antepone a otro morfema, para modificar su significado. Para apoyar a sus estudiantes bilingües a capitalizar los términos que ya conocen en español, la Sra. Naty escribe un texto sobre el tema de estudio y señala algunas de las palabras para que los estudiantes, en grupos pequeños, busquen los cognados correspondientes e identifiquen los prefijos. Algunas de las palabras que los estudiantes identificaron fueron:

in-/***im-***: **in**-migración/***im****-migration*
il-: **il**-egal / ***il****-legal*
re-: **re**-presentar / ***re****-present*

De esta manera, los cognados son presentados en contexto y los estudiantes desarrollan la conciencia metalingüística estableciendo conexiones entre los dos lenguajes y expandiendo su vocabulario, sin que sea necesario repetir la enseñanza de los mismos conceptos en ambos lenguajes. "La idea es enseñar al niño de forma explícita y estratégica cómo extender sus conocimientos y habilidades de lectoescritura de un idioma al otro" (Soltero y Butvilofsky, 2017, p. 190). El conocimiento de los cognados y sus características ayuda a los estudiantes bilingües a mejorar la comprensión de la lectura y la escritura en los dos idiomas.

A modo de reflexión final, es importante recalcar que en los salones bilingües la enseñanza del lenguaje académico debe ir aunada con la enseñanza del contenido para facilitar el éxito académico de los estudiantes bilingües. Es decir, el lenguaje debe enseñarse a través del contenido (Freeman et al., 2016). El lenguaje académico es abstracto y complejo (Gottlieb y Ernst-Slavit, 2014; Lessow-Hurley, 2013), por lo tanto, es esencial que los maestros bilingües contextualicen la enseñanza del contenido para que los estudiantes puedan hacer conexiones entre los conceptos y el lenguaje académico.

Los maestros que trabajan con estudiantes bilingües en distintos contextos educativos deben ayudarlos —a través del modelado y de la provisión de múltiples oportunidades de práctica— a utilizar lo que conocen sobre la relación entre el aspecto visual y auditivo de las palabras en los dos idiomas, para poder mejorar la comprensión de los textos y así también tener mejor acceso al contenido académico de las distintas áreas de contenido. Asimismo, los apoyos como los marcos de oraciones, las estrategias de conexión interlingüística, el uso de cognados, la comparación sintáctica de oraciones complejas y la estructura de los textos a la par facilitan el desarrollo, la comprensión y el uso del lenguaje académico en el nivel del texto, la oración y el vocabulario en los salones bilingües.

Review

The development of academic languages in the content areas beyond vocabulary development has not been the focus of instruction in elementary schools across the country and worldwide (Adams et al., 2018). This chapter contributes to changing this trend by focusing on how teachers can help students navigate the language of school at all three levels: text or discourse, sentence, and word or vocabulary. From this perspective, the work on vocabulary development, and at the sentence level, learning about grammatical structures must be anchored in opportunities to interact with different types of text or genres. Presently, there is an emphasis on balancing the inclusion of fiction texts with an increasing focus on informational texts across disciplines. This is particularly important to develop an understanding of the different genres that students must navigate to negotiate meaning in each discipline and to learn about language features such as types of vocabulary and sentence structure that address different types of language functions in context. For instance, using sentence frames helps students internalize language patterns associated with a particular content area, increase content comprehension, and acquire content-related skills. To teach academic language at the word level, teachers need to help bilingual students identify and use different types of vocabulary: content specific, general academic, signal words, as well as words with multiple meanings, or expressions, including idioms that are challenging for language learners.

In the bilingual classroom, developing biliteracy requires the teacher to target academic language in two languages, designing opportunities for students to make cross-linguistic connections. For example, teachers can model side-by-side analysis of sentence patterns, grammar aspects of each language, and text structure of particular genres. The examples provided show how intentional planning for academic language and biliteracy development should include the use of multiple scaffolds to help students learn language and content across disciplines. Opportunities for students to utilize their complete linguistic repertoire for learning is a way to validate the right to use all languages as resources for learning. Teachers who provide opportunities for academic language development across content areas and languages also address equity issues in dual language education.

Aplicaciones prácticas

Aspirantes a maestros

Seleccione un texto informativo de tercero o cuarto grado. Identifique el vocabulario que los estudiantes bilingües de nivel emergente e intermedio necesitan para comprender el contenido del texto. Haga una lista del vocabulario general y del vocabulario de contenido específico que encuentre en el texto. También identifique palabras de señalización que ayuden a los estudiantes a definir la estructura del texto. Diseñe una microstructura para apoyar el desarrollo del vocabulario y describa la manera en que va a evaluar la lección.

Maestros

Identifique un texto informativo y un texto de ficción que usted use en su clase. Considere de qué manera puede utilizar los cognados o la estructura sintáctica de la oración para ayudar a sus estudiantes a desarrollar la conciencia metalingüística. Identifique una actividad específica que pueda utilizar en su salón de clase para ayudar a sus estudiantes a ver las similitudes y las diferencias entre los dos idiomas.

Administrators

Ask your teachers to meet by grade level to examine the content standards of the different content areas. Encourage them to brainstorm together on how to promote academic language development through content area instruction. Help them create lists of examples of academic language at the text, sentence, and word levels that need to be infused in content area instruction to maximize the opportunities students have to develop academic language through content.

6

Biliteracidad interdisciplinaria
Reading in the bilingual classroom

Objetivos

- Explicar la biliteracidad interdisciplinaria desde la lectura en las áreas de contenido.
- Identificar estrategias enmarcadas en la pedagogía del translenguar para facilitar la lectura académica y la conciencia metalingüística en el aula bilingüe.
- Desarrollar el concepto de la lectura como construcción de significado a través de los distintos componentes de la biliteracidad equilibrada.
- Describir una perspectiva sociocultural para la selección de materiales de lectura para la biliteracidad.
- Examinar una propuesta para la planificación de la enseñanza de la lectura en dos idiomas.

Biliteracy development is critical to support bilingual learners' achievement, and it is a matter of social justice to grant opportunities to develop reading and writing across languages. In this chapter, we discuss and exemplify the teaching of reading in bilingual classrooms using a holistic approach to biliteracy that avoids the strict separation of languages, and facilitates students' access to content and their development of biliteracy. We view the teaching of reading as one system of Spanish and English instruction through which teachers engage students in the different components of the balanced literacy model. This model is grounded in a gradual release of responsibility approach—in which the responsibility from reading is gradually shifted from the teacher to the students—to facilitate literacy development. We describe strategies to demonstrate the multiple and complex interrelationships between bilingualism and literacy with attention to the importance of the contexts, media, and content through which biliteracy develops. Different examples of teachers' use of texts demonstrate the importance of enhancing students' opportunities for both content learning and biliteracy development. The examples show how to integrate strategies to develop reading comprehension across content areas while focusing on enhancing metalinguistic awareness through purposeful teaching of cross-linguistic connections.

Teaching reading needs to be understood as a complex process of interaction with the text. In this process, students incorporate linguistic features related to the different elements of languages: phonology, morphology, syntax, semantics, and pragmatics. We argue that in any type of bilingual classroom, teachers leverage the languages students bring to the classroom to develop biliteracy and provide opportunities for interdisciplinary biliteracy development through reading. We anchor our discussion in three different classes: Mrs. Mendoza's and Mrs. Saavedra's third-grade two-way 50/50 dual language classrooms, Ms. Naty's fifth-grade transitional late-exit classroom, and Ms. Medina's first-grade one-way classroom. These teachers' instruction shows how a holistic approach to reading instruction facilitates students' understanding of text and content, engages students in discussions about the similarities and differences between the two languages of instruction through contrastive analysis, and leverages students' funds of knowledge to teach literacy in both languages and across languages.

La biliteracidad como proceso holístico y la enseñanza de la lectura

Nuestra visión de biliteracidad propone superar formas de entender la literacidad como restringida a las habilidades para leer y escribir. Como vimos en el capítulo 2, nuestra propuesta se alinea con la integración holística del desarrollo de la literacidad en español y en inglés a la par propuesta por Escamilla et al. (2014) y el continuo de biliteracidad propuesto por Hornberger (2004). Escamilla et al. (2014) definen la biliteracidad como un sistema que incluye la oralidad, la lectura, la escritura y habilidades metalingüísticas. El desarrollo de la biliteracidad en español y en inglés no se entiende como el desarrollo de dos sistemas lingüísticos separados sino como un sistema integrado. Estas autoras proponen la enseñanza de la literacidad en español y en inglés a la par o lado a lado hasta por lo menos quinto grado. Para lograr esto, las maestras deben planificar y evaluar el desarrollo de trayectorias de la biliteracidad, es decir progresiones de desarrollo medibles a lo largo del tiempo hacia la meta de biliteracidad en español y en inglés. Una visión holística del desarrollo de la biliteracidad se alinea con el marco teórico propuesto por Hornberger (2004) para entender las múltiples formas de manifestación de la biliteracidad como un proceso complejo y multidimensional donde se intersecan diferentes continuos de desarrollo. Este enfoque entiende la biliteracidad como un proceso de desarrollo de las habilidades necesarias para comprender y producir significados de textos en dos idiomas y como el producto de una enseñanza que se diseña en función de comprender las competencias que los estudiantes necesitan desarrollar, lo cual supone el diseño de estrategias apropiadas.

De acuerdo con estas ideas, en el aula bilingüe los docentes tienen como metas de la biliteracidad el desarrollo de la oralidad, la lectura, la escritura y habilidades metalingüísticas. A través de la enseñanza explícita en los dos idiomas, los maestros apelan a todo el repertorio lingüístico de los estudiantes, integrando estrategias como el modelado de diferentes usos del lenguaje, aprendizaje cooperativo, análisis contrastivo del lenguaje y enseñanza contextualizada —*sheltered instruction*—. Estas estrategias permiten maximizar la transferencia bidireccional, es decir, el uso de elementos lingüísticos y de contenido aprendidos en un lenguaje en el otro lenguaje en los programas en los que se utilizan dos idiomas para la instrucción, ya sea duales o de inmersión.

Más aún, nuestra visión de la biliteracidad se encuadra en una pedagogía que aboga por la equidad educativa y la justicia social (Nieto y Bode, 2018) y empodera a los participantes, en este caso, las minorías lingüísticas, al permitir y valorar su lenguaje como medio de la instrucción académica.

Este capítulo se enfoca en la enseñanza de la lectura en las áreas de contenido en el aula bilingüe, en el contexto de macroestructuras interdisciplinarias estratégicamente diseñadas para esta finalidad. En el capítulo presentamos ejemplos de la manera en que los maestros, a partir de textos disciplinares y textos culturalmente relevantes, pueden ayudar a sus estudiantes bilingües a negociar el conocimiento a través de una implementación deliberada de las habilidades de lectura en los dos idiomas, para acceder al contenido y desarrollar de manera holística la biliteracidad interdisciplinaria.

La lectura en las áreas de contenido

Si bien los lenguajes son diferentes, hay habilidades de la lectura que son universales y centrales en el proceso de aprender a leer: la conciencia fonológica, o habilidad de diferenciar sonidos; la fonética, o capacidad de conectar sonidos con letras, el vocabulario, o banco de palabras que un niño conoce; la comprensión de textos, o habilidad para entender el significado de un texto impreso, y la fluidez, que es la habilidad de leer en forma fácil y rápida. La lectura como proceso de construcción de significado es un evento sociopsicolingüístico en el que interactúan diferentes elementos: el lector, el/la maestro/a, el texto y el medio ambiente en el cual la lectura tiene lugar (Freeman y Freeman, 2009a y 2009b; Goodman, 1996). El lector no solo construye significado a partir de los textos sino también de los gestos, las imágenes y otras señales que encuentra en el medio ambiente. De esta manera, los textos se recrean sobre la base de los aportes de ideas que hace cada lector, proceso que resulta facilitado por la intervención dinámica de la maestra durante la lectura. La habilidad de leer diferentes tipos de textos y responder a ellos forma parte del desarrollo de la literacidad académica y es central en el desarrollo del lenguaje necesario para comprender y comunicar el contenido académico (Ogle, 2010).

La lectura en ciencias naturales

Con respecto al aprendizaje de disciplinas como ciencias naturales, Grant et al. (2015) explican que los maestros deben dar a los estudiantes apoyo y oportunidades para usar el lenguaje con el fin de acceder al contenido disciplinar a través de la lectura de textos que tienen diferentes niveles de dificultad y de la escritura de explicaciones y argumentaciones científicas con el objeto de demostrar el conocimiento aprendido. A través del aprendizaje de las áreas de contenidos, los estudiantes simultáneamente desarrollan mejores habilidades de lectura y escritura y una comprensión más profunda de la estructura de los textos científicos y de los conocimientos enseñados. Lo mismo sucede con los textos de otras disciplinas tales como matemáticas y estudios sociales. En otras palabras, los contextos de enseñanza del contenido disciplinar, enriquecidos por el énfasis que se hace en procesos de literacidad, permitirán que los estudiantes piensen, hablen y escriban, por ejemplo, como científicos, matemáticos o historiadores. En el caso de los estudiantes bilingües, ellos negocian el conocimiento y construyen el significado de los textos leídos en dos idiomas; utilizan sus habilidades lingüísticas y sus conocimientos con fluidez, alternando de un idioma a otro en ambas direcciones, y así, con el apoyo adecuado y una enseñanza de calidad, logran desarrollar altos niveles de biliteracidad. Es importante destacar que, al igual que en otras áreas de contenido, los docentes que enseñan artes del lenguaje deben considerar el contenido de la disciplina, así como también el lenguaje que es necesario desarrollar para demostrar lo aprendido.

La enseñanza en el salón bilingüe, al igual que en los salones en los que solo se enseña en inglés, se alinea con las habilidades del siglo XXI —*21st Century Skills*— (AACU, 2007), que entre otras habilidades, como pensamiento crítico, creatividad, colaboración y uso competente de la tecnología, enfatizan un desarrollo de la literacidad contextualizado en los distintos géneros. Como este libro se enfoca en la enseñanza de la biliteracidad en las áreas de contenido en el aula bilingüe, hacemos más hincapié en textos informativos que en textos de ficción, aunque reconocemos la importancia de ambos, sobre todo de los textos de relevancia cultural a los que nos referiremos también en este capítulo. Muchos textos expositivos o informativos —*expositive or informational texts*— presentan una gran densidad de ideas; cada género tiene una estructura diferente y las ayudas visuales, cuando existen, proveen información importante que los estudiantes deben saber utilizar y analizar para comprender lo que leen.

Los maestros que trabajan de manera eficaz con estudiantes bilingües utilizan el contenido para enseñar las habilidades de lenguaje y aplican las habilidades lingüísticas y de lectura aprendidas en artes del lenguaje cuando los alumnos leen en las áreas de contenido, en cualquiera de los dos idiomas de instrucción. Cuando las habilidades de lectura son diferentes en inglés y en español, los maestros, de manera intencional, conversan con sus estudiantes acerca de estas diferencias, para permitir una comprensión más profunda del texto e internalizar las habilidades de enfoque de la lección con respecto a cada idioma. Esto es lo que Beeman y Urow (2012) describen como tender un puente entre el español y el inglés, estrategia que permite establecer conexiones interlingüísticas.

El ejemplo que sigue muestra la manera en que la Sra. Mendoza de tercer grado interactúa con sus estudiantes a partir de una lectura sobre los objetos del espacio. En el tercer grado de este programa dual de dos vías, la Sra. Mendoza enseña ciencias naturales en español. Para profundizar en el contenido académico que los estudiantes están aprendiendo, durante la lección de ciencias naturales la maestra incorpora el estándar de artes de lenguaje sobre identificación de la idea principal y los detalles. Esta conversación académica muestra la forma en que la maestra ayuda a los estudiantes a analizar las características del texto informativo al utilizar andamiajes en la identificación de ideas principales y secundarias para comprender mejor la información. De esta manera, construyen significado acerca del tema de estudio e internalizan las estrategias de lectura.

La Sra. Mendoza lee en voz alta un libro sobre los planetas y otros cuerpos celestes. Ha planificado una serie de preguntas para guiar a los estudiantes en la identificación de ideas centrales y detalles, con el apoyo de las ayudas visuales que están disponibles en el texto. Esta es una estrategia que los lectores eficaces utilizan competentemente, mostrando su habilidad para la comprensión de textos.

> **Maestra:** Muy bien. . . recuerden que los lectores efectivos leen el texto buscando palabras claves. Entonces, si les pregunto qué son los asteroides [mientras marca la respuesta en el libro que se está proyectando en la pared].
> **Estudiantes:** Formaciones rocosas en el espacio.
> **Maestra:** Entonces, ¿qué es un cometa? Conversen con su compañero de al lado. Recuerden que tenemos que usar oraciones completas. Por ejemplo, los asteroides son. . . [luego pide que compartan las ideas].

> Nonfiction texts are based on facts. Types of nonfiction texts include textbooks, journal articles, biographies and autobiographies, newspaper and magazine articles, letters, and diary entries, among others.

Israel: Tienen *long tails*.

Azael: Giran alrededor del sol.

Sofía: Sí, tienen una órbita ¿*orbit*?

Maestra: Sí, muy bien. Entonces, los cometas son cuerpos helados con colas largas. Si les pregunto cuál es la información más importante acerca de los meteoros [a sugerencia de la maestra, los estudiantes, antes de responder, vuelven al texto para encontrar la información].

José: Acá dice que se desprenden de los asteroides.

Maestra: Bien. También miren las pistas que nos dan los dibujos, así encuentran la información, no solo en el texto. ¿Qué nos está diciendo el dibujo?

José: Nos describe las partes de la meteoro (*sic*).

Maribel: Mi papá me platicó que cuando era niño vio muchos, como una lluvia.

Analisa: Sí, se llama lluvia de estrellas. Yo las he visto en internet. . .

Maestra: Me gusta cómo están haciendo conexiones personales con el texto.

En este intercambio sobre la lectura acerca de los cometas, es evidente que los estudiantes no solo continúan aprendiendo a leer distintos tipos de textos, sino que también leen para aprender sobre los conceptos de ciencia que están estudiando. La Sra. Mendoza ayuda a los estudiantes a pensar sobre el texto y sobre la información relevante. Los estudiantes también comparten detalles sobre los cometas y la maestra reformula los conceptos de los estudiantes para enfatizar el objetivo de la actividad de lectura planificada para la lección. De esta manera, los estudiantes pueden construir conocimiento a través de la interacción con la maestra, con el texto leído, escuchándose unos a otros y haciendo conexiones con sus experiencias de fuera de la escuela.

En este ejemplo se muestra la manera en que se utiliza un idioma, en este caso el español, como herramienta de la enseñanza y el aprendizaje, al mismo tiempo que se crea un espacio válido para el uso del otro idioma como herramienta de comprensión del texto y para comunicar el conocimiento aprendido. La maestra acepta las contribuciones de los estudiantes tales como *long tail*s y *orbit* y reafirma el contenido al repetir el concepto en el idioma de instrucción, validando la totalidad del repertorio lingüístico de los estudiantes de la clase.

Siguiendo la planificación hecha junto con la Sra. Mendoza, durante la clase de artes del lenguaje la Sra. Saavedra utiliza de manera intencional textos de ciencias en inglés y compara lo aprendido en las dos clases y da lugar a conversaciones académicas en el nivel de la palabra, la oración y el texto, enfocándose en diferencias fonológicas y morfológicas en la formación de palabras, aspectos de sintaxis y de gramática en la formación de oraciones y aspectos semánticos y pragmáticos del uso del lenguaje en el texto.

Durante esta actividad, los estudiantes participan utilizando todo su repertorio bilingüe para comunicar las ideas, como lo hicieron durante la lección con la Sra. Mendoza. Ambas maestras comprenden que el proceso de desarrollo de la lectura es uno, es decir, leer es una habilidad que, una vez adquirida, se puede usar en diferentes lenguajes. Pero hay especificidades de cada lenguaje que deben ser enseñadas y la habilidad de leer se manifiesta en los dos idiomas de acuerdo con el repertorio lingüístico de cada estudiante y el desarrollo individual de la lectura. Finalmente, desde una perspectiva constructivista del aprendizaje, el ejemplo muestra la manera en que la Sra. Mendoza permite a todos los estudiantes acceder al conocimiento a través de una participación activa y de la construcción de significado por medio de la interacción con sus compañeros, con ella y con el contexto (Reyes, 2012).

La construcción de conocimiento por medio de la lectura en español en un aula de programa dual de dos vías descrita en el ejemplo puede ser replicada en otros contextos bilingües. Por ejemplo, en un programa de una vía, donde ciencias naturales se enseña en inglés, el maestro puede guiar a los estudiantes para navegar en la información del texto de la misma manera que en el ejemplo anterior lo hizo la Sra. Mendoza al leer el libro en español. Además, dependiendo del nivel de competencia lingüística de los estudiantes, la maestra puede utilizar el español cuando es necesario para facilitar la comprensión o utilizar estrategias de enseñanza contextualizada para hacer comprensible el contenido (Echevarría et al., 2016). Por ejemplo, para demostrar el conocimiento adquirido en el lenguaje de enseñanza, sin importar cuál sea este, el maestro puede proporcionar marcos de oraciones para que los estudiantes los usen para hablar con sus compañeros, compartir con el resto de la clase lo que comprendieron del texto leído y responder las preguntas del maestro. Similarmente, si el contexto es de inmersión total en español para estudiantes de habla inglesa, se puede utilizar estrategias de enseñanza contextualizada y las mismas técnicas de apoyo descritas para el contexto de una vía, pero en español.

A continuación, se presentan ejemplos de integración de estas ideas al usar textos informativos de ciencias naturales en diferentes contextos bilingües. La siguiente lista de las características de los textos informativos de ciencias naturales puede guiar a las maestras para facilitar el acceso al contenido académico en diferentes contextos de enseñanza bilingüe:

- Los textos de ciencias naturales tienen una gran carga conceptual, es decir, utilizan conceptos complejos. Los estudiantes deben leer estos textos más despacio que los textos de ficción, debido al vocabulario técnico que se presenta en cada oración.
- Los textos de ciencias naturales incluyen la información de forma acumulativa. Los alumnos se benefician al activar conocimientos previos para entender los conceptos científicos nuevos.
- Los textos de ciencias naturales describen procesos indicados por el uso de palabras de señalización que muestran la relación entre las ideas. Identificar estas conexiones entre las ideas del texto y su significado facilita la comprensión de los procesos.

Entonces, al trabajar con textos informativos de ciencias naturales se debe enseñar explícitamente estrategias de lectura para comprender el contenido. Por ejemplo, en la macroestructura interdisciplinaria sobre los ecosistemas, la Sra. Mendoza planifica una microestructura sobre el bosque tropical, donde integra dos estrategias de lectura.

La primera estrategia que integra la maestra es la lectura de información visual y gráfica como tablas, gráficas, diagramas y otras ayudas visuales, para interpretar la información relativa al tema o los conceptos claves de la lección. La Sra. Mendoza utiliza el texto "Entra al bosque lluvioso" (Rice, 2012) y explica que el autor usa la letra negrilla para enfatizar el vocabulario académico "pluviosos". Además, ella discute con los estudiantes los niveles de importancia de la información presentada en el texto. Por ejemplo, la maestra les ayuda a notar que la leyenda al pie de las fotografías presenta datos interesantes, pero no la información más importante del texto.

La segunda estrategia usada por la maestra es modelar la manera de diferenciar entre la información importante y la secundaria durante la lectura, identificando oraciones que incluyen cláusulas y conectores que presentan información clave para la comprensión de ideas centrales del texto y amplían el conocimiento. Por ejemplo, la Sra. Mendoza muestra en el texto que la descripción de los bosques tropicales incluye oraciones complejas y explica su significado. Ella sabe que las oraciones de este tipo pueden ser difíciles de comprender para sus alumnos sin un apoyo explícito, sobre todo si no tienen conocimiento previo sobre el tema, como en este ejemplo: "Los bosques lluviosos son como los demás bosques, ya que tienen árboles y plantas. Sin embargo, tienen una característica que los distingue: son muy húmedos. En la mayoría de los bosques lluviosos hay mucha pluviosidad. También son cálidos la mayor parte del tiempo" (Rice, 2012, p. 8).

Las maestras como la Sra. Mendoza y la Sra. Saavedra, que planifican este tipo de actividades con el propósito de enseñar la complejidad de los textos informativos, utilizan las mismas metodologías de la enseñanza de la lectura en los dos idiomas y en las distintas áreas de contenido con un enfoque estratégico en la construcción de significado. De esta manera, ayudan a sus estudiantes a desarrollar tanto la literacidad académica como la comprensión de los contenidos presentados en los textos de no ficción de una manera intencional y auténtica.

El desarrollo de la biliteracidad requiere incluir estrategias que apoyen el proceso de comprensión lectora en ambos lenguajes. A continuación, proponemos el uso de discusiones orales estructuradas para activar el conocimiento previo y la utilización de gráficos y marcos de oraciones en la planificación de discusiones estructuradas sobre las lecturas realizadas en las áreas de contenido.

Discusiones orales estructuradas

"Oracy is an aspect of oral language, but it includes a more specific subset of skills and strategies within oral language that more closely relates to literacy objectives in academic settings . . . [T]eachers should include three types of oracy components in their lessons: language structures, vocabulary and dialogue" (Escamilla et al., 2014, p. 21).

Para los maestros que trabajan con estudiantes bilingües es un desafío crear un salón en el cual los estudiantes tengan oportunidades múltiples para hablar tanto entre ellos como con la maestra para desarrollar la oralidad. Además, aunque los estudiantes hayan comprendido lo leído, todavía podrían tener dificultades para expresar el nuevo conocimiento adquirido. Esto significa que necesitan de múltiples oportunidades para usar el lenguaje oral. Para abrir espacios auténticos en los que los estudiantes bilingües usen el lenguaje oral y evitar la tendencia de los maestros a hacer las preguntas, hablar la mayor parte del tiempo y controlar la discusión, se pueden planificar conversaciones o **discusiones orales estructuradas** —*structured conversations*— apropiadas a los niveles de competencia lingüística de los estudiantes. El desarrollo de la oralidad de los estudiantes bilingües se establece desde el momento de la planificación con un objetivo claro en cuanto a la función del lenguaje que se quiere enseñar, tal como describir, comparar, contrastar o definir, entre otras, y las estrategias cognitivas que se van a utilizar, como organizadores gráficos o marcos de oraciones.

Las discusiones orales o conversaciones estructuradas también pueden apoyar la activación del conocimiento previo. Los estudiantes bilingües llegan a la escuela con una amplia variedad de experiencias y niveles de conocimiento sobre diferentes temas de estudio. Muchos maestros dan por sentados esos conocimientos y no los activan, lo cual pone a los estudiantes en desventaja. Marzano (2004) explica que la construcción de conocimiento previo es uno de los aspectos más importantes que los maestros pueden utilizar para mejorar la lectura. Es fundamental que los maestros de estudiantes bilingües planifiquen de manera efectiva y explícita actividades que desarrollen conocimientos previos antes de participar en lecturas complejas; de esta manera, ayudarán a construir la base sobre la que se apoyará el nuevo conocimiento.

Por ejemplo, en una lección sobre los imanes, Sandra, una de las autoras de este libro, activa el conocimiento previo de sus estudiantes bilingües a través de preguntas. Sandra comenzó la lección sobre los imanes mostrando un imán y una lata de refresco y preguntó: "¿Qué creen que pasará si juntamos la lata con el imán? ¿Por qué creen que pasará eso? ¿Han visto que esto haya sucedido con otras cosas?". Los estudiantes compartieron sus ideas en ambos idiomas, algunos en inglés y otros en español, en tanto que otros usaron ambos. Estas preguntas ayudaron a los estudiantes a conectar con experiencias previas los conceptos de atraer y repeler que serían introducidos por medio de la lectura del texto "Imanes: atraen y rechazan" (Rozinsky y Boyd, 2007). A través de esta conversación estructurada, los estudiantes bilingües construyen significado sobre el contenido académico antes de la lectura. Esto facilita el desarrollo del vocabulario específico de la disciplina y permite a los alumnos participar de manera activa en la discusión o conversación académica planificada por la maestra. Este ejemplo muestra que el lenguaje oral es necesario para el desarrollo de la biliteracidad en un continuo hacia una mayor complejidad y confirma la importancia de planificar discusiones orales estructuradas en las que los estudiantes interactúan con otros estudiantes y negocian el significado de los textos leídos tanto en inglés como en español, de manera más eficaz y con utilización de todo su repertorio lingüístico.

> A structured conversation happens when teachers plan that students will talk and share ideas and points of view with each other in a systematic and explicit way (Seidlitz & Perryman, 2011).

El uso de gráficos y marcos de oraciones

Todos los estudiantes necesitan oportunidades para desarrollar el lenguaje académico necesario que les permitan comunicar ideas sobre el contenido disciplinar o acceder a la comprensión de textos complejos. Por este motivo, la Sra. Mendoza facilita conversaciones estructuradas a través de marcos de oraciones con diferente complejidad gramatical para apoyar a todos los estudiantes de la clase. La Sra. Mendoza y los alumnos leen el texto informativo "Las selvas lluviosas" (Franklin, 2010) y luego completan un organizador gráfico de árbol sobre las características de la selva tropical, para facilitar la comprensión de la lectura y la discusión oral sobre lo leído. Como en su salón dual de dos vías hay estudiantes bilingües secuenciales que están aprendiendo ciencias en inglés —el idioma que están desarrollando—, el organizador gráfico ayuda a recolectar las descripciones hechas por los estudiantes sobre las características de la selva tropical utilizando la información del texto leído en voz alta.

La Sra. Mendoza también ayuda a la comprensión de la lectura haciendo énfasis en el uso de los cinco sentidos para comprender y visualizar las características de las selvas lluviosas y el bosque tropical que describe el texto. La maestra guía a los estudiantes para que identifiquen el lenguaje del texto que transmite una experiencia visual y apela a los sentidos. Por ejemplo, en la página titulada *"Un mundo para ver y escuchar"* del libro "Las selvas lluviosas", a medida que la maestra lee el texto, los estudiantes discuten en parejas bilingües los sentidos que son activados a través de la elección del vocabulario por parte del autor. El texto dice:

> **Se sienten** silbidos, gritos y clamores: sentido del oído.
> Las ramas **crujen**: sentido del oído.
> El suelo **está mojado y húmedo**: sentido del tacto.
> La luz del sol se **filtra** hacia el suelo: sentido de la vista.

A medida que los estudiantes van identificando las características del bosque tropical basado en el vocabulario que apela a los distintos sentidos, la Sra. Mendoza, construye con los estudiantes el organizador gráfico de árbol, facilitando de esta manera el desarrollo del lenguaje oral por medio de la discusión académica y de un resumen de información sobre la lectura en voz alta:

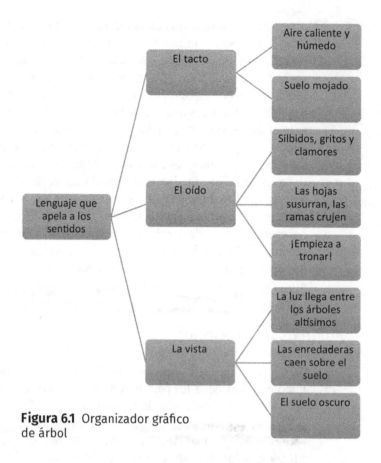

Figura 6.1 Organizador gráfico
de árbol

Luego de completar el organizador gráfico, los estudiantes utilizan los marcos de oraciones para discutir con sus compañeros lo aprendido en el texto.

El significado de la palabra _____ es _____.

Un concepto importante sobre la selva tropical es _____.

Algunas de las características de la selva tropical son _____ y

_____.

Yo puedo describir la selva tropical como _____ y

_____.

En la selva tropical escuchamos _____, vemos _____

y sentimos _____.

La selva tropical tiene _____, _____, _____

y _____.

Los marcos de oraciones proveen un andamiaje de apoyo para las conversaciones académicas. La Sra. Mendoza pone énfasis en la comprensión del texto y en la adquisición del vocabulario para facilitar la discusión de lo leído, a través de marcos de oraciones que puede diferenciar y adecuar al nivel de competencia lingüística de los alumnos. La maestra usa los marcos de oraciones como una herramienta importante para el apoyo de la expresión oral de los estudiantes bilingües emergentes.

El apoyo lingüístico con marcos de oraciones debe utilizarse en todos los grados escolares y debe ser apropiado para el nivel del grado y la competencia lingüística de los estudiantes. Es decir, los estudiantes que tienen alta competencia lingüística en español y están desarrollando inglés necesitan marcos de oraciones como apoyo para expresarse oralmente en un nivel más avanzado que el que pueden lograr de manera independiente en uno u otro lenguaje. De esta manera, la planificación estratégica e intencional de oportunidades para el desarrollo de la oralidad permite que los estudiantes participen de manera activa en discusiones académicas y demuestren el conocimiento aprendido sobre el tema de estudio.

Es importante destacar que una estrategia similar a la usada por la Sra. Mendoza para enseñar en español puede usarse en salones bilingües para la enseñanza en inglés, ya sea por la maestra bilingüe o por su compañera que enseña la sección de inglés en los salones duales de una o dos vías, así como también en los salones bilingües de salida tardía —*late exit*— o de inmersión en español para los estudiantes que hablan inglés como primer idioma. Las maestras en diferentes contextos bilingües seleccionarán un libro informativo sobre el tema en el idioma de enseñanza de la clase; los marcos de oraciones se deberán alinear con las habilidades lingüísticas de los estudiantes y la microestructura se enfocará en el mismo objetivo, que no debe cambiar, dado que se deben desarrollar habilidades similares en los dos idiomas para promover la transferencia multidireccional y las conexiones interlingüísticas.

El translenguar como herramienta para la biliteracidad

La enseñanza de la lectura en aulas bilingües requiere de la planificación intencional de espacios de translenguar para promover el uso del repertorio lingüístico integrado de los alumnos bilingües. Veamos un ejemplo de la clase de la Sra. Naty. La mayoría de los estudiantes de su salón de quinto grado son bilingües emergentes. Dado que aún no han desarrollado la habilidad de leer al nivel del grado y tienen dificultades en el rendimiento académico, se los suele identificar en la escuela como aprendientes de inglés a largo plazo —*long-term English learners or LTELLs*— (Freeman et al., 2016) a pesar de los cuestionamientos de esta forma de identificación, que reduce el lenguaje a un problema o déficit del alumno. Sin embargo, considerando las necesidades de estos alumnos y contextualizando su enseñanza en la pedagogía del translenguar, la Sra. Naty planifica ciencias naturales en inglés a través de macroestructuras interdisciplinarias que centran la enseñanza en la lectura y en las discusiones académicas estructuradas acerca de temas científicos e integran el repertorio bilingüe de sus estudiantes. Durante la primera parte del año, ella presenta una macroestructura interdisciplinaria sobre el clima y las condiciones climáticas extremas que le permite incorporar la lectura de diferentes géneros en los dos idiomas, para profundizar la comprensión del tema de estudio. Aunque su enseñanza es en inglés, la Sra. Naty usa el español para facilitar el acceso y la comprensión del contenido antes, durante y después de las lecturas. De esta manera, intencionalmente crea espacios para facilitar de manera dinámica el uso de los dos idiomas como recurso, con el fin de que sus estudiantes bilingües logren una comprensión más profunda del contenido académico y desarrollen niveles más apropiados de biliteracidad. En su salón, ella se asegura de que sus alumnos tengan disponible una gran variedad de textos en español y en inglés. Además, aunque el distrito en el que trabaja no ofrece programas de lenguaje dual, la Sra. Naty comprende la necesidad de utilizar el lenguaje del hogar que tienen muchos de sus estudiantes. Esto también es importante para valorar la posición social del español en una zona fronteriza bilingüe del sur de Texas, caracterizada por una orientación educativa monolingüe. Además, ella cree que el lenguaje es un derecho humano y siente la responsabilidad ética de utilizar el español como recurso de aprendizaje para fortalecer el desarrollo educativo bilingüe de los estudiantes de su clase.

Durante la lección, la Sra. Naty guía la discusión para conectar el tema de estudio con los conocimientos previos de los estudiantes acerca de condiciones climáticas extremas, por ejemplo, huracanes, que son típicos en la región y que tanto ellos como los miembros de su familia pueden haber experimentado. Los estudiantes seleccionan libros como la leyenda taína titulada "Por qué soplan los vientos salvajes" (Ambert, 1997), en la que se relatan las creencias de los indígenas de Puerto Rico sobre los huracanes o libros informativos como "Huracán a la vista" (Aparicio, 1997), disponible en español y en inglés, al igual que el libro de texto u otros libros en inglés, dependiendo de la competencia lingüística de cada estudiante. Durante la discusión de estos textos, los estudiantes utilizan todo su repertorio lingüístico y participan en la discusión en inglés y/o en español.

Como sus estudiantes tienen dificultades con la lectura, la maestra también incorpora textos cortos, pero con contenido académico complejo, y usa estrategias como la de "rompecabezas de expertos" —*expert jigsaw*—. Esta es una estrategia de aprendizaje cooperativo que ayuda a la comprensión de la lectura porque el texto asignado se lee y se discute en fragmentos y de este modo se hace más accesible. Esta estrategia permite a cada estudiante de un grupo base u "hogar" —*home group*— especializarse en un aspecto de un tema o una parte del texto. Cada estudiante se reúne con miembros de otros grupos a los que se asigna la misma parte del texto y, después de dominar el material, regresan al grupo "hogar" o base y enseñan o comparten lo aprendido sobre el texto. La Sra. Naty modifica esta estrategia para dar a todos sus estudiantes la oportunidad de acceder de manera más eficaz al texto, al ayudarse mutuamente. Debido a que muchos estudiantes de su clase están aprendiendo inglés como lenguaje meta, crea pares de trabajo y les facilita la misma versión del texto "Huracán a la vista" en español y en inglés, para que lean en el lenguaje que más les facilite el acceso al contenido académico, a manera de introducción del tema. Durante este proceso, los estudiantes identifican y recopilan las ideas principales del texto en sus notas, siguiendo las preguntas guía de la maestra y haciendo conexiones personales con el texto, para luego discutirlas con los otros integrantes del grupo "hogar". Los estudiantes leen la parte del texto asignada en un lenguaje y, en su grupo, completan tarjetas de ideas en inglés o en español y se ayudan mutuamente. Cuando retornan a su grupo "hogar", los estudiantes presentan la información como expertos y negocian el conocimiento aprendido tanto en inglés como en español, utilizando todo su repertorio lingüístico. De esta manera, los estudiantes se transforman en expertos de la parte de lectura asignada por medio de la discusión en el idioma de su elección. Con esta estrategia, cada estudiante en el grupo base u "hogar" sirve como una pieza del rompecabezas del tema y, cuando trabajan juntos como un todo, crean el rompecabezas completo, aprendiendo así diferentes aspectos del tema asignado. Esta estrategia hace que el texto sea más accesible, al mismo tiempo que hace que todos los estudiantes participen de la actividad y puedan tener éxito en el proceso de la lectura.

Para completar la internalización del contenido académico y enfatizar el proceso de literacidad, la Sra. Naty pide a los estudiantes de su clase que completen un póster o lámina en inglés para mostrar lo aprendido sobre las ideas principales del texto leído. De la misma manera que en la estrategia *expert jigsaw*, el póster se discute en los dos idiomas, pero se presenta en inglés, que es el idioma de enseñanza.

Esta actividad permite un uso estratégico del translenguar para fortalecer la comprensión de la lectura académica. Como cada par de estudiantes comparte su parte con los demás integrantes del grupo "hogar", todos los estudiantes de la clase tienen acceso a la información del texto completo. Además, al usar de forma integrada todo el repertorio lingüístico de los alumnos —en este caso, inglés y español—, se extiende el desarrollo de la biliteracidad de los estudiantes bilingües de la clase. En este ejemplo vemos claramente la manera en que la maestra pone énfasis en la comprensión de lo leído porque, aunque para leer es necesario decodificar, si no hay además comprensión de lo leído, no hay aprendizaje.

La lectura y la conciencia metalingüística en el aula bilingüe

Escamilla et al. (2014) desarrollaron una propuesta pedagógica basada en el proceso de la transferencia bidireccional, es decir la capacidad de aplicar las habilidades y conocimiento aprendidos en un idioma al idioma que están aprendiendo. Este proceso está apoyado por el desarrollo de la conciencia metalingüística, que Escamilla et al. (2014) denominan metalenguaje —*metalanguage*—. Beeman y Urow (2012) también definen la conciencia metalingüística como el producto de hacer conexiones interlingüísticas a través de una estrategia de enseñanza que denominan "el puente" —*the bridge*—. Para establecer conexiones entre los lenguajes se usa el análisis contrastivo, que es una estrategia para ampliar la conciencia metalingüística de los estudiantes bilingües, estableciendo comparaciones entre ambos lenguajes. Las conexiones y las comparaciones entre los dos idiomas se pueden establecer en el nivel de la palabra o vocabulario, la oración y el texto, en relación con elementos fonológicos, morfológicos, sintácticos, semánticos y pragmáticos del lenguaje (Wright, 2019).

La fonología es el estudio de los sistemas de sonidos de cada lenguaje y permite identificar los fonemas que son la unidad mínima de sonido y entender que el cambio en un fonema puede cambiar el significado de una palabra (en inglés: *talk/walk* y en español pato/gato). La atención al aspecto fonológico permite discutir las similitudes entre algunos sonidos del español y el inglés y, según han demostrado las investigaciones, mejora la fluidez. Por ejemplo, la Sra. Mendoza utiliza los nombres de los animales de los distintos ecosistemas que están estudiando en los dos idiomas, para desarrollar la microestructura de conciencia metalingüística sobre los sonidos de la letra "c":

Inglés	Español
C+ a, o, u = /k/	**C+ a, o, u = /k/**
cayman, cow, cuttlefish	caballo, cobra, cucaracha
C+ e, i = /s/	**C+ e, i = /s/**
centipede, cicada	ciervo, cigarra, cebra

De esta manera, los estudiantes desarrollan la conciencia fonológica y establecen conexiones interlingüísticas, desarrollando un conocimiento más profundo del idioma, al mismo tiempo que practican el lenguaje académico de la disciplina.

Los ejemplos presentados muestran la manera en que los maestros pueden explicar que ciertas letras difíciles en español como la "c", cuando se junta con vocales débiles y fuertes produce diferentes sonidos.

- La letra "c" con las vocales "a", "o", "u" produce el sonido /k/ como en "casa" o "cultura" y con las vocales "i" y "e" produce el sonido /s/, como en "cine" y "Cecilia".
- Hay letras, como la "j", que tiene un nombre diferente en inglés y en español y a la vez producen un sonido, diferente como "Jake" /y/ y "Juan" /j/.

La morfología es el estudio de la manera en que se forman las palabras y nos permite entender que cada palabra está formada por uno o más morfemas, que son la unidad mínima de significado o función gramatical (p. ej., *sun* + *set* = *sunset* y hermos + ísim + a = hermosísima). Un aspecto saliente de la morfología en contextos bilingües que permite entender cómo se forman las palabras es el uso de los cognados. En los grados inferiores, los maestros solo deben facilitar el reconocimiento palabras que se parecen tanto en lo escrito como en el sonido. Por ejemplo, el maestro en estudios sociales está enseñando los colores. Presenta la palabra "color" (en rojo, para mostrar que es la palabra en español) y *color* (en azul, para mostrar que es la palabra en inglés). Luego pide a los estudiantes que identifiquen el primer sonido de cada palabra, que cuenten las sílabas y que hagan palmas contando las sílabas de cada palabra. De esta manera el maestro muestra que las palabras son iguales y que solo se diferencian en la pronunciación, e introduce el concepto de "cognados".

Con los estudiantes de los grados superiores los maestros pueden seguir trabajando con cognados, pero clasificando estos según su variación predecible. Por ejemplo, de los sustantivos que terminan en "ción" en español, muchos tendrán el patrón *tion* en inglés como en civilización/*civilization*. Cuando los estudiantes bilingües comprenden de qué manera leer y utilizar estos patrones morfológicos pueden leer y escribir con más certeza y predecir aún más palabras del texto que no conocen pero que tienen el mismo patrón. Esta es una habilidad única de los hablantes de idiomas que tienen un origen común en el latín o han incorporado muchas palabras provenientes de este idioma.

La sintaxis es el estudio de las reglas que rigen la combinación de palabras para formar oraciones y de la función que las palabras cumplen en el lenguaje (p. ej., sustantivo, verbo, objeto). En el nivel de la sintaxis, los maestros se enfocan en trabajar sobre el orden y la función de las palabras en una oración. "Gramática" es el término general que se refiere al conjunto de reglas de un idioma dado, incluida la sintaxis, entonces desde un punto de vista lingüístico son sinónimos (Freeman y Freeman, 2014). Por ejemplo, los estudiantes pueden comparar y contrastar el uso de los artículos determinados en inglés y en español. El objetivo es mostrar que en inglés el artículo es *the,* mientras que en español encontramos los artículos "el", "la", "los" y "las", que acompañan a sustantivos que se diferencian por el número, singular y plural, así como por el género (femenino y masculino).

Las Sras. Mendoza y Saavedra planifican la comparación de estos aspectos del lenguaje en contexto, de manera integrada y bidireccional. En una de sus lecciones, la Sra. Mendoza compara el uso de los adjetivos de los textos en español leídos en su clase con textos de la clase de la maestra Saavedra, en inglés. El objetivo es que los estudiantes, guiados por la maestra, analicen el orden en que se escriben los adjetivos en oraciones simples en cada uno de los idiomas de instrucción. Por ejemplo, en inglés, el adjetivo precede al sustantivo, mientras que en español habitualmente lo sucede. Por ejemplo: "la selva majestuosa"/*the majestic rainforest.* Este tipo de actividades facilita el desarrollo de la biliteracidad. Más aún, permite que los estudiantes desarrollen sus habilidades lingüísticas y de literacidad en un nivel de competencia más alto y se muevan entre los dos idiomas con más fluidez. Los ejemplos presentados muestran la bidireccionalidad del proceso de desarrollo de la biliteracidad y la manera en que agregar elementos del lenguaje español al repertorio lingüístico contribuye a la adquisición del idioma inglés y viceversa.

La semántica es el estudio del significado de palabras, frases y oraciones. Nos ayuda a entender las relaciones entre las palabras. A nivel de la semántica, los alumnos pueden usar el modelo Frayer, para identificar la definición de un término así como sinónimos y antónimos. Por ejemplo, la Sra. Naty puede diseñar una actividad para explorar los diferentes significados de "salvaje" y *wild*, siguiendo la lectura del texto "Por qué soplan los vientos salvajes" (Ambert y Crespo, 1997).

La pragmática es el estudio del uso del lenguaje y nos permite entender la manera en que usamos el lenguaje en diferentes contextos y con diferentes destinatarios, así como el modo en que reconocemos lo que se intenta significar cuando no se dice directamente. Además, los estudiantes necesitan reconocer las diferentes funciones, como comparar, contrastar, resumir y explicar, tanto en forma oral como en la escritura, para comunicar y comprender el mensaje. Para entender los usos del lenguaje es importante comprender sus variaciones culturales. En el nivel pragmático, los estudiantes pueden identificar en los textos cuándo el lenguaje se usa en sentido figurado, por ejemplo, "me costó un ojo de la cara" en español es usado en algunos contextos para indicar que algo es muy caro, o *he put his foot down*, cuando alguien intenta decir que es su decisión final.

La atención prestada a estos diferentes elementos del lenguaje permitirá que las maestras diseñen actividades que se enfoquen en distintas habilidades de la lectura, mejorando la fluidez y la comprensión lectora. Al mismo tiempo, cuando estos elementos se enseñan por medio del análisis contrastivo se permite a los estudiantes reconocer las conexiones entre los dos idiomas en relación con cada uno de estos aspectos, mejorando su competencia lingüística. Con esta premisa es que la conciencia metalingüística puede facilitarse a través de la lectura de textos bilingües que generalmente son también de relevancia cultural.

La conciencia fonológica en contexto

Phonology is the study of the sound system of languages. It involves the pronunciation of words that can be broken into smaller units known as phonemes. Morphology studies the forms of words and the ways in which words are related to other words in the language. Words can be broken into smaller parts called morphemes.

El desarrollo de la lectura, como se explicó anteriormente, requiere de estrategias que se enfoquen en los diferentes elementos del lenguaje. La fonología es central en el desarrollo de la habilidad de leer en ambos idiomas. Cuando el maestro lee para o con los estudiantes, es importante poner énfasis en el desarrollo de la conciencia fonológica, especialmente en los grados primarios iniciales. Es importante que, al planificar la enseñanza, los maestros consideren las diferencias de los lenguajes así como el impacto que estas tienen en el aprendizaje de la lectura.

El español se considera predecible o transparente, dado que las palabras son fácilmente decodificables una vez aprendida la correspondencia entre sonidos y letras. Por ejemplo, cinco vocales se corresponden con cinco sonidos. En cambio, el inglés se considera opaco, dado que la correspondencia entre sonidos y letras no es siempre predecible; tiene un complejo sistema vocálico integrado por vocales cortas (*cat, pet, sun*), largas (*cake, bike*) y reducidas (*medicine, jumping*) (Freeman y Freeman, 2014). Es decir, las vocales tienen más de un sonido y, combinadas entre sí o con las consonantes, generan otros sonidos.

Es importante tener en cuenta que la capacidad para decodificar palabras no es un predictor de la comprensión de texto, es decir, hay niños que decodifican muy bien en uno u otro lenguaje y aun así tienen dificultades para comprender lo que leen, es por eso que también hay que prestar atención a los otros elementos del lenguaje, como el vocabulario, la sintaxis, la semántica y la pragmática (Ford y Palacios, 2015; Pollard-Durodola y Simmons, 2009).

Las diferencias entre el inglés y el español requieren consideración en la enseñanza de la lectura. En español, las investigaciones han mostrado la eficacia de

Tabla 6.1 La conciencia fonológica y la enseñanza de la lectura en el español y el inglés (adaptado de Myer, 2010)

Español	Inglés
La conciencia fonológica se enseña en forma concurrente con la lectura y la escritura	La conciencia fonológica se enseña como prelectura
Vocales antes que consonantes	Consonantes antes que vocales
El nombre de las letras después que el sonido	El nombre de las letras antes o junto con los sonidos
Estructura fonológica clave: sílaba	Estructura fonológica clave: *onset/rhyme*
Palabras deletreadas usando sonidos de las sílabas: *ca-sa*	Palabras deletreadas usando sonidos individuales: *d-o-g*
Enseñanza de palabras de dos o tres sílabas al comienzo	Enseñanza de palabras monosilábicas al comienzo

comenzar la enseñanza por las vocales y las sílabas para formar palabras (Myer, 2010). Los niños aprenden a combinar las vocales con las consonantes para formar sílabas con patrón consonante-vocal: "pa", "pe", "pi", "po" y "pu". Se comienza con las consonantes que son más fáciles (m, n, p, s, l y t) para que los niños distingan los sonidos y los combinen con las vocales. En general, las consonantes se introducen de a una a la vez y se practican con vocales que se han aprendido previamente (Ford y Palacios, 2015; Freeman y Freeman, 2014). Dos habilidades importantes que deben desarrollar los niños para leer en español son: 1) separar el sonido de las consonantes del sonido de las vocales en cada sílaba y 2) mezclar un nuevo sonido de consonantes con cada sonido de las vocales, para crear una nueva sílaba.

En inglés la enseñanza de la lectura se centra en el desarrollo de la fonética. En general, se comienza por enseñar los sonidos de las consonantes dado que en inglés las cinco vocales pueden hacer más de quince sonidos diferentes. La alta variabilidad de la fonética en inglés la convierte en un gran desafío para los estudiantes bilingües (Freeman y Freeman, 2009b; 2014). Por eso, es necesario planificar actividades de análisis contrastivo entre los aspectos fonológicos de ambos lenguajes. La tabla 6.1 muestra las principales diferencias y similitudes en la enseñanza del español y el inglés.

La Sra. Medina enseña en primer grado, en un programa dual de una vía 80/20 (español/inglés). Sus estudiantes son todos de origen latino, nacidos en los Estados Unidos y en diferentes países de Centroamérica. Todos hablan español como lengua del hogar. Los alumnos nacidos en los Estados Unidos comprenden y hablan inglés. Los alumnos de Centroamérica son recién llegados al país y se los ubica en un nivel de entrada del inglés. La Sra. Medina entiende que debe trabajar con estudiantes bilingües emergentes en la comprensión de la lectura, creando oportunidades auténticas y significativas para el desarrollo de la conciencia fonológica que permitirá a sus estudiantes leer con más fluidez y comprender mejor lo leído mientras establecen conexiones con sus experiencias previas y usan todo su repertorio lingüístico.

Una mirada profunda al salón de la Sra. Medina nos muestra un ejemplo de la manera en que ella ayuda a los estudiantes a comprender el sonido de la "r" y la "rr", a través de la lectura de un texto familiar. La maestra utiliza una técnica de lectura en eco o lectura imitativa en la cual un estudiante guía a la clase en el acto

Figura 6.2 Ferrocarril *(Imagen libre de derechos de 12019/Pixabay.)*

de leer un poema familiar. El estudiante lee primero un verso del poema y luego el resto de la clase lee el mismo verso, haciendo eco a la lectura del compañero. El poema elegido es un poema popular en Latinoamérica. El objetivo de la microestructura o lección es la decodificación de palabras que tengan los mismos sonidos representados por diferentes letras, en este caso la "r" y la doble "rr" y se alinea con los estándares estatales y nacionales. Esto es importante, dado que el sonido de la "rr" no existe en inglés.

Erre con erre, guitarra,

erre con erre, barril.

¡Mira qué rápido ruedan

las ruedas redondas

del ferrocarril!

Esta microestructura muestra de manera explícita, creativa y contextualizada la enseñanza de la correspondencia entre la letra y el sonido. Esta es una habilidad temprana que facilita el desarrollo de la lectura en lectores emergentes. La maestra vuelve a usar el poema, enfocándose en la identificación de las letras que tienen diferente sonido según dónde estén ubicadas en la palabra. Por ejemplo, en este poema corto, las letras "r" y "rr" hacen los sonidos indicados en la tabla 6.2:

Tabla 6.2 Correspondencia entre las letras "r" y "rr" y su sonido

Sonido	Lugar en la palabra	Ejemplo
"r" sonido suave	En medio de la palabra	Mira
"r" sonido fuerte	Al principio de la palabra	Rueda, rápido, ruedas, redondas
"rr" sonido fuerte	Siempre entre vocales	Guitarra, barril, ferrocarril

Más aún, el poema es de relevancia cultural para muchos estudiantes de origen latino, que pueden haber escuchado el poema en sus hogares con sus padres o abuelos, de manera que se da la oportunidad de valorar los fondos de conocimiento de la familia y utilizarlos en la formación educativa de los estudiantes. En esta microestructura de conciencia fonológica del español, usar materiales que son familiares para los estudiantes, ya sea que hablen español como lengua del hogar o lenguaje meta, hace que los estudiantes se enfoquen en la habilidad seleccionada, porque la comprensión del tema ya ha sido adquirida. Al planificar esta microestructura, la Sra. Medina consideró no solo la enseñanza en contexto de la diferencia entre los sonidos /r/ y /rr/ sino también el hecho de dar a los niños bilingües emergentes que están desarrollando el español la oportunidad de practicar el sonido /rr/, cuya producción es difícil para los hablantes nativos de inglés.

La conciencia fonológica y la atención a la morfología y la sintaxis son algunos de los aspectos de la literacidad que pueden ser utilizados para desarrollar la conciencia metalingüística entre los dos idiomas de instrucción y mejorar la fluidez de la lectura y la comprensión de lo leído. Estos aspectos pueden desarrollarse al leer textos bilingües con los alumnos.

Textos bilingües para el desarrollo de la conciencia metalingüística

Los textos bilingües —donde el texto se presenta en los dos idiomas en forma paralela— son importantes y eficaces para el desarrollo de la biliteracidad de los estudiantes bilingües. El uso de textos bilingües que conecten con los fondos de conocimientos de la comunidad y los alumnos es importante como estrategia que responde a una pedagogía cultural y lingüísticamente relevante, para acrecentar la justicia social y la equidad en el aprendizaje de los estudiantes bilingües, dado que:

• Facilitan la lectura y valoran y respetan la herencia lingüística y cultural de los estudiantes. Por ejemplo, *Grandma and Me at the Flea/*"Los meros meros remateros*" (Herrera, 2013) permite validar la experiencia de muchos niños y sus familias en el mercado de pulgas —*flea market*—.

• Posibilitan a los estudiantes el uso de sus fondos de conocimiento para comprender mejor el texto y participar en las discusiones sobre lo leído. Los lectores pueden construir más fácilmente el significado de un texto que contiene elementos que les permiten hacer predicciones e inferencias sobre lo leído debido a la familiaridad del tema. Al leer *In my family/*"En mi familia*" (Garza, 1997) o *The Piñata Maker/*"El piñatero" (Ancona, 1994), los estudiantes pueden conectar la realidad de su vida diaria con el texto.

• Permiten a los estudiantes hacer conexiones entre las lecturas y los temas de estudio, sus experiencias personales y acontecimientos actuales. Debido a que los estudiantes están más comprometidos con la lectura, leen más en los dos idiomas y esto beneficia el desarrollo de su habilidad de lectura en los dos idiomas. Por ejemplo, *Friends from the Other Side/*"Amigos del otro lado" (Anzaldúa, 1997) es una oportunidad para legitimar experiencias vividas por muchos niños inmigrantes, en conexión con acontecimientos históricos y actuales.

• Permiten que los estudiantes aprendan habilidades y estrategias de lectura y puedan implementarlas en los dos idiomas de instrucción simultáneamente, lo que Escamilla et al. (2014) llaman "literacidad a la par".

Más aún, el uso de textos bilingües, al presentar ambos lenguajes a la par, abre las puertas para facilitar el desarrollo de la conciencia metalingüística. Por ejemplo, los estudiantes, guiados por el maestro, pueden analizar la manera en que se describe una escena en un lenguaje y en el otro o cómo se estructura un diálogo y cuáles son las diferencias y las similitudes. Del mismo modo, los lectores emergentes pueden enfocarse en la comparación de habilidades apropiadas para su nivel de grado, al poner en relación la forma de que se escribe el título del mismo texto en cada idioma. Esto requiere una actividad cognitiva compleja y contribuye al desarrollo de la biliteracidad, a través de la lectura de los dos textos o de partes de los textos bilingües seleccionados, de manera intencional y con un objetivo concreto.

La biliteracidad equilibrada

"The gradual release of responsibility model provides teachers with an instructional framework for moving from teacher knowledge to student understanding and application" (Fisher, 2008, p. 2).

La lectura es un proceso de construcción de significados en interacción con un texto escrito. Esta construcción de significado se manifiesta en la comprensión que los estudiantes tienen de los textos leídos (Freeman y Freeman, 2009b). En el salón bilingüe los estudiantes construyen el significado utilizando los dos idiomas de enseñanza. Los conocimientos adquiridos en cada idioma se apoyan mutuamente para lograr una mayor comprensión textual y así lograr la biliteracidad, a través de un proceso bidireccional. Una interpretación holística del desarrollo de la biliteracidad es más apropiada para los estudiantes bilingües que asisten a las escuelas estadounidenses de hoy (Escamilla et al., 2014). Este enfoque holístico requiere que los maestros utilicen criterios metodológicos y estrategias similares para la enseñanza de la lectura en los dos idiomas de instrucción. Para facilitar el desarrollo de la lectura como comprensión de significado y poder enseñar las características de la literacidad académica desde un punto de vista holístico para el desarrollo de la biliteracidad, los maestros eficaces utilizan el **modelo de transferencia gradual de la responsabilidad** —*gradual release of responsibility*— (Pearson y Gallagher, 1983), también conocido como "literacidad equilibrada" —*balanced literacy*—. Este modelo deriva de la aplicación del concepto de zona de desarrollo próximo (ZDP) propuesto por Vygotsky (Karpov, 2014), que explica la manera en que los estudiantes avanzan en el aprendizaje de una idea o habilidad nueva a partir de la ayuda de alguien más experto, como su maestra o, al aprender a leer, con la ayuda de un lector de competencia más avanzada. El modelo de literacidad equilibrada incluye procesos interactivos y dinámicos que se estructuran para facilitar el aprendizaje, de modo que el estudiante progrese desde una mayor dependencia al leer a la lectura autónoma o independiente. Es decir, la maestra tiene una participación más pronunciada en algunos de los componentes del modelo y, a medida que los estudiantes desarrollan más habilidades de literacidad, el andamiaje provisto por la maestra es menor. La propuesta de este modelo se ha formulado como "lo hago; lo hacemos juntos; hazlo tú", es decir que primero hace la maestra, luego la maestra y el niño y, finalmente, el niño solo.

La literacidad equilibrada, tanto en inglés como en español, presenta cuatro componentes: lectura en voz alta, lectura compartida, lectura guiada y lectura independiente. Este modelo de transferencia gradual de la responsabilidad es útil para pensar en el desarrollo de la biliteracidad como un continuo de aprendizaje que se basa en las experiencias de lectura y escritura bilingües o monolingües que los niños traen a la escuela.

Es importante destacar que la propuesta original del modelo de transferencia gradual de responsabilidad en la enseñanza de la lectura se limitaba a definir el tipo de interacciones o los intercambios entre los adultos y los niños sin considerar las interacciones entre estudiantes, que son clave en la construcción de conocimiento en colaboración con los compañeros (Fisher y Frey, 2013). Formulaciones posteriores de esta propuesta hacen énfasis en la incorporación de oportunidades de interacción entre pares.

En el aula bilingüe, tanto en programas que desarrollan la literacidad en un solo idioma o en aquellos que se enfocan en el desarrollo de la biliteracidad en español y en inglés, los maestros pueden apoyarse en la pedagogía del translenguar para repensar este modelo, de forma tal que se integren espacios donde los estudiantes puedan hacer uso de todo su repertorio lingüístico para construir significado del texto, tanto al interactuar con el maestro durante la lectura como con sus compañeros, en espacios de lectura en pares o en pequeños grupos, o en forma independiente.

Lectura en voz alta

Varlas (2018) explica que leer en voz alta atrae a los estudiantes de cualquier edad y crea una comunidad de lectores que tiene curiosidad por conocer diferentes temas y tipos de textos. Además, la lectura en voz alta permite modelar lo que los lectores eficaces hacen cuando leen, facilitando el acceso a textos más complejos, así como mostrar la intertextualidad o utilizar el texto como mentor para modelar un tipo particular de lectura, en todos los grados y las áreas de contenido.

Finalmente, la lectura en voz alta permite a los maestros seleccionar textos que reflejen la cultura y conecten con los fondos de conocimientos y los intereses de los estudiantes de la clase, lo cual mejora el nivel de participación de los estudiantes. Similarmente, la lectura a coro ("Leemos juntos") y la lectura en eco ("Yo leo, luego tú lees") ayudan a la comprensión del vocabulario y a pronunciar nuevas palabras, especialmente cuando se lee en el idioma meta, al escuchar a otros leer en voz alta al mismo tiempo.

En la lectura en voz alta los maestros modelan la manera de leer con fluidez.

> Through read aloud, students are exposed to texts they are not able to read on their own. Teachers read fluently and with expression, showing the illustrations when available. In read aloud teachers take on most of the responsibility in the instructional task.

En el salón bilingüe, la selección apropiada de materiales de lectura es importante para ayudar a los estudiantes a construir conocimientos previos sobre el tema o el género de estudio. Por ejemplo, si los estudiantes están aprendiendo sobre las plantas en ciencias, la maestra puede leer en voz alta el libro "Jorge el curioso siembra una semilla" (Rey, 2007), durante la clase de artes del lenguaje, con un enfoque sobre las partes de la historia, los eventos y las características del personaje. Al mismo tiempo, la maestra está apoyando a los estudiantes a construir significado sobre un concepto científico: el crecimiento de las plantas. Es importante que los maestros lean al menos una vez al día y que seleccionen libros de un nivel ligeramente más avanzado que el de los estudiantes en tanto son los maestros quienes leen. Además, deben planificar tiempo para pensar acerca de lo leído, predecir, confirmar las predicciones y usar las pistas de los dibujos y los cambios de voces para mejorar la comprensión, con el propósito de que los estudiantes utilicen las mismas estrategias cuando lean independientemente.

En el salón de tercer grado del programa de dos vías, la Sra. Saavedra aplica el modelo de transferencia gradual de la responsabilidad con sus estudiantes durante la clase de artes del lenguaje en inglés. Todos los días la Sra. Saavedra lee en voz alta textos sobre la selva tropical para contextualizar el aprendizaje de las habilidades de lectura más allá de los textos de ficción. Para profundizar el conocimiento de los estudiantes que hablan inglés como lengua del hogar y a manera de vista previa —*preview*— del contenido sobre los ecosistemas que están aprendiendo en español con la Sra. Mendoza, ella lee el texto *Life in the Rainforests* (Baker, 1993). Su objetivo es conectar de manera explícita la enseñanza en el aula de español con la del aula de inglés, para profundizar la construcción del conocimiento de lo leído. Con este propósito, la Sra. Saavedra sigue estos pasos al leer el libro seleccionado:

1. Escribe objetivos de contenido y de lenguaje alineados con los estándares del estado y de este modo establece claramente el propósito de la lectura para guiar a los estudiantes a comprender el texto.
   Content objective: The students will describe characteristics of the rainforest by using language that appeals to the senses.
   Language objective: The students will demonstrate an understanding of the readings by orally describing the rainforest using adjectives and descriptive phrases in complete sentences in present tense.

2. Planifica de antemano la manera en que leerá el texto e identifica vocabulario clave. Por ejemplo, usará entonación y pronunciación acentuada para enfatizar los términos académicos tales como *emergent layer, canopy, understory* y *forest floor*.

3. Identifica en el texto temas de empoderamiento social —*social empowerment*— para promover la reflexión a través de preguntas abiertas sobre la deforestación de la selva tropical y el efecto de la deforestación en los nativos del lugar.

4. Modela la manera de hacer preguntas a través de la estrategia de pensar en voz alta. Por ejemplo, la maestra modela lo que piensa sobre cuál es la información más importante: *"As I read this paragraph, I need to remember that the most important information always appears in the first and last sentence of a paragraph. This could help me differentiate between main ideas and secondary ones. Also, I need to pay attention to the characteristics of the texts used by the author, such as the use of bold or italics font as well as the size and color used for headings and subheadings"*.

5. Modela de qué manera hacer conexiones con el texto, compartiendo su historia personal respecto de las experiencias que tuvo en el bosque tropical, en su viaje de vacaciones a Bogotá, Colombia. Y explica la manera en que estas conexiones la ayudan a entender la descripción de un bosque tropical.

6. Diseña espacios para que los estudiantes, en grupos pequeños, compartan con sus compañeros sus conexiones personales con el tema, dándoles la oportunidad de usar el lenguaje oralmente. Durante estas conversaciones académicas, los estudiantes usan los dos idiomas y lo aprendido durante las actividades realizadas tanto en español como en inglés, dado que ellas están conectadas por el hilo conductor del contenido académico.

Desde una perspectiva holística del desarrollo de la biliteracidad, la maestra crea o incluye oportunidades durante la lectura en voz alta para establecer conexiones entre las estrategias de lectura que usan al leer en inglés y en español. Por ejemplo, al identificar ideas importantes en inglés, los estudiantes conversan en pequeños grupos, haciendo conexiones entre las estrategias de lectura usadas en la clase de la Sra. Mendoza, en español, e identificando el cognado de esas estrategias, como visualización/*visualisation*. De esta forma, los estudiantes desarrollan la conciencia metalingüística sobre la manera en que pueden usar las mismas habilidades para comprender el texto en uno y otro idioma y aprenden que establecer puentes entre lo que saben de uno y otro idioma los ayuda a entender las ideas y a comunicarlas.

Lectura compartida

Durante la lectura compartida, la maestra transfiere parte de la responsabilidad a los estudiantes. Los estudiantes leen partes del texto o palabras conocidas para participar del evento de lectura de una manera más activa. En el salón bilingüe esto da a todos los estudiantes bilingües la oportunidad de participar y así desarrollar de manera más competente su habilidad de leer.

La lectura compartida es una estrategia que permite trabajar más específicamente sobre habilidades de lectura en contexto, en vez de en forma aislada y mecanizada como lo proponen algunos métodos (p. ej., *Phonics*) o programas de lectura (p. ej., *Reading First*). Durante la lectura compartida, los maestros ayudan a los estudiantes a desarrollar la conciencia fonológica al escuchar y seguir lo que la maestra lee y marca con un puntero. Más aún, los estudiantes comienzan a comprender que el lenguaje escrito está separado por espacios y que las palabras se dividen en sílabas. Durante la lectura compartida los maestros pueden usar textos con patrones repetitivos o libros organizados alfabéticamente, así como textos que incluyan rimas, aliteraciones, poesías y canciones. Con estudiantes más avanzados, los maestros pueden presentar diferentes aspectos de lenguaje contextualizados en textos auténticos. Por ejemplo, el maestro lee título del libro "Me llamo María Isabel" (Ada, 1996) y lo compara con el título del libro en inglés *My Name is María Isabel* (Ada, 1995). A través de preguntas guía tales como "¿Qué notan en el título en inglés y español? ¿Nos dicen lo mismo? ¿Están escritos utilizando la misma estructura?", los estudiantes pueden observar, desde punto de vista semántico que los títulos nos dicen lo mismo, pero están escritos de manera diferente en relación con el estilo del lenguaje. Es decir que en inglés no decimos *"I am called María Isabel"*, lo cual sería una traducción literal, sino *"My Name is María Isabel"*.

A continuación, explicamos la manera en que la Sra. Saavedra y la Sra. Mendoza, en su salón de tercer grado de un programa dual de dos vías, utilizan la lectura compartida para enseñar habilidades en contexto, desarrollar destrezas apropiadas al nivel del grado e incrementar la comprensión del texto leído. Primero, la Sra. Saavedra repasa las ideas principales del libro *Life in the Rainforests*, antes de leer en forma compartida algunas páginas estratégicamente seleccionadas para profundizar en la construcción de significado sobre el texto y enfocarse en otros aspectos del lenguaje del texto tales como adjetivos. A través de preguntas, la maestra guía a los estudiantes para que identifiquen palabras o frases descriptivas tales como *leafy branches, giant trees, lush green platform* o *heavy downpours*. Estas frases descriptivas son discutidas en el contexto de la lectura y los estudiantes las utilizan al describir las características del bosque tropical junto con los compañeros de la clase. Luego, durante la clase con la Sra. Mendoza continúan leyendo de forma compartida un texto en español sobre el tema, identificando nuevas ideas y señalando adjetivos que describen el bosque tropical. Al completar la información que necesitan, identifican, guiados por la maestra, las similitudes y las diferencias entre el vocabulario en los dos idiomas presentado a la par en un cartel didáctico construida en conjunto por las maestras y los alumnos. La microestructura finaliza con una breve discusión metacognitiva en la que los estudiantes analizan en sus grupos si han logrado los objetivos de contenido y de lenguaje de la microestructura.

Lectura guiada

En la lectura guiada, los estudiantes, organizados en pequeños grupos, leen solos pero guiados por la maestra. Esta parte del modelo permite que los estudiantes apliquen las habilidades que desarrollaron durante la lectura compartida, trabajando en pequeños grupos de modo de recibir apoyo específico. La maestra organiza los grupos de lectura guiada considerando los niveles de lectura o las habilidades específicas a desarrollar. Durante la lectura guiada, la maestra usa libros de acuerdo con las necesidades de los estudiantes y explícita o implícitamente enseña estrategias en contexto, de modo que los estudiantes puedan usarlas cuando leen de manera independiente. Los maestros deben ser flexibles y utilizar libros de diferentes niveles o un conjunto de textos del mismo autor o tema. Además, durante esta parte del modelo la maestra puede tomar notas informales sobre el proceso de lectura de cada integrante del grupo, siguiendo una rúbrica de evaluación de lectura lo cual la va a ayudar a monitorear el progreso de cada niño del grupo y así crear los grupos de lectura guiada de manera apropiada a las necesidades de cada integrante de la clase.

Cuando los maestros trabajan con estudiantes bilingües emergentes que están desarrollando su biliteracidad, deben tener en cuenta el nivel de lectura en el idioma que tienen más desarrollado cuando toman decisiones acerca del nivel de lectura en el idioma meta. Esto les permite hacer conexiones entre las habilidades de lectura que ya poseen en un lenguaje para aplicarlas al desarrollo de la lectura en el lenguaje que estén enseñando. Para lograr esto, los maestros antes de la lectura guiada deben proporcionar andamiajes tales como introducir en el idioma del hogar el vocabulario del texto que se leerá en el idioma meta; seleccionar un texto que tenga una organización similar a otros textos que el estudiante haya leído de manera eficaz en su idioma más desarrollado o hacer un recorrido de imágenes y conversar sobre los dibujos del libro en el idioma del hogar o el más desarrollado, antes de leer el texto en el otro idioma. De esta manera, los estudiantes desarrollarán sus habilidades de lectura en los dos idiomas, demostrando crecimiento en su continuo de desarrollo hacia la biliteracidad.

Mientras la Sra. Saavedra enseña artes del lenguaje en inglés, la Sra. Mendoza continúa desarrollando la lectura de sus estudiantes bilingües a través de la lectura guiada en español. Durante esta parte del año ellas están enseñando el género expositivo. En su clase de español, la Sra. Mendoza presenta tres grupos diferentes de lectura. Con los tres grupos ella se enfoca en la enseñanza de las características de los textos, como la letra negrilla, los títulos y subtítulos y la diferencia que hacen los autores en el tamaño de la letra o los colores para mostrar la importancia de la información. Debido a que cada grupo de estudiantes presenta un nivel de lectura diferente, ella selecciona libros apropiados para cada nivel que presentan características similares, lo cual permite a todos acceder a la habilidad de decidir e identificar la información importante del tema de estudio.

La selección de libros es importante para la enseñanza de la lectura académica. Se recomienda seleccionar libros escritos en español por autores de habla hispana. Sin embargo, a veces es muy difícil encontrar estos libros en las escuelas. En este caso, es necesario examinar detenidamente la traducción del texto para que la explicación del concepto sea clara y auténtica con el fin de lograr una lectura eficaz. Esto es lo que hizo la Sra. Mendoza al seleccionar los libros para la lectura guiada que incluyen "Descubre la selva tropical" (Trumbauer, 2006), "La vida en el bosque tropical" (Taylor-Butler, 2008) y "Dentro de la selva tropical" (Willow, 1993).

La Sra. Saavedra, cuando selecciona a los estudiantes que hablan español en el hogar para sus grupos de lectura guiada en inglés, considera su nivel de lectura en español con el fin de elegir textos apropiados para el desarrollo de los alumnos. De esta manera, puede agruparlos de modo que tengan un desarrollo de habilidades apropiadas para facilitar la transferencia de las habilidades adquiridas en un idioma y usarlas al leer en el otro idioma. Con este propósito, selecciona libros que están dentro de la zona de lectura de los estudiantes de modo que ellos tengan que implementar lo aprendido en español dentro de un rango apropiado para el desarrollo de la lectura en inglés (Escamilla et al., 2014), enseñando de acuerdo con el potencial de lectura demostrado por los alumnos en uno de los idiomas, en este caso, el

In guided reading, students meet in small groups with the teacher. The teacher conducts mini lessons addressing specific skills. In bilingual programs, guided reading can be designed to target different reading skills in consideration of students' language proficiency in each language.

español. Por ejemplo, en una microestructura sobre las características de los textos informativos, al formar los grupos de lectura guiada, la maestra considera que los estudiantes que leen en los niveles 34 a 38 en español y que han adquirido habilidades de lectura apropiadas para tercer grado pueden participar del grupo de lectura en el nivel 24 a 28 en inglés, dado que podrán leer apoyándose en las habilidades de lectura que ya dominan en español. De esta manera, la Sra. Saavedra no debe enseñar nuevamente el uso de las características de los textos para mostrar la importancia de la información, sino que solo debe guiar a los estudiantes a reconocerlos y aplicar lo aprendido a otros libros que presentan las mismas características. Un elemento importante que considera la Sra. Saavedra es la necesidad de enfocarse en el desarrollo de la oralidad para apoyar el proceso de lectura en ambos idiomas, dado que la dificultad con la cual se enfrentan los estudiantes no es de procesos cognitivos relativos a la lectura sino un reflejo del proceso de desarrollo del lenguaje. En este ejemplo, ella utilizó textos sobre el mismo tema de estudio para sus distintos grupos de lectura, como *Animal Habitat* (Kramer, 2006), *Life in the Rainforests* (Baker, 1993) y *Amazon Rainforest* (Rice, 2012) e incorporó múltiples oportunidades para conversar sobre los textos y apoyar el desarrollo del lenguaje académico. De esta manera, lo que una maestra enseña en español se articula con lo que la otra maestra enseña en inglés, fortaleciendo el continuo de desarrollo de la biliteracidad de forma integrada.

Para aquellos maestros que enseñan en un programa dual de una vía donde los estudiantes bilingües emergentes hablan español en el hogar, se recomienda un proceso similar, tomando en consideración el nivel de lectura en español, si es el más desarrollado, para crear grupos de lectura guiada en inglés. Una forma de facilitar el uso de todo el repertorio lingüístico de los estudiantes y el uso de las habilidades de lectura adquiridas en un lenguaje para la lectura en el otro lenguaje es la vista previa-vista-repaso. Es decir, a manera de vista previa, antes de la lectura guiada, el maestro puede conversar con los estudiantes acerca de las imágenes que hay en las diferentes páginas del libro, introduciendo el vocabulario que presentará el texto pero en el idioma más desarrollado de los estudiantes antes de la lectura en el idioma meta o de enseñanza. De esta manera, los estudiantes construirán conocimiento previo, lo cual les permitirá una mayor comprensión del texto leído sin tener que leer el texto una vez en cada idioma, sino a través de las conexiones intencionales que hace el maestro relacionando los dos idiomas a través del mismo texto.

Lectura independiente

Finalmente, el alumno puede practicar las estrategias aprendidas durante la lectura compartida o guiada a través de la lectura independiente, mostrado en la figura 6.3. La lectura independiente promueve la lectura de buenos libros seleccionados por el estudiante de acuerdo con su interés. La maestra puede guiar la selección de textos adecuados al nivel de lectura que tiene el estudiante en cada lenguaje. Debe asegurarse la disponibilidad de textos en español e inglés de diferentes niveles de complejidad y con un amplio rango de temas en ambos lenguajes.

Los maestros deben organizar la biblioteca bilingüe del salón de clase de manera accesible y con materiales apropiados para el nivel de lectura y el interés de los estudiantes, de manera de modelar el valor de la lectura y la importancia de hacerlo en ambos lenguajes. Son esenciales en estas bibliotecas los libros bilingües o versiones en español e inglés de los mismos libros, a fin de que los estudiantes tengan un rango amplio de opciones para elegir y de usar y expandir su repertorio bilingüe durante la lectura independiente. Además, es importante seleccionar y tener disponibles libros culturalmente relevantes y sobre temas cercanos a las ex-

Figura 6.3 Lectura independiente

periencias de vida de los niños, sus familias y su comunidad. También es importante incluir varias opciones de textos relacionados con los temas que se están aprendiendo en las diferentes disciplinas. Asimismo, es fundamental crear espacios donde los alumnos puedan conversar en grupos o pares bilingües sobre lo leído. La lectura independiente permite leer a un ritmo individual, lo que facilita el desarrollo de la comprensión lectora mientras se internalizan los conceptos y se desarrolla el lenguaje académico de las diferentes disciplinas.

La planificación estratégica de la enseñanza de la lectura en dos idiomas

Los maestros que trabajan con estudiantes bilingües deben considerar la biliteracidad como una forma de literacidad muy diferente a la de los estudiantes monolingües. La biliteracidad incluye un desarrollo continuo y dinámico de las habilidades de escribir, leer, pensar y hablar en dos idiomas, la cual puede lograrse de manera simultánea, cuando los dos idiomas son usados para el desarrollo de la lectura y la escritura, o de manera secuencial, cuando aprenden a leer y escribir en el idioma del hogar y luego transfieren esas habilidades al idioma meta o de enseñanza a través de una metodología de enseñanza estratégica.

En la siguiente tabla mostramos la manera en que se puede planificar y enseñar la lectura usando el modelo de transferencia gradual en un contexto bilingüe. En este ejemplo de la planificación de tercer grado de las Sras. Mendoza y Saavedra sobre el bosque tropical vemos cómo, a partir de la lectura en voz alta de diferentes textos, cada una incluye momentos de trabajo sobre la lectura compartida, guiada

Tabla 6.3 Planificación de microestructuras para el desarrollo de la biliteracidad

Artes del lenguaje en español	English Language Arts
Lectura compartida Libro: "Las selvas lluviosas", de Yvonne Franklin.	**Shared reading** Book: *The Great Kapok Tree* by Lynne Cherry
Vocabulario Vocabulario relativo a experiencias sensoriales. Organizador gráfico con la información sobre cada sentido.	**Word study** Verbs (past, present, and future) (crawled, will leave, begun, spoke, live, looked, etc.) Nouns (singular/plural, common/proper) (forest, man, tree, face, neck, hand, snake, boa, monkeys, toucan, miracles)

Ver	Oír	Tocar
La luz del sol se filtra	Se sienten silbidos, gritos y clamores	El aire es caliente y húmedo

Artes del lenguaje en español	English Language Arts
Lectura guiada Utilizar las características de los textos tales como imágenes, subtítulos, encabezados en distintos colores y fuentes en negrilla para: • Localizar información importante y secundaria. • Formular y confirmar predicciones sobre el contenido. • Comprender mejor la información presentada en el texto.	**Guided reading** *Summarize the plot's main events and identify whether the narrator or speaker of the story is first or third person.* • *First, chorally read the first pages of the book.* • *Second, complete a graphic organizer using signal words.* • *Use colors to identify third and/or first person who narrated the story.*
Conexiones interlingüísticas Cartel didáctico que conecta las características de los textos informativos en inglés y en español. negrilla - *bold* itálica - *italics* título - *heading* subtítulo - *subheading*	**Cross-linguistic connections** *Anchor chart with signal words for sequencing or events and parts of the story:* *Once upon a time* - Había una vez *At the beginning. . . -* Al comienzo. . . *At the end/Finally. . . -* Al final/Finalmente... *First, . . . -* Primero, . . . *Then, . . . -* Luego, . . . *Last, . . . -* Al final, . . .
Estaciones de trabajo de lectura independiente: Leer solo a. Leen el libro "El bosque tropical", de Helen Cowcher. b. Completan un organizador gráfico haciendo la secuencia de los eventos en la historia. c. Escriben oraciones complejas que describen los eventos de la historia, usando palabras de señalización de una lista provista por la maestra. d. Categorizan los verbos en presente y en pasado, y los sustantivos en propios, comunes, singulares y plurales.	**Workstation for independent reading: Read to Someone** a. *Read the book* Life in the Rainforests *by Lucy Baker* b. *Discuss with partner the causes and consequences of not taking care of the rainforest.* c. *Create a T-chart with causes and consequences of deforestation.* d. *Explain to their bilingual partners the purposes of text features using the following sentence stems:* *The author uses* _____ *to* _____. _____ *helps the reader understand* _____ *because* _____.

e independiente que son complementarios y contribuyen a desarrollar las habilidades de lectura en ambos lenguajes y a expandir el repertorio bilingüe de los estudiantes.

A través de una planificación estratégica los maestros pueden enseñar distintas habilidades de lectura que son transferibles y cuya enseñanza puede alternarse entre los dos idiomas a través de la selección de textos de distintos géneros de enfoque. La tabla 6.3 muestra una de las tantas maneras en que los maestros bilingües pueden estructurar sus clases y alternar la enseñanza de las habilidades de lectura a través de los componentes de la literacidad equilibrada.

En este ejemplo en particular, vemos la manera en que los estudiantes aplican durante la lectura guiada en inglés el conocimiento adquirido la semana anterior en español sobre las características de los textos informativos. Además, utilizan como referencia el cartel didáctico con el vocabulario de las características de los textos en español y agregan las palabras en inglés a la par, desarrollando la conciencia metalingüística. Durante esta microestructura, las habilidades que se enseñan en español se aplican en los centros de trabajo en el otro idioma para facilitar la internalización del conocimiento y la aplicación independiente de las habilidades aprendidas. Al mismo tiempo, los maestros que planifican de esta manera deben asegurarse de enseñar en cada idioma habilidades que no se transfieren, por ejemplo, habilidades fonológicas correspondientes a cada idioma como el sonido de /th/ en inglés o habilidades gramaticales como el sujeto omitido en español.

Las investigaciones muestran que, para un desarrollo efectivo de la biliteracidad, los maestros de estudiantes bilingües deben enseñar de manera explícita las diferencias estructurales de cada idioma, utilizando la lectura como plataforma para la enseñanza y el aprendizaje (Freeman et al., 2018). Por ejemplo, en español los estudiantes empiezan a leer aprendiendo primero las vocales, mientras que en inglés lo hacen aprendiendo primero las consonantes. En el ejemplo de los cometas presentado al comienzo de este capítulo, la Sra. Mendoza puede desarrollar diferentes actividades incorporadas a la lectura compartida en la que los estudiantes:

- Comparen y contrasten la estructura morfológica de las palabras en inglés y en español;
- Discutan el concepto de "cognados";
- Identifiquen la inversión en el uso del adjetivo y el sustantivo; y
- Amplíen su conocimiento sobre los patrones de formación del plural en inglés y español como *comet/comets* y cometa/cometas, entre otros.

Las similitudes y las diferencias en la estructura interna de los dos lenguajes de enseñanza deben ser explícitamente presentadas para facilitar la conexión interlingüística y la transferencia bidireccional, ampliar el conocimiento lingüístico de los estudiantes bilingües y, de esta manera, facilitar la comprensión de textos académicos.

El desarrollo de la literacidad en español y en inglés incluye metodologías y estrategias similares. Por ejemplo, tanto en inglés como en español la lectura es considerada un proceso de construcción de significado, y todos los componentes de la literacidad equilibrada son utilizados en el proceso de aprender a leer en los dos idiomas. Sin embargo, como la enseñanza en inglés y en español debe estar interconectada, las maestras planifican de tal manera que los componentes de la literacidad equilibrada estén presentes en la enseñanza de cada día, pero no necesariamente duplicados. Por ejemplo, los estudiantes en aulas monolingües reciben una minilección de fonología al día. Lo mismo debería ocurrir en un aula de lenguaje dual. Los maestros deben decidir cuál será la habilidad que van a enseñar y en qué idioma. Esto es imprescindible, porque los maestros bilingües disponen del mismo tiempo de enseñanza que los maestros que enseñan en programas de inmersión en inglés, pero tienen que enseñar a leer en dos idiomas, lo cual solo puede lograrse con una planificación estratégica en la que las actividades de lectura en inglés y en español se apoyen mutuamente.

Sin embargo, es importante destacar que hay espacios diarios de trabajo sobre la lectura que deben incluirse en los dos idiomas, como es el caso de la lectura guiada, ya que los estudiantes están en diferentes niveles de lectura y necesitan apoyo específico como lectores emergentes. La inclusión diaria de espacios para la lectura guiada en los dos idiomas facilita la transferencia de las habilidades adquiridas en un idioma, sin tener que enseñarlas nuevamente de manera explícita, lo cual mejora la habilidad de leer en los dos idiomas, permite mayor cobertura del currículo y ayuda al desarrollo más efectivo de la biliteracidad.

En conclusión, si nuestra meta es la equidad educativa, es importante que el proceso de desarrollo de la biliteracidad se entienda como un proceso bidireccional en el cual los lenguajes en desarrollo estén interconectados y a través de los cuales las habilidades de lectura se enseñen en los dos idiomas, pero haciendo hincapié en las características específicas de cada idioma de instrucción. Es decir que, cuando los maestros planifican en forma integrada considerando las diferentes estrategias necesarias para el desarrollo conceptual, cognitivo y lingüístico de sus estudiantes al enseñar en español o inglés, deben tener en cuenta que esas mismas estrategias pueden ser usadas al leer y escribir también en el idioma meta. De esta manera, las actividades planificadas intencionalmente para lograr las conexiones interlingüísticas a través del análisis contrastivo de los lenguajes desarrollan la conciencia metalingüística y amplían y enriquecen su repertorio lingüístico.

Review

Providing a solid foundation for biliteracy through a holistic approach to reading instruction is essential for bilingual students. It is important for bilingual teachers to keep in mind that biliteracy development is a bidirectional process in which literacy development in one language supports literacy development in the other language. Developing academic literacy with bilingual students is important to support the development of literacy skills in both languages. Thus, in bilingual classrooms, effective reading instruction taps on students' whole linguistic repertoire and incorporates strategies that help students develop metalinguistic awareness. As explained in this chapter, academic literacy is influenced by a variety of factors such as students' prior knowledge, the ability to read and use vocabulary for different purposes, the language and complexity of reading materials, and the nature and complexity of what is expected that students discuss, read, and write. In addition, bilingual students often are at different levels of literacy development in each language. Therefore, it is important that teachers of bilingual students focus on addressing the challenges presented by informational texts and use specific strategies to support the individual literacy development needs of their students. Effective bilingual teachers help their students develop the ability to identify and use key vocabulary and skills to search, critically interpret, evaluate, and communicate orally and in writing about what is read in two languages and at a complex cognitive level. This is essential for bilingual students' academic achievement and biliteracy development.

Aplicaciones prácticas

Aspirantes a maestros

Seleccione un libro para niños sobre un tema académico con el propósito de realizar una lectura en voz alta con un pequeño grupo de estudiantes. Planee cómo llevará a cabo la lectura en voz alta, asegurándose de: a) identificar las partes del libro en las que se detendrá para promover la reflexión; b) identificar los aspectos que modelará para los estudiantes usando la técnica de pensar en voz alta —*Think Aloud*—. Mientras realiza la lectura en voz alta, asegúrese de leer con emoción y muestre las ilustraciones. No olvide dar a los estudiantes la oportunidad de hacer conexiones personales con el texto.

Maestros

Sobre la base de las necesidades de sus alumnos, desarrolle una serie de microestructuras en torno a un texto culturalmente relevante tal como "Me encantan los sábados y los domingos", de Alma Flor Ada. Planifique la manera en que se implementarán los componentes de la literacidad equilibrada entre los dos idiomas de instrucción. Use el libro para una lectura en voz alta y también para una actividad de lectura compartida. Decida qué habilidades enseñará en cada idioma y si las habilidades son transferibles o no. Por ejemplo, inferir. Comparta con sus colegas la serie de lecciones planificadas y reflexione sobre los resultados de aprendizaje de sus estudiantes.

Administrators

Take a moment to reflect on the resources available on your campus to promote biliteracy development. Meet with your lead teachers to assess whether they have books and other resources available in both languages. Come up with an action plan to ensure the necessary resources to promote biliteracy are available for your teachers and students.

7

Biliteracidad interdisciplinaria
Writing in the bilingual classroom

Objetivos

- Describir la enseñanza de la escritura en el aula bilingüe desde una perspectiva holística.
- Explicar el desarrollo de la escritura para demostrar conocimientos académicos a través de textos expositivos.
- Analizar la relación entre la escritura y la producción oral.
- Identificar estrategias enmarcadas en la pedagogía del translenguar para facilitar la escritura académica en el aula bilingüe.
- Desarrollar la escritura a través de los componentes de la biliteracidad equilibrada.
- Examinar una propuesta para la planificación de la enseñanza de la escritura en dos idiomas.

In this chapter, we extend the discussion of the holistic approach to biliteracy presented in the previous chapter on reading. We propose an understanding of literacy that moves away from the traditional dichotomy between "learning to read and write" as learning the needed skills in the early grades and "reading and writing to learn" the content, usually relegated to the upper grades. Instead, literacy development in dual language programs requires understanding that bilingual students learn to read and write and read and write to learn in both languages concurrently at each grade level. Moreover, oral language development and reading and writing across content areas and in both languages are intertwined in bilingual learners' biliteracy trajectories. Throughout this chapter we focus on teaching writing, demonstrating that students do not need to learn to write before they write to communicate content but can do both simultaneously. Through classroom examples we show how teachers can leverage bilingual students' linguistic repertoire to teach writing in Spanish and English using a translanguaging pedagogical approach to connect and integrate in their instruction students' bilingual competencies across language domains (listening, speaking, reading, and writing). Bilingual students benefit from planned, purposeful opportunities to develop metalinguistic awareness as they engage in comparing and contrasting languages through contrastive analysis at the same time that they develop academic language and literacy across content areas in Spanish and English. Then, as they learn to write, they can apply the learned skills into their writing (Mora-Flores, 2009), a process identified as bidirectional transference (Cummins, 2007). The goal is to support students to move from an emergent stage of learning to write in two languages to writing for academic purposes in the content areas and across languages. While we acknowledge the synergetic relationship between reading and writing in the development of biliteracy, we present the discussion in two separate chapters to provide clear examples of how both literacy components can be developed across content areas and languages.

We provide examples of how teachers use strategies to facilitate and support writing development of bilingual learners in distinct classrooms. We showcase Sra. Olivia's one-way second-grade classroom, the two-way 50/50 third-grade classrooms of Sra. Saavedra and Sra. Mendoza, Sra. Jessica's fourth-grade classroom, and Sra. María's kindergarten classroom. These teachers' instruction helps to contextualize the strategic use of students' complete linguistic repertoires to build their writing skills across the curriculum in different educational contexts. Throughout the chapter, we provide step-by-step suggestions on how to address the writing needs of bilingual learners in different educational contexts.

La enseñanza de la escritura en el aula bilingüe desde una perspectiva holística

Las investigaciones muestran que hay una gran necesidad en el campo de la educación de conocer mejor lo que sucede cuando los estudiantes bilingües escriben (August y Shanahan, 2006). Gort (2006) explica que los estudiantes bilingües utilizan los dos idiomas de manera estratégica al escribir para poder comunicar un mensaje, incluyendo el uso de palabras al igual que algunos patrones discursivos y formas gramaticales de los dos idiomas de enseñanza. Por esta razón, es importante que los maestros de estudiantes bilingües no consideren los idiomas de enseñanza como sistemas aislados. Constantemente, los estudiantes bilingües negocian el conocimiento utilizando lo que saben de los dos idiomas y así llegan a una comprensión más profunda no solo del tema de estudio sino también de las características de cada idioma en particular. De esta manera, se convierten en mejores escritores en los dos idiomas.

Esta reconceptualización del desarrollo de la biliteracidad de los estudiantes bilingües explica la importancia y la necesidad de enseñar la escritura y la lectura desde el comienzo de la escolarización del niño. De esta manera, los estudiantes bilingües aprenden a leer y a escribir en los dos idiomas desde prekínder o kindergarten y continúan refinando sus habilidades hasta quinto grado, y luego en la escuela secundaria, si tienen la oportunidad de extender su escolaridad en programas duales en el nivel secundario.

En los distintos contextos bilingües presentados en los capítulos precedentes encontramos alumnos cuyo idioma del hogar es inglés o español y que presentan diferentes niveles de desarrollo en las cuatro dimensiones del lenguaje: escuchar, hablar, leer y escribir. Los alumnos bilingües tienen la capacidad de aprender a leer, escribir y desarrollar la oralidad en forma eficaz en ambos idiomas dado que no necesitan reaprender las habilidades y los conceptos logrados en cada idioma, en tanto ya forman parte de su repertorio lingüístico. Para Cummins (2017) esto es posible debido a la transferencia bidireccional que posibilita que conceptos aprendidos en un lenguaje se usen cuando se opera en otro lenguaje, y viceversa.

Para poder analizar la naturaleza bidireccional del desarrollo de la escritura en los dos idiomas, los maestros deben realizar una comparación a la par de los textos creados por los estudiantes. De esta manera, los maestros pueden identificar las habilidades que el estudiante utiliza en cada idioma y usar esta información en la enseñanza para promover las conexiones interlingüísticas y facilitar la transferencia de las habilidades adquiridas de un idioma a otro. Esto permite identificar las habilidades que el estudiante ya ha desarrollado en un idioma y que son transferibles al otro idioma. Por ejemplo, son habilidades transferibles las necesarias para el proceso de escritura, como conocer los diferentes momentos del proceso, incluyendo la lluvia de ideas, escribir un primer borrador y segundo borrador, ~~la conferencia con el maestro para~~ mejorarlo, el uso de la retroalimentación recibida del maestro y los pares para mejorar el borrador, la edición final y, por último, la publicación. Otra habilidad transferible es el uso de palabras de señalización para determinar la relación entre las ideas presentadas, dependiendo del tipo de texto o función del lenguaje para comunicar ideas; por ejemplo, en un texto de comparación y contraste o de persuasión. Además el maestro puede identificar aquellas características de los textos que no son transferibles sino particulares a cada lenguaje y modelar, por ejemplo, el orden del adjetivo como modificador del sustantivo en cada idioma de instrucción o el sonido largo de las vocales en inglés. Para que los estudiantes comprendan las diferencias y las similitudes, el maestro enseña en forma explícita, por ejemplo, analizando textos a la par, modelando la escritura, dando múltiples oportunidades para discutir similitudes o diferencias en grupo y escribiendo de manera independiente.

En la clase de la Sra. Olivia, la maestra incluye oportunidades para escribir sobre algunos temas en ambos lenguajes y usa los textos como elemento de **evaluación formativa** —*formative assessment*— para poder apoyar a estudiantes como Alex. Alex es un estudiante de segundo grado de la Sra. Olivia en un programa dual de una vía, que habla español en la casa y está desarrollando la biliteracidad de manera simultánea desde kínder. En las figuras 7.1 y 7.2 vemos dos textos escritos por Alex, uno en español y otro en inglés, sobre las celebraciones, un tema de estudios sociales.

En estos dos ejemplos, la maestra identifica características de la escritura en cada idioma, así como también el uso del repertorio lingüístico completo del estudiante para comunicar las ideas. Por ejemplo, el análisis a la par de los textos escritos por Alex permite ver que el estudiante comunica las ideas en los dos idiomas de manera clara, pero demuestra más desarrollo de sus habilidades en español. El análisis del ejemplo en español muestra que Alex utiliza los pronombres y los tiempos verbales correctamente, incluso los verbos irregulares. También, se ve que utiliza palabras de señalización tales como "primero", "segundo" o "luego". Además, el uso de *so* en lugar de "entonces" muestra un uso fluido y dinámico de los dos lenguajes. El texto de Alex en inglés revela que utiliza correctamente los verbos en tiempo pasado y da detalles variados sobre el tema. Además, utiliza construcciones gramaticales tales como *the thing I like the most*. Finalmente, un análisis comparativo de los textos muestra un uso inconsistente de las reglas de puntuación y de uso de mayúsculas. Alex comienza los dos textos con letra mayúscula y los termina con un punto, pero no siempre incluye signos de puntuación donde corresponde en el resto del texto para indicar pausa o la finalización de una oración. En relación con el uso de mayúsculas, se puede ver que Alex pone en mayúsculas algunas palabras como "primo" en la mitad de la oración en el texto en español o escribe con minúscula la palabra *I* en el texto en inglés todas las veces que aparece. En relación con otros elementos de la escritura de texto, se puede observar que incluye un tí-

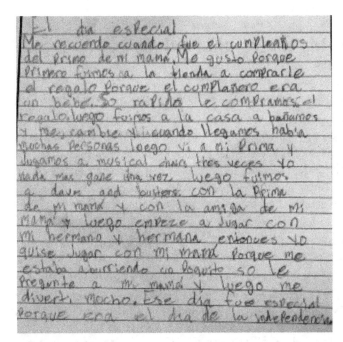

Figura 7.1 Ejemplo de escritura en español sobre las celebraciones

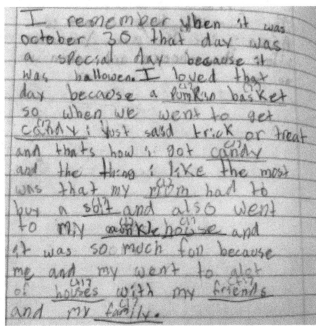

Figura 7.2 Ejemplo de escritura en ingles sobre las celebraciones

tulo en la versión en español, usando las reglas de uso de mayúscula correspondientes al lenguaje pero no incluye título en el texto en inglés.

Este tipo de evaluación formativa generada a partir de la escritura auténtica de los niños bilingües tiene gran impacto en el desarrollo de la biliteracidad. El análisis lado a lado de los dos textos de Alex da a la maestra información importante sobre las habilidades de escritura en ambos idiomas que puede utilizar para guiar la instrucción. Por ejemplo, la maestra de Alex puede planificar lecciones de escritura que enfaticen: a) escribir de manera consistente el pronombre personal *I*, dado que solo aparece escrito con mayúsculas al comienzo de la oración; b) utilizar otros conectores además de *and*, tales como *also, in addition*, o separar las oraciones con un punto; c) poner mayúsculas y usar la puntuación correctamente en los dos idiomas. Por ejemplo, se puede ayudar al alumno para que edite la oración: *and the thing I like the most was that. . .* , separando la oración de la anterior con un punto, comenzando la oración con una letra mayúscula y usando otro conector, como *Also, the thing I like the most was that. . .*

La información obtenida a través de este tipo de análisis a la par de los escritos de los alumnos permitirá a los maestros identificar qué se necesita para seguir avanzando en el desarrollo de la biliteracidad con respecto a la escritura y diseñar actividades apropiadas para apoyar el continuo desarrollo de la escritura académica de todos los estudiantes de la clase en los dos idiomas. Los maestros de estudiantes bilingües que utilizan estas prácticas crean un ambiente de aprendizaje que se basa en las competencias lingüísticas que los estudiantes han desarrollado en ambos idiomas para expandir y agregar las habilidades nuevas y los elementos necesarios en cada lenguaje para propiciar el desarrollo de la biliteracidad. Desde el punto de la equidad educativa y la justicia social, el uso de un enfoque holístico implica reconocer, integrar y validar todo el repertorio lingüístico de los estudiantes para facilitar y amplificar el aprendizaje de los estudiantes.

La escritura de textos académicos: los textos expositivos

En las áreas de contenido, se espera que los estudiantes lean y escriban diferentes tipos de textos. Los distintos tipos de textos dentro de una disciplina son también llamados "géneros" y tienen diferentes funciones, por ejemplo, contar una historia, proveer información, dar una explicación o persuadir a los destinatarios. Los maestros pueden planificar actividades o lecciones para apoyar la comprensión de cómo se organizan los diferentes tipos de textos y qué características están asociadas con cada uno de ellos. A través de estas lecciones, los maestros pueden modelar la manera en que se escriben diferentes tipos de textos, siguiendo la misma estructura e incluyendo las características apropiadas pertenecientes a los textos académicos. Por ejemplo, los textos expositivos o informativos son textos basados en información concreta sobre un tema en particular. Este tipo de textos requiere que los estudiantes investiguen o usen lo que aprendieron sobre el tema para escribir un texto que dé cuenta de las principales funciones del género que son informar, explicar, clarificar o definir.

Dado que la lectura y la escritura tienen una relación sinérgica, es decir, están relacionadas de manera activa, para poder escribir textos expositivos los estudiantes necesitan comenzar por leer sobre el tema e identificar la información necesaria, así como discutir con sus compañeros y el maestro antes de empezar a escribir. Los maestros de estudiantes bilingües que utilizan la pedagogía del translenguar pueden planificar actividades para que los estudiantes tengan oportunidades de leer en el otro lenguaje y escribir en el lenguaje de instrucción o viceversa. Una característica importante de los textos expositivos es que presentan en ambos idiomas una estructura definida e incluyen tres partes: introducción, desarrollo y conclusión. Tanto en textos expositivos en inglés como en español, la introducción es la parte del texto donde se presenta el tema y se explica cómo será abordado. El desarrollo del texto consiste en la descripción y la explicación de las ideas organizadas lógicamente y de acuerdo con las características del discurso de cada disciplina. En esta parte del texto expositivo también se analiza la información presentada y se proporcionan datos y ejemplos para apoyar el análisis. Aunque no siempre este tipo de textos contiene una conclusión, esta parte del texto expositivo es aquella donde se resumen los aspectos fundamentales del tema expuesto, haciendo una síntesis y/o destacando las ideas centrales.

Para apoyar —*scaffold*— la escritura de textos expositivos se pueden considerar los siguientes pasos:

1. Modelar la lectura de una variedad de textos expositivos o informativos (libros, artículos, blogs, boletín informativo, sitios web, etc.) sobre el tema de interés seleccionado. De manera independiente, los estudiantes pueden leer en cualquiera de los dos lenguajes de instrucción, español o inglés.
2. Subrayar o destacar información en los textos leídos o escribir las ideas importantes en tarjetas —*index cards*— para luego usarlas en la escritura.
3. Seleccionar ideas sobre el tema a partir de las fuentes de información recolectadas para usar en el texto a escribir. Por ejemplo, si el hábitat del bosque tropical es el tema seleccionado, el estudiante puede escribir sobre los animales, las plantas y el tipo de clima particular de ese hábitat.
4. Organizar de manera lógica la información recolectada de acuerdo con las ideas sobre las que quiere escribir y seleccionar una bibliografía que deberá citar al terminar su escritura expositiva. Esto pueden hacerlo los alumnos en

forma individual, grupal o en colaboración con la maestra, dependiendo del nivel de competencia lingüística de cada alumno.

5. Completar un organizador gráfico del contenido del texto a escribir como primer borrador, estableciendo las relaciones entre las ideas que se presentan (comparación y contraste, causa y efecto, secuencia, descripción, etc.), a través de la selección de palabras de señalización.

6. Escribir el texto expositivo que contenga las tres partes de la estructura presentada anteriormente (introducción, desarrollo y conclusión), utilizando los conectores o palabras de señalización que determinen el tipo de texto expositivo escrito, por ejemplo, palabras de señalización que muestren que el texto es de comparación y contraste.

7. Editar el texto en forma colaborativa entre pares y con la ayuda de la maestra.

Los maestros que trabajan con niños bilingües en los grados inferiores deben adecuar los pasos al nivel del grado. Por ejemplo, la maestra puede leer de manera compartida los textos seleccionados y completar un organizador gráfico para identificar las ideas importantes. Luego, la maestra puede modelar la escritura de un texto en forma compartida con sus estudiantes usando oraciones simples y pedir a los estudiantes que identifiquen con diferentes colores la introducción, el desarrollo y la conclusión. Para profundizar en la complejidad de la escritura, dependiendo del tipo de texto modelado, los maestros pueden presentar algunas palabras de señalización apropiadas para el nivel de grado y ayudar a los estudiantes a agregarlas al texto creado para conectar las ideas y formar oraciones más complejas.

Desde el punto de vista del desarrollo de la biliteracidad, los textos expositivos deben ser analizados mediante comparaciones en el nivel del vocabulario, la gramática y la estructura discursiva de cada texto, mostrando la relación entre los dos idiomas de enseñanza. Los maestros pueden utilizar ejemplos auténticos de textos producidos por sus estudiantes, como los de Alex, que fueron analizados al comienzo de este capítulo, y comparar distintas partes de los textos seleccionados a la par o en forma paralela, para que los estudiantes logren una comprensión más profunda de las similitudes y las diferencias entre la estructura del texto narrativo y/o expositivo en español e inglés. Más aún, la comparación contrastiva de dos ejemplos de escritura del mismo estudiante, una en español y otra en inglés, permitirá evaluar la manera en que el estudiante usa todo su repertorio lingüístico para comunicar las ideas, y así el maestro podrá fortalecer la planificación de la enseñanza de la escritura desde una perspectiva bilingüe holística e interconectada y no monolingüe, es decir, enseñando a escribir en cada lenguaje de forma separada y sin conexión.

La enseñanza de la escritura en las áreas de contenido

Los maestros de estudiantes bilingües no solo deben tener un conocimiento profundo de los dos idiomas de enseñanza, sino que también deben utilizar diferentes estrategias para facilitar el desarrollo del lenguaje y la adquisición del contenido académico. Los estudiantes bilingües en su desarrollo de la biliteracidad se benefician de estrategias que apoyan la oralidad en articulación con la escritura, así como también de estrategias que apoyan habilidades específicas como el uso de organizadores gráficos y marcos de oraciones.

Oralidad y conversaciones académicas

Classroom talk is essential for oracy development and is the foundation of literacy. Teachers need to engage in creating opportunities to talk that are not limited to checking for understanding but engage students in discussing content and develop their thinking (Fisher, Frey, & Rothenberg, 2008).

"Children learn to write most effectively when they are encouraged to start with their own expressive language, that 'meaning' is more important than 'form,' and that writing should take place frequently and within a context that provides 'real' audiences for writing" (Gibbons, 2015, p. 57).

Las investigaciones muestran que la oralidad está ligada al desarrollo de las habilidades de escritura de los estudiantes bilingües. Los niños comienzan a escribir en un intento de transmitir el mensaje oral de manera escrita (Freeman y Freeman, 2009b; Ferreiro y Teberosky, 1982) y utilizan todos los recursos que conocen en sus dos idiomas para producir el mensaje de manera coherente (Beeman y Urow, 2012). Además, la producción oral facilita la construcción y la activación del conocimiento previo, lo cual permite generar ideas para la escritura sobre el tema de estudio. El lenguaje oral con un enfoque en el contenido es utilizado como andamiaje para que los estudiantes puedan tener más éxito en la escritura académica. Por ejemplo, el maestro puede empezar con una lectura en voz alta para ayudar a construir el conocimiento previo acerca del contenido e introducir la estructura del texto, estimular el interés de los estudiantes en el tema a través de las argumentaciones y ayudar a los estudiantes en la adquisición del lenguaje académico de manera oral para luego aplicarlo de manera escrita (Zwiers, 2008; Zwiers y Crawford, 2011). Gibbons (2015) propone una perspectiva de proceso en la enseñanza de la escritura y explica que los estudiantes desarrollan las habilidades de escritura en un continuo que comienza con la oralidad a través de una conversación informal sobre el tema de estudio y termina con la escritura académica sobre lo aprendido.

Veamos cómo, en el programa 50/50 de dos vías, las Sras. Saavedra y Mendoza desarrollan de manera interdependiente una serie de microestructuras en los dos idiomas, utilizando el lenguaje oral como estrategia de anclaje para desarrollar el conocimiento y así poder escribir sobre el tema de estudio, los ecosistemas. En este ejemplo se ve cómo se puede evaluar el rendimiento y el nivel de desarrollo de la biliteracidad de los estudiantes en los dos idiomas de instrucción.

La tabla 7.1 hace evidente la interdependencia entre los dos salones de tercer grado en los cuales los estudiantes aprenden a escribir distintos tipos de textos en articulación con actividades de lectura y discusiones académicas estructuradas y estratégicamente diseñadas por las maestras. Los maestros en programas duales de una y de dos vías, al igual que en programas de mantenimiento —*late exit*— o de inmersión en español, pueden planificar lecciones o actividades que incluyan estrategias de expresión oral para utilizar antes, durante o después de la escritura. Esto permite que los alumnos desarrollen el lenguaje oral, al mismo tiempo que generan ideas para escribir sobre los temas de estudio, mejoren su escritura en colaboración con otros y, finalmente, compartan su trabajo con el resto de la clase o en grupos pequeños. De esta manera, las oportunidades para hablar que facilita el maestro permiten a los estudiantes bilingües de distintos programas académicos alcanzar mejores niveles de competencia en la escritura académica, especialmente si se hace a través de los géneros característicos de cada área de contenido específico (Mora-Flores, 2009). Dado que la evaluación es una parte integral de la enseñanza y el aprendizaje en el aula bilingüe, los maestros pueden observar y documentar el desempeño de los estudiantes en las actividades planificadas. Esta información les permite identificar las fortalezas que poseen en los dos lenguajes e integrarlas al tomar decisiones y planificar lecciones futuras, de manera tal de permitir a los estudiantes bilingües abordar el aprendizaje del contenido y el desarrollo de los dos idiomas de instrucción de manera eficaz. Por ejemplo, a través de las diferentes actividades presentadas en la tabla 7.1, las maestras observan la manera en que los estudiantes usan marcos de oraciones para discutir la lectura e identifican si comprenden lo leído. Además, observan el contenido y los marcadores de causa y efecto que incluyen los alumnos en el organizador gráfico.

Tabla 71 Ejemplo de articulación de lectura, escritura y discusiones académicas en un programa 50/50 de dos vías

Área de contenido	Estrategia	Lenguaje de instrucción: español Actividades sobre los ecosistemas	Content area	Strategy	Language of Instruction: English Ecosystem activities
Ciencias Sra. Mendoza	Lectura en voz alta	Lectura en voz alta del texto "Las selvas lluviosas" y discusión oral sobre el tema. Enfoque en la función del lenguaje: causa y efecto	Social Studies Mrs. Saavedra	Shared reading	Students and teacher read *Preserving the Rain Forest* and discuss the causes and consequences of not taking care of the rainforest. They make text-to-text, text-to-self, and text-to-world connections.
	Marcos de oraciones de causa y efecto para discutir la lectura	Algo que aprendí hoy acerca de la _____. _____ es _____. Si esto _____, entonces _____. _____ es causado por _____, por lo tanto _____.		Sentence frames to discuss the reading and map information	One reason to preserve the rainforest is _____. It is important that we _____ because _____. _____ causes _____. It has a negative effect on _____ and _____. This relates to my life in that _____. The information on this map reminds me of _____.
	Vocabulario general y de contenido específico	talar - agrícola - oxígeno - acres - kilómetros cuadrados - deforestación			
	Organizador gráfico para la escritura la carta	Organizar la información siguiendo la estructura para escribir una carta a un amigo explicando las causas y las consecuencias de la deforestación. Preguntas guía para la planificación: ¿Para quién es la carta?; ¿Cuál es el propósito de la carta?; ¿Qué es lo que quiero argumentar? Partes de la carta: Encabezamiento; Salutación; Cuerpo; Cierre; Firma.		Visuals: maps	Teacher and students discuss rainforests around the world using sentence frames and world maps.
	Tipo de agrupación	Toda la clase (discusión oral) Independiente o en pares bilingües (escritura de la carta)		Type of grouping	Whole group Small group

Uso de organizadores gráficos

El uso de organizadores gráficos tiene varios propósitos en el desarrollo del lenguaje y el contenido académico, entre los cuales se encuentra la organización y el desarrollo de la escritura. Los organizadores gráficos son formas de representación visual de un concepto o tema que ayuda a los estudiantes a organizar la información según diferentes funciones cognitivas como clasificar (gráfica de árbol —*tree map*—), resumir un tema (mapa mental —*mind map*—), comparar y contrastar (diagrama de Venn —*Venn diagram*—), entre otras, mostrando las relaciones entre las ideas. Los organizadores gráficos son herramientas que permiten a los maestros diseñar actividades para que los estudiantes organicen y representen ideas que luego pueden integrar en diferentes textos de escritura académica. Revelan el conocimiento previo de los estudiantes y promueven su participación oral y escrita, lo cual facilita la comprensión (Kirylo y Millet, 2000; Mercuri, 2010). También son una estrategia para que los maestros evalúen la comprensión de conceptos y el aprendizaje de sus alumnos sobre un tema particular de estudio en los dos idiomas (Struble, 2007; Mercuri, 2010). El uso de diferentes tipos de organizadores permite a los alumnos entender el significado de los textos o escribir para comunicar diferentes ideas (Gallavan y Kotler, 2007).

Volvamos al salón de tercer grado de la Sra. Mendoza y la Sra. Saavedra que hemos presentado en este capítulo, donde ciencias naturales se enseña en español y se utiliza el contenido de esta asignatura para escribir en español durante el taller de escritores. Al planificar la microestructura que presentamos a continuación, como parte de la macroestructura interdisciplinaria sobre los ecosistemas, las maestras consideran que sus alumnos son bilingües emergentes que tienen diferentes niveles de competencia lingüística en los dos idiomas. Estas maestras organizan la enseñanza en esta microestructura siguiendo la estrategia PVR. Durante la hora de artes de lenguaje en inglés, los alumnos vieron un video sobre las plantas resistentes a la sequía. El objetivo de la actividad que realiza la Sra. Saavedra es introducir nueva información sobre el tema de ciencias para lo cual facilita una discusión académica con la clase al mismo tiempo que discuten sobre los adjetivos y frases descriptivas de las plantas resistentes a la sequía. Durante la vista — *view* y con el propósito de extender el vocabulario y el conocimiento académico, la Sra. Mendoza utiliza una serie de fotografías de plantas y pide a los estudiantes que, de manera oral, clasifiquen las plantas en resistentes y no resistentes a la sequía. Seguidamente, la maestra guía a los estudiantes para que completen un organizador gráfico con el fin de describir las características de las plantas resistentes a la sequía y así profundizar más en el tema de estudio. La discusión oral comienza con la selección del tipo de organizador gráfico, un mapa círculo que se utiliza para definir, hacer una lluvia de ideas e identificar el conocimiento que los estudiantes poseen o están aprendiendo sobre el tema.

> **Maestra:** ¿Qué es un mapa círculo?
> **Elena:** Se usa para describir lo que estamos estudiando.
> **Maestra:** Muy bien nos ayuda a organizar ideas acerca del tema. Ahora vamos a completar entre todos este mapa círculo acerca de las características de las plantas resistentes a la sequía. Es importante que recuerden el video que vieron esta mañana con la maestra Saavedra
> **Mario:** ¿El video que vimos en inglés?
> **Maestra:** Si, el video en inglés. Por favor, presten atención y colaboren con la discusión. La información que recolectemos en esta gráfica les permitirá expresar el significado de las ideas que tenemos acerca del tema. A ver ¿qué recuerdan de las plantas resistentes a la sequía?

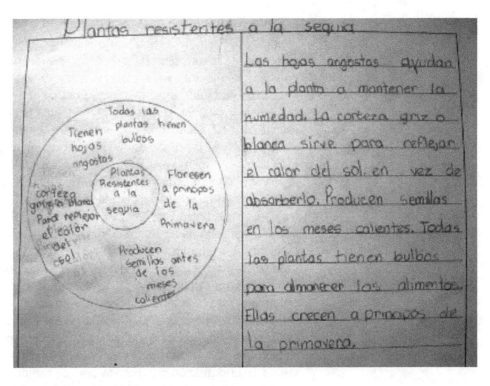

Figura 7.3 Mapa círculo sobre la sequía.

De esta manera, la Sra. Mendoza guía a los estudiantes para que completen el mapa círculo y desarrollen habilidades de pensamiento crítico acerca de las plantas de los diferentes ecosistemas. La extensión del tema de estudio de ciencias durante la clase que se dicta en español permite el desarrollo de la biliteracidad académica. En este ejemplo se ve cómo las habilidades de lectura y escritura que se desarrollan en diferentes oportunidades en los dos idiomas son interdependientes y complementarias para el desarrollo de la biliteracidad interdisciplinaria. Luego de esta actividad guiada por la maestra, los estudiantes trabajan en pares o de manera individual, escribiendo un resumen de lo aprendido.

La figura 7.3 muestra la manera en que los estudiantes usan el mapa círculo para la escritura. El proceso incluye la discusión oral del tema, la representación de ideas en el gráfico y la escritura académica. La planificación interdisciplinaria que desarrollan las maestras facilita la conexión entre el contenido de las dos disciplinas, usando lo que aprenden artes del lenguaje en inglés para escribir un texto durante la clase de ciencias que se dicta en español. Esto muestra la importancia de planificar estratégicamente las conexiones entre el contenido, el lenguaje y la biliteracidad.

Marcos de oraciones y escritura académica

Al enseñar el contenido, el apoyo por medio de marcos de oraciones debe tener lugar juntamente con la enseñanza del vocabulario académico en ambos lenguajes. El uso de marco de oraciones requiere poner énfasis en las palabras de señalización, las cuales permiten conectar las oraciones para crear párrafos y textos y son un elemento del lenguaje que suele presentar desafíos para los estudiantes bilingües. Tanto en un programa dual de una vía como de dos vías, el uso de marcos de oraciones apoyará el desarrollo de la escritura en ambos lenguajes de enseñanza. En un programa dual de una vía con estudiantes bilingües emergentes, al facilitar la escritura a través de esta estrategia los maestros logran ampliar el vocabulario y el conocimiento gramatical de los estudiantes bilingües en el idioma que están aprendiendo. También, en un programa dual de dos vías, el uso de marcos de oraciones diferenciadas permite a todos los estudiantes de la clase desarrollar el lenguaje de instrucción hacia un nivel más avanzado del que poseen. Es decir, los marcos de oraciones ayudan a identificar las formas en que se usa el lenguaje en el nivel de la palabra, la oración y el texto, tanto para los estudiantes que hablan el idioma de instrucción en la casa como para aquellos que lo están aprendiendo.

La Srta. María, en su salón de kínder de un programa dual de dos vías 50/50, facilita la escritura a través de una actividad de colaboración con los estudiantes de la clase. Ella modela una actividad de escritura acerca de lo que les gusta hacer a los estudiantes de su clase, actividad que está anclada en el área de estudios sociales y, más específicamente, en la unidad interdisciplinaria "Todo sobre mí". La Srta. María crea una tabla de cuatro columnas en las que separa las partes del marco de oración: "A mí me gusta _____". Modela un ejemplo y luego invita a los estudiantes a participar oralmente, mientras ella completa la tabla con las contribuciones de los estudiantes. La figura 7.4 muestra el producto de la actividad de escritura compartida entre la maestra y los niños.

Un análisis de la actividad revela los pasos que la Srta. María sigue para apoyar el proceso de escritura y que pueden ayudar a planificar actividades similares: primero, modela la escritura a través del uso de marcos de oraciones. Segundo, vuelca la información compartida por los estudiantes en un organizador gráfico para que lo usen cuando estén trabajando de manera independiente. Tercero, establece una conexión con el contenido de estudios sociales y enseña las estructuras gramaticales en contexto. Cuarto, provee ilustraciones para facilitar la comprensión de las distintas partes de la oración, como verbos, sustantivos y modificadores verbales. Finalmente, facilita el desarrollo de la oralidad alrededor de un tema de contenido académico, en tanto los estudiantes contribuyen con ideas formuladas en oraciones completas.

Figura 7.4 Ejemplo de actividad de experiencia con el lenguaje ·

Como el uso de los marcos de oraciones tiene como objetivo facilitar el aprendizaje de reglas y estructuras gramaticales, los maestros bilingües deben diferenciar las oraciones para poder apoyar a los estudiantes bilingües que presentan distintos niveles de competencia en el continuo del desarrollo de las habilidades de escritura. Por ejemplo, los marcos de oraciones de secuencia se utilizan en todos los grados escolares, pero con distintos niveles de dificultad gramatical. De kínder a segundo grado, los maestros generalmente utilizan marcos de oraciones que comienzan con los términos de señalización: "primero", "segundo", "luego", "por último". En los grados superiores, las maestras utilizan marcos de oraciones para apoyar la escritura según el nivel de competencia lingüística esperada para el grado escolar. Es importante que al escribir los alumnos utilicen una variedad de estructuras de diferente complejidad, apropiadas para el nivel del grado escolar, como vemos en este párrafo:

En el ensayo titulado _____ el autor explora _____ y

_____ (ideas principales). **Al comienzo,** él explica _____ .

Subsecuentemente, muestra _____ . **Finalmente,** concluye

_____ .

Otra manera en que los estudiantes pueden progresar como escritores es a través de actividades guiadas por el maestro que les permiten transformar oraciones simples en otras más elaboradas, con detalles y explicaciones del tema. Los ejemplos de la tabla 7.2 representan una versión gramaticalmente simple y una más compleja de la misma idea. Los maestros bilingües eficaces combinan la producción oral sobre el tema de estudio con organizadores gráficos y la construcción de oraciones complejas, como en el ejemplo siguiente:

Esta actividad debe realizarse de manera escalonada, siguiendo el patrón "lo hago", "lo hacemos juntos" y "hazlo tú" del modelo de transferencia gradual de la responsabilidad. El formato propuesto en la tabla 7.2 y los siguientes pasos ayudan al maestro a organizar la enseñanza sobre la expansión de oraciones:

1. Usar una oración escrita por uno de los estudiantes y hablar con ellos sobre los detalles que se pueden agregar, siguiendo las categorías de la tabla, para ampliarla en una oración compleja.

Tabla 7.2 Estrategia para facilitar la construcción de oraciones complejas (adaptado de Mercuri y Rodriguez, 2013)

Quién	Qué hace	Qué o quién recibe la acción de manera directa	Cómo lo hace	Cuándo lo hace	Qué o quién recibe la acción de manera indirecta	Dónde lo hace
Sujeto	Predicado Verbo	Predicado Objeto directo	Predicado Circunstancial de modo	Predicado Circunstancial de tiempo	Predicado Objeto indirecto	Predicado Circunstancial de lugar
Los líderes	ayudan			siempre	a la gente	
Los líderes	muestran	su calidad humana	de manera evidente	y con frecuencia		en su comunidad

2. Modelar la forma de elegir las palabras o las frases para cada categoría, en libros que hayan leído u otros materiales disponibles en la clase, como palabras de contenido específico, construcciones gramaticales complejas, palabras de señalización, tiempos verbales y verbos o frases verbales poco comunes o interesantes para añadir a la oración original.
3. Guiar a los estudiantes para que practiquen con un compañero la escritura de una oración compleja en colaboración, utilizando la información de la tabla.
4. Escribir las contribuciones de los estudiantes en la tabla y discutir con la clase los nuevos términos académicos que permiten acceder a la nueva información, así como también la función de cada una de las partes del lenguaje y la contribución que hacen a la explicación general del tema.

Los distintos ejemplos presentados muestran actividades que de manera intencional permiten utilizar los dos lenguajes para el desarrollo de la biliteracidad en el contexto de la planificación interdisciplinaria. Más aún, los ejemplos muestran la importancia que la oralidad, los organizadores gráficos y el andamiaje lingüístico por medio de marcos de oraciones tienen en el desarrollo de la escritura auténtica de los estudiantes bilingües. En el aula bilingüe esto sucede simultáneamente. Aprender a leer y a escribir, así como leer y escribir para aprender, son procesos que no se pueden separar claramente, dado que los estudiantes desde una temprana edad aprenden a escribir al mismo tiempo que escriben para mostrar su conocimiento sobre el tema aprendido. Este proceso implica una trayectoria de desarrollo de la escritura en un continuo, que va desde la invención a la convención, es decir, desde la escritura inventada propia de los escritores emergentes a la escritura convencional de los escritores más expertos, pero siempre con el objetivo de comunicar un mensaje o mostrar conocimiento sobre un tema disciplinar o una historia de ficción.

El translenguar y la enseñanza de la escritura en el aula bilingüe

Los maestros de estudiantes bilingües pueden facilitar la escritura de sus estudiantes utilizando distintas estrategias de translenguar, es decir, creando oportunidades para escribir en las que los estudiantes puedan usar todo su repertorio lingüístico, enfocándose principalmente en comunicar ideas y construir significado, en vez de escribir haciendo énfasis en las convenciones y el formato estandarizado de los lenguajes. Esto permite que los maestros ponderen las habilidades y los conocimientos que los estudiantes poseen y los usen para ampliar sus habilidades como escritores y avanzar en la incorporación de convenciones ortográficas, sintácticas y gramaticales propias de cada lenguaje.

La macroestructura sobre los ecosistemas planificada por la Sra. Mendoza y la Sra. Saavedra nos da un ejemplo de la aplicación de una pedagogía del translenguar para promover el uso de todo el repertorio lingüístico bilingüe de los estudiantes, de modo de lograr una comprensión más profunda del tema a través de la lectura y la escritura de textos expositivos. Por ejemplo, las maestras planifican actividades donde los estudiantes leen sobre temas interrelacionados en español e inglés e incluyen momentos donde los estudiantes conversan y anotan ideas importantes en el idioma de elección de cada grupo o estudiante para facilitar el acceso al contenido. Además, cada maestra incorpora actividades en las que usan diferentes tipos

> "A translanguaging pedagogy in instruction and assessment encourages bilingual students to draw on full features of their linguistic repertoires to read texts in different languages as they think, discuss, interact with, and produce written texts, sometimes in one language" (García, Johnson, & Seltzer, 2016, p. 143).

de organizadores gráficos para profundizar la comprensión del tema y cuyo contenido utilizan los estudiantes para sostener conversaciones académicas en los dos idiomas. También las maestras se aseguran de establecer conexiones entre lo que cada una enseña para que los estudiantes amplíen su repertorio lingüístico e integren el contenido aprendido en las dos clases al escribir sobre el tema en español o inglés, de forma independiente. Durante las conferencias individuales que tienen con cada estudiante para ayudarlos en el mejoramiento de la escritura se enfocan en las diferencias entre el inglés y el español, por ejemplo, en el nivel del vocabulario, en la selección de palabras de señalización y en el orden gramatical de las palabras, en el nivel de la oración.

Es importante que los maestros diseñen situaciones de aprendizaje en la que los estudiantes bilingües emergentes en uno u otro idioma puedan contribuir en la construcción del texto durante el proceso de escritura, por ejemplo, identificando vocabulario académico. En el siguiente ejemplo se ve la manera en que un estudiante bilingüe emergente que está aprendiendo español participa de manera activa en la escritura compartida de las noticias diarias, contribuyendo con las palabras correctas en inglés, aunque el lenguaje de instrucción sea el español:

Hoy es *Tuesday* 2 de octubre de 2019. Está soleado. Hoy vamos a estudiar sobre *animals* y su medio ambiente.

Aunque los estudiantes aún no puedan contribuir con el vocabulario en el lenguaje de instrucción, este tipo de contribución debe ser valorada por su complejidad lingüística, dado que el estudiante debe comprender la totalidad del texto construido en conjunto para poder contribuir con la palabra apropiada, considerando el contenido y la estructura gramatical de la oración (sustantivo, adjetivo, verbo o adverbio).

El maestro tiene el rol de trabajar con el estudiante para facilitar la transferencia del texto de un lenguaje a otro a través de apoyos lingüísticos apropiados. Estos ejemplos muestran la integración pedagógica del translenguar para avanzar en el desarrollo de la biliteracidad en el aula bilingüe, mediante la creación de oportunidades para establecer conexiones interlingüísticas, identificando similitudes y diferencias entre los dos lenguajes de enseñanza y desarrollando la conciencia metalingüística. Esto permite desarrollar competencias más avanzadas en los dos idiomas, que facilitan el acceso al contenido académico de manera más eficaz.

Conexiones interlingüísticas y desarrollo de la conciencia metalingüística

La pedagogía del translenguar nos permite entender por qué con frecuencia los estudiantes bilingües usan lo que saben de un idioma cuando escriben en el otro idioma. Esto no es sinónimo de interferencia de un lenguaje en el otro sino de la habilidad de usar todos los recursos lingüísticos disponibles para comunicar el mensaje escrito. Al diseñar la enseñanza de la escritura en un contexto bilingüe es importante planificar momentos en los cuales los estudiantes aprovechen su repertorio bilingüe para establecer conexiones entre ambos lenguajes, usando análisis contrastivo de similitudes y diferencias, de modo de ampliar y enriquecer sus competencias lingüísticas (Beeman y Urow, 2012).

En la clase de segundo grado la Sra. Olivia observó que sus estudiantes estaban usando los patrones ortográficos del español cuando escribían en inglés. El análisis de los cuadernos de escritura de su clase revela que los niños escribían usando aproximaciones al inglés con los sonidos del español. Esto también ilustra de manera clara la relación integrada e interdependiente entre el lenguaje oral y la

Tabla 7.3 Análisis de las aproximaciones ortográficas de los estudiantes bilingües

Palabra en inglés	Aproximación en inglés	Palabra en español
I	/ai/ - /ay/	Yo
We	/ui/	Nosotros
Because	/bicas/	Porque
Why?	/juai/	¿Por qué?

escritura a través de los dos lenguajes de instrucción. La Sra. Olivia decide realizar una actividad para hablar con los estudiantes sobre las diferencias fonéticas entre el español e inglés que se ven reflejadas en el uso de la ortografía en inglés. La maestra crea una lámina con una tabla de triple entrada. En la primera columna escribe "Inglés", en la segunda, "Cómo suena" y en la tercera "Español". La Sra. Olivia explica en español que en sus cuadernos de escritura ha visto que escriben las palabras "Ai" o "Ay" y las escribe en la tabla, en la columna del medio. Luego pregunta cómo se dice esta palabra en español y los estudiantes de manera coral dicen "Yo". La Sra. Olivia la escribe en la tercera columna de la tabla y seguidamente introduce una serie de marcos de oraciones ya completos, que habían utilizado durante una macroestructura sobre los ayudantes de la comunidad, y les pide que los lean a coro con ella. Los estudiantes pueden leerlas, pero es evidente que no pueden transferir su habilidad de lectura a la escritura en inglés. La maestra los guía para que identifiquen la diferencia y les pide que editen sus cuadernos con la ortografía correcta de la palabra en inglés, *I*.

Una vez terminada la edición, los estudiantes intercambian sus cuadernos para una revisión final con un compañero. En diferentes lecciones, la maestra Olivia guía a los estudiantes para que reconozcan algunas de las diferencias entre la fonología del inglés y del español, de modo de mejorar su escritura a través de las conversaciones metalingüísticas sobre diferentes aspectos del lenguaje oral y escrito. La tabla 7.3 presenta algunos de los ejemplos de aproximaciones ortográficas usados por la Sra. Olivia en sus diferentes actividades de escritura.

Desde el punto de vista de la instrucción, la Sra. Olivia usó las observaciones y la evaluación informal de la escritura emergente de sus alumnos para diseñar la enseñanza y así ayudarlos a identificar características de la escritura en los dos idiomas y al mismo tiempo aprender la ortografía estándar de cada uno. Una de las características de este intercambio comunicativo es el énfasis puesto en el hecho de que la maestra no les dice a los estudiantes la diferencia, sino que los guía a pensar y a descubrirla por ellos mismos. Desde el punto de vista de los estudiantes, esta actividad aumentó su conciencia metalingüística y facilitó el desarrollo de la biliteracidad académica a través de las conversaciones sobre la escritura.

De acuerdo con investigaciones que afirman la importancia de discutir con los estudiantes bilingües las diferencias y las similitudes particulares a cada idioma de enseñanza para avanzar en el proceso de desarrollo de la escritura, es imprescindible que los maestros planifiquen lecciones donde los estudiantes puedan discutir, discernir e internalizar las características de la escritura en los dos idiomas de instrucción (Samway, 2006). La tabla 7.4 presenta algunas de las similitudes y las diferencias entre la escritura en los dos idiomas que los maestros deben considerar.

Tabla 7.4 Ejemplos de similitudes y diferencias de distintos aspectos de la escritura en inglés y en español

Dimensión	En inglés	En español	En los dos idiomas
Escritura emergente	En los primeros estadios de desarrollo de la escritura, los estudiantes escriben con más consonantes porque son más regulares que los sonidos de las vocales.	En los primeros estadios de desarrollo de la escritura, los estudiantes escriben con más vocales porque son más regulares que los sonidos de las consonantes, las cuales incluyen las letras difíciles como "b", "v", "s", "c" y "z".	Las marcas en el papel representan significado. Los dibujos y garabatos son la primera expresión de la escritura.
Puntuación	Se utilizan las comillas como marca de diálogo: *"Come here," he said.* Los signos de pregunta y exclamación se utilizan solo al final de la oración.	Como marcador de diálogo se usan los guiones: *—Ven aquí —le dijo.* Los signos de pregunta y exclamación se utilizan al comienzo y al final de la oración.	Los términos académicos de las áreas de contenido son generalmente cognados que presentan similitudes ortográficas. Por ejemplo, "matemáticas" y *mathematics*.
Mayúsculas	Todas las palabras de un título se escriben en mayúsculas. Los días de la semana y los meses del año van con letra mayúscula.	Solo la primera palabra del título se escribe en mayúscula. Los días de la semana y los meses del año van con letra minúscula.	Los nombres propios van siempre con letra mayúscula.
Estructura gramatical de la oración	Los hablantes de inglés utilizan el adjetivo antes del sustantivo.	Los hablantes de español utilizan a menudo el adjetivo después del sustantivo.	La estructura básica de la escritura en los dos idiomas sigue el patrón *sujeto-verbo-objeto*. Cuando la escritura es más compleja se diferencia más claramente entre los dos idiomas. Por ejemplo, en español se usa una variedad de modificadores.
Estructura gramatical de la oración	En inglés, cada frase necesita un sujeto.	En español el verbo va conjugado y la persona se entiende por la desinencia.	Los dos idiomas tienen verbos regulares e irregulares, los cuales presentan dificultades para los estudiantes de los dos idiomas.

Más aún, es importante que los maestros muestren de manera explícita cómo funciona la escritura en cada idioma, comparando los patrones discursivos y las estructuras gramaticales de los textos a la par. Además, es imprescindible que los errores de los estudiantes se interpreten como una extensión de los patrones discursivos y las características gramaticales de un idioma al otro. Por ejemplo, es común que los alumnos que hablan inglés en el hogar y están aprendiendo español escriban el sujeto en cada oración, aunque no sea necesario escribirlo en español. En la tabla 7.5 presentamos a la par dos textos sobre los huracanes, uno en español y el otro en inglés, que la maestra usa como textos mentores o modelos para realizar el análisis de las diferencias discursivas y apoyar el desarrollo de la escritura de todos sus estudiantes.

Diferentes oraciones extraídas de los textos originales ejemplifican algunos puntos de comparación y contraste. El análisis de estos dos textos muestra que el texto escrito en inglés es más lineal y directo que el texto escrito en español.

Por ejemplo, en la primera oración en el texto en inglés se introduce el fenómeno científico: *"A hurricane is a huge storm"* y las oraciones siguientes presentan nueva información, usando pocos modificadores verbales, tales como *"usually/*

Tabla 7.5 Comparación de dos textos informativos sobre huracanes escritos en español y en inglés

Español	English
Los huracanes son devastadores fenómenos meteorológicos ya que son capaces de destruir grandes superficies y territorios alcanzando velocidades que pueden superar los 250 km/h. Traen consigo vientos destructivos, lluvias torrenciales, inundaciones y tornados. Una sola tormenta puede causar estragos en poblaciones costeras e interiores y en espacios naturales en cientos de kilómetros cuadrados. (https://brainly.lat)	A hurricane is a huge storm! It can be up to 600 miles across and have strong winds spiraling inward and upward at speeds of 75 to 200 mph. Each hurricane usually lasts for over a week, moving 10–20 miles per hour over the open ocean. Hurricanes gather heat and energy through contact with warm ocean waters. Evaporation from the seawater increases their power. . . . When they come onto land, the heavy rain, strong winds and large waves can damage buildings, trees and cars. (http://www.weatherwizkids.com)

for over a week" que indican tiempo, al igual que "*through contact with*", que indica el modo.

Each hurricane usually lasts for over a week, moving 10-20 miles per hour over the open ocean. Hurricanes gather heat and energy through contact with warm ocean waters.

En cambio, el texto en español presenta menos oraciones, pero todas son más largas. Cada oración presenta varios modificadores, lo cual extiende la información provista en cada oración:

Los huracanes son devastadores fenómenos meteorológicos ya que son capaces de destruir grandes superficies y territorios alcanzando velocidades que pueden superar los 250 km/h.

En la oración que precede podemos identificar los modificadores del verbo que explican cómo son los huracanes: "devastadores fenómenos meteorológicos". Al mismo tiempo, se modifica a la palabra "fenómenos" con dos adjetivos, "devastadores" y "meteorológicos" y se extiende el significado del adjetivo "devastadores" explicando el porqué con la oración subordinada "ya que son capaces de destruir grandes superficies los 250 km/h".

En lo que respecta a la estructura de la oración, vemos que ambos textos presentan el uso del adjetivo y el sustantivo. Sin embargo, en el texto en español lo vemos en la posición opuesta con respecto al inglés en casi todas las oraciones (espacios naturales, kilómetros cuadrados, poblaciones costeras e interiores). Una diferencia importante entre los dos textos es el sujeto omitido en la segunda oración, pero claramente interpretado en el contexto general del texto. Si al leer la oración en el texto en español: "Traen consigo vientos destructivos, lluvias torrenciales, inundaciones y tornados" preguntamos "¿Quiénes?", la respuesta es "Los huracanes". Esto se debe a que la desinencia verbal permite entender quién es el que realiza la acción del verbo.

Finalmente, otra diferencia evidente entre los dos textos es el uso de la coma antes de la conjunción *and*, usada típicamente en oraciones que listan elementos en inglés, pero no en el texto escrito en español. Cuando los maestros de estudiantes bilingües crean oportunidades para contrastar los textos en inglés y en español, estas similitudes y diferencias se hacen explícitas y ello facilita el desarrollo de la escritura académica en los dos idiomas.

En términos generales, al realizar el análisis contrastivo de los textos los maestros pueden considerar lo siguiente:

- Identificar el aspecto de la escritura que se va a comparar o contrastar, como estructura sintáctica o gramatical de oraciones similares, uso de palabras de señalización para conectar ideas u orden de palabras dentro de la oración (p. ej., el orden del sustantivo y el adjetivo), etcétera.
- Seleccionar dos textos similares en género y tema o textos con buena traducción.
- Explicar y modelar el objetivo de la actividad.
- Dar a los estudiantes tiempo para que analicen los textos con el fin de que busquen otros ejemplos y compartan con la clase sus descubrimientos lingüísticos.

Este tipo de actividades se enfocan en la activación de la conciencia metalingüística de los estudiantes y muestran un análisis integrador de sus repertorios lingüísticos a través de la comparación de los dos idiomas. Esto también ayuda a los educadores a entender mejor la manera en que los estudiantes utilizan su repertorio lingüístico para comprender y comunicar ideas. Como consecuencia, podrán enseñar de una manera que sea más eficaz para desarrollar la biliteracidad de sus estudiantes, con base en la riqueza de recursos lingüísticos que solo los estudiantes bilingües poseen.

La comprensión profunda de estas diferencias lingüísticas entre los dos idiomas permite que los maestros evalúen a los estudiantes bilingües de una forma más justa y acertada. Por ejemplo, a veces los estudiantes que hablan español como lengua del hogar y han desarrollado la literacidad en su país de origen escriben en inglés usando otros patrones discursivos comunes del español como oraciones largas y repeticiones con mayores desviaciones del tema central, que son características típicas de los textos académicos en español y que utilizan los escritores monolingües en español. Es importante que los maestros no evalúen esta forma de escribir negativamente o como un déficit, sino que la valoren como una forma propia de expresión escrita y usen ese conocimiento para establecer diferencias discursivas, desarrollando lecciones en las que muestren la manera en que se escribe lo mismo en el otro idioma, utilizando los patrones discursivos apropiados. Es importante considerar estas diferencias y entablar conversaciones con los estudiantes bilingües con el propósito de andamiar estratégicamente y desarrollar la escritura académica en cada idioma.

La biliteracidad equilibrada

Desde una visión holística de la biliteracidad e integrando una pedagogía del translenguar, los maestros de diferentes tipos de aulas bilingües pueden lograr el desarrollo de la escritura de sus estudiantes a través de la implementación de los diferentes componentes de la escritura equilibrada. Esta metodología es apropiada para diferentes contextos educativos que utilizan inglés y un idioma minoritario para la instrucción. Esta metodología sigue los principios de la transferencia gradual de la responsabilidad para desarrollar la biliteracidad de los estudiantes bilingües y consiste en escritura modelada, escritura compartida, escritura en colaboración o guiada y escritura independiente. Este modelo de la enseñanza de la escritura se articula con la planificación de macro y microestructuras interdisciplinarias propuesta en este libro, dado que permite diseñar estratégicamente momentos de escritura en ambos lenguajes de enseñanza, para que los estudiantes participen y se beneficien de la escritura modelada por la maestra, al escribir en colaboración con pares o guiados por la maestra y de forma independiente, pero sin necesidad de repetir diariamente las mismas actividades en los dos idiomas.

Todas las prácticas de enseñanza de la escritura presentados en este capítulo muestran la interrelación entre la lectura y la escritura con el aprendizaje del contenido disciplinar a través de la cual los maestros pueden recolectar evidencia de la manera en que los estudiantes utilizan el lenguaje oral en español e inglés como andamiaje y apoyo para el desarrollo de la escritura en los dos idiomas, demostrando de esta manera la naturaleza bidireccional del proceso de escritura en el aula bilingüe. Cuando los maestros evalúan formativamente el rendimiento de los estudiantes en ambos idiomas, contrarrestan la tendencia de aquellos distritos escolares que se centran exclusivamente en valorar el desarrollo del inglés y no del español.

El desarrollo de la escritura en los dos idiomas desde el punto de vista de la biliteracidad debe ser considerado un proceso único, siendo que los escritores bilingües piensan y utilizan sus recursos lingüísticos de una manera diferente a como lo hacen los estudiantes monolingües. La escritura en los dos idiomas y el uso de los dos idiomas en la escritura es una parte integral del desarrollo de la biliteracidad de los estudiantes bilingües. Esta debe ser analizada con un lente integrador y con un enfoque en la enseñanza explícita, el modelado y la discusión acerca de las similitudes y las diferencias entre la escritura en español y en inglés. De la misma manera que presentamos la metodología apropiada para la enseñanza de la lectura en el capítulo 6, presentamos aquí los enfoques más apropiados para la enseñanza de la escritura a estudiantes bilingües, en diferentes contextos educativos.

Escritura modelada

La **escritura modelada** —*modeled writing*— es usada en los distintos grados, con un enfoque adecuado a la edad de los estudiantes. El maestro, como escritor experto, modela el proceso de escritura para toda la clase en un póster o en el pizarrón interactivo —*smartboard*—. El maestro decide de antemano el tipo de texto que modelará y conversa con los estudiantes sobre el tema elegido, dando oportunidad para usar el lenguaje oral antes de escribir. Durante la escritura el maestro utiliza la estrategia de "pensar en voz alta" para mostrar los procesos cognitivos que realiza al escribir el texto y explicar las distintas habilidades de enfoque. Finalmente, el maestro y los estudiantes leen de manera coral el texto que el maestro ha creado, no solo para facilitar la comprensión sino también para dar la oportunidad de revisar y editar el texto. Para los grados inferiores el maestro modela en las noticias diarias el uso correcto de la puntuación y la utilización de mayúsculas de acuerdo con el lenguaje de enseñanza. En los grados superiores, por ejemplo, el maestro puede modelar la escritura de un resumen sobre los nativos de California, utilizando conectores para los distintos párrafos.

Escritura compartida o interactiva

Esta estrategia de enseñanza de la escritura se denomina **escritura compartida** y también **escritura interactiva**, dado que hace énfasis en el trabajo colaborativo de la maestra y los estudiantes en la construcción de un texto escrito. Mediante la escritura compartida —*shared writing*— el maestro y los estudiantes construyen el texto en conjunto. El maestro escribe las contribuciones de los estudiantes y modela lo que los escritores expertos hacen y piensan cuando escriben. Durante la escritura interactiva —*interactive writing*— el maestro y los estudiantes que pueden participar activamente en la escritura se turnan en la creación del texto. Se recomienda realizar este tipo de escritura de manera alternada en los dos idiomas para que los estudiantes estén expuestos al estilo de escritura de cada lenguaje. Además, durante esta actividad de escritura, el maestro permitirá a los estudiantes compartir sus ideas en el idioma del hogar y utilizará esta oportunidad para conversar sobre similitudes y diferencias entre los dos idiomas, al tiempo que modela el lenguaje asignado al área de contenido para el grado y el tipo de programa. Se recomienda que todos los estudiantes escriban, ya sea en sus cuadernos —*notebooks*— o en pizarrones blancos —*whiteboards*— para que tengan la oportunidad de practicar la escritura junto con el maestro. El maestro decide de antemano el tipo de texto que modelará y conversa con los estudiantes sobre el tema elegido y la estructura del texto, dando a todos los estudiantes oportunidades para el uso del lenguaje oral antes de escribir. El maestro y los estudiantes leen y editan el texto creado. Finalmente, el texto puede ser parte de un centro de trabajo en el cual los estudiantes practican la lectura y las habilidades de enfoque del texto.

En los grados inferiores el maestro modela un texto de ficción, enfocándose en el principio, el desarrollo y el desenlace de la historia. Los estudiantes comparten la lapicera para escribir ciertos patrones tradicionales de escritura como: "había una vez" o "colorín colorado, este cuento se ha acabado". En los grados superiores, el maestro escribe un reporte sobre el crecimiento de las plantas, utilizando las contribuciones orales de los estudiantes. Los estudiantes también construyen en conjunto el texto, escribiendo palabras de señalización de causa y efecto para conectar las ideas del texto creado.

Escritura en colaboración

En la escritura en colaboración, los estudiantes escriben con sus compañeros y el maestro actúa como moderador. El maestro apoya a los estudiantes en el desarrollo de la escritura de acuerdo con las necesidades de cada grupo de trabajo. Este tipo de escritura permite el uso del translenguar, creando situaciones donde los estudiantes bilingües pueden negociar significado y utilizar las habilidades lingüísticas desarrolladas en los dos lenguajes para comprender mejor la estructura del texto que deben escribir y las estructuras gramaticales que deben usar para expresar sus ideas en el lenguaje de instrucción. Más aún, la escritura en colaboración les permite involucrarse más en el proceso de escritura y ampliar su comprensión sobre el proceso, a medida que negocian la construcción del texto con sus pares, interactuando en los dos idiomas. El objetivo final es que los pares o grupos, al finalizar la escritura en colaboración, la compartan con el resto de la clase.

Por ejemplo, en un salón de kínder de doble vía en el que matemáticas se enseña en inglés, la maestra crea una microestructura en la que los estudiantes miden zapallos o calabazas utilizando medidas no estandarizadas y escriben esa información como parte de un libro grande —*big book*—. La microestructura incorpora temas de estudios sociales y ciencias, tales como celebraciones (Día de los Muertos y Día de Acción de Gracias), el otoño y el crecimiento de las plantas. Después de haber leído en español sobre estos temas en lecciones previas, los estudiantes trabajan en sus grupos y escriben en inglés en una página del libro grande el resul-

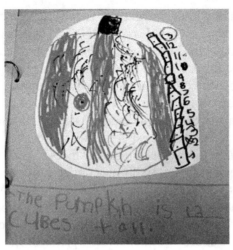

Figura 7.5 La altura de la calabaza es 12 cubos

Figura 7.6 El lapiz de color es más baja quela calabaza

tado de la medición de una calabaza en llas figuras 7.5 y 7.6, usando el lenguaje de matemáticas con marcos de oraciones:

The pumpkin is _____ *tall*

The pumpkin is _____ *than the crayon*

Durante la actividad de medición que tiene lugar en sus mesas, los estudiantes de kínder utilizan los dos idiomas para negociar el conocimiento matemático, por ejemplo:

Mira, mide muchos *cubes.*
Thirteen cubes.

Al finalizar la producción escrita, el maestro evalúa el contenido y el número de cubos o unidades de medición no estandarizadas (13) que representan la altura de la calabaza, así como el desarrollo del lenguaje a través del uso del vocabulario académico de matemáticas "más corto o más alto que" —*taller than and shorter than*—.

La escritura en colaboración también puede ser implementada en los grados superiores. Por ejemplo, los estudiantes de quinto grado trabajan en pares y escriben un reporte sobre los ecosistemas. El maestro facilita o guía el proceso. Cada par selecciona un ecosistema y escribe en el idioma de instrucción, siguiendo el formato del reporte de ciencias y describiendo de manera detallada el clima, la flora y la fauna del ecosistema elegido, con la utilización de la información recabada de diferentes fuentes en los dos idiomas.

Escritura independiente y conferencia con el maestro

Durante la **escritura independiente** —*independent writing*— los estudiantes escriben solos diferentes tipos de textos. Durante este tiempo, el maestro tiene la oportunidad de ofrecer ayuda en lo que los estudiantes necesiten a través de conferencias individuales. También, es una oportunidad para que los estudiantes apliquen lo aprendido durante las diferentes lecciones de escritura modelada, compartida y en colaboración. Tanto en los grados de literacidad temprana como en los grados superiores, los estudiantes tienen la oportunidad de escribir textos sobre el contenido académico y de ficción apropiados para su nivel de grado y su competencia lingüística en cada idioma. Los maestros pueden usar estas muestras de escritura de los estudiantes como evidencia de lo que los estudiantes pueden hacer con la escritura en ambos idiomas, lo que los ayuda a tomar decisiones sobre lo que sigue en la instrucción. Los maestros que trabajan con estudiantes en distintos programas bilingües deben evaluar la escritura en español y en inglés a la par para comprender mejor las fortalezas de los estudiantes en cada idioma y reflexionar sobre la manera de facilitar las conexiones interlingüísticas entre ambos idiomas y la transferencia de habilidades y conceptos aprendidos.

La escritura en estudios sociales

Los diferentes componentes de la biliteracidad equilibrada se pueden observar en el salón de cuarto grado de la Sra. Jessica. Al entrar a su salón, se observa que ella considera la enseñanza y la evaluación de la literacidad de sus estudiantes como un proceso integrador no solo de la lectura y la escritura sino también de la oralidad a través de distintas áreas de contenido, lo cual también permite a los estudiantes hacer conexiones interdisciplinares e interlingüísticas y desarrollar habilidades de pensamiento crítico.

A través de las diferentes oportunidades de escritura modelada, compartida, en colaboración e independiente se permite a los alumnos el desarrollo de la escritura académica en los dos idiomas. Esto requiere una planificación no solo en el nivel de la macroestructura, con una meta clara de contenido y lenguaje, sino también objetivos específicos de contenido y lenguaje en el nivel de la microestructura o lección, donde se puede utilizar una serie de estrategias para desarrollar el lenguaje académico de los estudiantes en el continuo de desarrollo del lenguaje oral al escrito, alrededor del tema de estudio. Es esencial integrar en la planificación interdisciplinaria conversaciones estructuradas sobre temas académicos y uso de estrategias con el fin de facilitar la organización y el desarrollo de las ideas a modo de andamiaje para la escritura de textos académicos sobre el tema de estudio.

En esta sección detallamos los pasos seguidos por la Sra. Jessica con sus estudiantes de cuarto grado para el análisis y el desarrollo de la escritura académica durante la macroestructura sobre los nativos americanos, incluyendo diferentes componentes de la escritura equilibrada. El ciclo de enseñanza y aprendizaje utilizado comienza con más control por parte de la maestra y sigue con una transferencia gradual de la responsabilidad a los alumnos, culminando con la escritura independiente que sirve también como estrategia de evaluación.

En este salón dual de dos vías, la Sra. Jessica enseña el 50% en español (artes del lenguaje, ciencias y estudios sociales) y 50% en inglés (artes del lenguaje y matemáticas). Para esta macroestructura interdisciplinaria de los nativos americanos, la Sra. Jessica y sus estudiantes usan los dos idiomas de manera fluida para leer y discutir el tema de estudio, pero escriben en español. Primero, durante estudios sociales en español, la Sra. Jessica presenta el tema a través de la lectura coral de un texto histórico corto y una galería de fotos, para generar producción oral y activar el conocimiento previo. La galería de fotos está compuesta por una serie de láminas que incluyen fotografías y dibujos sobre los nativos americanos, la conquista, los mapas y los conquistadores, distribuidos alrededor del salón de clase para que los estudiantes caminen, conversen y escriban sobre sus conexiones con los materiales expuestos. Los dibujos y las fotografías son seleccionados por la maestra de manera estratégica. Esta actividad introductoria permite que los estudiantes hagan conexiones personales, activen el conocimiento previo y construyan significado del nuevo tema de estudio a través de los elementos visuales. Durante este paseo por la galería de fotos los estudiantes deben escribir en tarjetas o notas autoadhesivas —*sticky notes*— sus reacciones a las fotografías, para luego compartirlas con la clase. A manera de conexión con el hogar, la maestra invita a los estudiantes a entrevistar a sus padres, algunos de los cuales son de origen indígena, para preguntarles sobre sus antepasados y sobre las experiencias históricas y sociales de su grupo, capitalizando los fondos de conocimiento de los estudiantes y sus familias. Los estudiantes deben escribir los comentarios de los padres para compartirlos oralmente con la clase al día siguiente. Es importante destacar que, aunque la introducción del tema haya sido hecha con un texto en español, los estudiantes conversan sobre la lectura y escriben sus notas sobre la galería de fotos usando los dos idiomas.

La macroestructura continúa en la clase de artes del lenguaje en inglés. Durante esta lección, la Sra. Jessica selecciona un libro que funciona como texto mentor del tipo de escritura académica que los alumnos deben realizar (Dorfman y Cappelli, 2009). Esta es una estrategia efectiva para modelar y discutir la estructura de los diferentes tipos de textos. Los textos mentores son también una herramienta para el desarrollo de la escritura que muestra la relación intrínseca que existe entre la lectura y la escritura (Kristo y Bamford, 2004). Los maestros que involucran a los estudiantes en la lectura y la escritura de textos informativos los ayudan a comprender mejor las características de este tipo de textos, específicamente en cuanto a cómo se diferencian de los textos de ficción en la estructura, el punto de vista y la voz del autor.

> Ralph Fletcher (n.d.) explains that mentor texts are "anything that you can learn from—not by talking about but just looking at the actual writing itself, being used in really skillful, powerful way."

Antes de comenzar la lección del día, a manera de repaso la maestra invita a los estudiantes a discutir acerca de algunas de las fotos de la galería y a compartir los comentarios de los padres de acuerdo con lo asignado como tarea para el hogar el día anterior, utilizando los dos idiomas de instrucción. Esto funciona como una introducción a la actividad del día y como puente conector entre la discusión académica acerca de la galería de fotos y el libro mentor seleccionado, *Encounter* (Yolen y Shannon, 1996). Los textos mentores son recursos que tanto el maestro como el alumno utilizan para estudiar e imitar la estructura, las estrategias, el uso del vocabulario o estilo que el autor utiliza para escribir un texto en particular. La Sra. Jessica lo lee en voz alta y conversa con los estudiantes, haciendo conexiones entre el estudio de la historia, algunas fotos de la galería y los eventos del texto de ficción. La maestra guía a los estudiantes en la producción oral, con el objetivo de construir conocimiento previo sobre el tema, utilizando el texto de ficción. Durante esta parte de la lección la Sra. Jessica alienta a los estudiantes a participar en inglés, para que desarrollen el vocabulario académico de la disciplina y amplíen el conocimiento sobre el tema en los dos idiomas.

A continuación, la Sra. Jessica presenta el concepto de "punto de vista", dado que el libro de ficción, a diferencia de los libros de historia, presenta el evento histórico desde el punto de vista de un niño taíno, lo cual genera una discusión activa por parte de todos los estudiantes de la clase. Más aún, la información recolectada por los estudiantes en su casa les permite hacer conexiones con el texto, llegando a una interpretación más profunda del texto leído. Esta discusión oral que facilita la maestra da a los estudiantes el conocimiento necesario para poder realizar la tarea de escritura que tiene planificada como meta del lenguaje de esta macroestructura. De esta manera, el texto mentor o guía *Encounter* se utiliza para mostrar la relación entre la lectura y la escritura, para generar entendimiento sobre el tema histórico y para enseñar el género de comparación y contraste entre el punto de vista del autor del texto histórico y el texto de ficción.

> "If children are asked to write procedural text, teachers can read several procedural texts with them, inviting them to notice how the authors have written the texts and having them identify particular characteristics of those texts" (Dreher & Kletzien, 2015, p. 139).

Utilizando lo aprendido sobre los nativos americanos, la Sra. Jessica modela y hace un análisis crítico del género de comparación y contraste en inglés utilizando el punto de vista presentado en el texto de ficción y el del libro de historia. Primero, muestra la manera en que el autor utiliza el punto de vista de los indios para caracterizar a los dos grupos, utilizando palabras descriptivas y analizando las imágenes del texto. Segundo, guía a los estudiantes en una actividad de escritura compartida en inglés, para que identifiquen la estructura de un texto de comparación y contraste, buscando evidencia en el texto. Tercero, modela el texto utilizando las contribuciones de los estudiantes y utilizando preguntas guía para moderar la discusión oral. Al mismo tiempo, introduce el concepto de palabras de señalización, para facilitar la escritura de comparación y contraste, y modela un ejemplo para la clase.

Luego la Sra. Jessica guía a los estudiantes para que analicen la estructura del texto e identifiquen las estructuras gramaticales y el vocabulario específico tales como *while*, *are different in the way in which* o *the only similarity*. También identifican el uso de adjetivos para mostrar el contraste entre el punto de vista presentado en cada texto, por ejemplo, *omnipotent, powerful, curious, explorers* y *savages*. Durante la discusión y el análisis del texto, los estudiantes contribuyen usando los dos lenguajes de instrucción, lo cual permite a todos lograr una participación y un entendimiento más profundo del tema de estudio.

Al día siguiente, durante artes del lenguaje en español, a manera de modelaje y aplicación práctica de lo aprendido sobre la estructura del texto de comparación y contraste, la Sra. Jessica y los alumnos construyen a través de la escritura compartida un texto sobre el tema de estudio, como muestra abajo. Este paso contribuye a la internalización y la aplicación de lo aprendido en el otro idioma, pero con la guía de un escritor experto, el maestro.

> ***Mientras que*** el autor del texto histórico presenta los hechos desde el punto de vista de los conquistadores, el texto de ficción presenta los datos desde el punto de vista de los nativos taínos. ***Además,*** los textos ***son diferentes en*** *la manera en la que los autores describen a los nativos americanos y a los conquistadores.* ***La única similitud entre*** *los textos es que los dos se enfocan en el mismo evento histórico.*

La maestra entiende que los alumnos necesitan más práctica antes de poder escribir solos un ensayo de comparación y contraste, por lo cual guía a los estudiantes en la lectura, la organización de ideas y la escritura de un texto en el cual comparan dos grupos nativos de los Estados Unidos, los karankawas y los caddos.

Primero, la maestra lee dos textos informativos en español que tienen datos sobre estos grupos de nativos americanos y los estudiantes comparten sus ideas y sus opiniones en ambos idiomas o en el idioma que deciden usar. Durante estas actividades los estudiantes identifican las ideas principales del texto y los detalles, los cuales son plasmados en un organizador gráfico creado por la maestra. Los ejemplos en la figura 7.7 representan las notas modeladas por la maestra e incluyen las contribuciones de los estudiantes sobre los textos leídos.

Luego, como vemos en la figura 7.8, la maestra guía a los estudiantes para que comparen y contrasten los dos grupos, creando un diagrama de Venn y utilizando todas las categorías de información sacada de los libros y de las contribuciones orales hechas en los dos idiomas de instrucción. De esta manera, el organizador gráfico ayuda a la organización de ideas para la escritura del ensayo, el cual es el objetivo último de esta actividad de escritura.

Seguidamente, la maestra construye en colaboración con los estudiantes la composición comparativa, utilizando las anotaciones del diagrama de Venn y las ideas que aportan los estudiantes, como vemos en la figura 7.9.

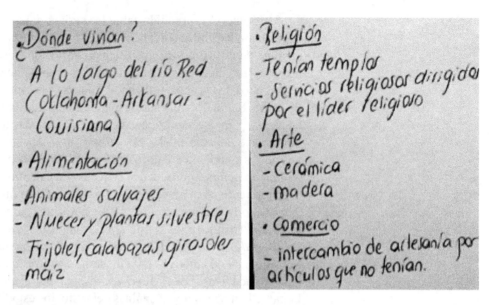

Figura 7.7 Notas modeladas por la maestra

Al finalizar la escritura del texto, la maestra analiza la estructura con los estudiantes y conversa sobre la elección de palabras apropiadas para la estructura específica del texto. Los estudiantes identifican los conectores o palabras de señalización que muestran la relación entre las ideas de comparación y contraste del texto y clarifican concepciones erróneas sobre el tema de estudio, la estructura del lenguaje y la escritura.

Luego de esta práctica de escritura guiada y en colaboración, los estudiantes están listos para la aplicación práctica de lo aprendido acerca de la escritura de comparación y contraste y ahora pueden escribir de manera independiente otro ensayo en el cual comparan y contrastan otros grupos de nativos americanos. La maestra permite que los estudiantes escriban de manera individual o en pares para

Figura 7.8 Diagrama de Venn sobre nativos americanos

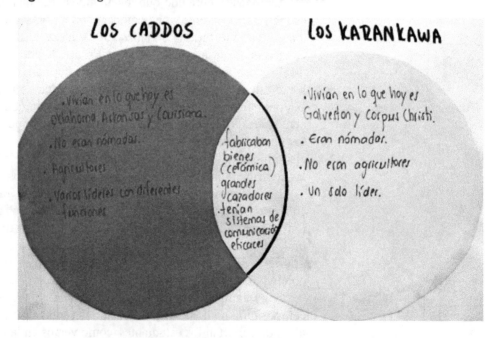

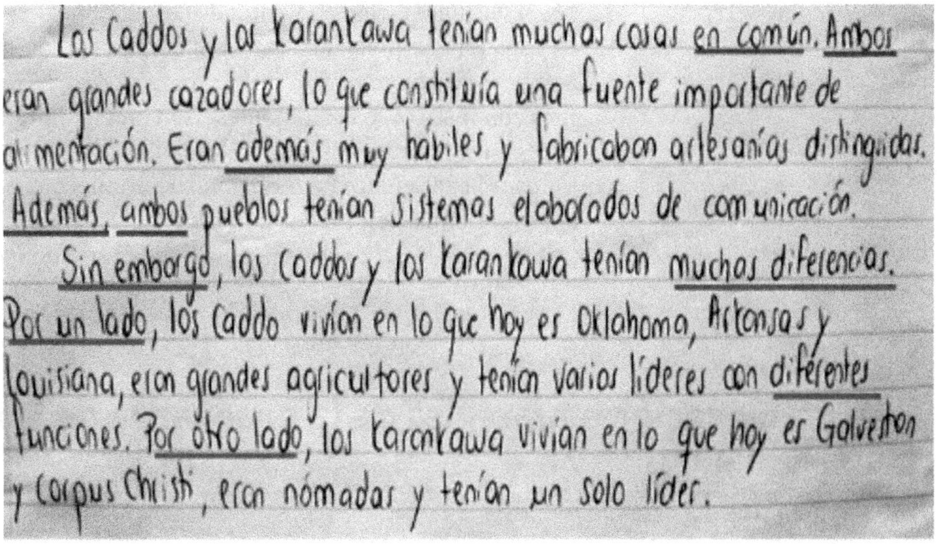

> Los Caddos y los karankawa tenían muchas cosas en común. Ambos eran grandes cazadores, lo que constituía una fuente importante de alimentación. Eran además muy hábiles y fabricaban artesanías distinguidas. Además, ambos pueblos tenían sistemas elaborados de comunicación.
>
> Sin embargo, los Caddos y los karankowa tenían muchas diferencias. Por un lado, los Caddo vivían en lo que hoy es Oklahoma, Arkansas y Louisiana, eran grandes agricultores y tenían varios líderes con diferentes funciones. Por otro lado, los karankawa vivían en lo que hoy es Galveston y Corpus Christi, eran nómadas y tenían un solo líder.

Figura 7.9 Modelado de escritura de comparación y contraste

apoyarse mutuamente y también facilitar la producción oral, lo cual tiene un efecto positivo en la ampliación y el desarrollo de la escritura académica.

La enseñanza de la ortografía en contexto

La ortografía es el estudio de cómo el lenguaje oral se representa de manera sistemática y correcta en la escritura. La ortografía incluye todos los aspectos del lenguaje escrito, tales como la puntuación, el espacio entre las palabras y el uso de algunas características particulares del lenguaje como las tildes en español, cuyo uso cambia el significado o la función gramatical. Por ejemplo, la palabra "el" sin tilde se refiere al artículo determinado singular masculino, mientras que la palabra "él" con tilde corresponde al pronombre personal de tercera persona del singular. En la ortografía en español los maestros deben hacer hincapié en las "letras difíciles o tramposas", que son las que generan más dificultades a los estudiantes bilingües. Por ejemplo, las letras "c" y "g" representan sonidos diferentes dependiendo de la vocal que las acompaña.

Durante la construcción conjunta del texto de comparación y contraste, la Sra. Jessica nota que los estudiantes tienen dificultad con el uso de la letra "c", dado que en el texto se encuentran con varias palabras que presentan los dos sonidos de la letra "c" como /k/ y /s/. Por esta razón, la maestra desarrolla una minilección de ortografía que permite a los estudiantes analizar e internalizar el uso de la letra "c" dependiendo de la vocal que la acompaña en las palabras del texto. Primero, la maestra guía la comparación de las palabras "caddos", "karankawas", "corpus" y "Oklahoma". Los estudiantes discuten con sus compañeros bilingües que las dos letras "c" y "k" hacen el mismo sonido/k/. Luego, la Sra. Jessica les pide que identifiquen otras palabras en el texto que tengan la letra "c" en diferentes posiciones. Por ejemplo: "común", "con", "cazadores", "constituía", "agricultores", "funciones", "comunicación", "diferencia" y "alimentación". Los estudiantes pronuncian las palabras e identifican que las palabras con "c" que tienen el sonido /k/ van acompañadas por las vocales "a", "u" y "o", mientras que las que tienen el sonido /s/ van acompañadas por las vocales "e" o "i".

A manera de ampliación, y con el fin de fortalecer el conocimiento ortográfico en los dos lenguajes, la maestra durante artes del lenguaje en inglés hace conexiones interlingüísticas, comparando las palabras del texto con ejemplos de palabras en español que presentan la misma combinación de vocales con la letra "c", tales como: _comunication, differences, agriculture, civilization, cities_. Durante este análisis contrastivo, los estudiantes usan ambos idiomas mientras discuten las similitudes y las diferencias entre las palabras del texto y las seleccionadas por la maestra para la actividad. Para concluir la minilección, los estudiantes explican que en ambos idiomas la letra "c" con las vocales "a", "o" y "u" tiene el sonido /c/, mientras que con las vocales "e" e "i" tiene el sonido /s/.

La planificación estratégica de la enseñanza de la escritura en dos idiomas

Los maestros de estudiantes bilingües de distintos contextos educativos deben tomar en cuenta la característica bidireccional del desarrollo de la biliteracidad y la condición única de los estudiantes bilingües en cuanto al desarrollo de la lectoescritura en los dos idiomas. Dado que los estudiantes bilingües deben aprender a leer y a escribir simultáneamente el contenido académico en los dos idiomas, los maestros deben considerar de manera estratégica cómo utilizar todos los componentes de la escritura equilibrada (escritura modelada, compartida, en colaboración e independiente), en los dos idiomas y en las distintas áreas de contenido.

Al igual que la enseñanza de la lectura equilibrada, la escritura se debe enseñar todos los días, en los dos idiomas y en distintas áreas de contenido o en el taller de escritura, escribiendo textos científicos, históricos o de ficción. Además, en los salones de enseñanza dual, los maestros pueden trabajar con dos tipos de textos simultáneamente, uno en español y otro en inglés, alternando diferentes microestructuras durante el año, o presentarlos de manera comparativa para observar similitudes y diferencias en la estructura de los textos. Sin embargo, la planificación de estos componentes de la escritura equilibrada debe ser hecha de manera estratégica e intencional, haciendo un uso eficiente del tiempo de instrucción y evitando duplicar cada día estos componentes en los dos idiomas.

El ejemplo de tercer grado que presentamos a continuación muestra de manera concreta una de las posibilidades de aplicación de lo anterior. El ejemplo muestra una de las formas en las que los maestros que trabajan con estudiantes bilingües pueden enseñar la escritura en los dos idiomas. En este ejemplo, los maestros planifican dos microestructuras interdisciplinarias conectadas pero usando dos tipos de textos diferentes; una de las microestructuras consiste en la escritura en español de una carta sobre los efectos de la deforestación de los bosques tropicales y la otra, en la escritura en inglés de un reporte para un trabajo de investigación sobre la selva tropical. Estas microestructuras se desarrollan en forma paralela en el aula de español e inglés.

Como muestra la tabla 7.6, los maestros se enfocan en habilidades de escritura diferentes y proporcionan a los estudiantes distintos andamiajes apropiados al desarrollo efectivo del tipo de escritura en el que están trabajando. Además, los maestros, durante la implementación de estas microestructuras, guían a los estudiantes para que utilicen esas habilidades de escritura en el otro idioma de instrucción.

La maestra de español modela durante la escritura guiada la manera de agregar detalles a un párrafo de la carta sobre la deforestación escrita por un estudiante de la clase, y al hacerlo repasa lo aprendido la semana anterior en inglés sobre cómo

Tabla 7.6 Ejemplo de la enseñanza de la escritura en tercer grado en español e inglés

Artes del lenguaje en español **Escritura guiada** (en grupo pequeño o individual)	**English Language Arts (ELLD)** **Shared Writing** (In whole group)
Tipo de texto: Carta	**Type of text:** Research report
Actividad: Revisar y editar el borrador de una carta a un amigo, explicando las causas y las consecuencias de la deforestación.	**Activity:** Writing activity on how to include facts and supporting details in a research report.
Estrategias: Seleccionadas de acuerdo con las necesidades del grupo. La maestra: • Repasa/clarifica la estructura y las partes de una carta. • Trabaja sobre la puntuación y el uso de mayúsculas. • Introduce palabras de señalización para expresar causas y efectos de la deforestación: Una razón por la qué _____ Debido a _____ Como resultado (de) _____ Por esta razón _____ Cuando (causa), (efecto) _____ • Modela el uso de marcos de oraciones para expresar causa y efecto: Si esto _____, entonces _____. _____ es causado por _____, por lo tanto _____. • Guía a los estudiantes durante la edición de la carta en forma independiente.	**Strategies:** Selected according to the needs of the group. The teacher: • Uses a sentence from a student's draft to model how to add facts and supporting details to extend the academic writing sample. *"In the canopy there are small trees, and animals such as leopards and monkeys."* • Reads aloud a book on the subject to activate background knowledge to add to the writing. • Invites students to share ideas to improve the original text. • Writes students' contributions on the board, modeling how to add details to the original sentence to extend the paragraph shown here; italics are used for new text; bold indicates students' original sentence. *The canopy is about 100 feet above the forest floor.* **In the canopy there are tall trees.** *Here the plants are less dense and have small leaves because they receive more sunlight.* **Animals such as leopards and monkeys** *also live here. Plants provide nutrients and protection (shelter) for animals and insects.*

Fuente: Ebe, A., & Mercuri, S. (2011). Developing Science Content within a Balanced Literacy Framework: A Spiral Dynamic Process for English Learners. The Journal of Balanced Reading Instruction, Vol (18), 12–20

escribir una carta. Al mismo tiempo, establece conexiones con la microestructura en inglés, en la que están aprendiendo sobre cómo incluir hechos y detalles al escribir un reporte de investigación.

A través de la planificación estratégica y articulada de actividades que facilitan las conexiones interlingüísticas entre los dos idiomas, los estudiantes comprenden que lo que aprenden en un idioma es claramente aplicable al otro, sin tener que reaprenderlo. De esta manera, diferentes habilidades y tipos de textos pueden ser aprendidos simultáneamente, cuando se planifican actividades que facilitan el uso del repertorio lingüístico de los estudiantes.

Por último, es importante enfatizar la necesidad de que la enseñanza de la escritura en articulación con el contenido académico sea abordada desde el inicio de la escolaridad hasta el grado duodécimo. Las trayectorias de biliteracidad de los estudiantes bilingües se enriquecen y benefician del apoyo constante para alcanzar niveles altos de escritura académica en ambos lenguajes, de modo apropiado a su nivel de grado escolar, en tanto se los expone a interactuar y escribir textos de distinta complejidad que los reten a superarse y les otorguen oportunidades equitativas de aprender.

Review

Effective teachers help their bilingual students develop language skills in the four language domains in two languages while they learn the academic content of the grade level. Bilingual students benefit from opportunities to reflect on how language is used for different purposes, for different audiences, and in authentic contexts. Therefore, it is important that bilingual students receive explicit instruction on language structures and writing conventions for different types of texts while being exposed to different types of writing and provided with multiple opportunities to write in all content areas. This is accomplished by using effective methods and teaching and assessing writing in both languages side by side. The writing examples in this chapter suggest the same writing teaching methods for both languages based on a balanced literacy approach. This instructional approach facilitates the development of writing skills in Spanish and English simultaneously. It also integrates cross-linguistic opportunities and creates translanguaging spaces to scaffold language use and facilitate biliteracy development. The balanced literacy approach to writing instruction strategically integrates scaffolds that facilitate writing development in the different content areas to help students move from informal and basic writing to academic and complex writing in both languages.

Aplicaciones prácticas

Aspirantes a maestros

Seleccione uno de los componentes de la literacidad equilibrada y diseñe una actividad para desarrollar la escritura de los estudiantes bilingües. Implemente la actividad con un grupo pequeño de estudiantes y reflexione sobre su desempeño.

Maestros

Consulte la tabla 7.3 sobre las similitudes y las diferencias entre la escritura en inglés y en español. Piense en una microestructura que sería apropiada para el nivel de su grado, en la que ayudaría a sus estudiantes a discutir e internalizar las convenciones de escritura en inglés y en español.

Administrators

Meet with your bilingual teachers. Engage them in a discussion of how they can incorporate translanguaging in their bilingual instruction to promote the development of writing skills in both English and Spanish. Guide teachers in a reflection of how they can help their students become better writers by drawing on their bilingual skills in a dynamic, integrated way.

8

La evaluación del aprendizaje
An integrated approach

As educators, we are constantly challenged to make informed decisions about our students; to do so, we plan, gather and analyze information from multiple sources over time so the results are meaningful to teaching and learning. That's the core of the assessment process and the centerpiece in the education of linguistically and culturally diverse students. If reliable, valid and fair for our students, assessment can be the bridge to educational equity. (Gottlieb, 2006, p.1)

Objetivos

- Definir y comparar las distintas formas de evaluación auténtica utilizadas en la enseñanza bilingüe.
- Identificar los instrumentos de evaluación auténtica del aprendizaje del contenido, desarrollo del lenguaje y biliteracidad.
- Describir tipos de evaluación integrada y holística del aprendizaje del contenido, del desarrollo del lenguaje y de la biliteracidad.

In this chapter, we provide an introduction to assessment in bilingual classrooms. We present assessment as a component of instruction, essential to inform teachers about student learning and achievement as well as about their own teaching effectiveness. We emphasize the importance of aligning assessment to instruction and to standards. Given that language and biliteracy can be developed through content, and content can be learned while listening, speaking, reading, and writing in both languages, we describe how bilingual teachers can assess content, academic language, and biliteracy development throughout their instruction, allowing bilingual students to demonstrate their learning and progress in holistic and dynamic ways. Examples of different types of authentic assessments from Sra. Olivia's one-way dual language second-grade classroom and Sra. Jessica's two-way dual language fourth-grade classroom demonstrate how an integrated approach to assessing content learning, language, and biliteracy is possible. Assessments play a critical role in collecting evidence of student learning that can be analyzed to inform instruction and to move toward educational equity. Ultimately, from a holistic bilingual perspective, we contend that bilingual teachers need to understand the importance of assessing content learning, language development, and biliteracy while affording students opportunities to use their entire linguistic repertoire to demonstrate their learning.

La evaluación de la enseñanza en el aula bilingüe

Es esencial pensar la evaluación como un componente estructurante de la enseñanza en los programas bilingües que debe anclarse en los estándares educativos del estado y en los objetivos identificados para el aprendizaje del contenido, el desarrollo del lenguaje y la biliteracidad. La evaluación posibilita documentar el proceso de aprendizaje del contenido, así como el desarrollo del lenguaje y la biliteracidad, recolectando evidencia tanto cualitativa (p. ej., protocolos de observación, trabajos de los estudiantes, rúbricas) como cuantitativa (p. ej., listas de verificación, resultados de exámenes), que sirve a diferentes propósitos, los cuales pueden ser formativos o sumativos. La evaluación formativa —*formative assessment*— se integra regularmente durante el transcurso de la enseñanza, permite medir el progreso del estudiante y genera información que el maestro usa para la toma de decisiones en la enseñanza. El objetivo principal es identificar las áreas de aprendizaje del contenido, desarrollo del lenguaje y biliteracidad, donde los estudiantes necesitan más apoyo para adaptar la instrucción, usando como fuentes de información las tareas realizadas por los alumnos, observaciones de la maestra, conferencias con los alumnos, actividades en clase, proyectos reflexivos, etc. En cambio, la **evaluación sumativa** —*summative assessment*— proporciona información sobre el desempeño de los estudiantes al finalizar un período de enseñanza. Tiene como propósito establecer los logros académicos y medir los resultados del aprendizaje del contenido, o identificar el nivel de desarrollo del lenguaje en cada una de las cuatro dimensiones (escuchar, hablar, leer y escribir). Las evaluaciones sumativas de alta exigencia —*high stake assessments*—, cuyos resultados pueden afectar a las escuelas, los maestros y los alumnos, como las pruebas estandarizadas —*standardized testing*—, administradas y calificadas por cada estado, distrito o escuela bajo un conjunto consistente de procedimientos, son otras formas de proporcionar resultados sumativos sobre lo que los estudiantes han aprendido, qué tan bien lo han aprendido y qué habilidades han desarrollado (Herrera et al., 2007).

Evaluar la enseñanza incluye tomar decisiones sobre qué estándares son apropiados, identificar dónde se ubican los estudiantes en relación con el logro de los estándares a lo largo del proceso de instrucción, reconocer qué es lo que constituye un desempeño adecuado e identificar si los alumnos se han desempeñado como se espera según los estándares aplicados. Además, la evaluación es un proceso complejo, dada la diversidad de contextos y la multiplicidad de factores que inciden en el proceso de enseñanza y aprendizaje. Esta complejidad se multiplica al involucrar a estudiantes bilingües, quienes pueden ser capaces de realizar el trabajo académico esperado, pero aún están desarrollando sus competencias lingüísticas para la comunicación y la producción de ideas en dos lenguajes (Lessow-Hurley, 2013). Entonces, cuando consideramos la enseñanza en el aula bilingüe, es de suma importancia que los maestros utilicen una perspectiva bilingüe holística —*holistic bilingual lens*— al evaluar el contenido, el lenguaje y la biliteracidad, incorporando formas auténticas de evaluación formativa y sumativa que integren todo el repertorio lingüístico de sus estudiantes y les den oportunidades de demostrar lo que saben y la manera en que pueden usar ambos lenguajes y sus habilidades de lectura y escritura en un continuo de desarrollo bilingüe.

Veamos en contexto, en la clase de segundo grado de la Sra. Olivia en un programa dual de una vía, la manera en que la evaluación se constituye en un componente estructurante de la enseñanza bilingüe. Para planificar e integrar efectivamente la evaluación en la macroestructura o unidad interdisciplinaria titulada "Explorando nuestro medio ambiente", la Sra. Olivia tiene en cuenta las necesidades lingüísticas de sus estudiantes bilingües secuenciales, dado que la mayoría de sus alumnos son inmigrantes recientes o hijos de inmigrantes que hablan español en la casa. Antes de empezar la macroestructura, la Sra. Olivia identifica los conocimientos y las experiencias previas de los estudiantes, así como el nivel de lenguaje y vocabulario con que los alumnos cuentan en español para participar de manera

Tabla 8.1 Tabla Sé-Quiero saber-Aprendí		
S **Sé** (**K**now)	**Q** **Q**uiero saber (**W**ant to know)	**A** **A**prendí (**L**earned)
En el medio ambiente hay muchos animales.	¿Por qué llueve mucho en algunos lugares y en otros no?	
En el medio ambiente viven animales, plantas y personas.	¿Qué otras cosas hay en el medio ambiente?	
Las personas necesitan cuidar el medio ambiente.	¿Por qué deben cuidar las personas el medio ambiente? ¿Cómo pueden cuidarlo?	

productiva. La tabla 8.1 muestra la tabla S-Q-A (Sé, Quiero saber y Aprendí)—*Know-Want-to-know-Learned - KWL*—, completada en español, que sirve como evaluación formativa inicial de los conocimientos previos de los estudiantes relacionados con el tema y de los conceptos básicos de la macroestructura, así como para identificar aspectos del lenguaje académico, como el vocabulario.

Por medio de una lluvia de ideas, la Sra. Olivia anota en la primera columna lo que los estudiantes saben del medio ambiente e identifica conocimientos previos conversando sobre sus ideas, como vemos en la interacción que sigue:

> **Sra. Olivia:** ¿Saben ustedes qué es el medio ambiente? ¿Alguna vez escucharon estas palabras?
>
> **Carlos:** Si, yo sé. . . En el medio ambiente hay muchos animales.
>
> **Sra. Olivia:** Sí, muy bien. En el medio ambiente viven muchos animales. ¿Qué más podemos decir sobre el medio ambiente?
>
> **Arely:** Las personas necesitan cuidar el medio ambiente porque está en peligro.
>
> **Sra. Olivia:** ¿Cómo lo sabes?
>
> **Arely:** Mi papi me leyó un libro que decía eso, por eso los animales se mueren y llueve a veces mucho, o no...
>
> **Sra. Olivia:** Sí, es cierto, a veces llueve mucho y hay inundaciones, y cuando no llueve hay sequía. Lo escribimos en nuestra gráfica y seguiremos agregando información todos los días a medida que aprendamos cosas nuevas. Ahora, ¿qué quieren aprender sobre el medio ambiente?
>
> **Martín:** Yo quiero aprender por qué llueve mucho en algunos lugares y en otros no.

La Sra. Olivia anota el comentario de Martín en la segunda columna y agrega otros comentarios compartidos por los estudiantes.

Este tipo de actividades permite que los estudiantes hagan conexiones personales con el tema de estudio, lo que habilita una comprensión más profunda de los conceptos. Por ejemplo, cuando la maestra pregunta acerca de lo que quieren aprender, Martín comparte que quiere aprender la razón por la que llueve mucho en algunos lugares y en otros, no. Él tiene experiencias previas en zonas lluviosas de

El Salvador, su país de origen, y las contrasta con sus nuevas experiencias en los Estados Unidos. Estas experiencias en zonas lluviosas de su país de origen son parte de los fondos de conocimiento de Martín y su familia, quienes vivían de lo que cosechaban, por lo cual tiene una comprensión bastante clara y profunda de la relación entre la lluvia y la agricultura.

En el ejemplo anterior de un programa dual de una vía, la actividad es conducida en español, dado que es el lenguaje de enseñanza de ciencias naturales. En programas duales de dos vías, donde hay estudiantes cuyo lenguaje del hogar es inglés, esta actividad puede permitir un uso flexible del lenguaje mediante el cual cada alumno puede compartir sus ideas o experiencias en español o en inglés, según prefiera, mientras la maestra modela la escritura en el lenguaje de enseñanza correspondiente al área de contenido de que se trate. Lo importante es la activación y la evaluación de los conocimientos previos necesarios para que los estudiantes comprendan los conceptos nuevos y puedan participar efectivamente en la enseñanza. Este ejemplo muestra que la evaluación formativa es esencial como estrategia para proporcionar información a los maestros, tanto del progreso de los alumnos como de la efectividad de la enseñanza. También muestra la manera en que la Sra. Olivia permite que sus estudiantes usen sus recursos lingüísticos en ambos idiomas, evaluando así tanto los conocimientos previos como el desarrollo del lenguaje.

Independientemente de la estructura del programa bilingüe, los maestros eficaces permiten a sus estudiantes utilizar sus dos lenguas para aprender y demostrar lo que saben y pueden hacer. Las tablas S-Q-A pueden usarse eficazmente para recolectar información sobre lo que saben los estudiantes y es una estrategia central en la planificación efectiva de la enseñanza. La tabla S-Q-A que usa la Sra. Olivia en su macroestructura interdisciplinaria permanece en la pared del salón en el transcurso de la enseñanza de la macroestructura, para que pueda ser usada al establecer conexiones entre el contenido nuevo y las ideas de los estudiantes, así como para monitorear o evaluar de forma continuada el aprendizaje de los alumnos al completar la tercera columna. Es decir, como parte de su evaluación formativa, periódicamente la Sra. Olivia pregunta a los estudiantes lo que han aprendido y, a manera de escritura en colaboración, los estudiantes y el maestro completan la tercera columna de la tabla con los conceptos nuevos adquiridos. Esta es solo una de las diversas formas en las que la Sra. Olivia monitorea la comprensión de los conceptos y del vocabulario de la macroestructura de manera informal y formativa.

Al utilizar métodos diversos para observar a los alumnos en forma continua, los maestros obtienen una perspectiva más clara del progreso y las habilidades de sus alumnos (Peregoy y Boyle, 2013). Además, la evaluación formativa antes, durante y después de la enseñanza ayuda a los maestros bilingües a medir el progreso de los estudiantes y no solo el desempeño final (Echevarría et al., 2016). Esto significa que es importante que antes de comenzar una macroestructura interdisciplinaria se implemente alguna estrategia que permita realizar una **evaluación inicial** —*pre-assessment*— para identificar los conocimientos previos relacionados con los conceptos básicos de la macroestructura. Estos resultados pueden ser luego comparados con los logros de aprendizaje a través de una **evaluación final** —*post-assessment*—para determinar qué conceptos han sido comprendidos, cuáles necesitan revisión y cuáles no han sido comprendidos y deben ser enseñados nuevamente. La macroestructura "Explorando nuestro medio ambiente*",* desarrollada por la Sra. Olivia y su equipo de segundo grado, basada en los temas centrales identificados por el currículo del distrito escolar, también integra la evaluación sumativa de los objetivos de cada microestructura o lección y de las metas de la macroestructura al finalizar esta.

La evaluación integrada del contenido, el lenguaje y la biliteracidad

En los salones bilingües, donde la enseñanza del lenguaje se entrelaza con la enseñanza del contenido, es necesario que la evaluación del contenido se lleve a cabo en un contexto que integre el uso y la evaluación del lenguaje académico y la biliteracidad. Las **evaluaciones de desempeño** —*performance assessment*—, como los proyectos o el portafolio, dan a los alumnos bilingües una mayor variedad de formas de mostrar lo que saben y lo que pueden hacer. Toda evaluación de contenido también evalúa el lenguaje y puede dar cuenta de las habilidades de lectura y escritura en ambos lenguajes. Por lo tanto, es necesario que los maestros comprendan la relación entre el aprendizaje del contenido, la competencia lingüística y el desarrollo del lenguaje académico, para que la evaluación sea justa y equitativa.

> Performance assessments allow bilingual learners to apply their knowledge to authentic contexts, which help bilingual learners demonstrate more easily what they know and are able to do (García & Beardsmore, 2009).

Es esencial que el nivel de competencia lingüística del estudiante no interfiera en sus posibilidades de demostrar el rendimiento académico. Así, es necesario diferenciar la evaluación del aprendizaje del contenido y la evaluación del desarrollo del lenguaje en el que se espera que los alumnos respondan (Egbert y Ernst-Slavit, 2010; García y Beardsmore, 2009; Gottlieb, 2016).

También es esencial que cuando se evalúe el lenguaje académico y la biliteracidad, se tome en cuenta el nivel de competencia lingüística de los estudiantes en cada lenguaje. Es decir, las expectativas de desempeño en la evaluación deben corresponder al nivel de competencia del estudiante. No es apropiado comparar el desempeño de los estudiantes bilingües emergentes con el desempeño de estudiantes monolingües o de estudiantes bilingües que han alcanzado niveles más altos de competencia lingüística. Entonces, las evaluaciones más útiles en contextos bilingües son aquellas que, como los portafolios o los proyectos, permiten integrar todo el repertorio lingüístico de los estudiantes y evaluar todas las destrezas del lenguaje, es decir comprensión oral, expresión oral, lectura y escritura, para mostrar el desarrollo alcanzado.

La evaluación del contenido

La evaluación y la enseñanza del contenido en el aula bilingüe están estrechamente interconectadas; ambas deben anclarse en los estándares de contenido y de lenguaje en inglés y español, para fomentar el desarrollo de la biliteracidad en las diferentes disciplinas. Por lo tanto, los maestros deben tomar en cuenta ambos conjuntos de estándares al planificar tanto la enseñanza como la evaluación (Gottlieb, 2016). Históricamente, la evaluación de los estudiantes bilingües ha estado dominada por los exámenes estandarizados de contenido y lenguaje en inglés, definidos desde una perspectiva monolingüe que no considera el bilingüismo de los alumnos. Por lo tanto, es una forma poco confiable e injusta de medir el aprendizaje de los estudiantes bilingües (Wright, 2019). Es decir, por ejemplo, no es una práctica equitativa que alumnos bilingües emergentes sigan siendo examinados solo en inglés sobre contenidos de ciencias naturales o matemáticas aprendidos en su país de origen en español u otro idioma.

Es importante que los maestros recolecten evidencia sobre el rendimiento y el desarrollo del contenido. El uso de evaluaciones auténticas del rendimiento de los estudiantes en relación con los estándares y las metas de la macroestructura interdisciplinaria y de los objetivos de contenido y lenguaje en cada lección o microestructura permite a los maestros la recopilación de datos cualitativos que brindan una visión más holística y auténtica de las habilidades del alumno en ambos idiomas de instrucción. Los objetivos de contenido y lenguaje que los maestros utilizan para planificar la enseñanza guían la evaluación tanto formativa como sumativa. Un paso importante para alinear el currículo, la enseñanza y la evaluación es establecer las metas que se desean alcanzar en una macroestructura, tanto para el contenido como para el lenguaje.

De la misma manera que lo hizo al planificar la enseñanza, la Sra. Olivia utiliza los niveles de desarrollo en las cuatro dimensiones del lenguaje (escuchar, hablar, leer y escribir) en español e inglés para escoger evaluaciones apropiadas para los estudiantes bilingües, es decir evaluaciones que ofrecen una idea clara de lo que los estudiantes entienden y pueden hacer en las diferentes áreas de contenido y que, de acuerdo con su competencia lingüística, les permiten expresar su comprensión del contenido académico. Es importante que las evaluaciones del contenido integren el andamiaje o los apoyos usados durante la enseñanza, que ayudan a los estudiantes a comprender y producir conocimiento del contenido a la vez que aprenden inglés o español. Por ejemplo, dos de los estudiantes de la clase de la Sra. Olivia que presentamos en el capítulo 4, Martín y Arely, son recién llegados y, aunque hablan español y están aprendiendo inglés y español en la escuela, los dos necesitan distintos tipos de apoyos para poder acceder al contenido académico. Arely tiene una base educativa muy sólida recibida en México y esto se refleja en sus habilidades de lectura y escritura en español, de modo que solo necesita apoyo para transferir esas habilidades con el fin de mejorar su nivel de lectura y escritura y de lenguaje oral en inglés. Martín, en cambio, llegó al país con una experiencia escolar limitada y necesita que la Sra. Olivia le dé apoyo específico para el desarrollo de la lectura y la escritura en ambos idiomas y oportunidades para usar el lenguaje oral en español para mostrar lo que entiende y puede hacer con respecto al contenido académico de las disciplinas.

Además de evaluar a los estudiantes en los dos idiomas, es necesario que los estudiantes bilingües tengan la oportunidad de mostrar su aprendizaje haciendo uso de su repertorio lingüístico en forma integrada. García y Beardsmore (2009) argumentan que es posible que las evaluaciones, inclusive las evaluaciones estandarizadas, sean diseñadas desde una perspectiva bilingüe. Ellos explican que las evaluaciones de estudiantes bilingües pueden diseñarse tomando en cuenta el bilingüismo de los estudiantes con la incorporación de los principios del translenguar. En las evaluaciones formativas o sumativas es posible recurrir al bilingüismo de los estudiantes proporcionando oportunidades de utilizar sus dos lenguajes durante la evaluación, de acuerdo con el contexto de enseñanza y con propósitos específicos. Una forma de lograrlo es diseñando evaluaciones que utilizan un lenguaje para hacer las preguntas, dar indicaciones o activar conocimientos previos, con el propósito de ayudar a los estudiantes a producir las respuestas en el otro lenguaje. Esto se puede llevar a cabo de diferentes maneras. Por ejemplo, las preguntas pueden proporcionarse en un lenguaje y las respuestas, en el otro lenguaje. En evaluaciones que incluyen respuestas escritas y exposición oral, los alumnos pueden responder por escrito en un idioma y oralmente en otro.

Estas ideas se reflejan en el trabajo de planificación que la Sra. Olivia y sus compañeras realizan regularmente. Después de analizar el plan de estudios —*scope and sequence*— diseñado por su distrito escolar así como los estándares estatales, y tomando en cuenta el nivel de desempeño de sus estudiantes, establecieron las metas indicadas en la tabla 8.2 para la macroestructura del medio ambiente. Para evaluar si los estudiantes alcanzaron las metas de contenido y de lenguaje, las maestras diseñaron una evaluación sumativa en forma de proyecto de culminación de la

Tabla 8.2 Metas para la macroestructura del medio ambiente de segundo grado

Metas de contenido	Metas de lenguaje para la biliteracidad
Artes de lenguaje en español e inglés Leen una variedad de textos informativos sobre el tema de estudio en inglés y español. Resumen información de diferentes fuentes de internet y de textos de no ficción. Escriben textos cortos informativos para mostrar lo aprendido sobre el tema de estudio, utilizando la ortografía apropiada para el nivel de grado escolar. **Matemáticas** Resuelven problemas matemáticos relacionados con el tema de ciencias naturales y de estudios sociales. **Ciencias naturales** Analizan la relación entre los seres vivos y su medioambiente. Describen las diferentes formas de adaptación de los animales, como el camuflaje, que les permite sobrevivir en su hábitat. **Estudios sociales** Describen las formas de adaptación de los seres humanos al lugar de su asentamiento. Explican el impacto que tienen los asentamientos en el medio ambiente.	**Oralidad** Utilizan diferentes funciones del lenguaje en conversaciones académicas tales como clasificar, comparar y contrastar, analizar y persuadir. Resumen de manera oral sus conocimientos sobre el tema de estudio, utilizando el lenguaje en diferentes actividades. **Lectura** Analizan y explican diferentes tipos de textos leídos en inglés o español. **Escritura** Utilizan diferentes funciones del lenguaje en la escritura, tales como resumir, clasificar, comparar y contrastar, analizar y persuadir. Muestran su dominio de la gramática del idioma de instrucción al escribir textos expositivos.

macroestructura que permite a los estudiantes aplicar los conocimientos y las destrezas adquiridas en los dos idiomas. De acuerdo con las metas de contenido, el proyecto consiste en investigar la interacción del hombre con el medio ambiente, trabajando en grupos. Cada grupo se enfoca en un aspecto positivo o negativo y presenta el resultado de la investigación a sus compañeros. Por medio de este proyecto, los alumnos demuestran los conocimientos adquiridos en estudios sociales, explicando la manera en que los seres humanos influyen en el medio ambiente al satisfacer sus necesidades básicas. Este proyecto también les permite aplicar y desarrollar conocimientos de ciencias naturales, al investigar el impacto positivo o negativo que tiene el hombre en otros seres vivos, los cuales deben adaptarse al medio ambiente para sobrevivir.

Además, este proyecto permite evaluar las metas de lenguaje, dado que los estudiantes tienen oportunidad de utilizar su repertorio lingüístico en español e inglés para expresarse y comunicar ideas al trabajar en grupo y al leer fuentes informativas en los dos idiomas, amplían su vocabulario académico y escriben los resultados de su investigación, usando oraciones complejas. El trabajo en grupo, así como la presentación oral, requiere el uso del lenguaje oral y escrito y otorga la oportunidad de evaluar el uso del lenguaje académico en los dos idiomas, así como aspectos de la biliteracidad (uso de vocabulario académico en ambos lenguajes y lectura de textos en ambos lenguajes). Los proyectos de culminación son métodos efectivos para evaluar los objetivos de contenido y de lenguaje de una macroestructura, en cualquier tipo de programa bilingüe. Lo importante es tomar en cuenta el nivel de lenguaje de los estudiantes para adaptar las expectativas de desempeño lingüístico en los distintos componentes del proyecto.

En conclusión, es esencial que la evaluación de estudiantes bilingües se enfoque en el progreso que han logrado los estudiantes en el aprendizaje del contenido y en el continuo de desarrollo del bilingüismo y la biliteracidad. Las evaluaciones formativas auténticas proporcionan oportunidades para que los alumnos bilingües muestren su competencia académica y lingüística de diversas maneras. Por último, es importante recordar que la evaluación en contextos de aulas bilingües debe recolectar evidencia de diversas fuentes para determinar el progreso de los estudiantes, tanto en el aprendizaje del contenido como en el desarrollo del lenguaje y la biliteracidad.

La evaluación del lenguaje

Los maestros de estudiantes bilingües, al planificar la evaluación en los dos idiomas de enseñanza, deben considerar una noción amplia de la evaluación del lenguaje, que incluya el lenguaje académico de las disciplinas y el desarrollo del lenguaje. Los logros esperados para cada grado respecto del lenguaje académico de las disciplinas están determinados por los estándares de contenidos de cada estado, incluyendo artes del lenguaje, cuyos estándares identifican lo que los estudiantes necesitan aprender en español o en inglés. En cambio, lo esperable en términos del desarrollo del lenguaje que están adquiriendo los estudiantes bilingües está especificado por los estándares de competencia lingüística adoptados por cada estado. Por ejemplo, en el estado de Texas los estándares académicos están determinados por los *Texas Essential Knowledge and Skills* (TEKS), mientras que los estándares de desarrollo del lenguaje se especifican en los *English Language Proficiency Standards* (ELPS). Texas no ha desarrollado estándares de desarrollo del lenguaje español. En cambio, muchos estados usan, además de los estándares de contenido académico, los estándares del Consorcio WIDA (2012a), que identifican estándares para el desarrollo del inglés —*English Language Development* (ELD)— y para el español —*Spanish Language Development* (SLD)—. En este libro hemos enfatizado la importancia de considerar los niveles de competencia lingüística de cada estudiante en ambos lenguajes y en las cuatro dimensiones de desarrollo del lenguaje (escuchar, hablar, leer y escribir), a la par, para informar la planificación de la enseñanza. Esta información sirve al docente para planificar los apoyos más apropiados (lingüísticos, gráficos, sensoriales o interactivos) durante la enseñanza del contenido. En conclusión, al planificar y enseñar en el aula bilingüe, es importante que los maestros consideren la especificidad de la evaluación del desarrollo del lenguaje, así como también la evaluación del lenguaje académico de las áreas de contenido.

> "Assessment of English language learners is a more complex undertaking than assessment of proficient English-speaking students because it involves the documentation of both language proficiency and academic achievement . . . in four **language domains:** listening, speaking, reading, and writing" (Gottlieb, 2006, p. 8-9).

El desarrollo del lenguaje. El desarrollo del idioma inglés —*English Language Proficiency* (ELP)— se evalúa a través de pruebas estandarizadas. Como se explicó antes, algunos estados como Nueva York, California y Texas, así como también los consorcios WIDA y ELPA21 (*English Language Proficiency Assessment for the 21ˢᵗ Century*) informan anualmente los resultados de las pruebas de ELP a los distritos, las escuelas y los maestros. Los resultados incluyen información específica sobre los niveles de competencia lingüística de los estudiantes en lo que respecta a la oralidad (escuchar y hablar), así como también a la literacidad (leer y escribir) en inglés. Los distritos pueden usar estos datos estandarizados junto con sus indicadores de desempeño —*benchmarks*— para mostrar el desarrollo de los estudiantes bilingües designados como aprendientes de inglés —ELL— en cada una de las dimensiones del lenguaje inglés. Esta evidencia cuantitativa y sumativa del desarrollo del lenguaje inglés de los estudiantes bilingües debe tenerse en cuenta junto con las pruebas estandarizadas de rendimiento académico. Además, los maestros consideran la información recabada a través de las evaluaciones formativas y auténticas, que utilizan para monitorear el desarrollo de los dos lenguajes de enseñanza durante todo el año lectivo como proyectos o portafolios para poder mostrar la evolución en la adquisición de habilidades avanzadas en el desarrollo de los dos idiomas de enseñanza en las cuatro dimensiones del lenguaje. La información derivada de los distintos tipos de evaluación hace posible la planificación intencional y la enseñanza estratégica para el desarrollo de la biliteracidad interdisciplinaria de todos los alumnos y considerando los diferentes niveles de competencia lingüística y logros académicos.

El lenguaje académico. En los salones bilingües también se debe evaluar el lenguaje académico de los estudiantes de acuerdo con los estándares y los objetivos de lenguaje que guían la enseñanza, es decir, el lenguaje necesario para aprender el contenido en las diferentes disciplinas a nivel del vocabulario o palabra, oración y texto o discurso (Egbert y Ernst-Slavit, 2010). La evaluación del lenguaje académico debe responder a los estándares de artes del lenguaje correspondientes a cada idioma en uso en el estado. El desarrollo del lenguaje académico en inglés se ajustará a los estándares de artes de lenguaje en inglés —*English Language Arts*—, mientras que la evaluación del lenguaje académico en español se debe ajustar a estándares que definan los logros esperados para el desarrollo del español —*Spanish Language Arts*—.

Un aspecto importante al evaluar el desarrollo del lenguaje en el nivel de la palabra, la oración y el texto es tomar en cuenta la manera en que los alumnos usan el lenguaje para expresar los conocimientos en las diferentes áreas de contenido, es decir, las funciones lingüísticas. Este aspecto está muy ligado a la evaluación del pensamiento crítico que es necesario desarrollar en todas las áreas de contenido. Algunas de las funciones lingüísticas usadas en las áreas de contenido son: contestar y preguntar, narrar, describir, comparar y contrastar, explicar, resumir, interpretar, identificar, argumentar, determinar la causa y el efecto, definir y evaluar, entre otras (Gottlieb, 2016). Las funciones lingüísticas varían dependiendo del área de contenido y el objetivo de cada microestructura.

En el siguiente ejemplo, la Sra. Olivia se propone trabajar sobre la función lingüística de describir las características de los animales y sus hábitats e integra estrategias para evaluar de forma formativa la manera en que sus alumnos logran describir. Una de las microestructuras de la macroestructura interdisciplinaria del medio ambiente diseñada por la Sra. Olivia se enfocó en el siguiente objetivo de lenguaje:

> Los estudiantes **describirán** en forma oral las características de los animales y sus hábitats **utilizando adjetivos o frases descriptivas** a medida que completan una tabla de triple entrada.

La evaluación se debe alinear con el objetivo. Un método formativo de evaluar el desarrollo del vocabulario es observar a los estudiantes y tomar notas mientras trabajan en grupos (Peregoy y Boyle, 2013). La Sra. Olivia necesita evaluar el uso de adjetivos o frases descriptivas en forma oral y, entonces, decide observar a los estudiantes mientras discuten las características de los animales en sus grupos y va tomando notas de cómo usan los estudiantes el lenguaje académico para describir las características de los animales y sus hábitats. La maestra utiliza una tabla de observación (tabla 8.3) que le permite registrar en cada columna ejemplos específicos utilizados por los alumnos mientras trabajan en sus grupos.

Cada área de contenido tiene su propio vocabulario académico y sus propias características. Los organizadores gráficos, como los propuestos por el modelo Frayer, son métodos muy efectivos para evaluar formativamente el vocabulario (Frayer et al., 1969). El modelo Frayer sirve para evaluar el vocabulario y los con-

Tabla 8.3 Observación de discusión en grupos

Fecha: 15 de septiembre de 2017

Actividad: Clasificación de los animales de acuerdo con sus hábitats

Nombre del estudiante	Vocabulario académico específico. Adjetivos para describir animales y hábitats	Vocabulario académico general. Adjetivos para describir cómo son los animales	Frases descriptivas
Carlos	carnívoros		Los leones, que son carnívoros, viven en las selvas.
Martín	terrestres	peludos	Hay animales terrestres que son peludos.
Nelly		altas	El cóndor vive en montañas muy altas.
Arely	acuáticos branquias		Una característica de algunos animales acuáticos, como los peces, son las branquias.

ceptos al comienzo y durante el desarrollo de la microestructura. En este modelo, los estudiantes identifican atributos esenciales de un concepto, así como atributos no esenciales. La Sra. Olivia selecciona el modelo Frayer para evaluar el vocabulario académico al terminar una de las lecciones de la unidad sobre la interacción del hombre con su comunidad. Después de discutir las características y observar fotografías de los diferentes tipos de comunidades (urbana, suburbana y rural), los estudiantes completan un gráfico que sigue el modelo Frayer (tabla 8.4), por medio del cual no solo demuestran el uso del vocabulario académico sino también la comprensión del concepto de comunidad urbana.

Otros tipos de organizadores gráficos pueden ser útiles para la evaluación formativa del vocabulario. Los maestros de estudiantes con niveles de literacidad emergentes pueden identificar gráficos apropiados según el contenido y el grado de dificultad. Por ejemplo, la Sra. Olivia le pide a Martín que escriba las características de una comunidad rural en una red de palabras, como muestra la figura 8.1. De esta forma Martín, que aún está en el nivel emergente de escritura en español debido a su historia de escolaridad limitada, tiene la oportunidad de demostrar que ha comprendido el concepto de comunidad rural aun cuando su nivel de lectura y escritura no alcance el nivel del grado.

Tabla 8.4 Modelo Frayer aplicado a la unidad del medio ambiente

Concepto: *Comunidad urbana*	
Información esencial	**Ejemplos**
Está en la ciudad Diferentes trabajos	Nueva York
Información no esencial	**No son ejemplos**
Puede haber polución Puede haber mucho tráfico	Un rancho

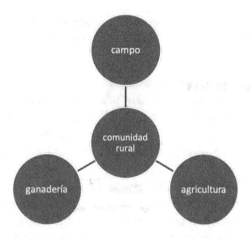

Figura 8.1 Red de palabras sobre las características de una comunidad

Como muestran los ejemplos anteriores, el uso de organizadores gráficos como los propuestos por el modelo Frayer para el desarrollo del vocabulario académico es una estrategia efectiva para la enseñanza y la evaluación formativa del aprendizaje. Asimismo, estas estrategias pueden fomentar el desarrollo de la biliteracidad, al posibilitar el apoyo del desarrollo de la literacidad académica en dos idiomas.

La evaluación de la biliteracidad

En los salones bilingües, es importante que los maestros monitoreen regularmente el desempeño de sus alumnos en el desarrollo de la biliteracidad, así como en el aprendizaje de los contenidos académicos y el desarrollo del lenguaje académico. La lectura y la escritura en inglés y en español son áreas que requieren atención específica. El desarrollo y el progreso de los estudiantes en la lectura y la escritura, en articulación con el lenguaje oral y en forma continua, se puede medir por medio de evaluaciones auténticas, como el proyecto de culminación creado por la Sra. Olivia (Gottlieb, 2016) adaptando diferentes componentes del proyecto a las necesidades de los alumnos. Por ejemplo, al monitorear el trabajo en grupo durante el proyecto, la Sra. Olivia observó que algunos de sus estudiantes decían frases como *Pass me the marker blue*. La Sra. Olivia tomó nota e integró una actividad de sintaxis para contrastar el orden de los sustantivos y adjetivos en inglés y en español. Esta actividad conecta el lenguaje oral y el escrito, establece conexiones interlingüísticas entre las formas de estructurar las oraciones en inglés y español y facilita el desarrollo de la conciencia metalingüística de los estudiantes.

La evaluación de la biliteracidad requiere comprender que la lectura, la escritura y la producción oral están estrechamente interrelacionadas y deben estar integradas con la evaluación del contenido y del lenguaje. Es importante enfatizar que la lectura y la escritura también se pueden evaluar en el contexto de las áreas de contenido. Una forma de lograr esto es utilizando pasajes de textos informativos en el contexto de una unidad para evaluar la lectura, mientras que la escritura se puede evaluar utilizando los temas de las unidades interdisciplinarias, como por ejemplo, la escritura del texto comparativo de cuarto grado de la Sra. Jessica descrita en el capítulo 7. Así, la lectura y la escritura tienen un propósito auténtico y no solo el de evaluar a los alumnos.

La evaluación de la lectura y la escritura es un proceso constante que requiere diversas fuentes de información. En el caso de la lectura, es importante considerar las diferentes formas de evaluación que son adaptables a ambos idiomas. Algunas de las estrategias que se pueden utilizar para evaluar la lectura de manera formativa son:

- Análisis de errores —*miscue analysis*—: esta estrategia se enfoca en el análisis de los errores o fallos —*miscues*— que comete un estudiante al leer en voz alta. Este procedimiento de análisis de error incluye la grabación de una experiencia de lectura seguida de un recuento —*retelling*—. Esta evaluación permite determinar la clase de errores y si los errores afectan el significado y la comprensión de la lectura.
- Inventarios informales de la lectura —*informal reading inventories* - IRIs—: esta estrategia determina el nivel de lectura del estudiante a través de la lectura de diferentes pasajes. Cada pasaje está diseñado para determinar el grado escolar correspondiente. Hay disponibles IRIs diseñados para medir el nivel de lectura en inglés y en español.
- Registros de lectura continua —*running records*—: el maestro toma notas detalladas mientras el estudiante lee en voz alta. Las notas incluyen los errores, las repeticiones, las autocorrecciones y la pronunciación.
- Volver a contar —*retellings*—: el estudiante vuelve a contar lo leído y el maestro revisa la comprensión, utilizando puntaje de acuerdo con los diferentes elementos de la lectura que el estudiante pueda identificar correctamente, es decir, los personajes, el escenario o el problema, entre otros elementos.
- Pasajes para completar —*cloze passages*—: se utilizan para evaluar el nivel de vocabulario y de lectura de los estudiantes. Estos pasajes tienen espacios en blanco donde los alumnos deben insertar las palabras correctas, utilizando claves del contexto de la lectura (Brantley, 2007; Gottlieb, 2006).

Esta variedad de evaluaciones formativas permite a los maestros de estudiantes bilingües recabar información cualitativa y auténtica sobre las habilidades de lectura de todos los estudiantes de la clase e informar, de manera apropiada y diferenciada, la enseñanza del contenido académico y de las habilidades de biliteracidad.

La evaluación de la escritura es tan importante como la evaluación de la lectura y es esencial para informar el proceso de enseñar a escribir; es decir, es tan importante evaluar el proceso de producir un texto escrito como el producto final. Mientras que las pruebas estandarizadas de la escritura miden las habilidades de los estudiantes bilingües en un momento particular del año, las evaluaciones continuas y formativas proporcionan información que da cuenta del continuo de desarrollo durante el año escolar. Mediante el uso de evaluaciones formativas de la escritura, los maestros pueden enfocarse en áreas específicas de los estudiantes y adaptar la instrucción para mejorar la escritura en términos de fluidez, contenido, convenciones, sintaxis y vocabulario. Las evaluaciones de desempeño descriptas al comienzo de este capítulo, como los proyectos y los portafolios, integran formas auténticas de evaluar la escritura que permiten recopilar información del progreso de los estudiantes a lo largo del año en ambos idiomas. Estas evaluaciones permiten evaluar la escritura en relación con el propósito del texto y lo que se intenta comunicar, es decir, los estudiantes deben tener oportunidades de escribir usando diferentes estructuras de texto y géneros.

La escritura puede ser revisada en forma conjunta entre la maestra y el alumno en conferencias individuales, entre pares, o individualmente, mediante el uso de diferentes rúbricas adaptadas al tipo de texto y al nivel de desarrollo de la escritura de los estudiantes. Durante el proceso de escribir un texto en inglés o español, los estudiantes bilingües pueden comenzar escribiendo borradores usando todo su repertorio bilingüe, escribiendo las ideas sin importar si es en un lenguaje, en el otro o en ambos. Este ejercicio es una gran oportunidad para que las maestras evalúen la escritura con el fin de identificar aspectos a profundizar, así como elementos con los cuales establecer conexiones interlingüísticas entre inglés y español.

Desde una perspectiva holística del bilingüismo, Soltero-González et al. (2012) proponen una **evaluación a la par de la lectura y la escritura** —*side-by-side reading and writing assessment*—. Esta forma de evaluación permite identificar lo que los estudiantes saben y son capaces de hacer en cada idioma y cómo influye esto en el desarrollo de ambos idiomas. La evaluación holística proporciona información clave que los maestros bilingües necesitan para establecer metas de aprendizaje para sus estudiantes (Escamilla et al., 2014). Este enfoque permite a los maestros identificar los recursos lingüísticos y culturales que apoyan la comunicación y el significado a través de la escritura y la producción oral, así como las estrategias bilingües utilizadas por cada estudiante (Soltero-González et al., 2012).

Esta perspectiva holística de la evaluación a la par del desarrollo de la biliteracidad permite comparar lo que los alumnos pueden hacer en cada lenguaje y es importante para aprovechar e integrar las habilidades y los conocimientos de los alumnos, sin importar en qué lenguaje las demuestran. Esto se logra a través de la planificación estratégica de la biliteracidad interdisciplinaria, alineada a los diferentes tipos de evaluación diseñados para la macro y las microestructuras. Además, en las etapas tempranas del desarrollo del lenguaje permite a las maestras comprender de qué manera los estudiantes utilizan la estructura discursiva, así como el sistema fonológico, sintáctico y gramatical de un idioma, para escribir en el otro. Desde esta perspectiva holística, los maestros de estudiantes bilingües emergentes pueden apoyar mejor su desarrollo y enfatizar la transferencia bidireccional de las habilidades de un idioma a otro (Escamilla et al., 2014).

Las investigaciones demuestran que los estudiantes de hogares que hablan español pueden desarrollar habilidades de lectura en español e inglés en forma simultánea, mostrando su progreso a lo largo del continuo de biliteracidad (Escamilla et al., 2014; Hornberger, 2004). Inicialmente, mostrarán competencias asociadas con la literacidad en español un poco más avanzadas que en inglés, pero luego se moverán en el continuo al incorporar nuevas habilidades y elementos lingüísticos en ambos lenguajes.

Además, las maestras, al tomar decisiones sobre la manera de enseñar para el desarrollo de la biliteracidad, deben tener presente que el rendimiento académico se beneficia cuando los estudiantes desarrollan la conciencia metalingüística y aprenden a contrastar y comparar los lenguajes, facilitando la transferencia multidireccional de habilidades y el aprendizaje de contenido (Bauer y Gort, 2012; Cummins, 2017; Escamilla y Hopewell, 2010).

En unas de sus visitas a escuelas bilingües, una de las autoras observó la manera en que un estudiante bilingüe emergente hacía uso de su repertorio lingüístico durante la lectura guiada por su maestra. El niño leía un libro sobre la familia, en conexión con la unidad de estudios sociales "Todo acerca de mí". El niño, cuyo lenguaje del hogar es el inglés, leyó la página con fluidez y pudo comprender el texto leído al responder las preguntas de comprensión presentadas por la maestra. Sin embargo, pronunció la palabra "hermano" como "jermano", utilizando uno de los sonidos de la letra "h" en inglés durante la lectura en español. Este ejemplo muestra la importancia de que los maestros evalúen el desempeño en lectura en español y en inglés y establezcan conexiones entre lo que los estudiantes pueden hacer en uno y otro idioma. En este caso, es importante que la maestra entienda este comportamiento no como confusión sino como la utilización flexible y dinámica del repertorio lingüístico del estudiante, con un objetivo claro en la comunicación de la interpretación del texto de manera holística. La maestra puede usar esta oportunidad para establecer conexiones intralingüísticas entre la pronunciación de la letra "h" en ambos lenguajes y explorar similitudes y diferencias. Una forma de hacer esto es a través de una actividad de fonología, para identificar el sonido correcto de la letra "h" en inglés y en español.

Esta propuesta de evaluación a la par de la lectura y la escritura permite establecer y examinar la manera en que los estudiantes bilingües avanzan en la trayectoria del desarrollo de la biliteracidad (Escamilla et al., 2014). En relación con el seguimiento de la trayectoria del desarrollo de la lectura, estos autores explican que el uso de evaluaciones diagnósticas como la evaluación del desarrollo de la lectura EDL2 y DRA2 —*Developmental Reading Assessment*— permite a los maestros bilingües evaluar la lectura en ambos idiomas de forma paralela y considerar las habilidades que el estudiante posee en español cuando planifican la instrucción de lectura en inglés y viceversa, enfatizando el desarrollo del lenguaje oral. Por ejemplo, si un estudiante está en nivel 10 en EDL2 (español) y en un nivel 4-6 en DRA2 (inglés), los maestros pueden utilizar las destrezas que los estudiantes han adquirido en español para apoyar el desarrollo de la lectura en inglés, seleccionando libros apropiados para enfocar la instrucción en el nivel de potencial del alumno. La evaluación realizada en el lenguaje más desarrollado del estudiante da información sobre el nivel de lectura, mientras que la evaluación de la lectura en el lenguaje que los estudiantes están desarrollando muestra más el nivel de desarrollo del lenguaje que el estudiante posee. En otras palabras, si un estudiante puede inferir en español, pero no demuestra esa estrategia de comprensión en la evaluación en inglés, no significa que el estudiante no comprenda lo que es inferir en inglés, dado que el proceso cognitivo es el mismo, sino que no tiene suficiente vocabulario en el idioma para poder inferir el significado.

En relación con la evaluación de la trayectoria del desarrollo de la escritura en español y en inglés, Escamilla et al. (2014) desarrollaron una propuesta de evaluación de la escritura a la par que surge de entender que los logros en la escritura de un estudiante bilingüe solo se pueden evaluar cuando se examina su producción escrita en ambos lenguajes. Estos autores proponen una evaluación comprensiva y paralela de la escritura en español y en inglés, a través de una rúbrica que incluye una evaluación cuantitativa de los siguientes componentes de la escritura: el contenido del texto, elementos estructurales como la construcción de párrafos y el uso de la puntuación, y la ortografía. Además, esta rúbrica guía al maestro a evaluar de forma cualitativa y observacional el modo en que los niños usan el repertorio bilingüe al escribir, incluyendo un análisis del uso de estrategias bilingües en el nivel del texto, como el uso de palabras de señalización que muestran la relación entre las ideas del texto (causa y efecto, secuencia de eventos, etc.), en el nivel de la oración, como el orden de las palabras, y en el nivel de la palabra, como el uso de cognados. En el capítulo 7, describimos un ejemplo de la manera en que la Sra. Olivia, al hacer un análisis a la par de la escritura de los estudiantes, observó que sus estudiantes de segundo grado estaban usando los patrones ortográficos del español cuando escribían en inglés. Este análisis de los cuadernos de escritura en inglés y en español le permitió identificar que sus alumnos escribían usando aproximaciones al inglés con los sonidos del español. En función de esto, la maestra planificó una microestructura para hablar con los estudiantes sobre las diferencias fonéticas entre el español y el inglés y sobre la manera en que ellas se ven reflejadas en el uso de la ortografía en inglés.

En conclusión, lo más importante es que los maestros de estudiantes bilingües integren en la enseñanza formas de evaluar la escritura y la lectura en ambos lenguajes y en forma paralela de modo de ver cómo usan su repertorio bilingüe y cómo van progresando en su trayectoria de biliteracidad. Esto significa compren-

"Only through assessing their writing and reading in both Spanish and English can we approximate a better understanding of students' trajectories toward biliteracy" (Escamilla et al., 2014, p. 85).

der que las trayectorias no responden a un desarrollo homogéneo y lineal, sino que el desarrollo es idiosincrático, es decir, particular de cada individuo, y que depende, entre otros factores, de las oportunidades de desarrollar la biliteracidad en contextos auténticos y usando todo su repertorio lingüístico.

Estrategias de evaluación auténtica

Authentic assessment was defined by Wiggins (1993) as "[e]ngaging and worthy problems or questions of importance, in which students must use knowledge to fashion performances effectively and creatively" (p. 229).

Egbert and Ernst Slavit (2010) define an alternative assessment as an "open-ended method that uncovers what student know and can do as students create an answer" (p. 93). Examples of alternative assessments are oral interviews, verbal reporting, retellings, role plays, portfolios, among many others.

Una de las funciones de la evaluación es monitorear el aprendizaje de los alumnos de modo que se pueda usar esta información para ajustar la enseñanza con el fin de que todos los estudiantes alcancen los objetivos. Tal como vimos en el ejemplo de la clase de la Sra. Olivia, esta función formativa de la evaluación es esencial en el aula bilingüe, dado que el maestro debe hacer un seguimiento del desarrollo del lenguaje y de la biliteracidad, así como del aprendizaje del contenido. La mejor manera de evaluar formativamente el aprendizaje del contenido y el lenguaje es de forma integrada, maximizando el tiempo de enseñanza y utilizando diferentes modos de evaluación auténtica que permitan registrar el desempeño de los estudiantes con un enfoque en el proceso más que en el resultado. Esta forma de evaluación es diferente al modo tradicional de evaluar a los estudiantes, que se enfocaba en cuantificar los resultados de aprendizaje sin consideración del proceso y del continuo de desarrollo de los estudiantes.

Las evaluaciones auténticas —*authentic assessments*—, también denominadas evaluaciones de desempeño —*performance assessments*— o alternativas, son formas de evaluación para identificar lo que los alumnos pueden o no hacer o la manera en que aplican los conocimientos y las habilidades aprendidos. Estos tipos de evaluación formativa se destacan porque proporcionan un medio para evaluar habilidades valiosas que no se pueden medir directamente con las pruebas tradicionales, facilitan un entorno más realista para el rendimiento de los estudiantes que las pruebas tradicionales, se centran en el rendimiento de los estudiantes y en la calidad del trabajo realizado por los estudiantes, y se pueden alinear fácilmente con los estándares y los objetivos de aprendizaje establecidos. Las estrategias usadas en las evaluaciones alternativas o auténticas pueden clasificarse en estructuradas o no estructuradas. Los proyectos, portafolios, entrevistas y las autoevaluaciones, así como las evaluaciones de los pares, son algunas de las formas de evaluación auténtica (Herrera et al., 2007). La tabla 8.5 incluye ejemplos, algunos de los cuales se describen a lo largo del capítulo.

Tabla 8.5 Estrategias de evaluación auténtica

Estrategias o técnicas no estructuradas	Estrategias o técnicas estructuradas
Diarios –*journals*–	Listas de verificación —*checklists*—
Tareas para la casa —*homework*—	Rúbricas o escalas de observación
Proyectos grupales	Rúbricas de autoevaluación
Portafolios	Rúbricas de evaluación de pares
Debates	
Juegos	
Lluvia de ideas	
Contar y escribir historias	

Proyectos

Los proyectos sirven para que los alumnos construyan sus propios aprendizajes al involucrarse en el descubrimiento o la exploración del tema. En la macroestructura del medio ambiente, la Sra. Olivia y sus compañeras integraron un proyecto final como evaluación sumativa de la macroestructura. En ese proyecto, los estudiantes investigan los efectos positivos y negativos de la interacción del ser humano con su medio ambiente en ambos idiomas. Las maestras tomaron esta decisión porque al investigar impactos positivos, como el reciclaje o la conservación del agua, o impactos negativos, como la polución o el cambio climático, los estudiantes construyen sus propios aprendizajes del contenido, al leer diversas fuentes de información en inglés y en español. Simultáneamente, los estudiantes utilizan el lenguaje para mostrar lo aprendido (Hurley y Tinajero, 2001) por medio de una presentación oral, apoyada por escritura en forma de póster, de libro o de una presentación digital.

La elaboración de proyectos permite integrar estrategias de aprendizaje cooperativo. Las oportunidades de trabajo cooperativo son instancias importantes de evaluación formativa de habilidades tanto lingüísticas como de contenido, dado que las actividades cooperativas permiten que los estudiantes demuestren sus conocimientos de una forma más efectiva. En la macroestructura del medio ambiente, muchas de las actividades están diseñadas para ser realizadas en grupos pequeños. De ese modo los estudiantes se apoyan entre sí, capitalizan sus fortalezas y aprenden unos de otros. Las actividades grupales dan a los estudiantes la oportunidad de practicar el lenguaje académico de una forma auténtica para lograr los objetivos del grupo. Por lo tanto, la Sra. Olivia siempre se asegura de que los grupos heterogéneos estén bien balanceados. Los estudiantes como Arely, con niveles más altos de competencia lingüística en español, sirven como modelo y apoyo para los demás miembros del grupo, mientras que los estudiantes como Carlos y Nancy sirven como modelo en inglés. De este modo, la Sra. Olivia apoya el desarrollo de los dos idiomas en todos sus estudiantes. Mientras los estudiantes colaboran en trabajo de grupo, los maestros pueden recopilar evidencia del aprendizaje de los estudiantes en relación con los objetivos de la microestructura, para informar la planificación y ajustar la instrucción a las necesidades específicas de los estudiantes. El aprendizaje cooperativo también se presta para la integración de la autoevaluación y la evaluación de los pares. Por ejemplo, los estudiantes pueden evaluar su desempeño como grupo en relación con los objetivos de la microestructura. Asimismo, al escuchar las presentaciones de otros grupos u observar o leer el trabajo de otros grupos, pueden evaluar a sus pares en relación con los mismos objetivos.

Portafolios

Los portafolios acumulan muestras del trabajo de los alumnos y deben calificarse utilizando los estándares curriculares. Cuando se integra la enseñanza del contenido con la del lenguaje, es importante evaluar el trabajo de los alumnos utilizando ambos conjuntos de estándares. Los portafolios son una colección de los productos de las actividades realizadas en el salón de clase. Por ejemplo, en la macroestructura del medio ambiente, los estudiantes realizan actividades en todas las áreas de contenido: ciencias naturales, estudios sociales y artes del lenguaje. Sus actividades muestran tanto la comprensión de los conceptos de ciencias naturales y estudios sociales como su progreso en la escritura. Algunos ejemplos de las actividades incluidas en el portafolio de la macroestructura son las siguientes:

Artes del lenguaje

- Tabla comparativa sobre los personajes de la película "Buscando a Nemo";
- Gráfico de la historia —*Storyboarding*— identificando los eventos, el conflicto y la resolución de la película "Buscando a Nemo".

Ciencias naturales

- Tabla comparativa sobre el hábitat presentado en la película "Buscando a Nemo" y el hábitat descrito en el texto informativo "Arrecifes de coral";
- Tabla organizadora de doble entrada donde clasifican animales de acuerdo con sus hábitats;
- Libro plegable —*foldable*— donde se describe el tipo de adaptación de diferentes animales del mar.

Estudios sociales

- Lista de ventajas y desventajas de vivir en comunidades de diferentes regiones del país y explicación de cómo pueden resolverse los desafíos que el lugar presenta;
- Folleto sobre una región determinada, donde se destaquen las características del lugar (viviendas típicas, tipo de ropa, clases de trabajo, recreación);
- Anuncio —*advertisement*— para persuadir a sus compañeros de vivir en la región de su elección, basado en los beneficios de la tierra y el clima.

Peregoy y Boyle (2013) explican que cuando los estudiantes seleccionan su trabajo para incluirlo en su portafolio, se hacen cargo de su aprendizaje y eso fomenta la autoevaluación.

En el aula bilingüe los maestros pueden implementar una versión bilingüe del portafolio, dado que es una estrategia muy eficaz para evaluar el progreso de los estudiantes bilingües a través del tiempo, ya que acompaña al estudiante durante los años en que participan en los programas bilingües. Por medio de estos portafolios bilingües se recopila evidencia esencial del aprendizaje de cada estudiante a través de evaluaciones comunes a cada grado que integran el contenido, el lenguaje académico y la biliteracidad. Por ejemplo, la primera autora de este libro ha desarrollado en su trabajo con las escuelas una serie de pautas para ayudar a los maestros a crear un portafolio bilingüe en el cual los estudiantes, junto con el maestro, seleccionan evidencia de evaluaciones formativas y sumativas que muestran el aprendizaje del contenido, así como también el desarrollo de los dos idiomas de instrucción. Este portafolio bilingüe consiste en muestras de diferentes tareas completadas por cada estudiante. Específicamente, incluye seis muestras de escritura de artes del lenguaje (tres en cada idioma), producidas a lo largo del año escolar para mostrar el desarrollo de la biliteracidad en el nivel de la escritura. Este portafolio también incluye dos ejemplos de escritura producidos en matemáticas y dos en ciencias naturales, uno en español y uno en inglés, que muestren la biliteracidad integrada en cada área de contenido. El portafolio también contiene dos muestras seleccionadas por los estudiantes de proyectos sumativos, como el proyecto de culminación bilingüe, uno elaborado en el primer semestre y otro en el segundo semestre. Del mismo modo, el portafolio incluye un registro de los niveles de lectura del alumno en inglés y en español, recolectados en los meses de octubre, febrero y mayo. Además, se incluye como evidencia los resultados de evaluaciones del distrito y los resultados de los exámenes estandarizados del contenido académico, así como los resultados de evaluaciones del desarrollo de lenguaje para los estudiantes identificados por el distrito como aprendientes de inglés (ELLs). Finalmente, todos estos datos deben ser acompañados por comentarios y recomendaciones de la maestra con respecto a las fortalezas, las áreas de crecimiento del alumno y las intervenciones hechas para promover el desarrollo del contenido académico, del lenguaje y de la biliteracidad. El objetivo de este portafolio es el de compilar una visión más holística y continuada a lo largo del año escolar de las habilidades de biliteracidad y del rendimiento académico de cada uno de los estudiantes de la clase.

Cuadernos de aprendizaje

Una estrategia efectiva para la evaluación formativa del contenido en el aula bilingüe durante el desarrollo de una macroestructura es el uso de cuadernos —*notebooks*— o registros de aprendizaje —*learning logs*—, los cuales se pueden utilizar para hacer predicciones, para resumir el aprendizaje o para que el estudiante reflexione sobre su propio progreso (Brantley, 2007). Desde una perspectiva holística e integradora del bilingüismo, es importante brindar a los estudiantes bilingües oportunidades para que utilicen ambos idiomas en sus cuadernos y registros de aprendizaje.

Por ejemplo, durante la macroestructura del medio ambiente, la Sra. Olivia pide a sus estudiantes que escriban regularmente en su cuaderno, al finalizar cada lección. De esa forma, los estudiantes reflexionan sobre lo aprendido y refuerzan el uso del lenguaje académico de la macroestructura en forma escrita en ambos idiomas. La Sra. Olivia proporciona opciones a algunos de sus estudiantes que están desarrollando el idioma inglés. Por ejemplo, cuando es apropiado, muestran lo que aprendieron al final de la microestructura por medio de un dibujo en su cuaderno o escribiendo con el apoyo de marcos de oraciones, de acuerdo con el nivel de desarrollo de su lenguaje. Algunas de estas muestras de escritura pueden ser seleccionadas para integrar el portafolio.

Autoevaluaciones y evaluaciones de los pares

> Self-assessment is an important metacognitive ability that students can develop and use throughout their lives. It will provide them with tools to reflectively think on their own learning, to identify what do they know, to see what they need to learn, and to inspire them to continue learning (Desautels, 2014).

Las autoevaluaciones y las evaluaciones de los pares son particularmente efectivas para ayudar a que los estudiantes comprendan las expectativas y los objetivos que se intenta alcanzar. Cuando se integra la enseñanza del contenido y el lenguaje, es importante proporcionar a los alumnos guías claras para evaluar cada aspecto.

Como se dijo antes, una de las actividades que la Sra. Olivia y sus compañeras incluyeron en el portafolio de los estudiantes como parte de la macroestructura del medio ambiente consiste en crear un folleto que destaque las características de una región determinada, con el fin de atraer turistas. La actividad se realiza en grupo, por medio del aprendizaje cooperativo, investigando diferentes aspectos de la vida en la región y conectándolos con las necesidades básicas de los habitantes. Para asegurarse de que los estudiantes hayan integrado todos los aspectos necesarios en el folleto, la Sra. Olivia proporciona una hoja de autoevaluación (tabla 8.6) a los alumnos, para que determinen si su trabajo cumple con las expectativas.

Otra actividad de la macroestructura del medio ambiente que también forma parte del portafolio de los estudiantes consiste en escribir un anuncio persuasivo corto para convencer a sus compañeros de vivir en la región de su elección. Esta actividad también integra el aprendizaje cooperativo. En grupos, los estudiantes seleccionan una región en donde les gustaría vivir. Para determinar su elección, los estudiantes analizan los factores ambientales y los recursos naturales de la región. Al terminar, cada grupo debe presentar su anuncio a sus compañeros para intentar persuadirlos de las ventajas con las que cuenta la región para vivir. La presentación puede ser en inglés, en español o bilingüe. La Sra. Olivia proporciona una evaluación de pares (tabla 8.7) por medio de la cual el resto de la clase evalúa la calidad del anuncio de cada grupo y determina si se cumplió con el objetivo.

Tabla 8.6 Autoevaluación del folleto turístico

Miembros del grupo: _Nancy, Arely, Martín y Carlos_

Fecha: _25 de septiembre de 2017_

Nuestra región: _Planicies costeras de Texas_

Hemos incluido: Notas:

✔ Tipo de vivienda   _____ casas, departamentos _____

✔ Tipo de ropa   _____ fresca para el verano en la playa _____

✔ Comida típica   _____ mariscos, TexMex, _burgers_ _____

✔ Tipos de trabajos   _____ _fishing, big companies, doctors, teachers_ _____

✔ Actividades recreativas   _____ _sports, fishing, going to the movies_ _____

Tabla 8.7 Evaluación del anuncio persuasivo por parte de los pares

Grupo: _Nancy, Arely, Martín, Carlos_

Región: _Planicies costeras de Texas_

	¿Me convenció el anuncio sobre las ventajas de vivir en esta región?		
	Sí	**No estoy seguro**	**No**
Tipo de vivienda	✔		
Tipo de ropa		✔	
Comida típica	✔		
Tipos de trabajos	✔		
Actividades recreativas		✔	
Me gustaría vivir en esta región	✔		

Instrumentos para la evaluación auténtica

Diferentes instrumentos pueden apoyar la documentación de los resultados de las diferentes estrategias de evaluación auténtica descriptas. Entre los que destacamos, se encuentran las rúbricas, las entrevistas y las listas de verificación.

Rúbricas

Las rúbricas son muy útiles para calificar las evaluaciones auténticas, dado que ayudan a marcar la diferencia entre actividades diarias y actividades que servirán para evaluar el desempeño de los estudiantes (Gottlieb, 2016). Las rúbricas se pueden crear en una variedad de formas y niveles de complejidad; sin embargo, todas contienen características comunes que:

- Se centran en medir un objetivo establecido (desempeño, comportamiento o calidad);
- Utilizan una escala para valorar el rendimiento;
- Indican características de desempeño específicas, organizadas en niveles que indican el grado en que se ha alcanzado el objetivo o estándar.

En salones bilingües, cuando un proyecto o actividad tiene múltiples partes que se escriben o presentan en el idioma de instrucción, la rúbrica debe reflejar la naturaleza bilingüe del proyecto y proveer criterios específicos para los dos idiomas en los que se presenta el proyecto. Por ejemplo, un grupo de estudiantes bilingües emergentes presenta la parte de ciencias naturales de su póster sobre la selva tropical en español: "Investigación sobre los niveles de la selva tropical", y en inglés la parte de estudios sociales: *Causes and Consequences of Deforestation*, según el lenguaje asignado para la enseñanza de cada área de contenido de su programa dual.

La creación de rúbricas requiere los siguientes pasos: identificar los objetivos que se desea alcanzar, identificar la actividad con la cual se intenta alcanzar dichos objetivos, determinar las características del trabajo que se considerará satisfactorio e identificar los componentes que deben incluirse en el trabajo que se va a evaluar (Herrera et al., 2007).

Hay dos grandes tipos de rúbricas, las holísticas y las analíticas (Gottlieb, 2006). Las rúbricas holísticas evalúan el desempeño de forma general y proporcionan un resumen del nivel en el que se encuentra el alumno. Las rúbricas analíticas evalúan los diferentes componentes de un proyecto. Para proyectos bilingües que presentan información de manera estratégica en los dos idiomas, la rúbrica ofrece criterios para la evaluación del lenguaje académico específico a cada idioma, como el ejemplo sobre la selva tropical expuesto en esta sección.

En la macroestructura del medio ambiente, la Sra. Olivia y sus compañeras incluyeron un proyecto grupal por medio del cual los estudiantes investigan un animal del arrecife de coral presentado en la película "Buscando a Nemo". Los estudiantes recopilan los datos de su investigación en un póster informativo y lo presentan a sus compañeros. La rúbrica analítica de la Tabla 8.8 permite evaluar el póster y la presentación oral, enfocándose en los objetivos de contenido y de lenguaje de la microestructura.

Entrevistas y conferencias

Las entrevistas y las conferencias con los alumnos son efectivas para monitorear la motivación, el esfuerzo y el desempeño. Las entrevistas permiten a los maestros

Tabla 8.8 Rúbrica del proyecto

Proyecto: Animal del arrecife de coral

Grupo: _____

Fecha: _____

	Necesita mejorar 1	En desarrollo 2	Cumple con las expectativas 3	Evaluación
El estudiante entiende que los animales tienen estructuras y procesos que los ayudan a sobrevivir dentro de su medio ambiente.	El póster identifica un animal del arrecife de coral y lo describe de forma general.	El póster identifica un animal del arrecife de coral y menciona características específicas, tales como su régimen de comida, su forma de reproducción y su comportamiento.	El póster identifica un animal del arrecife de coral y menciona características específicas, tales como su régimen de comida, su forma de reproducción, su comportamiento, y explica claramente la manera en que dichas características le permiten adaptarse y sobrevivir en su hábitat.	
El estudiante analiza y evalúa información utilizando diferentes tipos de textos.	El póster contiene información superficial que no demuestra un análisis de la información investigada.	El póster contiene información específica que demuestra que el estudiante analizó la información investigada.	El póster contiene información relevante que diferencia este animal de otros y enfatiza características que le permiten sobrevivir, lo cual muestra que la información investigada se analizó y se evaluó de manera efectiva.	
El estudiante resume las ideas principales.	El póster contiene información que no proporciona una clara descripción de las características del animal.	El póster contiene información importante pero incompleta acerca del animal.	El póster contiene información esencial para describir el animal de forma clara y completa.	
El estudiante escribe utilizando oraciones completas.	La información no se presenta en oraciones completas.	La mayor parte de la información se presenta en oraciones completas.	Toda la información se presenta en oraciones completas.	
El estudiante utiliza vocabulario académico en forma oral para mostrar el conocimiento adquirido.	El estudiante no utiliza vocabulario académico durante la presentación.	El estudiante utiliza algunos térmicos académicos durante la presentación, pero no los explica con claridad.	El estudiante muestra el uso del vocabulario académico durante la presentación para explicar los conocimientos adquiridos en forma clara y precisa.	
			Evaluación total	

identificar las experiencias, los intereses y los pensamientos de los alumnos y son excelentes fuentes de información para el maestro, en tanto proporcionan una visión de la cultura y el lenguaje del alumno más amplia y profunda. Los maestros pueden monitorear el progreso académico y lingüístico de los alumnos al realizar dichas entrevistas o conferencias.

La conferencia es un proceso continuo. Cuando un maestro está en conferencia con un estudiante o un pequeño grupo de estudiantes, está trabajando sobre habilidades que necesitan ser reforzadas o habilidades que proporcionarán enriquecimiento. Las conferencias brindan instrucción individualizada para cada estudiante y proporcionan al maestro información sobre lo que hace el alumno mientras lee y escribe. De este modo, permiten la evaluación sobre lo que el estudiante ya está haciendo y sobre las habilidades que tiene. Esta información posibilita al maestro determinar en qué necesita apoyo y así planificar la instrucción de manera estratégica e intencional.

En un contexto bilingüe, tanto la entrevista como la conferencia son instrumentos de evaluación que pueden utilizarse en ambos idiomas de instrucción y cuyos resultados pueden ser luego analizados a la par. Esto permite identificar qué habilidades en cada lenguaje requieren mayor apoyo y cuáles no es necesario volver a enseñar, sino únicamente facilitar a través de actividades de transferencia que incluyen modelado y conversaciones metalingüísticas sobre lo que se está aprendiendo.

Observaciones y listas de verificación

Las observaciones cumplen el doble propósito de evaluar al alumno y monitorear el desarrollo del lenguaje, así como el aprovechamiento del contenido a través del tiempo. Las observaciones permiten a los maestros evaluar a los alumnos que están desarrollando el bilingüismo y utilizar sus resultados para modificar la enseñanza. Al realizar las observaciones los maestros pueden marcar en listas de verificación los objetivos de contenido y de lenguaje alcanzados por cada alumno. La fecha en que el alumno logró el objetivo también se puede indicar en la lista de verificación. Además de servir para la observación de los estudiantes, las listas de verificación son especialmente convenientes cuando los maestros evalúan los portafolios, así como

Tabla 8.9 Lista de verificación del portafolio

**Portafolio de la unidad
"Explorando nuestro medio ambiente"**

Trabajos a incluir:	Fecha:	Notas:
Tabla comparativa de los personajes de "Buscando a Nemo"		
Storyboarding de "Buscando a Nemo"		
Tabla de clasificación de animales por hábitat		
Tabla comparativa del arrecife de coral		
Libro plegable (*foldable*) sobre tipos de adaptaciones		
Lista de ventajas y desventajas de vivir en comunidades de diferentes regiones del país		
Folleto sobre las características de una región		
Anuncio (*advertisement*) persuasivo sobre una región		

cuando los alumnos se autoevalúan o evalúan a los pares. Es importante observar la interacción de los estudiantes en grupos pequeños, dado que las observaciones son muy efectivas para monitorear el uso del lenguaje en ese contexto.

La Sra. Olivia utiliza la siguiente lista de verificación (tabla 8.9) para asegurarse de que los portafolios de sus estudiantes están completos. Estas listas también sirven para que los alumnos identifiquen lo que han logrado y lo que les falta completar.

Es importante recordar que la evaluación holística e integrada del contenido y del lenguaje incorpora también la evaluación de la biliteracidad, al impulsar a los estudiantes a utilizar todos sus recursos lingüísticos para mostrar su aprendizaje y hacerlo integrando las diferentes destrezas del lenguaje en ambos idiomas.

En conclusión, es esencial que la evaluación de estudiantes bilingües se enfoque en el progreso que han logrado los estudiantes en el aprendizaje del contenido y en el continuo de desarrollo del bilingüismo y la biliteracidad. Las evaluaciones formativas auténticas proporcionan oportunidades para que los alumnos bilingües demuestren su competencia académica y lingüística de diversas maneras. Por último, es importante recordar que la evaluación en contextos de aulas bilingües debe recolectar evidencia de diversas fuentes para determinar el progreso de los estudiantes, tanto en el aprendizaje del contenido, como en el desarrollo del lenguaje y la biliteracidad.

Review

Teaching in bilingual classrooms requires an understanding of the interrelationship between teaching content and helping students develop oral and written academic language skills. Bilingual students benefit from multiple and authentic types of assessment that afford them the opportunity to use their bilingual linguistic repertoire to demonstrate their learning. Effective bilingual teachers embrace bilingualism as the norm and embrace the linguistic diversity of their classrooms. These teachers leverage authentic assessments of content to also assess language and biliteracy development. Effective bilingual teachers support their students by designing instruction that integrates multiple and authentic ways to assess bilingual learners in fair and equitable ways, making sure students have opportunities and varied ways to demonstrate their knowledge and understanding, leveraging their linguistic competence and resources. Thus, assessment is a central component of instruction as it is a tool to inform planning and teaching, to understand students' learning, and to gauge how to support bilingual students' language and biliteracy development.

Aplicaciones prácticas

Aspirantes a maestros

Seleccione una macro o una microestructura que haya desarrollado en alguno de sus cursos en el programa. Revise alguna de las evaluaciones que haya incluido en su planificación. Identifique si sus estrategias de evaluación consideran y diferencian la evaluación del lenguaje, el contenido y la biliteracidad, dando a los estudiantes la oportunidad de usar sus habilidades bilingües para mostrar su aprendizaje.

Maestros

Identifique y analice el impacto de estrategias de evaluación formativa y auténtica que utilice en la evaluación del desarrollo del lenguaje académico en los dos idiomas de enseñanza, así como de la biliteracidad. ¿Qué adaptaciones realiza en la instrucción como resultado de su análisis de la evaluación? ¿Qué información obtiene de la manera en que sus estudiantes usan el lenguaje académico en las diferentes áreas de contenido? ¿Cómo utiliza esos datos para planificar una instrucción que fomente las conexiones interlingüísticas?

Administrators

Engage with the leadership team on identifying what information your school gathers to show how bilingual students are progressing in addition to the scores standardized tests provide. Learn about what formative assessments your teachers are using and for what purposes. Reflect on how data is analyzed in your school and how the leadership team is using it to inform decision-making, building capacity, and sustaining bilingual student achievement from a biliteracy lens.

9

Biliteracidad académica
Interdisciplinary planning

Developing an effective bilingual unit of study begins with information gathering. Teachers gather information about their students' linguistic, cultural and academic background through surveys, parent teacher interviews and in-class activities... Teachers also reflect on their own background and experiences . . . An important element of self-reflection that influences the development and implementation of an effective bilingual unit of study is choice of language. (Beeman & Urow, 2012, p. 48)

Objetivos

- Profundizar el conocimiento sobre la enseñanza del lenguaje, la biliteracidad y el contenido a través de la integración curricular estratégica.
- Analizar un ejemplo completo de macro y microestructura interdisciplinaria.
- Evaluar la importancia de una pedagogía holística e integradora para el desarrollo de la biliteracidad de los estudiantes bilingües.

We conceptualize biliteracy as a holistic, dynamic, and multidirectional process in which students make sense of and produce different types of text in two languages through listening, speaking, reading, and writing while establishing cross-linguistic connections across content areas. Through a concrete example of the macro and micro interdisciplinary planning structures, we illustrate and highlight the importance of designing instruction that fosters bilingual students' interdisciplinary academic biliteracy development. We exemplify the concepts discussed throughout the book in a complete interdisciplinary macrostructure that integrates social studies, science, mathematics, and language arts in two languages developed by Mrs. Jessica for her fourth-grade two-way dual language classroom. Mrs. Jessica's instruction illustrates how language and biliteracy can be developed through content and how content can be taught through language and biliteracy instruction in mutually supportive and bidirectional ways that facilitate academic biliteracy development for bilingual students.

Planificación para el desarrollo de la biliteracidad interdisciplinaria

La importancia de la planificación estratégica del uso de los dos idiomas en la enseñanza del contenido se apoya en conclusiones importantes de las investigaciones sobre el desarrollo de la biliteracidad. La biliteracidad es un proceso integrador de las cuatro dimensiones del lenguaje —hablar, escuchar, leer y escribir—, que hace posible comprender y producir textos impresos en dos idiomas apoyado por las conexiones interlingüísticas y el desarrollo de la conciencia metalingüística (Escamilla et al., 2014; Hornberger, 2004). La biliteracidad es un proceso multidireccional que ocurre en un continuo de desarrollo del lenguaje y del bilingüismo. Es decir que no hay un camino único para el desarrollo de la biliteracidad (Dworin, 2003; Hornberger, 2004; Escamilla et al., 2014). Esto significa entender que un estudiante posee un repertorio lingüístico bilingüe o multilingüe que utiliza de forma integrada al aprender el contenido y desarrollar cada uno o los dos idiomas de enseñanza.

De acuerdo con estas ideas, en este libro proponemos que los maestros diseñen la enseñanza de manera tal que ambos lenguajes se integren a través de la lectura, la escritura, las conversaciones académicas y los espacios interlingüísticos en las distintas áreas de contenido. Analicemos estas ideas desde el punto de vista de uno de los estudiantes en la clase de cuarto grado de la Sra. Jessica. Analía es una estudiante de cuarto grado cuyos padres son inmigrantes venezolanos. Ella habla inglés y español, pero prefiere hablar español, el idioma de la casa. Analía es muy buena lectora en los dos idiomas; sin embargo, prefiere escribir en inglés. En esta clase, la Sra. Jessica planifica macro y microestructuras que le permiten a Analía utilizar todo su repertorio lingüístico en actividades que incluyen lectura, escritura y conversaciones académicas sobre los temas de estudio. La maestra incluye oportunidades para que los estudiantes aprendan y demuestren sus conocimientos en dos idiomas, utilizando múltiples caminos hacia el desarrollo de la biliteracidad. Analía es un claro ejemplo de cómo la planificación de macro y microestructuras, al integrar una pedagogía del translenguar, da a los estudiantes la oportunidad de aprovechar todo su repertorio bilingüe para lograr la biliteracidad académica. Por ejemplo, Analía lee en los dos idiomas diferentes tipos de textos acerca del tema y participa en conversaciones académicas utilizando todo su repertorio lingüístico en español e inglés. Más aún, en las diferentes microestructuras de esta macroestructura interdisciplinaria, Analía tiene oportunidades para escribir en los dos idiomas. Durante la conferencia individual sobre la escritura, Analía con ayuda de su maestra compara dos textos escritos por ella y analiza la manera en que su conocimiento de español se refleja en su escritura en inglés y viceversa. La identificación de patrones de uso del lenguaje dentro de cada uno y entre los dos idiomas de enseñanza permite demostrar el desarrollo de su escritura en dos idiomas. Las microestructuras que la Sra. Jessica planificó para cada miniunidad de la macroestructura interdisciplinaria permiten que los estudiantes como Analía desarrollen la biliteracidad interdisciplinaria, utilizando todos sus recursos lingüísticos de diferentes maneras, pero teniendo acceso a los mismos estándares que el resto de los estudiantes de la clase. En otras palabras, a través de la macro y la microestructura de planificación interdisciplinaria, el desarrollo del lenguaje y la biliteracidad a través del contenido y el contenido a través del lenguaje y la biliteracidad mantienen una relación sinérgica que permite el desarrollo de la biliteracidad académica en múltiples direcciones y de una manera no lineal, particular a cada estudiante bilingüe.

La macroestructura interdisciplinaria que describimos en este capítulo muestra cómo se integra la enseñanza interdisciplinaria del contenido con oportunidades para desarrollar las funciones productivas y receptivas del lenguaje, es decir, la oralidad —escuchar y hablar—, la lectura y escritura, en los dos idiomas de enseñanza.

Macroestructura: los nativos americanos

En esta sección presentamos el ejemplo de macroestructura para cuarto grado creado por la Sra. Jessica, anclado en un tema de estudios sociales, los nativos americanos, con conexiones interdisciplinarias y múltiples oportunidades para el desarrollo de la biliteracidad académica. La macroestructura contextualiza el desarrollo del lenguaje en la enseñanza de contenido académico a través de conexiones múltiples con artes del lenguaje, por medio de la lectura de distintos tipos de textos y una escritura variada de géneros. También se integran conexiones interdisciplinarias con conceptos de matemáticas y ciencias naturales que permiten comprender aspectos importantes del tema central. La naturaleza interdisciplinaria de la macroestructura se hace también evidente en el proyecto de culminación y en el uso estratégico que se hace de los dos idiomas, que posibilita evaluar a los estudiantes de manera holística en cualquier punto del continuo del desarrollo de la biliteracidad en el que se encuentren.

Este ejemplo muestra la manera en que el uso estratégico que se hace de los dos idiomas con el objetivo de desarrollar la biliteracidad se articula con la distribución del tiempo de enseñanza en los dos idiomas, derivada del tipo de programa de doble inmersión implementado en esta escuela. La Sra. Jessica enseña en un programa de dos vías siguiendo un modelo 90/10, de modo que en cuarto grado corresponde el 50% del tiempo en inglés y el 50% en español. Artes del lenguaje se distribuye 50% del tiempo en cada idioma y ciencias naturales y estudios sociales se enseñan en español, mientras que matemáticas se enseña en inglés. Considerando la distribución de los lenguajes de enseñanza establecida por el distrito para el programa de doble inmersión en el que enseña la Sra. Jessica, el uso de la pedagogía del translenguar le permitirá planificar la macroestructura de tal manera que los estudiantes puedan usar todo su repertorio lingüístico para acceder al contenido académico, así como desarrollar el lenguaje en los dos idiomas de enseñanza y la biliteracidad.

Elementos de la macroestructura de cuarto grado

En esta sección presentamos los elementos claves que la Sra. Jessica considera cuando planifica en el nivel de la macroestructura interdisciplinaria sobre los nativos americanos y con ejemplos que ilustran cada componente de la plantilla de planificación. La tabla 9.1 presenta la primera parte de la plantilla de planificación usada para desarrollar esta macroestructura interdisciplinaria.

Título y tema de la macroestructura. La maestra considera los estándares seleccionados por su distrito para el período de evaluación de nueve semanas y crea un título para la macroestructura sobre los nativos americanos que representa la idea general de la macroestructura: "Una mirada crítica al encuentro de dos mundos". En esta macroestructura sobre los nativos americanos, los alumnos desarrollan conocimientos sobre las diferentes comunidades que habitaban previo a la llegada de los colonizadores europeos y los cambios que el arribo de estos les produjo, en todos los ámbitos de sus vidas. Además, de una manera crítica, analizan la repercusión de la conquista europea en los pueblos indígenas en el pasado y en la actualidad. Durante el aprendizaje de la macroestructura interdisciplinaria los

Tabla 9.1 Plantilla de planificación de la macroestructura: parte 1

Macroestructura: Nivel de la unidad

Título	Asignación de idiomas
Una mirada crítica al encuentro de dos mundos	*50% inglés (artes del lenguaje y matemáticas)* *50% español (artes del lenguaje, estudios sociales y ciencias naturales)*

Tema
El impacto de la conquista de América en los nativos americanos

Estándares de contenido

Artes de lenguaje en español e inglés
(Estándares que son iguales en los dos idiomas de instrucción)

LI.4.3. Explicar los acontecimientos, procedimientos, ideas o conceptos de un texto histórico incluyendo lo que sucedió y por qué, basándose en la información específica del texto.

E.4.7. Llevar a cabo proyectos de investigación cortos para ampliar el tema a través del estudio de diferentes aspectos de un tema.

E.4.2. Escribir textos informativos y explicativos para examinar un tema y transmitir ideas e información con claridad.

RI.4.2. Determinar la idea principal de un texto y explicar cómo está respaldado por detalles clave. Resumir el texto.

RL.4.6. Comparar y contrastar el punto de vista desde el que se narran las diferentes historias, incluida la diferencia entre las narraciones en primera y en tercera persona.

SL.4.4. Informar sobre un tema o texto, contar una historia o experiencia de manera organizada, utilizando hechos apropiados y detalles descriptivos relevantes para apoyar ideas o temas principales.

Matemáticas
4.MD.A.1. Conocer los tamaños relativos de las unidades de medida dentro de un sistema de unidades que incluye kilómetros, metros y centímetros.

4MD.A.2. Usar las cuatro operaciones para resolver problemas de palabras que involucran distancias, intervalos de tiempo, fracciones o decimales.

Ciencias naturales
ESS2.A. Comprender cómo el agua y el viento pueden cambiar el terreno.

ESS3-2. Generar y comparar soluciones múltiples para reducir el impacto de los procesos naturales de la tierra en los seres humanos.

Estudios sociales
D2. Geo.8.3-5. Explicar de qué manera los asentamientos humanos y los movimientos se relacionan con las ubicaciones y con el uso de diversos recursos naturales.

D2. His.2.3-5. Comparar la vida en períodos históricos específicos con la vida actual.

D2. His.14.3-5. Explicar las causas y los efectos probables de eventos y desarrollos.

Específico en español
3.E. Usar correctamente el acento gráfico o tilde de acuerdo con el acento tónico en palabras apropiadas al nivel de grado aplicando un análisis sistemático.

L.1 J. Identificar y emplear correctamente verbos regulares en el tiempo pretérito perfecto (-*ar*: amó; -*er*: comió; -*ir*: escribió) o imperfecto (-*ar*: amaba; -*er*: comía; -*ir*: escribía) y distinguir su uso.

Específico en inglés
L.4.1.F—Produce complete sentences, recognizing and correcting inappropriate fragments and run-ons.
L.4.1G—Correctly use frequently confused words (e.g., *to, too, two; there, their*)

Estándares de desarrollo del lenguaje
Los bilingües emergentes se comunican utilizando el lenguaje social y de enseñanza en el ámbito escolar (1). Igualmente utilizan el lenguaje de las artes del lenguaje (2), de matemáticas (3), de ciencias naturales (4) y de las ciencias sociales (5) (WIDA, 2014).

Pregunta esencial
¿Qué impacto ha tenido la conquista europea sobre los grupos indígenas norteamericanos a través del tiempo?

El texto de los estándares es una traducción propia de la versión en inglés.

estudiantes son expuestos a diferentes géneros literarios; esto les permite conocer cómo se estructuran y escriben diferentes tipos de textos, incorporar vocabulario científico a sus conocimientos previos e identificar diferentes elementos literarios, como idea principal, resumen, inferencia, comparación y contraste, y causas y efectos.

Estándares de contenido y de desarrollo del lenguaje. La Sra. Jessica identifica en su plan una serie de estándares de contenido y de desarrollo de los dos lenguajes de enseñanza, enfocándose en el lenguaje social y académico de estudios sociales, ciencias y artes del lenguaje, siguiendo las indicaciones del distrito. Usando los estándares de *Common Core* en español y en inglés, la maestra identifica los de artes del lenguaje comunes a los dos idiomas y selecciona estratégicamente los estándares específicos a cada lenguaje de enseñanza. Una vez seleccionados los estándares, la Sra. Jessica busca las conexiones entre los temas de estudio que más facilitarán la enseñanza y el aprendizaje de la macroestructura interdisciplinaria, a través de una pregunta esencial o hilo conector de las disciplinas académicas.

La pregunta esencial. La Sra. Jessica desarrolla una pregunta esencial integradora: "¿Qué impacto ha tenido la conquista europea sobre los grupos indígenas norteamericanos a través del tiempo?". Esta pregunta articula los temas y le permite organizar las actividades de modo que los estudiantes sean capaces de responder integrando distintas perspectivas y conceptos de las diferentes áreas de contenido académico. La pregunta esencial se ancla en los estándares académicos seleccionados y se evidencia en las metas de contenido y lenguaje establecidas por la maestra.

La segunda parte de planificación de la macroestructura aparece en la tabla 9.2. Para reflejar su papel como hilo conector, incluimos la pregunta esencial en esta tabla también, donde se muestra la relación entre los estándares y las metas de contenido y de lenguaje para la biliteracidad.

Metas de contenido y de lenguaje para la biliteracidad. Luego de seleccionar los estándares y considerando el tema y la pregunta esencial, la Sra. Jessica desarrolla las metas de contenido y de lenguaje para la biliteracidad que guiarán el diseño de la evaluación de la macroestructura, así como la selección de materiales, identificación de vocabulario, conexiones interdisciplinarias, actividades y estrategias alineadas con una pedagogía del translenguar. Por ejemplo, como muestra la tabla 9.2, las metas de estudios sociales son:

> Comprender, analizar y evaluar la importancia de las comunidades indígenas en el pasado y las causas y los efectos de la conquista española;
> Investigar la vida de los nativos americanos existentes en la actualidad, su ubicación geográfica, los recursos naturales del lugar y los aspectos de la vida actual como consecuencia de la conquista.

Las metas de lenguaje para la biliteracidad identificadas en la tabla 9.2 integran el lenguaje oral, lectura, escritura y los espacios interlingüísticos necesarios para el desarrollo de la biliteracidad. Por ejemplo, para la lectura la maestra identifica las siguientes metas:

> Analizar y comparar diferentes tipos de textos en los dos idiomas de enseñanza;
> Identificar información importante y hacer conexiones intertextuales entre textos informativos y otras formas literarias.

Las metas de contenido y lenguaje son evaluadas de manera formativa y sumativa en los dos idiomas de enseñanza a través del proyecto de culminación.

Tabla 9.2 Plantilla de planificación de la macroestructura: parte 2

Pregunta esencial

¿Qué impacto ha tenido la conquista europea sobre los grupos indígenas norteamericanos a través del tiempo?

Metas de contenido	Metas de lenguaje para la biliteracidad
Artes del lenguaje en español e inglés Analizar el concepto de punto de vista y aplicarlo al texto "Encuentro". Escribir un ensayo de comparación y contraste en español sobre dos grupos de nativos americanos de su elección. Analizar diferentes tipos de oraciones para mejorar su escritura académica acerca del tema de estudio. Escribir un resumen de los textos leídos en inglés junto con la maestra. Identificar en el texto y explicar el uso de palabras de señalización para el resumen.	**Oralidad** Usar español e inglés académico para explicar y discutir oralmente ideas sobre las comunidades indígenas y la conquista española. Presentar los conocimientos aprendidos en inglés durante el "museo histórico". **Lectura** Analizar y comparar diferentes tipos de textos en los dos idiomas de enseñanza. Identificar información importante y hacer conexiones intertextuales entre textos informativos y otras formas literarias.
Matemática Aplicar el valor de posición de números que representan la población de cada grupo de nativos americanos, así como también las distancias relativas entre los asentamientos. Resolver problemas que involucran distancias, intervalos de tiempo, fracciones y decimales. Usar la distancia relativa entre los puntos estratégicos de la conquista, utilizando la unidad de kilómetros. Analizar la información sobre diferentes grupos de nativos americanos, creando gráficos de barra.	**Escritura** Tomar notas en los dos idiomas de instrucción sobre los textos leídos para luego usarlas en la escritura en español. Evaluar y aplicar el uso correcto de la acentuación, puntuación, palabras de señalización y oraciones variadas al escribir resúmenes en inglés y español y un ensayo comparativo en español.
Ciencias naturales Evaluar la relación entre los asentamientos humanos del pasado y el presente y los recursos naturales del lugar. Investigar sobre los cambios en el medio ambiente causados por la conquista y los asentamientos indígenas.	
Estudios sociales Comprender, analizar y evaluar la importancia de las comunidades indígenas en el pasado y las causas y los efectos de la conquista española. Investigar la vida de los nativos americanos existentes en la actualidad, su ubicación geográfica, los recursos naturales del lugar y los aspectos de la vida actual como consecuencia de la conquista.	

Proyecto de culminación

Parte I - Es grupal y consiste en la elaboración de una presentación oral sobre dos grupos de nativos americanos.

Parte II - Es individual y consiste en la elaboración de un ensayo comparativo crítico.

Evaluación formativa de las actividades completadas para elaborar el producto final:

• Síntesis de información relevante al tema de diferentes fuentes.

• Uso del lenguaje académico en las discusiones orales, así como también puntuación y uso de mayúsculas en la escritura.

Evaluación sumativa del producto final

• Rúbrica para la presentación oral del proyecto de culminación que incluye las cuatro dimensiones del lenguaje.

• Autoevaluaciones y evaluaciones de los pares adaptadas a este proyecto (véanse los ejemplos presentados en el capítulo 8).

• Lectura de diferentes textos informativos para la realización del proyecto de culminación, enfocándose en diferentes habilidades de lectura (tabla de diferenciación en este capítulo).

El texto de los estándares es una traducción propia de la versión en inglés.

Proyecto de culminación. La macroestructura de planificación presenta diferentes posibilidades para la evaluación auténtica y holística en lo que respecta al aprendizaje del contenido, al desarrollo y uso del español e inglés académico y a la biliteracidad interdisciplinaria. La maestra decide diseñar un proyecto de culminación como evaluación integrada de la macroestructura, enfocándose en los estándares seleccionados para cada área de contenido académico. Como vimos en el capítulo 8, el proyecto de culminación es una evaluación auténtica del aprendizaje, también denominada evaluación alternativa o de desempeño, que permite una evaluación integrada a través del trabajo cooperativo e independiente de los alumnos. La maestra usa una serie de rúbricas para evaluar los estándares seleccionados para los distintos aspectos de este proyecto que integra diferentes criterios de desempeño individual y grupal.

El proyecto de culminación de la macroestructura sobre los nativos americanos desde una mirada crítica a la conquista tiene dos partes y requiere de una variedad de lecturas académicas sobre el tema. La primera parte del proyecto es grupal y consiste en la elaboración de una presentación oral sobre dos grupos de nativos americanos. En la segunda parte, que es individual, se realiza un ensayo comparativo crítico.

Durante la primera parte del proyecto, los estudiantes recaban información de diferentes fuentes y discuten con los compañeros, utilizando todo su repertorio lingüístico, acerca de la información que incluirán en la presentación oral del grupo en inglés. De esta manera, los estudiantes tienen oportunidad de demostrar sus habilidades bilingües y de biliteracidad, adquiridas a través de las lecturas y las conversaciones académicas en los dos idiomas. Como resultado de la investigación, los estudiantes preparan una exposición para el "museo histórico", en el cual representan los grupos de nativos americanos estudiados (pasado y presente). Para la presentación oral, los estudiantes usan ayudas visuales como carteles didácticos y diapositivas con fotografías, dibujos e información relevante y explican las características salientes del grupo de nativos americanos seleccionado, incluyendo el efecto que la conquista europea tuvo en el pasado y hasta el presente, así como mostrando las diferencias y las similitudes entre los distintos aspectos de la vida de cada grupo de nativos. Los proyectos son presentados en diferentes días para permitir que todos los estudiantes de la clase participen en las presentaciones de sus compañeros y tomen notas en un organizador gráfico creado por la maestra.

Para mostrar el trabajo de sus estudiantes, la maestra invita a otras clases y a los administradores de la escuela para que presencien las presentaciones del "museo histórico" creado por la clase, en las que comparten con los visitantes sus trabajos de investigación sobre los diferentes grupos de nativos americanos, lo que promueve no solo el aprendizaje del contenido, sino también el desarrollo del lenguaje académico para la biliteracidad. La maestra crea una rúbrica para evaluar la presentación oral del proyecto de culminación, la cual incluye las cuatro dimensiones de lenguaje. También desarrolla una rúbrica de autoevaluación y una de evaluación de los pares adaptadas a este proyecto. Además, la maestra evaluará de manera formativa la lectura de diferentes textos informativos para la realización del proyecto de culminación, enfocándose en diferentes habilidades de lectura que se enseñan en artes del lenguaje durante el período que dura el proyecto.

La segunda parte del proyecto es individual y se presenta de manera escrita con un ensayo comparativo en español. Para apoyar la escritura del ensayo, la maestra modela la escritura de una composición comparativa sobre el encuentro de dos mundos y las consecuencias ocasionadas a los grupos de nativos norteamericanos, enfatizando elementos críticos. Para el modelado utiliza un organizador gráfico y oraciones complejas con conjunciones e incorpora palabras de señalización para mostrar la relación de comparación y contraste entre las ideas párrafos. Como los estudiantes tienen dificultades con el uso correcto de la puntuación en ambos idiomas, la maestra modela una actividad llamada "pasta seca", que incluye manipulativos que aproximan la forma de los diferentes signos de puntuación. La maestra dará a los estudiantes una hoja de papel que contiene un párrafo comparativo desprovisto de puntuación. En grupos, y a modo de aplicación práctica, los estudiantes identificarán la puntuación que falta en el párrafo y agregarán los correspondientes puntos, comas, apóstrofes, comillas, signos de exclamación y pregunta, utilizando pasta seca (por ejemplo, macarrones codito —*elbow macaroni*— para las comas y las comillas y espagueti para signos de exclamación). A continuación, los estudiantes compartirán con la clase y la maestra escribirá la puntuación correcta que falta en el texto proyectado en el pizarrón. A manera de extensión, la Sra. Jessica creará junto con los estudiantes una tabla de doble entrada en la que discuten las similitudes y las diferencias de la puntuación en inglés y en español. Por ejemplo, en español se usan signos de pregunta y exclamación al comienzo y al final de la oración, mientras que en inglés se escriben solo al final. Otra similitud es que en ambos idiomas se utilizan comas cuando hacemos una lista, pero la diferencia está en que en inglés se debe poner una coma antes de la conjunción *and*, mientras que en español no se hace antes de la conjunción "y". De esta manera se facilita la transferencia y se refuerza el conocimiento de las habilidades de los dos grupos lingüísticos de la clase.

Luego de la demostración, durante la escritura independiente, los estudiantes primero trabajan con un compañero que haya investigado un pueblo nativo diferente al suyo y, utilizando un organizador gráfico, buscarán similitudes y diferencias entre ambos pueblos, enfocándose en las características pasadas y presentes de los pueblos seleccionados. Para esta actividad los estudiantes podrán usar el idioma que prefieran, aunque luego de trabajar en parejas, y siguiendo el modelo presentado por la maestra, los estudiantes escribirán de manera individual una composición comparativa en el idioma de enseñanza, utilizando las anotaciones hechas en el organizador gráfico. Es importante destacar que a través de este proyecto los estudiantes hacen uso del inglés y del español de manera bidireccional, con el objetivo de recolectar información de diferentes fuentes pertinentes al grupo de nativos americanos que han seleccionado y poder comunicar lo aprendido de manera eficiente, demostrando altos niveles de biliteracidad. Una vez que los escritos son corregidos por la maestra, los estudiantes compartirán sus escritos con sus compañeros quienes, siguiendo una rúbrica de evaluación de pares, les hacen comentarios para mejorar el texto en español.

La tabla 9.3 muestra la tercera parte de la plantilla de planificación de la macroestructura, que está organizada para responder a la pregunta esencial de la unidad: "¿Qué impacto ha tenido la conquista europea sobre los grupos indígenas norteamericanos a través del tiempo?". En este nivel de la planificación, la Sra. Jessica usa la plantilla para apuntar el vocabulario de toda la unidad e identificar los materiales y los géneros que, en español e inglés, apoyarán el aprendizaje del contenido y el desarrollo del lenguaje para la biliteracidad. También, la Sra. Jessica identifica las conexiones interdisciplinarias y los espacios interlingüísticos que va a enfatizar en la macroestructura.

Vocabulario. Para lograr las metas de contenido y de lenguaje, comprender los diferentes textos y poder utilizarlos para demostrar conocimiento sobre lo aprendido, así como también mostrar crecimiento en el desarrollo del lenguaje, los estudiantes deben tener acceso a actividades que los ayuden a adquirir vocabulario

Tabla 9.3 Plantilla de planificación de la macroestructura: parte 3

Vocabulario de la macroestructura

Vocabulario académico general	Vocabulario académico específico	Palabras de señalización
Distancia – *Distance*	Conquistadores – *Conquerors*	Finalmente – *Finally*
Ceremonias – *Ceremonies*	Indígenas – *Natives*	Comparación – *Comparison*
Comunidades – *Communities*	Tribus – *Tribes*	Contraste – *Contrast*
Rutas – *Routes*	Nómadas – *Nomads*	Similarmente – *Similarly*
Embarcación – *Vessel*	Asentamientos – *Settlements*	Además – *Moreover*
Creencias – *Beliefs*	Carabelas – *Caravels*	Adicionalmente – *In addition*
Comercio – *Commerce*	Astrolabio – *Astrolabe*	Sin embargo – *However or Nevertheless*
Intercambio – *Exchange*	Suroeste – *Southwest*	Por el contrario – *On the contrary*
Descubrimiento – *Discovery*	Sureste – *Southeast*	Pero – *But*
Dominio – *Dominance*	Noreste – *Northeast*	Así que – *So*
Regiones – *Regions*	Noroeste – *Northwest*	Por lo tanto – *Then*
Gobernar – *To govern*	Kilómetros – *Kilometers*	Entonces – *Then*
Costumbres – *Customs*	Metros – *Meters*	Para resumir – *To summarize*
	Centímetros – *Centimeters*	En otras palabras – *In other words*
	Recursos naturales – *Natural resources*	

Materiales		Género

Español	Inglés	Ficción
"Social Studies Weekly" en español	*Discovery learning*	No ficción
Reading A–Z books	*Social Studies Weekly*	
Epic books	Reading A–Z books	
"News LA" en español	Epic books	

Conexiones interdisciplinarias

Conexiones con matemáticas

Valor de posición Los estudiantes practicarán el valor de posición de números que representen la cantidad de pobladores de cada grupo de nativos americanos y de los conquistadores, así como también las distancias relativas entre los lugares de asentamiento.

Solución de problemas Los estudiantes usarán las cuatro operaciones matemáticas para resolver problemas que involucren distancias, intervalos de tiempo fracciones y decimales.

Unidades de medición Los estudiantes medirán la distancia relativa entre los puntos estratégicos de la conquista usando la unidad de kilómetros.

Gráficos Los estudiantes crearán gráficos de barra para analizar la información acerca de los distintos grupos de nativos americanos.

Conexiones con ciencias naturales: Los estudiantes evaluarán la relación entre los asentamientos humanos del pasado y el presente y los recursos naturales del lugar. También investigarán sobre los cambios en el medio ambiente causados por la conquista y los asentamientos indígenas.

Conexión con los fondos de conocimiento de los estudiantes de la clase: Los estudiantes tendrán oportunidad de explorar conexiones entre diferentes grupos nativos de las Américas. Siendo que muchos estudiantes vienen de América Central, esta unidad permitirá que ellos utilicen sus fondos de conocimiento para evaluar, comparar y reflexionar sobre el encuentro de dos mundos a través del espacio y el tiempo.

Espacios interlingüísticos

Los estudiantes leen y discuten textos de ficción y no ficción en inglés y español. Escriben diferentes textos en los dos idiomas. Por ejemplo, el resumen en inglés y el texto de comparación y contraste en español. Construyen junto con la maestra carteles didácticos para establecer conexiones interlingüísticas entre inglés y español. Además, completan el proyecto de culminación en dos partes, el "museo histórico" en inglés y el ensayo en español.

Miniunidad 1 *Series de microestructuras*	Miniunidad 2 *Series de microestructuras*	Miniunidad 3 *Series de microestructuras*
"Los conquistadores de América"	"Los nativos de América del Norte"	"Los nativos americanos en la actualidad"
(3 semanas)	(5 semanas, incluyendo las presentaciones)	(1–2 semanas)

vocabulario académico específico, académico general y de señalización de las distintas disciplinas integradas. Esto facilita la lectura y la escritura de los estudiantes bilingües emergentes durante la macroestructura, creando un glosario bilingüe.

Desde el punto de vista de la sintaxis o nivel de la oración, la Sra. Jessica presentará diferentes tipos de oraciones para que los estudiantes las identifiquen en los textos leídos, analicen su uso y las utilicen en su escritura académica, apoyando así el desarrollo de sus estudiantes en el continuo de la biliteracidad.

Géneros. Esta macroestructura interdisciplinaria explorará textos de ficción y no ficción, tanto en lecturas como en la escritura. Por ejemplo, los estudiantes leerán diferentes textos informativos, como el libro de texto de estudios sociales, textos de ficción realista como el libro "Encuentro" de Jane Yolen (1996) y otros textos de la biblioteca de la escuela y de internet, seleccionados por la maestra, que les permiten explorar distintos aspectos de la conquista y su impacto en la vida de los nativos americanos, tanto durante la colonización como posteriormente. De la misma manera, los estudiantes escribirán diferentes textos informativos, como resúmenes de lo aprendido en diferentes oportunidades durante la macroestructura, y un ensayo de comparación y contraste de dos grupos de nativos americanos de su elección. Esta selección de textos y actividades permitirá a los estudiantes interpretar la literatura desde una perspectiva crítica, lo cual también ayudará a profundizar el tema desde una perspectiva de justicia social con respecto a los nativos americanos.

Materiales. La Sra. Jessica selecciona materiales en inglés y en español para que los estudiantes lean en los dos idiomas durante toda la macroestructura. Algunas lecturas se pueden realizar en uno u otro idioma, dado que los mismos textos están disponibles en ambos idiomas o en formato bilingüe. Por ejemplo, los estudiantes tienen acceso a *Social Studies Weekly*, un currículo para estudios sociales para escuelas primarias, en inglés y en español, un plan de estudio semanal personalizado basado en los estándares, con diferentes recursos multimedia. La maestra también proporcionó una lista de libros en inglés y en español sobre el tema de estudio seleccionados de *Reading A-Z* y *Epic* y diseñó actividades para facilitar enlaces a sitios de la red en inglés y en español con distintos niveles de complejidad textual, basándose en los niveles de competencia lingüística de los estudiantes de la clase, para permitir así un acceso a la información apropiada para el nivel de grado y el tema de estudio.

Conexiones interdisciplinarias. La macroestructura interdisciplinaria está anclada en el tema de estudios sociales sobre la conquista de América y el encuentro con los nativos americanos que permite articular con temas de otras disciplinas como se indica en la selección de estándares realizada por la maestra. La información se investiga utilizando diferentes fuentes y se presenta de manera oral y escrita, utilizando los tres niveles del lenguaje académico: diferentes tipos de vocabulario académico (específico, general y de señalización), oraciones complejas con gramática apropiada y escritura de textos de resumen y comparación y contraste. Para esto, la maestra diseña actividades de lectura de diferentes tipos de textos en español e inglés, y de escritura académica de dos tipos de texto informativo, como el resumen y el ensayo de comparación y contraste.

La conexión con ciencias naturales se logra a través del concepto de cambios en el medio ambiente. Los estudiantes investigan sobre los cambios en el medio ambiente causados por la conquista y los asentamientos indígenas. También, evalúan la relación entre los asentamientos humanos del pasado y el presente y los recursos naturales del lugar. Similarmente, se establecen conexiones con matemáticas, al incluir operaciones y problemas matemáticos que utilicen información numérica correspondiente a los grupos de nativos americanos y de la conquista. Por ejemplo, los estudiantes practican el valor de posición de números que representen la cantidad de pobladores de cada grupo de nativos americanos y de los conquistadores, así como también las distancias relativas entre los lugares de asentamiento. Además, los estudiantes usan las cuatro operaciones matemáticas para resolver problemas que involucren distancias, intervalos de tiempo, fracciones y decimales, miden la distancia relativa entre los puntos estratégicos de la conquista, usando la unidad de kilómetros, y crean diferentes tipos de gráficos para analizar la información acerca de los distintos grupos de nativos americanos.

Finalmente, la Sra. Jessica planifica actividades que conectan con los fondos de conocimiento de los estudiantes de la clase, al explorar conexiones entre diferentes grupos nativos de las Américas. Como muchos de los estudiantes de la clase vienen de familias que tienen sus raíces en América Central, ellos pueden hacer conexiones entre la historia de los nativos de su lugar de origen, la conquista de América y, más tarde, con la historia de los nativos de los Estados Unidos. Esto permite a los estudiantes capitalizar en sus fondos de conocimiento, revalorar a sus antepasados, evaluar, comparar y reflexionar sobre el encuentro de dos mundos a través del espacio y el tiempo de una manera más comprometida y crítica, al analizar diferentes fuentes de información. En esta macroestructura, la interdisciplinariedad se facilita a través de la organización en tres miniunidades. Cada miniunidad integra conceptos de diferentes áreas de contenido y se desarrolla a través de una serie de microestructuras o lecciones interrelacionadas.

Espacios interlingüísticos. La Sra. Jessica integra de forma dinámica el repertorio lingüístico de los estudiantes, creando oportunidades para facilitar la transferencia multidireccional de las habilidades y los conocimientos adquiridos en uno u otro lenguaje. Esto lo logra a través de la planificación de espacios de translenguar diseñados para la integración de lo que los estudiantes saben sobre el contenido y de su repertorio lingüístico. Estos espacios incluyen lectura de textos de ficción y no ficción en los dos idiomas de enseñanza, discusiones orales académicas sobre el tema de estudio en las que si bien se alienta a los estudiantes a usar el idioma de enseñanza, también se les permite el uso de todo su repertorio lingüístico para profundizar el conocimiento que están adquiriendo y se les da oportunidades para escribir diferentes textos en los dos idiomas de enseñanza; por ejemplo, el resumen de la conquista europea en inglés y el texto de comparación y contraste en español. Además, la maestra planifica con los alumnos la elaboración de carteles didácticos en los que establecen conexiones interlingüísticas al contrastar diferentes aspectos del lenguaje, lo cual ayuda a mejorar la oralidad, la lectura y la escritura académica en inglés y español. Por último, incluye la planificación de un proyecto de culminación a realizarse en dos partes, el "museo histórico", en inglés, y el ensayo, en español.

Organización de las miniunidades integradas

La Sra. Jessica organiza los estándares seleccionados para la macroestructura interdisciplinaria en tres miniunidades interdependientes que se desarrollan en aproximadamente nueve semanas. Para visualizar las interconexiones entre las ideas, asigna diferentes colores a los estándares de cada disciplina y los agrupa de acuerdo con conceptos que se pueden conectar a través de la enseñanza y que responden a la pregunta esencial "¿Qué impacto ha tenido la conquista europea sobre los grupos indígenas norteamericanos a través del tiempo?". Estos grupos de estándares o miniunidades permiten que los maestros como la Sra. Jessica enseñen los contenidos académicos de manera holística y habiliten el desarrollo del lenguaje, así como también de la lectura y la escritura a través del contenido, lo cual permite mayores oportunidades para el desarrollo de la biliteracidad. Cada miniunidad está compuesta por una serie de microestructuras o lecciones.

Miniunidad integrada 1: "Los conquistadores de América"

Esta miniunidad requiere aproximadamente tres semanas de desarrollo e incluye seis microestructuras. Se centra en estudiar de forma interdisciplinaria la conquista europea de América como un proceso complejo dominado por un deseo de expansión y poder, mostrado a través de los enfrentamientos entre los conquistadores y los indígenas. Este período duró varios siglos y tuvo consecuencias demográficas desastrosas para la población indígena en general. Para contextualizar el evento histórico, la maestra comienza la primera miniunidad con la presentación de una línea cronológica desde 1450 a 1550 creada por ella, para acompañar la explicación de los cambios que ocurrían en Europa, muchos de los cuales incluían la lucha por el territorio y el comercio, dentro y fuera del continente europeo.

Para profundizar el tema, la maestra seleccionó diferentes tipos de textos y videos en inglés y en español para que los estudiantes los utilicen durante la hora de artes de lenguaje en inglés de manera independiente, en pares bilingües o grupos pequeños. Apoyándose en la pedagogía del translenguar, la Sra. Jessica permite a estudiantes como Analía utilizar los materiales en cualquiera de los dos idiomas, aunque espera que completen el trabajo asignado en el idioma de enseñanza. Esto permite el uso de los dos idiomas de manera estratégica e intencional, apoyando el desarrollo de la biliteracidad.

Aunque la miniunidad está anclada en estudios sociales, esta se extiende a otras áreas de contenido. La Sra. Jessica establece conexiones interdisciplinarias claves para profundizar y contextualizar la comprensión del tema y toma decisiones de planificación estratégica para conectar artes del lenguaje en inglés y en español con el tema de estudios sociales y así facilitar el desarrollo del bilingüismo dinámico de todos los estudiantes de la clase. Por ejemplo, durante la clase de artes del lenguaje en inglés, los alumnos y la Sra. Jessica leen de manera coral el texto informativo *Exploring the New World* (Conklin, 2015). Durante la lectura, la maestra selecciona distintos puntos claves para detenerse y discutir eventos históricos de importancia y pide a los estudiantes que recolecten la información sobre los conquistadores para completar un organizador gráfico de cuatro entradas, indicando las siguientes ideas: quiénes eran, de dónde venían, cuándo vinieron y las posibles razones de su llegada a América. Los estudiantes toman nota en el lenguaje que prefieren, aunque esta información se utilizará en la escritura de resumen durante la hora de artes de lenguaje en inglés. Este tipo de actividad requiere profundizar conexiones interlingüísticas para apoyar la escritura en inglés, como el uso de palabras de señalización para conectar el texto de resumen. Por ejemplo, la Sra. Jessica presenta una lámina creada durante artes de lenguaje en español a manera de anclaje, a la que incorpora las palabras correspondientes en inglés, haciendo conexiones interlingüísticas de una serie de palabras o frases de señalización para resumir el evento histórico estudiado, enfocándose en elementos claves: Quién/*Who,* Qué pasó/*What happened,* Entonces/*So,* Pero/*But,* Luego/*Then.* Junto con la maestra los estudiantes crean en inglés un texto resumen sobre lo leído, utilizando las palabras o frases de señalización discutidas en los dos idiomas antes de la escritura.

American Indian tribes had their own religion (honored, worshiped), beliefs (believed), and way of life (*Who*). When the Europeans arrived, their life was disrupted and changed forever (*What happened*). *So*—they fought to survive, *but* they were displaced, and many died. *Then*, they continue to fight to keep their culture alive.

Mientras que la Sra. Jessica enseña todas las áreas de contenido en los dos idiomas, en otros programas duales diferentes maestros enseñan cada área de contenido en un idioma determinado. Por ejemplo, un maestro enseña artes del lenguaje, ciencias naturales y estudios sociales en español y el otro enseña artes del lenguaje y matemáticas en inglés. En una rotación de tres maestros, uno enseña matemáticas en inglés, otro enseña artes del lenguaje en los dos idiomas y el tercer maestro enseña ciencias naturales y estudios sociales en español. En cualquiera de estos casos en que los maestros comparten los estudiantes en las distintas áreas de contenido y de lenguaje, es imprescindible que planifiquen juntos para que las áreas de contenido estén interconectadas de manera clara por actividades que se apoyan mutuamente, conectadas a través del hilo conductor de la pregunta esencial y evaluadas por proyectos y evaluaciones que tienen como objetivo el contenido, el lenguaje y la literacidad, de manera simultánea e integrada.

Miniunidad integrada 2: "Los nativos de América del Norte"

La miniunidad 2 se desarrolla aproximadamente en cinco semanas e integra diferentes microestructuras que cubren conceptos de estudios sociales sobre los diferentes grupos de nativos americanos, en articulación con artes del lenguaje en inglés y en español. Esta miniunidad comienza con la lectura en voz alta del texto "Los indígenas norteamericanos" (Cipriano, 2011). La maestra utiliza este texto para contextualizar el estudio de los diferentes grupos de nativos americanos y ampliar el conocimiento sobre los primeros habitantes de América del Norte. En este texto informativo se introducen las regiones de los nativos norteamericanos y se presentan las características de algunos grupos, organizados por región. En esta actividad, la maestra modela cómo buscar ideas principales y detalles sobre el tema. La maestra guía a los estudiantes para que usen mapas con el fin de identificar las diferentes regiones de los nativos americanos.

Esta microestructura prepara a los estudiantes para el proyecto grupal que completarán sobre un grupo nativo americano originario de su elección, como evaluación sumativa de la macroestructura. Los grupos están integrados por tres a cuatro estudiantes con diferentes niveles de habilidades de contenido y competencias lingüísticas en español y en inglés, con el objetivo de que todos tengan una participación activa en el proyecto y se ayuden mutuamente. La maestra selecciona a los estudiantes identificando sus fortalezas: buen lector, escritor efectivo o de capacidad analítica matemática, científica o artística. Además, desde el punto de vista del desarrollo del lenguaje, los estudiantes se agrupan de acuerdo con un continuo de desarrollo, formando grupos heterogéneos con niveles de competencia lingüística diferentes pero cercanos en las cuatro dimensiones del lenguaje, para facilitar la interacción y la realización de la tarea entre todos los miembros del grupo. Por ejemplo, en un grupo integra estudiantes con un nivel emergente e intermedio de competencia oral y de lectura.

La maestra introduce la microestructura modelando la lectura sobre los caddos. Además, la maestra modela la manera de identificar ideas principales, buscar ilustraciones en internet que complementen la información y crear un cartel didáctico informativo, describiendo características principales. Los estudiantes participan con sus ideas, respondiendo a preguntas abiertas y de pensamiento de orden superior que la maestra utiliza para promover el pensamiento crítico. Durante este modelado, la maestra enseña características de los textos informativos, como el uso de color para resaltar la idea principal presentada en los encabezados; el tipo de letra y el tamaño utilizado para marcar la importancia de la información; y el uso de la negrilla y el subrayado para resaltar los términos académicos. También muestra cómo utilizar otros elementos además del texto, tales como los diagramas, los mapas, las leyendas, las líneas de tiempo y las fotos. Este modelado y discusión grupal son necesarios para integrar andamiajes —*scaffold*— y dar a los estudiantes las herramientas y las habilidades para que puedan buscar e interpretar la información para sus proyectos.

Una vez que los estudiantes seleccionaron el grupo nativo americano que estudiarán, la maestra distribuye una guía del proyecto para que todos los grupos investiguen las mismas categorías: ubicación y recursos naturales; características generales; alimentación; creencias; arte; lengua; y comercio. La maestra incluye conexiones interdisciplinarias con matemáticas, por ejemplo, en la categoría de comercio, los estudiantes resuelven problemas incluyendo valor de posición, suma, resta, multiplicación y división de distancias e intervalos de tiempo, usando decimales y fracciones.

A continuación, los estudiantes trabajan en equipos e investigan sobre el grupo de nativos americanos seleccionado, leen textos informativos, extraen ideas principales, buscan ilustraciones que complementen la información hallada y hacen un uso exhaustivo de las características de los textos informativos para aumentar sus conocimientos sobre el tema. Durante las siguientes lecciones, la maestra monitorea el trabajo de cada grupo y tiene conferencias con cada uno para guiarlos tanto en la comprensión de la lectura de los textos seleccionados como también en la escritura de los materiales de apoyo de su proyecto.

Una vez que los estudiantes han recolectado suficientes datos sobre el tema usando las categorías especificadas, para finalizar deben escribir un resumen sobre el grupo de nativos americanos investigado por el grupo. Para apoyar esta tarea, la maestra repasa el texto sobre los nativos americanos y la conquista de América creado en inglés junto con los estudiantes durante la miniunidad 1. Los estudiantes usan este texto como andamiaje o texto mentor para escribir el resumen del grupo.

Finalmente, la maestra guía a los estudiantes durante la última parte de la miniunidad 2. Esta consiste en comparar y contrastar las categorías investigadas en el resumen de dos grupos de nativos americanos de su elección, con un compañero, utilizando un diagrama de Venn. Luego utilizan esa información para escribir de manera independiente un texto comparativo.

Miniunidad integrada 3: "Los nativos americanos en la actualidad"

La miniunidad 3 se puede desarrollar en una o dos semanas de instrucción e integra microestructuras que se enfocan en una mirada crítica de la realidad de los nativos americanos en la actualidad. En esta miniunidad, los estudiantes leen textos que describen eventos contemporáneos y establecen relaciones intertextuales. Los estudiantes identifican y analizan la realidad de los nativos americanos existentes en la actualidad, su ubicación geográfica, los recursos naturales del lugar y los aspectos de la vida actual. De esta manera, los estudiantes utilizan habilidades de pensamiento crítico para ver que todavía existen muchos de los grupos nativos del pasado y explicar el impacto que hasta la actualidad tiene la conquista en el grupo estudiado.

Las miniunidades descriptas anteriormente muestran la manera en que los estudiantes utilizan todos los recursos disponibles de la macroestructura de la unidad y contextualizan y desarrollan el lenguaje académico a través de todas las actividades planificadas de manera estratégica y conectadas por la escritura y la lectura en los dos idiomas.

Planificación de una microestructura

Para ilustrar el proceso de planificación de una microestructura compartimos la manera en que la Sra. Jessica planifica una microestructura que forma parte de la miniunidad 2 sobre los nativos americanos. La microestructura está articulada en términos del desarrollo del lenguaje. Se enfoca en la lectura de textos sobre el tema y escribir un texto corto de comparación y contraste de dos grupos nativos americanos. La microestructura también aborda la edición de las oraciones del texto de comparación que han escrito para transformarlas en oraciones complejas con conjunciones coordinantes. Finalmente, se enfoca en la edición del texto de comparación y contraste, agregando palabras de señalización correspondientes al tipo de texto escrito.

Es importante que nos detengamos en el proceso de planificar la microestructura, siguiendo el formato propuesto en el capítulo 3. Durante este proceso, la maestra tiene en cuenta que los elementos de la microestructura estén integrados de manera apropiada para el nivel de grado escolar y las necesidades lingüísticas de los estudiantes de su clase. Esta microestructura integra habilidades de artes del lenguaje con el contenido de estudios sociales. Esta microestructura de la miniunidad 2 ejemplifica parte de la macroestructura de los nativos americanos, está conectada a través de la misma pregunta de enfoque y utiliza los mismos materiales del género de no ficción. Es importante destacar que, si bien los estudiantes tienen oportunidades de usar todo su repertorio lingüístico a lo largo del desarrollo de la macroestructura, la maestra decide estratégicamente como crear espacios planificados para establecer conexiones interlingüísticas.

Comparaciones de dos grupos de nativo americanos

Se presenta la primera parte de la planificación en el nivel de la microestructura de la miniunidad 2 en la tabla 9.4, empezando con el título de la lección: "Similitudes y diferencias entre los caddos y los karankawas". Esta microestructura o lección se desarrolla en español, dado que se enfoca en completar la segunda parte del proyecto de culminación. En esta microestructura, la maestra introduce y explica el uso del organizador gráfico que los estudiantes usarán en su proyecto de culminación para presentar parte de la información. Los estudiantes seleccionan los dos grupos de nativos americanos que quieren comparar y, con sus pares bilingües, completan el organizador gráfico mientras que la maestra monitorea el trabajo de los grupos. Luego de compartir con el grupo, los estudiantes analizan junto con la maestra un texto de comparación y contraste para entender su estructura y, guiados por la maestra, construyen en conjunto un párrafo de comparación y contraste con la información recabada en el organizador gráfico y una serie de marcos

Tabla 9.4 Planificación en el nivel de la microestructura: parte 1

Microestructura: Nivel de la lección

Título de la lección	Lenguaje de enseñanza
Similitudes y diferencias entre los caddos y los karankawas	Español

Estándares de contenido	Estándares de desarrollo del lenguaje
Estudios sociales - HSSS **D2. His. 2.3-5.** Comparar la vida en períodos históricos específicos con la vida actual. **Artes del lenguaje - CCSS** **SL.W.4.5.** Desarrollan y mejoran la escritura según sea necesario mediante la planificación, la revisión, la corrección y la reescritura o de intentar un nuevo enfoque. **SL.L.4.1.** Muestran dominio de las normativas de la gramática del español y su uso al escribirlo o hablarlo.	**Leer:** Los estudiantes entienden formas y convenciones del lenguaje en el nivel de la oración, incluyendo una variedad de estructuras gramaticales complejas. **Escribir:** Los estudiantes producen y utilizan formas y convenciones del lenguaje en el nivel de la oración, incluyendo una variedad de formas gramaticales relacionadas con el propósito dentro del tema.

Pregunta de enfoque
¿En qué aspectos los grupos de nativos americanos eran similares o diferentes?

Objetivos de contenido
Los estudiantes compararán y contrastarán dos grupos de nativos americanos y escribirán un texto comparativo.

Objetivos de lenguaje para la biliteracidad - Nivel de la oración
Los estudiantes analicen y editan el texto creando oraciones complejas con conjunciones coordinantes.

Evaluación integrada
La microestructura se evalúa con una rúbrica en la que de manera integrada se analiza el uso del contenido y del lenguaje académico en el nivel de la oración, enfocándose en los nativos americanos, y la construcción de oraciones complejas utilizando conjunciones variadas.

El texto de los estándares es una traducción propia de la versión en inglés.

de oraciones diferentes. El modelado de escritura facilitado en esta microestructura sirve como texto mentor para la escritura del texto de comparación y contraste de dos grupos de nativos americanos a elección que cada estudiante debe realizar de manera independiente como parte del proyecto de culminación.

Estándares de contenido y de desarrollo del lenguaje. Esta microestructura responde al estándar de estudios sociales (HSSS) D2. *His. 2.3-5. Compare life in specific historical time periods to life today* y estándares de artes del lenguaje (CCSS) en relación con la escritura y la estructura gramatical del español en cuanto a oraciones compuestas, con diferentes conjunciones. Además, como muestra la tabla 9.4, la Sra. Jessica selecciona los estándares de desarrollo del lenguaje siguiendo las recomendaciones del distrito y usando el estándar 2 de WIDA de artes de lenguaje en lo que respecta a leer y escribir y el 5 de estudios sociales.

Pregunta de enfoque. Las microestructuras están conectadas a través de la misma pregunta de enfoque: "¿En qué aspectos los grupos de nativos americanos eran similares o diferentes?".

Objetivos de contenido. Luego de comparar y contrastar dos grupos nativos americanos utilizando un organizador gráfico y diferentes fuentes de información.

Tabla 9.5 Rúbrica para la evaluación de oraciones complejas con conjunciones

Grupo: _____

Fecha: _____

Nivel del lenguaje académico	Necesita mejorar 1	En desarrollo 2	Cumple con las expectativas 3	Evaluación
Nivel de la oración: El estudiante escribe utilizando oraciones completas con diversidad de conjunciones.	La información no se presenta en oraciones completas.	La mayor parte de la información se presenta en oraciones completas y con una mínima variedad de conjunciones.	Toda la información se presenta en oraciones completas y utilizando una variedad de conjunciones.	

Los estudiantes analizan la estructura del texto comparativo, incluyendo diferentes tipos de oraciones complejas.

Objetivos de lenguaje para la biliteracidad: nivel de la oración. En esta microestructura, el objetivo de lenguaje responde al nivel de la oración, dado que los estudiantes analizan un párrafo de comparación y contraste sobre dos grupos de nativos americanos escrito con la maestra y editan las oraciones transformándolas en oraciones complejas.

Evaluación integrada. Después de determinar los estándares de contenido y desarrollo del lenguaje, la pregunta de enfoque, así como los objetivos de contenido y de lenguaje para la biliteracidad, la Sra. Jessica procede a desarrollar la evaluación integrada del lenguaje académico con el contenido académico de la microestructura, enfocándose en los nativos americanos y la construcción de oraciones completas, con conjunciones variadas. Para ello utiliza la rúbrica de evaluación del lenguaje académico en el nivel de la oración presentada en la tabla 9.5.

La segunda parte de la microestructura está representada en la tabla 9.6, que integra el vocabulario, los materiales, las conexiones interdisciplinarias, estrategias para el desarrollo del contenido y lenguaje académico y estrategias para el desarrollo de la biliteracidad.

Vocabulario bilingüe. El vocabulario específico en los dos idiomas corresponde a los grupos nativos americanos seleccionados. El vocabulario general de contenido que los estudiantes deben aprender para comprender los textos leídos o escribir está relacionado con los tipos de oraciones, las conjunciones coordinantes utilizadas en la revisión, así también como las palabras de senalización utilizadas para unirlo en el texto.

Materiales. La maestra identifica los materiales que necesita para el desarrollo de la microestructura en función del tema, los objetivos y la pregunta de enfoque. En este caso, los estudiantes usarán información recopilada de la red y de *Social Studies Weekly* sobre los caddos y los karankawas, láminas de papel y marcos de oraciones.

Tabla 9.6 Planificación en el nivel de la microestructura: parte 2

Vocabulario bilingüe

a fin de que – *in order to*	así que – *so*	cuando – *when*
por eso – *therefore*	siempre que – *as long as*	pues – *since*
antes de que – *before*	para que – *for/so that*	porque – *because*
pero – *but*	o/y – *or/either/and*	si – *if*
como – *as*		

Materiales

Textos de comparación y contraste escritos por los estudiantes.

Cartel didáctico sobre conjunciones coordinantes.

Conexiones interdisciplinarias

Estudios sociales y artes del lenguaje en español

Estrategias para el aprendizaje del contenido y el lenguaje académico

- Modele una minilección sobre los diferentes tipos de oraciones compuestas, utilizando el texto construido con los estudiantes en la microestructura 1 y presente ejemplos de cada una;
- Explique que las conjunciones coordinantes, como "pero", "o" e "y", unen dos oraciones principales.

    *Ambos grupos eran muy hábiles **y** fabricaban artesanías muy distinguidas.*

- Muestre la manera en que las conjunciones subordinantes, como "que", "como", "cuando", "para", "porque", "si" y "pues", unen una oración principal y una subordinada.

    *Los caddos y los karankawas eran similares **porque** ambos eran grandes cazadores.*

- Describa una locución conjuntiva como dos o más palabras que, unidas, adoptan la función gramatical de una conjunción: por ejemplo, "a fin de que", "por eso", "antes de que", "así que", "siempre que" y "para que".

    *Los karankawas tenían un solo líder, **por eso** se diferencian de los caddos.*

- Pida a los estudiantes que discutan con sus compañeros bilingües los distintos tipos de conjunciones y que compartan los ejemplos de cada una que encuentren en su borrador, en conversaciones estructuradas por marcos de oraciones diferenciados:

    Una conjunción es _____.

    Un ejemplo de _____ (coordinante, subordinante, locución conjuntiva) es _____.

    _____ es _____ (coordinantes, subordinadas, locución conjuntiva) porque _____.

- Escriba las contribuciones de los estudiantes en un cartel didáctico para usarlo como referencia durante la edición de sus escrituras de comparación y contraste.
- Pida a los pares bilingües que intercambien sus textos y editen su trabajo incluyendo diferentes conjunciones para crear un texto con diferentes tipos de oraciones compuestas.

Estrategias de desarrollo de la biliteracidad: conexiones interlingüísticas

Reutilice el cartel didáctico creado con los estudiantes acerca de los diferentes tipos de conjunciones utilizadas en español agregando ejemplos en inglés con los que contribuyen los estudiantes.

Analice las similitudes y las diferencias en su uso.

Dé ejemplos para contextualizar la discusión, usando el vocabulario bilingüe de la lección:

Conjunciones coordinantes	Conjunciones subordinantes	Locución conjuntiva
o – *or/either*	cuando – *when*	por eso – *therefore*
y – *and*	porque – *because*	a fin de que – *in order to*
pero – *but*	si – *if*	así que – *so*

Conexiones interdisciplinarias. Esta microestructura enfatiza conexiones entre contenido de estudios sociales y artes del lenguaje en español.

Estrategias de apoyo al aprendizaje del contenido y el lenguaje académico. Los estudiantes utilizan un organizador gráfico que servirá de marco para la escritura comparativa individual que cada estudiante realizará. En este organizador gráfico recolectan información de dos grupos de nativos americanos para comparar y contrastar en diferentes categorías propuestas por la maestra.

Luego de la creación del organizador gráfico, los estudiantes lo comparten con el resto de la clase. Para diferenciar esta actividad de acuerdo con los niveles de desarrollo de lenguaje de sus alumnos, la Sra. Jessica provee marcos de oraciones para apoyar la presentación oral para quienes los necesiten. Por ejemplo:

_____ y _____ son similares en que _____.

_____ y _____ difieren en _____.

Una diferencia importante entre _____ y _____ es

_____.

Mientras que _____, _____ es _____.

Durante la discusión oral, la maestra clarifica concepciones erróneas o amplía la comprensión del tema. Esto da ideas a los estudiantes de cómo mejorar su propio trabajo, basados en las contribuciones y las perspectivas presentadas por sus compañeros de clase.

Seguidamente, la maestra y los estudiantes construyen juntos un párrafo de comparación y contraste, utilizando la estructura del texto analizado y los marcos de oraciones facilitados por la maestra.

Sin embargo, los caddos y los karankawas tenían varias diferencias, incluyendo el área donde se localizaban. Por un lado, los caddos vivían en lo que hoy es Oklahoma, Arkansas y Luisiana. Por su parte, los karankawas vivían en lo que hoy es Galveston y Corpus Christi.

Al final, los estudiantes trabajan en la escritura del primer borrador individual de un texto comparativo, utilizando el análisis de la estructura de comparación y contraste del texto mentor creado con la maestra como referencia.

Estrategias para el desarrollo de la biliteracidad. Esta microestructura se centra en desarrollar habilidades de lectura y escritura en español. La maestra y los estudiantes crean un cartel didáctico con diferentes tipos de conjunciones utilizadas en español, luego agregan ejemplos en inglés y analizan las similitudes y las diferencias en su uso. De esta manera, la maestra crea conexiones interlingüísticas a través de las cuales los estudiantes comparan el uso de palabras de señalización en los dos idiomas de enseñanza. Este tipo de análisis permite no solo una comprensión más profunda del tema de estudio y de las características del texto de comparación y contraste, sino también el desarrollo de conciencia metalingüística, un elemento central para el desarrollo de la biliteracidad interdisciplinaria.

Tabla 9.7 Rúbrica del lenguaje académico del proyecto de culminación

Grupo: _____

Fecha: _____

Nivel del lenguaje académico	Necesita mejorar 1	En desarrollo 2	Cumple con las expectativas 3	Evaluación
Nivel del texto: El estudiante presenta información apropiada de los dos grupos de nativos norteamericanos en el organizador gráfico.	El organizador gráfico presenta muy poca información sobre los dos grupos de nativos norteamericanos.	El organizador gráfico presenta características específicas de cada grupo de nativos norteamericanos, tales como su región, su régimen de gobierno, sus creencias y su arte.	El organizador gráfico presenta características específicas de cada grupo de nativos norteamericanos tales como su región, el tipo de gobierno, sus creencias y su arte. Inclusión del uso de los recursos naturales del lugar.	
Nivel del texto: El estudiante demuestra comprensión del tema de estudio y de la estructura del texto comparativo.	El texto presenta una comparación y un contraste superficial de la información investigada.	El texto presenta claramente una comparación y un contraste entre las regiones, el tipo de gobierno, las creencias y el arte de los dos grupos indígenas.	El texto presenta claramente una comparación y contraste entre las regiones, el tipo de gobierno, las creencias y el arte de los dos grupos indígenas, incluyendo la relación que cada una de esas categorías tiene con respecto a los recursos naturales del lugar.	
Nivel de la oración: El estudiante escribe utilizando oraciones completas con diversidad de conjunciones.	La información no se presenta en oraciones completas.	La mayor parte de la información se presenta en oraciones completas y con una mínima variedad de conjunciones.	Toda la información se presenta en oraciones completas y utilizando una variedad de conjunciones.	
Nivel del vocabulario: El estudiante utiliza vocabulario académico en forma de palabras de señalización para conectar ideas al comparar y contrastar.	El estudiante utiliza pocas y muy comunes palabras de señalización en su escritura de comparación y contraste de los dos grupos de indígenas norteamericanos.	El estudiante utiliza varias palabras de señalización, algunas comunes y otras más avanzadas, en su escritura de comparación y contraste de los dos grupos de indígenas norteamericanos.	El estudiante utiliza variadas palabras de señalización, demostrando un entendimiento avanzado no solo del contenido de estudios sociales sobre los dos grupos de indígenas norteamericanos sino también del lenguaje académico apropiado para el tipo de texto escrito.	

Evaluación total

Esta microestructura se enfoca en la edición de las oraciones del texto de comparación escrito para transformarlas en oraciones complejas con conjunciones coordinantes. Para esto, la maestra modela una minilección sobre los diferentes tipos de oraciones compuestas, utilizando un texto construido con los estudiantes, y presenta ejemplos de cada una de las conjunciones coordinantes. Los estudiantes discuten con la maestra los distintos tipos y comparten los ejemplos de cada una que encuentran en su borrador.

Al final de esta microestructura, la maestra introduce diferentes palabras de señalización que pueden ser utilizadas para mostrar la relación de comparación y contraste entre las ideas presentadas en un párrafo o para conectar diferentes párrafos.

La Sra. Jessica planifica evaluar el lenguaje académico de la microestructura con una rúbrica que integra el aprendizaje del contenido de los nativos americanos y el lenguaje académico en el nivel del texto, la oración y el vocabulario. Uno de los instrumentos que utiliza para esta evaluación es la rúbrica ejemplificada en la tabla 9.7.

Review

Teachers' curricular integration facilitates the development of biliteracy and interdisciplinarity by the strategic planning of macro- and microstructures. This approach to planning instruction affords bilingual students more equitable access to the school curriculum and is more conducive to school success. The interdisciplinary macrostructure presented in this chapter shows it is possible to purposefully and strategically plan instruction that allows bilingual students to access academic content and develop linguistic and literacy skills in both languages of instruction. As Hornberger (2004) explains, biliteracy development is complex and multidirectional, and given that bilingual students operate with an integrated linguistic repertoire (García and Wei, 2014), what students learn in one language influences their learning in the other language. In addition, interdisciplinary planning facilitates the acquisition of language because both the macro- and microstructures allow students to review, recycle, and reuse academic language in different content areas and from different perspectives, which increases critical thinking and linguistic skills to demonstrate the content learned. The interdisciplinary planning of macro- and microstructures allows teachers to select and integrate different genres and types of nonfiction and fiction texts. In addition, infusing instructional planning with translanguaging pedagogy results in designing activities that provide multiple opportunities for students to use their whole linguistic repertoire across language dimensions. For simultaneous bilinguals, this approach provides instruction that supports the development of bilingualism and biliteracy in both languages side by side. For students whose home language is Spanish and who are sequential bilinguals, this type of planning and lesson delivery affords opportunities to write or orally present information in Spanish and in English independently, with the help of the teacher, a more capable peer, or using linguistic support. Likewise, for students whose home language is English and are sequential bilinguals, the opportunities to use and enhance their biliteracy skills are increased.

Finally, interdisciplinary planning through macro- and microstructures provides multiple opportunities for bilingual students to use, in strategic and multidirectional ways, their linguistic repertoires to access academic content while developing academic language and biliteracy. This approach allows teachers to facilitate the development of biliteracy by leveraging students' bilingualism and opening translanguaging spaces for students to use their complex linguistic repertoires.

Aplicaciones prácticas

Aspirantes a maestros

Trabajando en equipos, desarrollen una macroestructura para un grado escolar de su elección. Asegúrense de seleccionar un grado escolar distinto al de los otros equipos. Presenten su macroestructura a la clase. Identifiquen las similitudes entre las macroestructuras de los diferentes grados escolares.

Individualmente, desarrolle una microestructura. Presente todos sus componentes a la clase explicando de qué manera su microestructura es parte de la macroestructura de su equipo.

Maestros

Examine el currículo para el periodo proporcionado por su distrito escolar. Discuta con sus colegas del mismo grado escolar los estándares que tienen que cubrir. Piensen en una macroestructura y decidan si se enfocará en el contenido de las ciencias naturales o de los estudios sociales. El contenido de mayor énfasis en el periodo debe anclar en la macroestructura interdisciplinaria. Una vez que identifiquen y seleccionen los estándares, diseñen una tabla para alinear las ideas de las diferentes disciplinas. El producto debe integrar los conceptos y los dos lenguajes de enseñanza a través de todas las áreas de contenido.

Specialists and facilitators

Using the organizational chart created by the teachers in the activity under the "Maestros" category above, model how to write content and language targets for the interdisciplinary macrostructure. The content and language targets are the connecting thread throughout the unit of study. The language targets, in particular, will guide the teaching of reading skills, writing different types of genre, the vocabulary of the unit through interactive activities, and the grammar in context of meaningful content. Here, the language targets should make evident aspects of both languages of instruction with a clear biliteracy development goal.

Administrators

Provide additional time for team planning of interdisciplinary units of inquiry a week before every new grading period starts. This will allow teachers to develop well-thought-out structures for teaching and learning, provide ample time for the selecting of appropriate resources, and develop reading and writing lessons that include the content taught to promote the development of writing skills in both English and Spanish.

Apéndice

Plantilla de planificación de la macroestructura y de la microestructura

Macroestructura: Nivel de la unidad

Título   Asignación de idiomas

Tema

Estándares de contenido

Artes de lenguaje en español e inglés   Matemáticas
(Estándares que son iguales en los dos idiomas de instrucción)

                                                   Ciencias naturales

Específico en español   Específico en inglés

                                                   Ciencias sociales

Estándares de desarrollo del lenguaje

Pregunta esencial

Metas de contenido   Metas de lenguaje para la biliteracidad

Artes de lenguaje en español y en inglés   Oralidad

Matemáticas   Lectura

Ciencias   Escritura

Estudios sociales

Proyecto de culminación

Vocabulario de la macroestructura

Académico general	Académico de contenido específico	Palabras de señalización

Materiales

Género(S)

español	inglés

Conexiones interdisciplinarias

Espacios interlingüísticos

Miniunidad 1 *Series de microestructuras*	Miniunidad 2 *Series de microestructuras*	Miniunidad 3 *Series de microestructuras*

Microestructura: Nivel de la lección

Título de la lección	Lenguaje de enseñanza

Estándares de contenido	Estándares de desarrollo del lenguaje

Pregunta de enfoque

Objetivos de contenido

Objetivos de lenguaje para la biliteracidad (nivel de la palabra, la oración, y el texto)

Evaluación integrada

Vocabulario bilingüe

Materiales

Conexiones interdisciplinarias

Estrategias para el aprendizaje del contenido y el lenguaje académico

Estrategias de desarrollo de la biliteracidad

Glosario bilingüe

actividades prácticas de aprendizaje a través de experiencias —Hands-on activities—: actividades que incluyen la participación activa de los estudiantes.

adentro y afuera del círculo —Inside/Outside Circle—: es una estrategia en la que, una vez que se dio a los estudiantes un tema de discusión, los estudiantes forman dos círculos enfrentados, con un círculo mirando hacia afuera y el otro mirando hacia adentro, lo cual les permite intercambiar información en pares, siguiendo las indicaciones del maestro.

andamiaje —scaffold—: son diferentes apoyos o soportes para facilitar la comprensión a lo largo del continuo de desarrollo del idioma meta.

alternancia de códigos —code-switching—: es una práctica lingüística que consiste en el empleo alternativo de dos o más lenguas y que se identifica con formas impuras o no estandarizadas del uso del lenguaje.

aprendientes de inglés a largo plazo —long-term English language learners o LTELLs—: son estudiantes que presentan dificultades en el desarrollo de sus habilidades de lectura y escritura y/o bajo rendimiento académico después de seis años o más de escolaridad en el país.

bilingües emergentes —emergent bilinguals—: son estudiantes que tienen un desarrollo inicial del bilingüismo y habilidades básicas de lectoescritura.

bilingües experimentados —experienced bilinguals—: son estudiantes con mayor desarrollo del bilingüismo y biliteracidad, aunque la competencia comunicativa en ambos lenguajes no es necesariamente equivalente.

bilingües secuenciales —sequential bilinguals—: son estudiantes que han sido expuestos a dos lenguas a la edad de 5 años o más tarde.

bilingües simultáneos —simultaneous bilinguals—: son estudiantes que viven en hogares donde se usan dos lenguas y han sido expuestos a dos lenguas desde temprana edad (0–5 años).

biliteracidad —biliteracy—: la capacidad de las personas bilingües de usar todo el repertorio lingüístico para comprender y producir textos, usando dos lenguajes.

biliteracidad académica —academic biliteracy—: se refiere a las prácticas de literacidad en dos idiomas que se entrelazan y materializan en el aprendizaje de las distintas disciplinas académicas.

biliteracidad interdisciplinaria —interdisciplinary biliteracy—: es un proceso dinámico y holístico en el que las prácticas de literacidad en distintos idiomas se entrelazan, al ser integradas en todas las áreas de contenido.

cartel didáctico —anchor chart—: es una representación visual que muestra información de manera clara, para que los niños la entiendan y la usen como referencia durante el aprendizaje.

cognados —cognates—: son palabras que significan lo mismo en dos lenguajes y que pueden ser idénticas o presentar similitudes morfológicas u ortográficas.

competencia lingüística —language proficiency—: es el nivel alcanzado por cada estudiante en las cuatro dimensiones del lenguaje (escuchar, hablar, leer y escribir).

competencia lingüística o competencia común subyacente —common underlying proficiency (CUP) model of bilingual proficiency—: es un modelo que muestra la interdependencia de conceptos, habilidades y conocimientos lingüísticos que se encuentran en un sistema de procesamiento central.

conciencia metalingüística —metalinguistic awareness—: es la capacidad que los estudiantes desarrollan al analizar e identificar similitudes y diferencias entre palabras, al nivel de la formación de oraciones, estructura de párrafos y géneros discursivos.

conexiones interlingüísticas —crosslinguistic connections—: son oportunidades para establecer similitudes y diferencias entre los lenguajes en el nivel fonológico, morfológico, semántico, gramático-sintáctico y pragmático.

debate de cuatro esquinas —Four Corners debate—: es una estrategia que requiere que los estudiantes definan su posición con respecto a un tema (muy de acuerdo, de acuerdo, en desacuerdo, totalmente en desacuerdo). Los estudiantes deben ubicarse en una de las cuatro esquinas del salón de clase identificada por el cartel que mejor representa su posición con respecto al tema de estudio.

dimensiones del lenguaje —language domains—: se refiere a las habilidades de escuchar, hablar, leer y escribir —*listening, speaking, writing and reading*—, en las diferentes áreas de contenido académicas.

discusiones orales estructuradas —structured conversations—: son conversaciones planificadas de acuerdo con el nivel de competencia lingüística de los estudiantes de la clase.

dominante de inglés o dominante de español —English dominant *or* Spanish dominant—: se refiere al nivel de competencia lingüística en cada idioma.

el puente —the bridge—: es una estrategia para avanzar en la enseñanza de la biliteracidad, donde se crea un momento de presentación del nuevo contenido en los dos idiomas de instrucción —*both languages side-by-side*—.

encuentra a alguien que —Find Someone Who—: actividad que puede ser usada como revisión del contenido, en la que los estudiantes reciben una tabla con preguntas sobre un tema en particular. Los estudiantes buscan a distintos compañeros para que contesten las preguntas de la tabla y escriben las respuestas en el espacio asignado en la tabla.

enseñanza espiralada —spiral or recursive teaching—: es una forma de enseñar recursiva que interconecta conceptos y habilidades a través de la macroestructura.

escritura compartida —shared writing—: práctica de escritura donde el maestro y los estudiantes construyen el texto en conjunto. El maestro escribe las contribuciones de los estudiantes y modela lo que los escritores expertos hacen y piensan cuando escriben.

escritura independiente —independent writing—: práctica de escritura en la que los estudiantes escriben diferentes tipos de textos solos, durante la cual el maestro tiene la oportunidad de ofrecer ayuda en lo que los estudiantes necesiten a través de conferencias individuales.

escritura interactiva —interactive writing—: práctica de escritura en la que el maestro y los estudiantes que pueden participar activamente en la escritura toman turnos en la creación del texto.

escritura modelada —modeled writing—: práctica en la que el maestro, como escritor experto, modela el proceso de escritura.

estándares de contenido —content standards—: son pautas de identifican lo que los alumnos deben aprender en cada área del contenido y guían la planificación del docente.

estructura mental —mental schema—: es el conjunto de conocimientos previos al cual se pueden incorporar y conectar nuevos conocimientos.

estudiantes bilingües —bilingual learners—: son niños que usan dos idiomas tanto en la escuela como en otros contextos.

estudiantes refugiados —refugee students—: son niños que han dejado su país en situaciones muy extremas y han sido expuestos a traumas por guerra o persecución.

estudiantes transnacionales —transnational students—: son niños que transitan de un país a otro para estudiar, como por ejemplo los niños que viven en la ciudad de Matamoros, México, y cruzan la frontera todos los días para ir a la escuela en la ciudad de Brownsville, Texas.

evaluación a la par de la lectura y escritura —side-by-side reading and writing assessment—: es una forma de evaluación holística que permite identificar lo que los estudiantes saben y son capaces de hacer en cada idioma y la manera en que esto influye en el desarrollo de ambos idiomas.

evaluación final —post-assessment—: es un tipo de evaluación que se utiliza para determinar qué conceptos han sido comprendidos, cuáles necesitan revisión y cuáles no han sido comprendidos.

evaluación formativa —formative assessment—: es un tipo de evaluación que se integra regularmente durante el transcurso de la enseñanza y que mide el progreso de los estudiantes y genera información para la toma de decisiones en la planificación de la enseñanza.

evaluación inicial —pre-assessment—: es un tipo de evaluación dirigida a identificar los conocimientos previos relacionados con los conceptos básicos de estudio.

evaluación sumativa —summative assessment—: es una forma de evaluación que proporciona información sobre el desempeño de los estudiantes al finalizar un período de enseñanza y que tiene como propósito medir los resultados del aprendizaje.

evaluaciones auténticas —authentic assessments—: también denominadas

evaluaciones de desempeño —performance assessments—: o alternativas: son formas de evaluación que se dirigen a identificar lo que los alumnos pueden o no hacer o la manera en que aplican los conocimientos y las habilidades que han aprendido.

fondos de conocimiento —funds of knowledge—: se refiere al conocimiento y la valorización de los recursos y prácticas culturales, lingüísticas y cognoscitivas de los alumnos y sus familias, que pueden integrarse efectivamente en la enseñanza.

géneros —genres—: son distintos tipos de textos que se diferencian en cuanto al contenido y la estructura.

habilidades de pensamiento más complejo —higher order thinking skills—: son habilidades que requieren que los estudiantes apliquen, analicen, sinteticen y evalúen la información de manera crítica, en lugar de simplemente recordar hechos.

habla del maestro —teacher talk—: es el estilo de discurso de los maestros en el aula que incluye repetición, reformulación en aras de la claridad y patrones de interacción con los alumnos, como preguntas, respuestas y evaluaciones.

idiomas establecidos —named languages—: es una perspectiva que identifica el español e inglés como lenguajes separados y fácilmente identificables.

indicadores de desempeño —benchmarks—: son índices que identifican el aprendizaje de las habilidades que los estudiantes necesitan desarrollar en cada área de contenido, para cada grado y para un período de evaluación determinado.

información comprensible —comprehensible input—: término que se deriva de un principio importante de las teorías de adquisición de la segunda lengua desarrollado por Stephen Krashen.

inglés como segunda lengua dentro del salón —in class or push-in ESL instruction—: metodología de enseñanza según la cual la maestra certificada en *ESL* apoya al estudiante que no sabe inglés durante la enseñanza del contenido —*push-in*— a través de estrategias para hacer el lenguaje comprensible.

inglés como segunda lengua fuera del salón —pullout ESL Instruction—: metodología según la cual los estudiantes son retirados del aula por 30–45 minutos diariamente —*pullout*— por una maestra certificada en *ESL*, para enseñarles el idioma inglés como segunda lengua.

inmersión estructurada en inglés —sheltered structured English immersion—: son clases que incluyen solo estudiantes clasificados como bilingües emergentes o *ELL* con maestras entrenadas y certificadas para enseñar el lenguaje y el contenido a estudiantes que no hablan el lenguaje. Los estudiantes reciben la enseñanza en inglés apoyados por estrategias para hacer el lenguaje comprensible.

introducción de vocabulario —frontloading vocabulary—: es una estrategia que permite la introducción de vocabulario clave para la comprensión del contenido académico durante la lección.

lenguaje académico —academic language—: es el lenguaje necesario para comprender los conceptos y comunicar ideas de las diferentes disciplinas escolares.

lenguaje como problema —language-as-a-problem—: perspectiva en la cual el lenguaje minoritario se ve como un déficit que impide a los estudiantes asimilarse a la cultura y el lenguaje de la mayoría y como un obstáculo para los logros académicos.

lenguaje como un derecho —language-as-a-right—: perspectiva que afirma el acceso al lenguaje del hogar, nativo o de herencia como un derecho humano

lenguaje como un recurso —language-as-a-resource—: perspectiva en la cual el repertorio lingüístico del estudiante bilingüe es considerado como una herramienta esencial en el aprendizaje.

lenguaje meta —target language—: es el lenguaje que se aspira a desarrollar a través de la instrucción.

lenguaje social —social language—: es el lenguaje que se usa cotidianamente en situaciones informales.

macroestructura —macrostructure—: es el resultado de la integración del lenguaje y el contenido dentro y a través de las lecciones de la unidad de investigación interdisciplinaria distribuidas entre los dos lenguajes de instrucción.

mapa conceptual —concept map—: es un esquema de ideas que sirve de herramienta para organizar de manera gráfica y simplificada conceptos y enunciados, a fin de reforzar un conocimiento.

marcos de oraciones —sentence frames—: son segmentos de oraciones que dan un andamiaje o apoyo para la escritura y que se adecuan a los diferentes niveles de desarrollo de la competencia del lenguaje oral o escrito.

metalenguaje —metalanguage—: es la acción de pensar y hablar sobre el lenguaje, analizando la manera en que se usan los lenguajes para producir significados.

microestructuras —microstructures—: es una forma de planificar al nivel de la lección e incluye la planificación de estrategias para hacer comprensible el contenido, apoyar el desarrollo del lenguaje y la conciencia metalingüística y también las decisiones espontáneas basadas en lo planificado que los maestros van tomando al momento de enseñar.

modelo de competencia lingüística separada subyacente —separate underlying proficiency (SUP) model of bilingual proficiency—: es un modelo que muestra que no existe una relación entre el primer idioma y otros idiomas y que los idiomas funcionan de forma independiente en el sistema de procesamiento central.

modelo de transferencia gradual de la responsabilidad —gradual release of responsibility—: también conocido como *balanced literacy* o literacidad equilibrada, es un modelo que sugiere que el aprendizaje ocurre a través de interacciones con otros y que, cuando estas interacciones son intencionales, se produce un aprendizaje específico.

Modelo Frayer —Frayer model—: es un organizador gráfico utilizado para desarrollar el vocabulario de los estudiantes. Esta estrategia requiere que los estudiantes definan vocabulario objetivo y apliquen su conocimiento, generando ejemplos y no ejemplos, dando características y/o dibujando una imagen para ilustrar el significado de la palabra.

palabras de señalización —signal words—: son palabras o frases que señalan o indican determinada relación entre las ideas.

paredes de palabras —word walls—: es un conjunto de vocabulario académico o general organizado por área de contenido o alfabéticamente.

pedagogía culturalmente relevante —culturally relevant pedagogy— o **pedagogía culturalmente sensible o receptiva** —culturally responsive pedagogy—: es un enfoque de la enseñanza que reconoce la importancia de incluir las referencias culturales de los estudiantes en todos los aspectos del aprendizaje, para enriquecer las experiencias en el aula y mantener a los estudiantes interesados.

pedagogía de continuación o sustento cultural —culturally sustaining pedagogy—: es un enfoque de la enseñanza que valora y sostiene la complejidad de la diversidad cultural, lingüística y étnica de la sociedad actual, promoviendo la integración genuina de la multiplicidad lingüística y de otras prácticas culturales y de literacidad de los estudiantes y sus comunidades.

pensamiento crítico —critical thinking—: es el proceso de pensar cuidadosamente sobre un tema o idea, sin permitir que los sentimientos o las opiniones lo afecten. Se trata de un elemento ineludible de la enseñanza equitativa.

pensar, juntarse y compartir —think-pair-share—: es una estrategia en la que los estudiantes trabajan en pares pensando juntos, conversando y compartiendo luego sus ideas.

perspectiva aditiva del bilingüismo —additive bilingualism—: es una perspectiva que tiene como meta agregar un idioma al repertorio lingüístico de los estudiantes mientras mantienen el lenguaje del hogar.

perspectiva dinámica y holística del bilingüismo —holistic and dynamic bilingualism—: es una perspectiva que prioriza el derecho de los estudiantes a usar como recurso de aprendizaje todo su repertorio lingüístico, independientemente del lenguaje de instrucción.

perspectiva sustractiva del bilingüismo —subtractive bilingualism—: es una perspectiva que ve el lenguaje del hogar de los estudiantes bilingües como un problema y un obstáculo para el aprendizaje.

poesía —poetry—: son textos que expresan ideas de una manera creativa.

prácticas pedagógicas claves —core practices—: son prácticas identificadas como de alto impacto o efectividad que se utilizan para apoyar el aprendizaje de los estudiantes bilingües.

pregunta de enfoque —focused question—: es el eje que conecta las lecciones de las diferentes áreas de contenido y se alinea con la pregunta esencial de la unidad, pero es más específica porque está directamente conectada con las ideas presentadas en cada lección.

pregunta esencial —essential question—: es el hilo conductor que permite estructurar las conexiones interdisciplinarias que guían la enseñanza y permite a los estudiantes establecer conexiones significativas entre los diferentes conceptos.

programa bilingüe de transición o salida temprana —transitional or early-exit bilingual education—: es un programa que dura de uno a tres años y comienza con 90%-50% del tiempo de enseñanza en el idioma minoritario o del hogar, disminuyendo progresivamente hasta que se transfiere al alumno a la enseñanza en inglés únicamente.

programas bi/multilingües dinámicos —dynamic bi/plurilingual programs—: son programas en los cuales los estudiantes bilingües emergentes y sus maestras usan prácticas lingüísticas híbridas que apoyan el desarrollo del inglés y del idioma minoritario, es decir, que se incluye todo el repertorio bilingüe de los estudiantes.

programas de lenguaje dual o programas duales —dual language programs—: son programas en los cuales la enseñanza se organiza de modo tal que el lenguaje minoritario y el mayoritario asociados —*partner languages*— se usen al menos un 50% del tiempo diario de instrucción.

red conceptual —concept web—: es un diagrama de cuadros y flechas donde diferentes conceptos se interrelacionan, explicando causas, consecuencias, participantes, procesos y las relaciones que se establecen entre ellos.

respuesta física total —Total Physical Response (TPR)—: es un método efectivo y muy utilizado en la enseñanza de un nuevo idioma, que permite asociar el lenguaje con acciones físicas.

S-Q-A (Sé, Quiero saber y Aprendí) —Know-Want-to-know-Learned - KWL chart—: es un organizador gráfico que permite organizar la información en tres etapas. La introduc-ción de la lección permite recopilar información sobre lo que estudiantes saben sobre el tema. Luego, lo que quieren saber sobre el tema de estudio y, al final de la lección, se completa el cuadro con lo que aprendieron.

sello de biliteracidad —Seal of Biliteracy—: es un premio otorgado por una escuela, distrito escolar o estado en reconocimiento a los estudiantes que han estudiado y logrado dominio en dos o más idiomas al graduarse de la escuela secundaria.

sumersión en inglés —English Submersion - Sink or Swim—: es un programa en el cual los estudiantes son ubicados en clases donde el lenguaje usado para enseñar es solo inglés, sin apoyos específicos para comprender el contenido.

textos expositivos —expository texts—: son textos que dan información sobre diferentes temas, tales como biografías, textos de procedimiento, artículos o reportes.

textos narrativos —narrative texts—: son textos que comprenden historias de ficción o no ficción e incluyen distintos tipos de géneros (autobiografías, cuentos de hadas, leyendas, etc.).

textos persuasivos —persuasive texts—: son textos cuya finalidad es informar, persuadir, presentar una posición y evaluar una situación.

transferencia lingüística multidireccional —cross-linguistic transference—: es el proceso que permite usar el conocimiento o la habilidad aprendidos en un lenguaje a través de diferentes lenguajes.

translenguar —translanguaging—: es la forma en la que los bilingües utilizan todos sus recursos lingüísticos para profundizar en sus conocimientos o para participar en interacciones donde uno de sus idiomas no basta para comunicar ideas.

unidades de investigación interdisciplinarias —interdisciplinary units of inquiry—: son estructuras que interconectan el aprendizaje de conceptos o ideas de diferentes áreas de contenido a partir de preguntas esenciales e incluyen conexiones interlingüísticas a través de los dos idiomas de instrucción.

visitas o viajes de estudio —field trips—: son experiencias directas para profundizar el contenido académico.

vista previa/vista/repaso —Preview/View/Review (PVR)—: es una estrategia que apela al uso de todo el repertorio lingüístico de un estudiante bilingüe en una forma estructurada, en la que se conecta de manera estratégica e intencional la enseñanza del contenido en los dos idiomas de los estudiantes.

vocabulario académico general —general academic vocabulary—: es un tipo de vocabulario usado en distintas áreas de contenido.

vocabulario de contenido específico —content specific vocabulary—: es un tipo de vocabulario integrado por las palabras de contenido específico que son usadas originalmente en un área de contenido.

Referencias bibliográficas

Abermann, D. E., & Phelps, S. F. (2005). Assessment of students. In P. A. Richard-Amato, & M. A. Snow (Eds.), *Academic success for English language learners: Strategies for K-12 mainstream teachers* (pp. 311–341). Longman.

Ackerman, D., & Perkins, D. N. (2002). *Integrating thinking and learning skills across the curriculum.* http://www.ascd.org/publications/books /61189156/chapters/Integrating-Thinking-and-Learning-Skills -Across-the-Curriculum.aspx

Adelman, H., & Taylor, L. (2015). Immigrant children and youth in the USA: Facilitating equity of opportunity at school. *Education Science, 5*(4), 323–344. https://doi.org/10.3390/educsci5040323

American Association of Colleges and Universities. (2007). *College learning for the new global century.* AACU.

Artiles, A., Klingner, J., Sullivan, A., & Fierros, E. (2010). Shifting landscapes of professional practices: English learner special education placement in English-only States. In P. Gándara, & M. Hopkins (Eds.). *Forbidden languages. English learners and restrictive language policies* (pp. 102–117). Teachers College.

Artiles, A., & Ortiz. A. (Eds.). (2002). *English language learners with special education needs: Assessment, identification, and instruction.* Center for Applied Linguistics.

August, D., & Shanahan, T. (2006). *Developing literacy in second-language learners: Report of the National Literacy Panel on Language Minority Children and Youth.* Lawrence Erlbaum Associates.

Baker, C., & Wright, W. (2017). *Foundations of bilingual education and bilingualism* (6th ed.). Multilingual Matters.

Ball, D., & Forzani, F. (2011). Building a common core for learning to teach: And connecting professional learning to practice. *American Educator, 35*(2), 17–21, 38–39.

Barac, R., Bialystok, E., Castro, D., & Sánchez, M. (2014). The cognitive development of young dual language learners: A critical review. *Early Childhood Research Quarterly, 29*(4), 699–714.

Batalova, J., & McHugh, M. (2010). *Number and growth of students in US schools in need of English instruction.* Migration Policy Institute.

Bauer E., & Gort, M. (2012). *Early biliteracy development.* Routledge.

Bazerman, C. (2012). *Géneros textuales, tipificación y actividad.* Benemérita Universidad Autónoma de Puebla.

Beck, I. L., McKeown, M. G., & Kucan, L. (2008). *Solving problems in the teaching of literacy. Creating robust vocabulary: Frequently asked questions and extended examples.* Guilford Press.

Beeman, K., & Urow, C. (2012). *Teaching for biliteracy. Strengthening bridges between languages.* Caslon.

Beeman, K., & Urow, C. (2017). La enseñanza en los programas de doble inmersión. In M. Guerrero, C. Guerrero, L. Soltero-González, & K. Escamilla (Eds.), *Abriendo brecha. Antología crítica sobre la educación bilingüe de doble inmersión* (pp. 159–178). Fuente Press.

Bialystok, E. (2008). Second-language acquisition and bilingualism at an early age and the impact on early cognitive development. In R. E. Tremblay, M. Boivin, & RDeV Peters (Eds.), *Encyclopedia on early childhood development* [online]. http://www.child-encyclopedia .com/second-language/according-experts/second-language -acquisition-and-bilingualism-early-age-and-impact

Blum Martínez, R. (2017). El bilingüismo, nuestro don. In M. D. Guerrero, M. C. Guerrero, L. Soltero-González, & K. Escamilla, K. (Eds.), *Abriendo brecha. Antología crítica sobre la educación bilingüe de doble inmersión* (pp. 19–34). Fuente Press.

Brantley, D. K. (2007). *Instructional assessment of English language learners in the K–8 classroom.* Pearson.

Brisk, M., & Harrington, M. (2007). *Literacy and bilingualism: a handbook for all teachers* (2nd ed.). L. Erlbaum Associates.

Brooks, M. (2018). Pushing past myths: Designing instruction for long-term English learners. *TESOL Quarterly, 52*(1), 221–233.

Bunch, G. C., Kibler, A., & Pimentel, S. (2013). *Realizing opportunities for English learners in the common core.* Understanding Language, Stanford University. https://ell.stanford.edu/publication/realizing -opportunities-ells-common-core-english-language-arts-and -disciplinary-literacy

Caine, R. N., & Caine, G. (1991). *Making connections: Teaching and the human brain.* Association for Supervision and Curriculum Development.

Castro, D., Páez, M., Dickinson, D., & Frede, E. (2011). Promoting language and literacy in young dual language learners: research, practice, and policy. *Child Development Perspectives, 5*(1), 15–21.

Cazden, C. B. (2001). *Classroom discourse: The language of teaching and learning* (2nd ed.). Heinemann.

Celedón-Pattichis, S., & Turner, E. (2012). "Explícame tu respuesta": Supporting the development of mathematical discourse in emergent bilingual kindergarten students. *Bilingual Research Journal, 35*(2), 197–216.

Celic, C., & Seltzer, K. (2012). *Translanguaging: A CUNY-NYSIEB guide for educators.* The Graduate Center, The City University of New York.

Celic, C., & Seltzer, K. (2016). *El translenguar: una guía de CUNY-NYSIEB para educadores. Versión abreviada en español.* The Graduate Center, The City University of New York.

Cervantes-Soon, C. (2014). A critical look at dual language immersion in the new latin@ diaspora. *Bilingual Research Journal, 37*(1), 64–82.

Collier, C. (n/d). *Retrospective: Language instruction in Native-American communities.* ¡Colorín Colorado! https://www.colorincolorado.org /article/retrospective-language-instruction-native-american -communities

Common Core State Standards. (2010). *English Language Arts Standards.* National Governors Association Center for Best Practices, Council of Chief State School Officers.

Core Practice Consortium. (n/d). *Core practice.* https://www.corepractice consortium.com/core-practice

Council of Chief State School Officers. (2010). *Common Core State Standards.* Authors.

Cummins, J. (1981). *Bilingualism and minority language children.* Ontario Institute for Studies in Education.

Cummins, J. (2001). *Negotiating identities: Education for empowerment in a diverse society* (2nd ed.). California Association for Bilingual Education.

Cummins, J. (2003). Bilingual education. In J. Bourne, & E. Reid (Eds.), *Language education: World yearbook of education* (pp. 3–20). Evan Bros.

Cummins, J. (2005). *Teaching for cross-language transfer in dual language education: Possibilities and pitcalls.* Teachers of English to Speakers of Other Languages, Inc.

Cummins, J. (2007). Rethinking monolingual instructional strategies in multilingual classrooms. *Canadian Journal of Applied Linguistics / Revue canadienne de linguistique appliquee, 10*(2), 221–240.

Cummins, J. (2008). Teaching for transfer: Challenging the two solitudes assumption in bilingual education. In J. Cummins, & N. H. Hornberger (Eds.), *Encyclopedia of language and education* (2nd ed.; pp. 1528–1538). Springer Science.

Cummins, J. (2009). Multilingualism in the English-language classroom: Pedagogical considerations. *TESOL Quarterly, 43*(2), 317–321.

Cummins, J. (2017). Teaching minoritized students: Are additive approaches legitimate? *Harvard Educational Review, 87*(3), 404–425.

Darder, A. (2011). *Culture and power in the classroom: Educational foundations for the schooling of bicultural students.* Paradigm.

Darling-Hammond, L. (2006). Constructing 21st-century teacher education. *Journal of Teacher Education, 57*(3), 300–314.

De Jong, E. J. (2011). *Foundations for multilingualism in education: from principles to practice.* Caslon.

De Jong, E., & Commins, N. (2006). How should English language learners be grouped for instruction? In E. Hamayan, & R. Freeman (Eds.), *English language learners at school: A guide for administrators* (pp. 118–121). Caslon.

De Oliveira, L. C. (2016). A language-based approach to content instruction (LACI) for English language learners: Examples from two elementary teachers. *International Multilingual Research Journal, 10*(3), 217–231.

Desautels, L. (2014, August 13). Self-assessment inspires learning. *Edutopia.* https://www.edutopia.org/blog/self-assessment-inspires-learning-lori-desautels

Dorfman, L, & Cappelli, R. (2009). *Non-fiction mentor texts.* Stenhouse.

Drake, S. (2012). *Creating standard-based integrated curriculum: The Common Core State Standards Edition.* Corwin.

Dreher, M. J., & Kletzien, S. B. (2015). *Teaching informational text in K-3 classrooms: Best practices to help children read, write, and learn from nonfiction.* The Guildford Press.

Dual Language New Mexico. (n/d). *What is dual language education?* https://www.dlenm.org/what-is-dual-language-education.aspx

Dual Language Schools. (2019). *Resources for dual language schools, parents and teachers.* https://duallanguageschools.org

Duke, N. K., Caughlan, S., Martin, N. M., & Juzwik, M. M. (2012). Teaching genre with purpose. *Educational Leadership, 69*(6), 34–39.

Duke, N. K., & Purcell-Gates, V. (2003). Genres at home and at school: Bridging the known to the new. *Reading Teacher, 57*(1), 30–37.

Dworin, J. E. (2003). Insights into biliteracy development: Toward a bidirectional theory of bilingual pedagogy. *Journal of Hispanic Higher Education, 2*(2), 171–186.

Dworin, J. E. (2006). The family stories project: Using funds of knowledge for writing. *The Reading Teacher, 59*(6), 510–520.

Ebe, A. E. (2010). Culturally relevant texts and reading assessment for English language learners. *Reading Horizons, 50*(3), 193–210.

Ebe, A., & Mercuri, S. (2011). Developing science content within a balanced literacy framework: A spiral dynamic process for English learners. *The Journal of Balanced Reading Instruction, 18*, 12–20.

Echevarría, J., Vogt, M., & Short, D. J. (2013). *Making content comprehensible for English learners.* Pearson.

Echevarría, J., Vogt, M. E., & Short, D. (2016). *Making content comprehensible for English learners: The SIOP Model* (5th ed.). Allyn & Bacon.

Egbert, J., & Ernst-Slavit, G. (2010). *Access to academics: Planning instruction for K-12 classrooms with ELLs.* Pearson.

Egbert, J., & Ernst-Slavit, G. (Eds.). (2017). *Views from inside: Languages, cultures, and schooling for K-12 educators.* Information Age Publishing.

English Language Proficiency Assessment for the 21st Century. (2014). *Theory of action.* https://ucla.app.box.com/s/xrvipt6inhgfwq6786vkezig7409r2l8

English Language Proficiency Assessment for the 21st Century. (2015). *The ELPA21 field test implementation report.* Author. https://elpa21.org/resources/

Erichsen, G. (2018, Septiembre 20). A linguistic look at Spanish. *ThoughtCo.* https://www.thoughtco.com/a-linguistic-look-at-spanish-3079195

Escamilla, K., & Hopewell, S. (2010). Transitions to biliteracy: Creating positive academic trajectories for emerging bilinguals in the United States. In J. E. Petrovic (Ed.), *International perspectives on bilingual education: Policy, practice, controversy* (pp. 69–94). Information Age Publishing.

Escamilla, K., Hopewell, S., Butvilofsky, S., Sparrow, W., Soltero-Gonzalez, L., Figueroa, O., & Escamilla, M. (2014). *Biliteracy from the start: Literacy squared in action.* Caslon.

Esquierdo, J., & Arreguín-Anderson, M. (2012). The "invisible" gifted and talented bilingual students: A current report on enrollment in GT Programs. *Journal for the Education of the Gifted, 35*(1), 35–47.

Fairbairn, S., & Jones-Vo, S. (2019). *Differentiating instruction and assessment for English language learners: A guide for K-12 teachers* (2nd ed.). Caslon.

Ferreiro, E., & Teberosky, A. (1982). *Literacy before schooling.* Heinemann.

Fisher, D., & Frey, N. (2013). *Better learning through structured teaching: a framework for the gradual release of responsibility* (2nd ed.). ASCD.

Fisher, D., & Frey, N. (2015). Selecting texts and tasks for content area reading and learning. *The Reading Teacher, 68*(7), 524–529.

Fisher, D., Frey, N., & Rothenberg, C. (2008). *Content-area conversations: How to plan discussion-based lessons for diverse language learners.* ASCD.

Fletcher. (n/d). *Ralph Fletcher on mentor texts* [Audio Podcast]. https://choiceliteracy.com/article/ralph-fletcher-on-mentor-texts-podcast/

Flores, N., & Rosa, J. (2015). Undoing appropriateness: Raciolinguistic ideologies and language diversity in education. *Harvard Educational Review, 85*(2), 149–171.

Flores, N., & Schissel, J. (2014). Dynamic bilingualism as the norm: Envisioning a heteroglossic approach to standards-based reform. *TESOL Quarterly, 48*(3), 454–479.

Ford, K. (2011). *Differentiated instruction for English language learners.* ¡Colorín Colorado! http://www.colorincolorado.org/article/41025

Ford, K., & Palacios, R. (2015). *Early literacy instruction in Spanish: Teaching the beginning reader.* ¡Colorín Colorado! https://www.colorincolorado.org/article/early-literacy-instruction-spanish-teaching-beginning-reader

Forzani, F. (2014). Understanding "core practices" and "practice-based" teacher education: Learning from the past. *Journal of Teacher Education, 65*(4), 357–368.

Frayer, D., Frederick, W., & Klausmeier, H. (1969). *A schema for testing the level of cognitive mastery.* Wisconsin Center for Education Research.

Freeman, D., & Freeman, Y. (2008). Enseñanza de lenguas a través del contenido. *Revista Educación y Pedagogía, XX*(51), 97–110.

Freeman, D., & Freeman, Y. (2011). *Between worlds: Access to second language acquisition* (3rd ed.). Heinemann.

Freeman, D., & Freeman, Y. (2014). *Essential linguistics: what teachers need to know to teach ESL, reading, spelling, grammar* (2nd ed.). Heinemann.

Freeman, Y., & Freeman, D. (2009a). *Academic language for English language learners and struggling readers: How to help students succeed across content areas.* Heinemann.

Freeman, Y., & Freeman, D. (2009b). *La enseñanza de la lectura y la escritura en español y en inglés en clases bilingües y de doble inmersión* (2nd ed.). Heinemann.

Freeman, Y., Freeman, D., & Mercuri, S. (2018). *Dual language essentials for teachers and administrators* (2nd ed.). Heinemann.

Freeman, Y., Freeman, D., Soto, M., & Ebe, A. (2016). ESL Teaching: Principles for success. (revised ed.). Heinemann.

Freire, P., & Macedo, D. (1987). *Literacy: Reading the word & the world.* Routledge.

Fu, D., Hadjioannou, X., Zhou, X. (2019). *Translanguaging for emergent bilinguals: Inclusive teaching in the linguistically diverse classroom (language and literacy series).* Teachers College.

Gallavan, N. P., & Kottler, E. (2007). Eight types of graphic organizers for empowering social studies students and teachers. *The Social Studies, 98*, 117–123.

Gallo, G., & Ness, M. K. (2013). Understanding the text genre preferences of third-grade readers. *Journal of Language and Literacy Education* [Online], *9*(2), 110–130. http://jolle.coe.uga.edu

García, O. (2009). *Bilingual education in the 21st century: A global perspective*. Blackwell.

García, O. (2012). Theorizing translanguaging for educators. In C. Celic, & K. Seltzer (Eds.), *Translanguaging: A CUNY-NYSIEB Guide for Educators* (pp. 1–6). https://www.cuny-nysieb.org/translanguaging-resources/translanguaging-guides/

García, O. (2013). El papel de translenguar en la enseñanza del español en los Estados Unidos. In D. Dumitrescu, & G. Piña-Rosales (Eds.), *El español en los Estados Unidos: E pluribus unum? Enfoques multidisciplinarios* (pp. 353–373). Academia Norteamericana de la Lengua Española.

García, O. (2014). Countering the dual: Transglossia, dynamic bilingualism and translanguaging in education. In R. Rubdy, & L. Alsagoff (Eds.), *The global-local interface, language choice and hybridity* (pp. 100–118). Multilingual Matters.

García, O., & Beardsmore, H. B. (2009). Assessment of bilinguals. In O. García, *Bilingual education in the 21st century: A global perspective* (pp. 366–378). Wiley-Blackwell.

García, O., Flores, N., & Woodley, H. H. (2012). Transgressing monolingualism and bilingual dualities: Translanguaging pedagogies. In A. Yiakoumetti (Ed.), *Harnessing linguistic variation for better education* (pp. 45–76). Peter Lang.

García, O., Johnson, S. I., & Seltzer, K. (2017). *The translanguaging classroom: Leveraging student bilingualism for learning*. Caslon.

García, O., & Kleifgen, J. (2018). *Educating emergent bilinguals: Policies, programs and practices for English learners* (2nd ed.). Teachers College Press.

García, O., Kleifgen, J., & Falchi, L. (2008). *From English language learners to emergent bilinguals*. Research Review Series Monograph, Campaign for Educational Equity. Teachers College.

García, O., & Kleyn, T. (Eds.). (2016). *Translanguaging with multilingual students. Learning from classroom moments*. Routledge.

García, O., & Leiva, C. (2014). Theorizing and enacting translanguaging for social justice. In A. Blackledge, & A. Creese (Eds.), *Heteroglossia as practice and pedagogy* (pp. 199–216). Springer.

García, O., & Wei, L. (2014). *Translanguaging: Language, bilingualism and education*. Palgrave Macmillan.

Genesee, F., Lindholm-Leary, K., Saunders, W. M., & Christian, D. (2006). *Educating English language learners: A synthesis of research evidence*. Cambridge University Press.

Gibbons, P. (2015). *Scaffolding language, scaffolding learning: teaching English language learners in the mainstream classroom* (2nd ed.). Heinemann.

Gómez Palacio, M. y Martínez Olivé, A. (2002). *La adquisición de la lectura y la escritura en la escuela primaria*. Secretaría de Educación Pública (México).

González, N., Moll, L., & Amanti, C. (2005). *Funds of knowledge: Theorizing practices in households, communities, and classrooms*. Lawrence Erlbaum Associates.

Goodman, K. S. (1996). *On Reading*. Heinemann.

Gort, M. (2006). Strategic codeswitching, interliteracy, and other phenomena of emergent bilingual writing: Lessons from first grade dual language classrooms. *Journal of Early Childhood Literacy, 6*(3), 323–354.

Gort, M., & Bauer, E. B. (2012). Introduction: Holistic approaches to bilingual/biliteracy development, instruction, and research. In E. B. Bauer, & M. Gort (Eds.), *Early biliteracy development: Exploring young learners' use of their linguistic resources* (pp. 1–7). Routledge.

Gort, M., & Sembiante, S. (2015). Navigating hybridized language learning spaces through translanguaging pedagogy: Dual language preschool teachers' languaging practices in support of emergent bilingual children's performance of academic discourse. *International Multilingual Research Journal, 9*(1), 7–25.

Gottlieb, M. (2006). *Assessing English language learners: bridges from language proficiency to academic achievement*. Corwin.

Gottlieb, M. (2016). *Assessing English language learners: Bridges to educational equity: connecting academic language proficiency to student achievement*. Corwin.

Gottlieb, M., & Ernst-Slavit, G. (2014). *Academic language in diverse classrooms: Definitions and contexts*. Corwin.

Gottlieb, M., & Nguyen, D. (2007). *Assessment and accountability in language education programs: A guide for administrators and teachers*. Caslon.

Grant, M. C., Fisher, D., & Lapp, D. (2015). *Reading and writing in science: Tools to develop disciplinary literacy* (2nd ed.). Corwin.

Grantmakers for Education. (2013). *Educating English language learners: Grant making strategies for closing America's other achievement gap*. http://edfunders.org/sites/default/files/Educating%20English%20Language%20Learners_April%202013.pdf

Greene, J. (1998). *A meta-analysis of the effectiveness of bilingual education*. University of Texas, Thomas Rivera Policy Institute.

Grosjean, F. (2010). *Bilingual: life and reality*. Harvard University Press.

Grossman, P. (2018). *Teaching core practices in teacher education*. Harvard University Press.

Guerrero, M. D., & Guerrero, M. C. (2017). Competing discourses on academic Spanish language development for bilingual teachers in the Texas-Mexico borderlands. *Bilingual Research Journal, 40*(1), 5–19.

Halliday, M. A. K. (2004). Three aspects of children's language development: learning language, learning through language, learning about language. In Webster, J. (Ed.), *The language of early childhood* (pp. 308–26), Continuum.

Harper, C., & De Jong, E. (2004). Misconceptions about teaching English-language learners. *Journal of Adolescent & Adult Literacy, 48*(2), 152–162.

Harrasi, A. (2014). Using "total physical response" with young learners in Oman. *Childhood Education, 90*(1), 36–45.

Harris, B., Rapp, K. E., Martínez, R. S., & Plucker, J. A. (2007). Identifying English language learners for gifted and talented programs: Current practices and recommendations for improvement, *Roeper Review, 29*(5), 26–29.

Herrera, S. G., Murry, K. G., & Cabral, R. M. (2007). *Assessment accommodations for classroom teachers of culturally and linguistically diverse students*. Pearson.

Herrera, S. G., Murry, K. G., & Cabral, R. M. (2020). *Assessment of culturally and linguistically diverse students*. Pearson.

Hickman, P. Pollard-Durodola, S., Vaughn, S. (2004). Storybook reading: Improving vocabulary and comprehension for English-language learners. *Reading Teacher, 57*(8), 720–730.

Hopewell, S., & Escamilla, K. (2014). Struggling reader or emerging biliterate student? Reevaluating the criteria for labeling emerging bilingual students as low achieving. *Journal of Literacy Research, 46*(1), 68–89.

Hornberger, N. H. (Ed.). (2003). *Continua of biliteracy. An ecological framework for educational policy, research, and practices in multilingual settings*. Multilingual Matters.

Hornberger, N. H. (2004). The continua of biliteracy and the bilingual educator: educational linguistics in practice. *International Journal of Bilingual Education and Bilingualism, 7*(2–3), 155–171.

Hornberger, N. H. (2006). Voz y biliteracidad en la revitalización de lenguas indígenas: Prácticas contenciosas en contextos quechua, guaraní y maorí. *Polifonía: Revista de Letras, 10*, 53–73. http://repository.upenn.edu/gse_pubs/270

Hornberger, N., & Link, H. (2012). Translanguaging in today's classrooms: A biliteracy lens. *Theory into Practice, 51*, 239–247.

Howard, E. R., Lindholm-Leary, K. J., Rogers, D., Olague, N., Medina, J., Kennedy, B., Sugarman, J., & Christian, D. (2018). *Guiding principles for dual language education* (3rd ed.). Center for Applied Linguistics.

Hurley, S. R., & Tinajero, J. V. (2001). *Literacy assessment of second language learners*. Allyn and Bacon.

Jhingran, D. (2009). Hundreds of home languages in the country and many in many classrooms: Coping with diversity in primary education in India. In T. Skutnabb-Kangas, R. Phillipson, A. K. Mohanty, & M. Panda (Eds.), *Social justice through multilingual education* (pp. 263–282). Multilingual Matters.

Johnson, S. I., García, O., & Seltzer, K. (2019). Biliteracy and translanguaging in dual language bilingual education. In D. DeMatthews, & E. Izquierdo (Eds.), *Dual language education: Teaching and leading in two languages* (pp. 119–132). Springer.

Kagan, S., & Kagan, M. (2008). *Kagan cooperative learning*. Kagan.

Karpov, Y. V. (2014). *Vygotsky for educators*. Cambridge University Press.

Kena, G., Musu-Gillette, L., Robinson, J., Wang, X., Rathbun, A., Zhang, J., Wilkinson-Flicker, S., Barmer, A., & Dunlop Velez, E. (2015).

Condition of education 2015 (NCES 2015–144). U.S. Department of Education, National Center for Education Statistics.

Kim, A., Vaughn, S., Wanzek, J., & Wei, S. (2004). Graphic organizers and their reading comprehension of students with LD: A synthesis of research. *Journal of Learning Disabilities, 37*(2), 105–118.

Kirylo, J., & Millet, C. (2000). Graphic organizers: An integral component to facilitate comprehension during basal reading instruction. *Reading Improvement, 37*(4), 179–186.

Kletzien, S. B., & Dreher, M. J. (2004). *Informational text in K-3 classrooms: Helping children read and write.* International Reading Association.

Kleyn, T., & García, O. (2019). Translanguaging as an act of transformation. In L. C. Oliveira (Ed.), *The Handbook of TESOL in K-12* (pp. 69–85). John Wiley & Sons Ltd.

Krashen, S. D. (1985). *The input hytpothesis: Issues and implications.* Longman.

Kristo, J. V., & Bamford, R. A. (2004). *Nonfiction in focus: A comprehensive framework for helping students become independent readers and writers of nonfiction, K-6.* Scholastic Professional Books.

Kucer, S. B., Silva, C., & Delgado-Larocco, E. L. (1995). *Curricular conversations: Themes in multilingual and monolingual classrooms.* Stenhouse.

Ladson-Billings, G. (1995). But that's just good teaching! The case for culturally relevant pedagogy. *Theory into Practice, 34*(3), 159–165.

Lara, M. (2017). *¡Toma la palabra! Enlazando la oralidad y la lectoescritura.* Seidlitz Education.

Lee Swanson, H., Rosston, K., Gerber, M., & Solari, E. (2008). Influence of oral language and phonological awareness on children's bilingual reading. *Journal of School Psychology, 46*(4), 413–429.

Lessow-Hurley, J. (2013). *The foundations of dual language instruction* (6th ed.). Pearson.

Lindholm-Leary, K. (2012). Success and challenges in dual language education. *Theory into Practice, 51*(4), 256–262.

Lindholm-Leary, K. (2016). Bilingualism and academic achievement in children in dual language programs. In E. Nicoladis, & S. Montanari (Eds.), *Language and the human lifespan series. Bilingualism across the lifespan: Factors moderating language proficiency* (pp. 203–223). American Psychological Association.

López, A. A., Turkan, S., & Guzman-Orth, D. (2017). *Conceptualizing the use of translanguaging in initial content assessments for newly arrived emergent bilingual students* (Research Report No. RR-17–07). Educational Testing Service.

López, M. M., & Fránquiz, M. E. (2009). "We teach reading this way because it is the model we've adopted": Asymmetries in language and literacy policies in a two-way immersion programme. *Research Papers in Education, 24*(2), 175–200.

Lubliner, S., & Hiebert, E. H. (2011). An analysis of English-Spanish cognates as a source of general academic language. *Bilingual Research Journal, 34*(1), 76–93.

Malakoff, M., & Hakuta, K. (1991). Translation skills and metalinguistic awareness in bilinguals. In E. Bialystok (Ed.), *Language processing in bilingual children* (pp. 141–166). Cambridge University Press.

Manyak, P. C. (2006). Fostering biliteracy in a monolingual milieu: Reflections on two counter-hegemonic English immersion classes. *Journal of Early Childhood Literacy, 6*(3), 241–266.

Marzano, R. J. (2004). *Building background knowledge for academic achievement: Research on what works in schools.* Association for Supervision and Curriculum Development.

Marzano, R. J. (2007). *The art and science of teaching: A comprehensive framework for effective instruction.* Association for Supervision and Curriculum Development.

McFarland, J., Hussar, B., Zhang, J., Wang, X., Wang, K., Hein, S., Diliberti, M., Forrest Cataldi, E., Bullock Mann, F., & Barmer, A. (2019). *The condition of education 2019* (NCES 2019–144). U.S. Department of Education, National Center for Education Statistics. https://nces.ed.gov/pubsearch/pubsinfo.asp?pubid=2019144

Menken, K. (2010). NCLB and English language learners: Challenges and consequences. *Theory into Practice, 42*(2), 121–128.

Menken, K., & Kleyn, T. (2010). The long-term impact of subtractive schooling in the educational experiences of secondary English learners. *International Journal of Bilingual Education and Bilingualism, 13*(4), 399–417.

Mercuri, S. (2008). Una mirada crítica a los programas de doble inmersión. *GIST Colombian Journal of Bilingual Education, 2,* 85–10.

Mercuri, S. (2010). Using graphic organizers as a tool for the development of scientific language. *GIST Colombian Journal of Bilingual Education, 4,* 30–49.

Mercuri, S. (2015). Teachers' reflective practice: Implementing the preview/view/review structure as a tool for learning. In Y. Freeman, & D. Freeman (Eds.), *Research on preparing inservice teachers to work effectively with emergent bilinguals. Advances in research in teaching.* Emerald Books.

Mercuri, S., & Ebe, A. E. (2011). Developing academic language and content for emergent bilinguals through a science inquiry unit. *Journal of Multilingual Education Research, 2*(6), 80–102.

Mercuri, S., & Musanti, S. I. (2018, October). Interdisciplinary biliteracy: Leveraging biliteracy development for all bilingual learners. *Language Magazine,* 34–37.

Mercuri, S., & Rodríguez A. (2013). Teaching academic language through an ecosystem unit. In M. Gottlieb, & G. Ernst-Slavit (Eds.), *Academic language demands for language learners: From text to context* (pp. 117–156). Corwin.

Miller, C. (1984). Genre as social action. *Quarterly Journal of Speech, 70*(2), 151–167.

Miller, J., Heilmann, J., Nockerts, A., Iglesias, A., Fabiano, L., & Francis, D. (2006). Oral language and reading in bilingual children. *Learning Disabilities Research & Practice, 21*(1), 30–43.

Mohr, K. J., & Mohr, E. S. (2007). Extending English-language learners' classroom interactions using the response protocol. *The Reading Teacher, 60*(5), 440–450.

Moll, L. C., Amanti, C., Neff, D., & González, N. (2001). Funds of knowledge for teaching: Using a qualitative approach to connect homes and classrooms. *Theory into Practice, 31*(2), 132–141.

Moll, L. C., Sáez, R., & Dworin, J. (2001). Exploring biliteracy: Two student case examples of writing as a social practice. *Elementary School Journal 101*(4), 435–450.

Mora-Flores, E. (2008). *Writing instruction for English learners: A focus on genre.* Corwin.

Musanti, S. I., & Celedón-Pattichis, S. (2013). Promising pedagogical practices for emergent bilinguals in kindergarten: Towards a mathematics discourse community. *Journal of Multilingual Education Research, 4*(4). http://fordham.bepress.com/jmer/vol4/iss1/4

Musanti, S. I., & Mercuri, S. (2016). Developing academic literacy: What novice teachers can learn from the case of teaching Science and Mathematics to Latino/Bilingual learners. In D. Schwarzer, & J. Grinberg (Eds.), *Successful teaching: What every novice teacher needs to know* (pp. 143–168). Rowman and Littlefield.

Myer, K. (2010, Winter). Supporting early Spanish literacy in dual language classrooms. *Soleado, DLeNM,* 10–11.

Nagy, W. E., & Scott, J. A. (2000). Vocabulary processes. In M. L. Kamil, P. Mosenthal, P. D. Pearson, & R. Barr (Eds.), *Handbook of reading research* (vol. 3, pp. 269–284). Erlbaum.

National Center for Education Statistics. (2019). *Status and Trends in the Education of Racial and Ethnic Groups 2018* (NCES 2019–038). U.S. Department of Education. https://nces.ed.gov/pubsearch/pubsinfo.asp?pubid=2019038

National Governors Association Center for Best Practices (NGA), & Council of Chief State School Officers (CCSSO). (2010). *Common Core State standards for English language arts and literacy in history/social studies, science, and technical subjects.*

Nieto, S., & Bode, P. (2018). *Affirming diversity: The sociopolitical context of multicultural education* (7th ed.). Pearson/Allyn and Bacon.

Norman, K. (1992). *Thinking voices: The work of the National Oracy Project.* Hodder & Stoughton.

Office of English Language Acquisition. (2015). *Profiles of English Learners (ELs).* U.S. Department of Education. https://files.eric.ed.gov/fulltext/ED564277.pdf

Ogle, D. (2010). *Partnering for content literacy: PRC2 in action. Developing academic language for all learners.* Pearson.

Oquendo, A. R. (2011). Re-imagining the Latino/a race. In R. Delgado, & J. Stefancic (Eds.), *The Latino condition: A critical reader* (2nd ed.; pp. 34–41). The New York University Press.

Ortiz Hernández, E. (2006). Retos y perspectivas del currículo integrado. *Cuaderno de Investigación en la Educación, 21,* 35–56.

Otheguy, R., García, O., & Reid, W. (2015). Clarifying translanguaging and deconstructing named languages: A perspective from linguistics. *Applied Linguistics Review, 6*(3), 281.

Ovando, C. J., & Combs, M. C. (2012). Assessment. In L. Valdez, *Bilingual and ESL classrooms: Teaching in multicultural contexts* (pp. 315–366). McGraw-Hill.

Ovando, C. J., & Combs, M. C. (2018). *Bilingual and ESL classrooms: Teaching in multicultural contexts* (6th ed.). McGraw-Hill.

Palmer, D. K. (2011). The discourse of transition: Teachers' language ideologies within transitional bilingual education programs. *International Multilingual Research Journal, 5*(2), 103–122.

Palmer, D. K., & Henderson, K. (2016). Dual language bilingual education placement practices: Educator discourses about emergent bilingual students in two program types. *International Multilingual Research Journal, 10*(1), 17–30.

Palmer, D. K., Mateus, S. G., Martínez, R. A., & Henderson, K. (2014). Reframing the debate on language separation: Toward a vision for translanguaging pedagogies in the dual language classroom. *The Modern Language Journal, 98*(3), 757–772.

Pappas, C. C. (2006). The information book genre: Its role in integrated science literacy research and practice. *Reading Research Quarterly, 41*(2), 226–250.

Paris, D., & Alim, H. (2017). *Culturally sustaining pedagogies: teaching and learning for justice in a changing world.* Teachers College.

Partnership for 21st Century Skills. (2009). *Standards: A 21st century skill implementation guide.*

Paulsen, G. (2006), *The Crossing.* Scholastic Paperback.

Pawan, F., & Craig, D. A. (2011). ESL and content area teacher responses to discussions on English language learner instruction. *TESOL Journal, 2*(3), 293–311.

Pearson, P. D., & Gallagher, M. C. (1983). The instruction of reading comprehension. *Contemporary Educational Psychology, 8,* 317–344.

Peregoy, S. F., & Boyle, O. F. (2013). *Reading, writing, and learning in ESL: A resource book for teaching K-12 English learners.* Pearson.

Peregoy, S. F., & Boyle, O. F. (2017). *Reading, writing, and learning in ESL: A Resource book for teaching K-12 English learners* (7th ed.). Pearson.

Pollard-Durodola, S. D., & Simmons, D. C. (2009). The role of explicit instruction and instructional design in promoting phonemic awareness development and transfer from Spanish to English. *Reading & Writing Quarterly, 25,* 139–161.

Prevoo, M., Malda, M., Mesman, J., & Van Ijzendoorn, M. (2016). Within- and cross-language relations between oral language proficiency and school outcomes in bilingual children with an immigrant background: A meta-analytical study. *Review of Educational Research, 86*(1), 237–276.

Proctor, C., Boardman, A., & Hiebert, E. (2016). *Teaching emergent bilingual students: flexible approaches in an era of new standards.* The Guilford Press.

Reed, D., Jemison, E., Sidler-Folsom, J., & Weber, A. (2019). Electronic graphic organizers for learning science vocabulary and concepts: The effects of online synchronous discussion. *The Journal of Experimental Education, 87*(4), 552–574.

Reyes, I. (2006). Exploring connections between emergent biliteracy and bilingualism. *Journal of Early Childhood Literacy, 6*(3), 267–292.

Reyes, I. (2012). Biliteracy among children and youth: A review of the research. *Reading Research Quarterly, 47*(3), 307–327.

Reyes, M. L., & Costanzo, L. (2002). On the threshold of biliteracy: A first grader's personal journey. In L. Díaz Soto (Ed.), *Making a difference in the lives of bilingual/bicultural children* (pp. 145–156). Peter Lang.

Reyes, S. A., & Klein, T. (2010). *Teaching in two languages. A guide for K-12 bilingual educators.* SAGE.

Rodríguez, M. E. (2002). Hablar en la escuela: ¿Para qué? ¿Cómo? In Secretaría de Educación Pública (Ed.), *La adquisición de la lectura y escritura en la escuela primaria* (pp. 63–71). Secretaría de Educación Pública (México).

Rowe, L. (2018). Say it in your language: Supporting translanguaging in multilingual classes. *Reading Teacher, 72*(1), 31–38.

Ruiz Soto, A. G., Hooker, S., & Batalova, J. (2015). *Top languages spoken by English language learners nationally and by state.* Migration Policy Institute.

Ruiz, R. (1984). Orientations in language planning. *NABE: The Journal for the National Association for Bilingual Education, 8*(2), 15–34.

Sadler, P. M., & Sonnert, G. (2016, Spring). Understanding misconceptions: Teaching and learning in middle school physical science. *American Educator, 26*–32.

Salinas, C., & Lozano, A. (2017). Mapping and recontextualizing the evolution of the term Latinx: An environmental scanning in Higher Education. *Journal of Latinos in Education, 18*(4), 302–315.

Samway, K. D. (2006). *When English language learners write: connecting research to practice, K–8.* Heinemann.

Sánchez, S., Rodríguez, B., Soto-Huerta, M., Villarreal, F., Guerra, N., & Flores, B. (2013). A case for multidimensional bilingual assessment. *Language Assessment Quarterly, 10*(2), 160–177.

Sandoval, A. (2015, Winter). La enseñanza contextualizada (sheltered instruction): Un enfoque en el lenguaje del contenido. *Soleado, DLeNM,* 6–7.

Santos, M., Darling-Hammond, L., & Cheuk, T. (2012). *Teacher development appropriate to support ELLs.* Understanding Language, Stanford University. https://ell.stanford.edu/publication/teacher-development-appropriate-support-ells

Scarcella, R. C. (2003). *Accelerating academic English: A focus on the English learner.* Regents of University of California.

Schleppegrell, M. J. (2004). *The language of schooling: A functional linguistics perspective.* Routledge.

Schleppegrell, M. J., & O'Hallaron, C. L. (2011). Teaching academic language in L2 secondary settings. *Annual Review of Applied Linguistics, 31,* 3–18.

Seidlitz, J., & Perryman, B. (2011). *7 Steps to a Language Rich Interactive Classroom.* Canter Press.

Seltzer, K., & García, O. (2019). *Mantenimiento del bilingüismo en estudiantes latinos de las escuelas de Nueva York. El proyecto de CUNY-NYSIEB. Informes del Observatorio / Observatorio Reports.* Observatorio del español, FAS, Harvard University.

Sherris, A. (2008, September). *Integrated content and language instruction.* CALDigest Center for Applied Linguistics.

Shohamy, E. (2006). *Language policy: Hidden agendas and new approaches.* Routledge.

Short, D., & Fitzsimmons, S. (2007). *Double the work: Challenges and solutions to acquiring language and academic literacy for adolescent English language learners.* Alliance for Excellent Education.

Skutnabb-Kangas, T., & Phillipson, R. (Eds.). (2017). *Language rights.* Routledge.

Slavin, R., & Cheung, A. (2005). A synthesis of research on language of reading instruction for English language learners. *Review of Educational Research, 75*(2), 247–284.

Snow, C. E. (2010). Academic language and the challenge of reading for learning about science. *Science,* 328(5977), 450–452.

Snow, M. A. (2005). A model of academic literacy for integrated language and content instruction. In E. Hinkel (Ed.), *Handbook of research in second language learning* (pp. 693–712). Erlbaum.

Solano-Flores, G. (2008). Who is given tests in what language by whom, when, and where? The need for probabilistic views of language in the testing of English language learners. *Educational Researcher, 37*(4), 189–199.

Solorza, C. R. (2019). *Trans + languaging.* Beyond dual language bilingual education. *Journal of Multilingual Education Research, 9,* 103–116.

Soltero-González, L., & Butvilofsky, S. (2017). La enseñanza de la biliteracidad en programas de doble inmersión. In M. D. Guerrero, M. C. Guerrero, L. Soltero-González, & K. Escamilla, *Abriendo brecha. Antología crítica sobre la educación bilingüe de doble inmersión* (pp. 179–200). Fuente Press.

Soltero-González, L., Escamilla, K., & Hopewell, S. (2012). Changing teachers' perceptions about the writing abilities of emerging bilingual students: Towards a holistic bilingual perspective on writing assessment. *International Journal of Bilingual Education and Bilingualism, 15*(1), 71–94.

Soltero-González, L., Sparrow, W., Butvilofsky, S., Escamilla, K., & Hopewell, S. (2016). Effects of a paired literacy program on emerging bilingual children's biliteracy outcomes in third grade. *Journal of Literacy Research, 48*(1), 80–104.

Sparrow, W., Butvilofsky, S., Escamilla, K., Hopewell, S., & Tolento, T. (2014). Examining the longitudinal biliterate trajectory of emerging bilingual learners in a paired literacy instructional model. *Bilingual Research Journal, 37,* 24–42.

Steele, J. L., Slater, R., Zamarro, G., Miller, T., Li, J., Burkhauser, S., & Bacon, M. (2017). *Dual language immersion programs raise student achievement in English.* RAND Corporation. https://www.rand.org/pubs/research_briefs/RB9903.html

Struble, J. (2007). Using graphic organizers as formative assessment. *Science Scope 30*, 69–71.

Teachers of English to Speakers of Other Languages, Inc. (2006). *PreK-12 English language proficiency standards*. TESOL.

Teberosky, A. (2003). Alfabetización inicial: Aportes y limitaciones. *Cuadernos de Pedagogía, 330*, 42–45.

The Teacher Toolkit. (n/d). *Frayer Model*. http://www.theteachertoolkit.com/index.php/tool/frayer-model

Thomas, W. P., & Collier, V. (2002). *A national study of school effectiveness for language minority students' long-term academic achievement: Final report, executive summary*. Center for Research on Education, Diversity, and Excellence.

Thomas, W. P., & Collier, V. (2012a). *Dual language education for a transformed world*. Fuente Press.

Thomas, W. P., & Collier, V. (2012b). *La educación de inmersión en lenguaje dual para un mundo transformado*. Fuente Press.

Tomlinson, C. A. (2017). *How to differentiate instruction in academically diverse classrooms* (3rd ed.). ASCD.

Tompkins, G. (2018). *Literacy for the 21st Century: A balanced approach* (7th ed.). Pearson Education.

Torres Velázquez, M. A. (2016). Lectoescritura: eventos de literacidad en preescolar. *Revista Iberoamericana para la Investigación y el Desarrollo Educativo, 6*(12). https://dialnet.unirioja.es/descarga/articulo/5392758.pdf

U.S. Census Bureau. (2012). 2010 Census Summary File 1. www.census.gov

Valdés, G. (1997). Dual language immersion programs: A cautionary note concerning the education of language minority students. *Harvard Educational Review, 67*(3), 391–420.

Varlas, L. (2018). Why every class needs read alouds. *ASCD Educational Update, 60*(1). http://www.ascd.org/publications/newsletters/education-update/jan18/vol60/num01/Why-Every-Class-Needs-Read-Alouds.aspx

Vega, J. M. C. (1995). Un marco teórico alternativo a las hipótesis de Krashen. *Encuentro. Revista de Investigación e Innovación en la Clase de Idiomas, 8*, 96–109.

Velasco, P., & García, O. (2014). Translanguaging and the writing of bilingual learners. *Bilingual Research Journal, 37*(1), 6–23. https://doi.org/10.1080/15235882.2014.893270

Velasco, P., & Swinney, R. (2011). *Connecting content and academic language for English learners and struggling students Grades 2–6*. Corwin.

Vogel, S., & García, O. (2017). Translanguaging. In G. Noblit, & L. Moll (Eds.), *Oxford Research Encyclopedia of Education*. Oxford University Press.

Vygotsky, L. S. (1978). *Mind in society: The development of higher psychological processes*. Harvard University Press.

Walqui, A., & Van Lier, L. (2010). *A pedagogy of promise. Scaffolding the academic success of adolescent English language learners*. WestEd. http://www.WestEd.org/scaffoldingacademicsuccess

WIDA. (2012a). *2012 amplification of the English language development standards: Kindergarten–grade 12*. Board of Regents of the University of Wisconsin System on behalf of WIDA Consortium. https://wida.wisc.edu/sites/default/files/resource/2012-ELD-Standards.pdf

WIDA. (2012b). *WIDA focus on differentiation*. Wisconsin Center for Education Research.

WIDA. (2013). WIDA Spanish language development (SLD) standards. Board of Regents of the University of Wisconsin System on behalf of WIDA Consortium. https://wida.wisc.edu/sites/default/files/resource/Spanish-Language-Development-Standards.pdf

WIDA. (2016a). *WIDA Can Do descriptors, key uses edition*. Board of Regents of the University of Wisconsin System on behalf of WIDA Consortium. https://wida.wisc.edu

WIDA. (2016b). *Los descriptores Podemos: Usos claves del lenguaje académico en español*. Board of Regents of the University of Wisconsin System on behalf of WIDA Consortium. https://wida.wisc.edu

Wiggins, G. P. (1993). *Assessing student performance*. Jossey-Bass.

Willig, A. (1985). A meta-analysis of selected studies on the effectiveness of bilingual education. *Review of Educational Research, 55*, 269–317.

Wong Fillmore, L. (1991). Second-language learning in children: A model of language learning in social context. In E. Bialystok (Ed.), *Language processing in bilingual children* (pp. 49–69). Cambridge University Press.

Wood, K. E. (2015). *Interdisciplinary instruction: unit and lesson planning strategies K-8* (5th ed.). Waveland Press.

Wright, W. (2019). *Foundations for teaching English language learners: research, theory, policy, and practice* (3rd ed.). Caslon.

Young, T. A., Moss, B., & Cornwell, L. (2007). The classroom library: A place for nonfiction, nonfiction in its place. *Reading Horizons, 48*(1), 1–18.

Zadina, J. N. (2014). *Multiple pathways to the student brain*. Jossey-Bass.

Zembal-Saul, C. L., McNeill, K. L., & Hershberger, K. (2013). *What's your evidence? Engaging K-5 children in constructing explanations in science*. Pearson.

Zwiers, J. (2008). *Building academic language: essential practices for content classrooms, grades 5–12* (1st ed.). Jossey-Bass.

Zwiers, J. (2014). *Building academic language: Essential practices for content classrooms, grades 5–12* (2nd ed.). Jossey-Bass.

Zwiers, J., & Crawford, M. (2011). *Academic conversations: Classroom talk that fosters critical thinking and content understandings*. Stenhouse.

Lista de libros para niños citados

Ada, A. F. (2004). *Me encantan los sábados y los domingos.* Alfaguara.

Ada, A. F. (1995). *My name is María Isabel.* Atheneum Books for Young Readers

Ada, A. F. (1996). *Me llamo María Isabel.* Atheneum Books for Young Readers.

Ambert, A. N. & Crespo, G. (1997). *Por qué soplan los vientos salvajes.* Rigby.

Ancona, G. (1994). *El piñatero / The piñata maker.* Hartcourt Paperbacks.

Anzaldúa, G. (1997). *Friends from the other side / Amigos del otro lado.* Children's Book Press.

Aparicio, E. (1997). *Huracán a la vista.* Colección Saludos. Rigby.

Baker, L. (1993). *Life in the rainforests.* Scholastic.

Benchmark Education. (2020). *Benchmark Literacy (English or Spanish).* Author. https://benchmark education.com/

Cherry, L. (1990). *The great kapok tree. A tale of the Amazon rainforest.* Houghton Mifflin Harcourt.

Cipriano, J. (2011). *Los indígenas norteamericanos.* Benchmark Education.

Conklin, W. (2015). *Exploring the New World.* Teacher Created Materials.

Cowcher, H. (1992). *El bosque tropical.* Scholastic.

Epic! (n/d). Epic. The leading digital library for kids. https://www.getepic.com/

Franklin, Y. (2010). *Las selvas lluviosas (Rainforest,* Spanish ed.). Teacher Created Materials.

Fusión (2015). *Science Fusion* (Spanish ed.). Houghton Mifflin Harcourt.

Fusion (2020). *Science Fusion.* Houghton Mifflin Harcourt. https://www.hmhco.com/programs/sciencefusion

Garza, C. L. (2000). *In my family / En mi familia.* Children's Book Press.

Graham, W. (Prod.), & Stanton, A. (Dir.). (2003). *Buscando a Nemo* [Motion Picture]. Walt Disney Pixar Animation Studios.

Herrera, J. F. (2013). *Grandma and me at the flea / Los meros meros remateros.* Children's Book Press.

Hoyt, L. (Ed) (2018). *The impact of climate change / El impacto del cambio climático.* Okapi Educational Publishing.

Kramer, M. (2006). *Animal habitat.* National Geographic Society.

Krauss, R., & Johnson, C. (1996). *La semilla de zanahoria* (Spanish ed.). Scholastic.

Lee, K. (2013). *El safari de los animales.* Arbordale Publishing.

Lowell, S., & Harris, G. (1992). *The three little javelinas.* Cooper Square Publishing LLC.

Martin, C. (2001). *We Vote.* Newbridge Educational Publishing.

Mistsumasa, A. (2004). *Las semillas mágicas.* Fondo de Cultura Económica.

National Geographic Learning (2013). *Arrecifes de coral.* Explorer Books (Pathfinder Spanish Science: Habitats). Author.

Paulsen, G. (2006). *The Crossing.* Scholastic.

Philipek, N. & Kirland, K. (2015). *Los tres cerditos.* Editorial Picarona.

Reading A-Z (n/d). *Reading A-Z leveled books.* https://www.readinga-z.com/books/

Rey, H. A. (2007*). Jorge el curioso siembra una semilla.* Houghton Mifflin Books for Young Readers.

Rice, H. (2012). *Entra al bosque lluvioso.* Teacher Created Materials.

Rice, W. B. (2012). *Amazon Rainforest.* Teacher Created Materials.

Rosinsky, N. M., & Boyd, S. (2007). *Imanes: atraen y rechazan (Ciencia asombrosa)* (Spanish ed.). Picture Window Books.

Spelman, L. (2014). La enciclopedia de los animales. National Geographic Children's Books.

STEMscopes (2014). *StemScops Science Curriculum.* Rice University. https://www.stemscopes.com/

Studies Weekly (2019). *Studies Weekly Social Studies Curriculum for K-8* (English/Spanish). Author. https://www.studiesweekly.com

Taylor-Butler, C. (2008). *La vida en el bosque tropical.* Children's Press.

Trumbauer, L. (2006). *Descubre la selva tropical.* Capstone Press.

Willow, D. (1993). *Dentro de la selva tropical.* Charlesbridge.

Yolen, J. (1996). *Encuentro* (Spanish ed.). Libros Viajeros.

Índice de términos